Das Titelbild, fotografiert von Wilfried Krucker, zeigt die astrologische Uhr des Torre dell' Orologio am Markusplatz in Venedig. Er wurde zwischen 1496 und 1499 von Mauro Loducci erbaut. Das Zifferblatt ist aus blauem Lapislazuli gefertigt und zeigt die Mond- und Sonnenphasen sowie die Tierkreiszeichen.

Die Horoskopgrafiken wurden von Ingrid Krucker mit der Software Astroplus berechnet, www. astrocontact.at

WOLFGANG KRUCKER

Das Entwicklungspotential
der Persönlichkeit

Ihre Struktur, Zeitqualität und astrologische Signatur

Das Manual
für Einsteiger, Psychotherapeuten
und Berater

tao.de

© tao.de in J. Kamphausen Mediengruppe GmbH, Bielefeld

1. Auflage 2016

Wolfgang Krucker: Das Entwicklungspotential der Persönlichkeit
Umschlaggestaltung und Satz: Wilfried Klei
Coverbild: Wilfried Krucker
Horoskopbilder: Ingrid Krucker
Printed in Germany

Verlag: tao.de in J. Kamphausen Mediengruppe GmbH, Bielefeld,
www.tao.de, eMail: info@tao.de

Bibliografische Information
der Deutschen Nationalbibliothek

Die Deutsche Nationalbibliothek verzeichnet diese
Publikation in der Deutschen Nationalbibliografie;
detaillierte bibliografische Daten sind im Internet
über **http://dnb.d-nb.de** abrufbar.

ISBN Paperback: 978-3-96051-041-3
ISBN Hardcover: 978-3-96051-042-0
ISBN E-Book: 978-3-96051-043-7

Zusammenfassung

- Astrologische Konzepte schaffen Erkenntnisse und bilden eine Wahrheit über das Leben des Menschen ab. Sie beruhen auf den Erfahrungen der astrologischen Tradition, die zu den ältesten der Kulturgeschichte der Menschheit gehört. In dieser Arbeit stellt sich die Frage, ob sich diese Aussagen überprüfen lassen. Wenn ja, soll die Astrologie für die Psychotherapie fruchtbar gemacht werden.

- Der theoretische Rahmen des astrologischen Denkens wird in dieser Arbeit so dargestellt, dass er nachvollzierbar und plausibel ist. Dazu werden ganz viele astrologische Ansätze weggelassen und Sachverhalte werden zum Teil vereinfacht. Es sollen nur jene theoretischen Ansätze übernommen werden, welche die Astrologie für Interessenten-innen verstehbar macht. Gleichzeitig soll nur das übernommen werden, was es braucht, um mit einem leicht verständlichen Konzept astrologisch arbeiten zu können.

- Zu diesem Zweck ist es nötig, die wissenschaftlichen Überlegungen bei der Erkenntnisgewinnung kurz zu thematisieren. Ebenso wird die Frage aufgeworfen: wem können sich Erkenntnis zeigen oder in welche Offenheit können Phänomene zum Vorschein kommen? Das Menschenbild bietet einen Rahmen, ob astrologische Vorstellungen darin einen Platz finden können. Erfahrungen, wonach es eine Einheit des Seins gibt und sich ein Teil dieser Einheit im Ganzen spiegelt, werden dazu angeführt. Ein nicht ausschliesslich materialistisches Menschen- und Weltverständnis erleichtert den Zugang zur Astrologie. Im andern Fall ergibt sich gerne eine Abwehrhaltung gegenüber dem, was scheinbar nicht sein kann.

- Die Kräfte, welche den astrologischen Prozess strukturieren, werden als archetypische Energien beschrieben. Archetypen wirken oder zeigen zumindest an, dass sich etwas verwirklicht, aber sie verwirklichen

9

nicht etwas Bestimmtes in einem deterministischen Sinn. Der Effekt der Archetypen ist akausal, es bleibt aber eine Bandbreite von verwirklichten Phänomenen. Deren Feld ist wahrscheinlich unendlich gross und gleichzeitig begrenzt durch die Existenz von andern Archetypen, die sich voneinander unterscheiden. Die Gleichheit der archetypischen Phänomene eines Typus liegt in deren Wesensgleichheit, die alle unterschiedlichen Phänomene eines Typus durchwaltet. Ohne dieses Prinzip richtig verstanden zu haben, ist Astrologie nicht zu verstehen. Obwohl die praktische Arbeit zeigt, dass mit diesem Begriff von Archetypus sinnvolle Ergebnisse erzielt werden können, ist es nicht ausgeschlossen, dass dieser Begriff ein vorläufiges Konzept ist. Es bleibt offen, ob Archetypen ein naturwissenschaftlich erfassbares Substrat haben und wie sie genau die konkreten Äusserungsformen bewerkstelligen.

- Eine Folge dieses Verständnis der Archetypen, aber auch des offenen Menschenverständnis ist es, dass aus einem Horoskop nicht die zukünftige Verwirklichung der konkreten Verhaltensweisen eines Menschen vorausgesagt werden kann. In der astrologischen Tradition wurde dies versucht und möglicherweise wurden auch einige Treffer erzielt. Das individuelle Bewusstsein der Menschen etwa vor 2000 Jahren war jedoch noch nicht so entwickelt wie heute. Die Lebensstrukturen waren starrer festgelegt und individuelle Freiheiten spielten eine kleine Rolle. Damit waren Voraussagen damals eher möglich als heute. Auf der anderen Seite hatten die Astrologen seit der Entwicklung der Naturwissenschaft ein Legitimationsproblem. Was lag näher, als mit einem Treffer beweisen zu wollen, dass an Astrologie etwas dran ist.

- Ein retrospektives Verständnis des Horoskops ausgehend von der konkreten Lebenssituation ist aber möglich. Die Analyse zeigt, wie Archetypen gelebt werden, wie die allgemeine Persönlichkeitsstruktur aussieht und wo Stärken und Schwächen liegen. Erst aufgrund der individuellen Verarbeitung, der Anamnese und der Lebensumstände wird ersichtlich, ob alle Archetypen im Leben zum Zug kommen oder ob beispielsweise einige in Verdrängung geraten sind. Ebenfalls wird ersichtlich, auf welcher Reifestufen Archetypen gelebt werden und wo auf der archetypischen Bandbreite ein konkretes Verhalten liegt. Dies ist der Grund, dass gleiche Konstellation bei verschieden Personen zu völlig unterschiedlichen Verhalten führen kann. Das Verständnis für eine Person kann ungemein gesteigert werden, wenn der Blick aufs Horoskop möglich ist und Verhaltensalternativen klar werden. Wenn versucht wird, ausschliesslich mit statistischen Methoden die Validität der Astrologie prospektiv zu belegen, wird deren Wesen ignoriert. Umgekehrt soll Astrologie kompatibel mit einem adäquaten Menschenverständnis sein.

• Es gibt eine Vielzahl von Astrologen beispielsweise Liz Greene oder Stephan Arroyo, die traditionelle Auffassungen modernisiert und ein psychologisches Grundverständnis entwickelt haben. Von psychologisch-psychiatrischer Seite war der Beitrag der transpersonalen Psychologie ein wichtiger Beitrag dazu. Besonders die Arbeiten des Psychiaters Stanislav Grof haben gezeigt, dass Astrologie ein wirksames Instrument in der Psychotherapie ist.

• Das Verständnis des Horoskops wird nach den Leitlinien der Schule nach Wolfgang Döbereiner entwickelt und im Detail von G. Brown und H.P. Hadry übernommen. Ergänzungen aus der Schule von B. und L. Huber kommen dazu.

• Vergleiche von Horoskopen der bekannten Tiefenpsychologen und von zitierten Autoren geben Hinweise für einen Zusammenhang von Horoskop und Persönlichkeitsstruktur. Selbst ohne vertiefte Analyse und Kenntnis der Lebensgeschichte lassen sich Argumente für eine Einschätzung der jeweiligen Horoskope finden.

• Die Techniken der zeitlichen Auslösungen der Archetypen zeigen eine neue Qualität der psychologischen Erfahrung. Eine Reihe von Fallgeschichten zeigt, wie psychologische Diagnostik und Therapie durch astrologische Konzepte ergänzt und differenziert wird. Die Stimmigkeit der astrologischen Konzepte bei den angeführten Beispielen ist überraschend oft gegeben.

- Der Einbezug der Astrologie für einen psychotherapeutischen Prozess ist noch nicht Standard, könnte es aber werden. Der Hauptgewinn des astrologischen Anasatzes liegt in der Erweiterung des Bewusstseins des Psychotherapeuten. Er gewinnt ein vertieftes Verständnis für den Patienten und findet zusätzlich eine Vielzahl von Hypothesen für seine Arbeit. Der therapeutische Zugang ist jedenfalls anders als im astrologischen Coaching. Speziell mit den bekannten astrologischen Deutungen, sei dies in Büchern oder aus computergestützten Texten, wird dem Klienten gesagt, dass er eine bestimmte Konstellation hat und dass dies eine bestimmte Bedeutung hat. Das kann für den therapeutischen Zugang so verkürzt nicht gelten. Astrologische Konstellationen sind zwar gegeben. Die Fragestellungen und Interventionen oder Deutungen können sich aber im therapeutischen Kontext ergeben. Alle handbuchartigen astrologischen Deutungen, sind bestenfalls Hypothesen, im schlechtesten Fall Behauptungen. Astrologische Deutungen entstammen der Tradition, wurden anhand von Klienten gewonnen oder wurden im Lauf der Jahre deduktiv von astrologischen Theorien abgeleitet und sind möglicherweise nicht empirisch überprüft. In einer Psychotherapie sind Hypothesen dagegen Möglichkeiten, die im Dialog mit dem Patienten erst erschlossen werden können. Sie werden nicht blind aus einem Text, der für die Allgemeinheit gilt, als Wahrheit übernommen. Die möglichst freie und verantwortungsbewusste Gestaltung der Lebensmöglichkeiten eines Patienten bleibt das Ziel einer Psychotherapie.

- Nach dieser ersten Bewährungsprobe wird das Verständnis von Zeit mit verschieden Techniken wie Transiten, Solaren und der Technik der Geburtszeitkorrektur erweitert. Auch hier zeigen Fallbeispiele die Plausibilität der Astrologie. Das Neue daran ist das Phänomen, dass astrologische Archetypen ihre bevorzugte Zeit haben, in derer sie manifest werden. Im besten Fall kann damit eingeschätzt werden, wie der zeitliche Verlauf einer Symptomatik voraussichtlich sein wird.

- Anschliessend werden weitere Konzepte zur Beziehungs- und Zeitqualität dargestellt wie Synastrie, Composit- und Combinhoroskop.

Eine weitere Sequenz von Fallgeschichten klärt die astrologische Struktur und die zeitlichen Auslösungen. Eine Darstellung eines Gesamtverlaufs einer Psychotherapie zeigt, dass die einzelnen besprochen astrologischen Techniken hilfreich für das Verständnis sind. Die Fallbeispiele unterstützen den Eindruck, dass Astrologie Aspekte der menschlichen Psyche und ihrer zeitlichen Verwirklichung abbildet.

- Anschliessend wird anhand von lebensgeschichtlichen Daten aus einer kleinen Stichprobe von Menschen, die nicht in Psychotherapie stehen, überprüft, ob sich das astrologische Konzept validieren und empirisch überprüfen lässt. Auch hier liegen die positiven Ergebnisse weit jenseits von möglichen Zufallsergebnissen.

- Schlussendlich werden quantenphysikalische Prinzipien mit einem spirituellen Menschenbild und astrologischen Gedanken in Verbindung gebracht und mit einem Hinweis auf Therapien erweitert, die sich auf Quantenprozesse berufen.

- Kurzzusammenfassungen als Leitfäden für die praktische Arbeit erlauben eigene Erfahrungen, um die Validität von Astrologie zu beurteilen.

Einleitung

Was könnte ein Grund sein, Astrologie und Psychotherapie miteinander zu verbinden? Ist es nicht klar, dass Astrologie von einem wissenschaftlichen Standpunkt her abzulehnen ist und schon deren Grundidee eines Zusammenhangs zwischen Geschehnissen am Himmel und der psychischen Verfassung abstrus ist? Solche und ähnliche Fragen stellten sich, als der ehemalige Chefarzt der Ostschweizer Kinder- und Jugendpsychiatrischen Dienste Dr. med. Hermann Städeli um 1980 eine astrologische Sichtweise entdeckte. Nachdem er ein Ambulatorium in St. Gallen und eine stationäre Kinder- und Jugendpsychiatrische Klinik in der Nähe von St. Gallen aufgebaut und geleitet hatte, war er dabei, ein Netz von Kinder- und Jugendpsychiatrischen Ambulatorien in den verschiedenen Regionen der Ostschweiz aufzubauen. Als junger Mitarbeiter gefiel mir der Pioniergeist in diesem Dienst und eines Tages kamen wir im Rahmen der internen Weiterbildungen auf die Arbeiten des Psychiaters Stanislav Grof zu sprechen. Am Psychiatrischen Forschungszentrum in Prag befasste er sich schon früh mit aussergewöhnlichen Bewusstseinszuständen und erforschte die psychotrope Wirkung von LSD, das der Chemiker Albert Hofmann zuvor in Basel entdeckt hatte. S. Grof publizierte in der Folge über die Implikationen seiner Forschungen und wurde in den USA neben Abraham Maslow und Antonie Sutich Mitbegründer der Transpersonalen Psychologie. Nach unserer Diskussion hat H. Städeli damals S. Grof kurzerhand nach St. Gallen zu einem Workshop eingeladen. S. Grof arbeitete schon seit Jahren in Amerika und lernte im kalifornischen Esalen Institut in Big Sur den in Genf geborenen Ausbildungsleiter Richard Tarnas kennen. Beide kamen dort in Kontakt mit der Astrologie. Über den Kontakt zu S. Grof wuchs das Interesse von H. Städeli an der Astrologie. In seiner Autobiografie beschreibt Städeli (2004) seinen Weg vom Medizinstudium, seiner Ausbildung zum Kinder- und Jugendpsychiater mit seinen Erfahrungen in Kliniken in San Francisco und Berkley in Kalifornien, die seinen späteren interdisziplinären Arbeitsstil geprägt haben. Städeli meinte, dass er in den dienstinternen Weiterbildungsveranstaltungen und Seminaren ab 1982 an Grenzen gestossen sei und dass ihm die Erfassung der Lebensgeschichte und intellektuelle Einsichten in das Unbewusste nicht mehr genügten. Ihm fehlte der Zugang zu den Tiefen der menschlichen Seele. So beschäftigte er sich mit den Schriften von Stanislav Grof, Abraham Maslow, Charles Tart, Fritjof Capra und Ken Wilber. Gleichzeitig befasste er sich mit den Arbeiten der Astrologen Jean Claude Weiss, Liz Greene und Howard Sasportas. Für Städeli wurde so das Horoskop ein Wegweiser, der ihm Hinweise auf die Persönlichkeit und die Anlagen eins Menschen gab. Er glaubte, dass die psychische Struktur ohne Horoskop nur unvollständig zu erfassen sei und zum Beispiel Paartherapien schon gar nicht zu verstehen seien. Er wies auf ein anderes Beispiel einer jungen Frau mit Verwirrungszuständen hin, die unter einem sechs Monate dauernden Einfluss eines Neptuntransits stand. Nach einer begleitenden Psychotherapie wurde die Frau nach sechs Monaten tatsächlich gesund. Ab 1986 unterrichtete Städeli Kurse in Astrologie für interessierte Mitarbeiter. In seiner zweieinhalbjährigen Weiterbildung bei Stanislav Grof erlebte er die Macht von veränderten Bewusstseinszuständen. Erst nach seiner Pensionierung fand H. Städeli Zeit, sich vermehrt mit Astrologie zu befassen und nach vielen Jahren Arbeit publizierte er 2002 sein zweibändiges Buch „ Der Kosmos in uns". In dieser Arbeit ging es darum zu zeigen, dass astrologische Archetypen in unserem täglichen Leben, aber auch in der Geschichte wie z. B. im alten Ägypten präsent waren. Er stellte sein Buch seinen ehemaligen Mitarbeitern und den regionalen Psychotherapeuten vor. Das Echo war wohlwollend, obwohl H. Städeli als Vertreter einer akademischen Disziplin nicht unbedingt der Mann war, von dem man ein solches Buch erwartet hatte. Ich hatte Städeli damals darauf angesprochen, dass sein Buch zwar astrologische Themen behandelte, aber kein Buch für die therapeutische Praxis war. So entstand Ende der 80er Jahre das erste vorläufige Konzept für dieses Buch.

Soweit ich es beurteilen kann, hat das astrologische Denken in den damals angesprochenen Kreisen keinen nachhaltigen Widerhall gefunden. Es bleibt die Frage, ob es möglich ist, astrologische Gesichtspunkte nicht nur allgemein, sondern spezifisch im Hinblick auf eine diagnostische und therapeutische Arbeit fruchtbar zu machen. Da man bei einem solchen Vorhaben kritische Vertreter-innen der therapeutischen Disziplin vor sich hat, sind einige Punkte zu berücksichtigen. Es müsste gezeigt werden, wie sich aus wissenschaftlicher Sicht ein solches Vorgehen rechtfertigen lässt. Damit ist die Frage des Menschenbilds und des methodischen Vorgehens angesprochen. Zum andern müssten die Gedanken folgerichtig nachvollziehbar sein, was Astrologie ist und wie sie funktioniert. Weiter braucht es klinische Beispiele, die das Gesagte untermauern und zeigen, dass astrologische Aussagen weder willkürlich, zufällig oder an den Haaren herbeigezogen sind. Vor allem braucht es die Darstellung einer Arbeitsmethodik, die der Leser übernehmen kann, um selber zu prüfen, ob anhand seiner eigenen Erfahrungen ein Erkenntnisgewinn zu erzielen ist oder nicht.

Konkret ist das vorliegende Buch auf vier Teilen aufgebaut. Erstens werden die theoretischen Grundlagen der Astrologie dargestellt. Wie auch in der Psychologie gibt es verschiedene theoretische Schulrichtungen. Ich habe die Döbereinerschule ausgewählt, weil ich hier die besten Ansätze fand und zwei Autoren, nämlich G. Brown und H.P. Hadry, mit grosser Klarheit die Logik der Astrologie beschrieben haben. Allerdings sind in dieser Arbeit entgegen der Döbereinerschule die Horoskope der Klarheit halber mit den Aspektlinien eingezeichnet. Auf die technischen Berechnungsgrundlagen der Horoskope kann ich jedoch nicht eingehen, da hier viel Spezialwissen nötig ist. Ein astrologisches Softwareprogramm, das die Funktionen für die hier berücksichtigte Döbereinerschule berechnet, ist Astroplus.

Ein zweiter Teil des Buches befasst sich mit bisherigen Konzepten über die Verbindung von Psychologie und Astrologie. Anhand von Vergleichen von Horoskope von bekannten Autoren wird zur Einstimmung eine erste Plausibilität zugunsten der Astrologie aufgezeigt.

Ein dritter Teil zeigt eine vertiefte Analyse der Verbindung von Psychotherapie und Astrologie. Dazu werden Fallbeispiele aus der Praxis verwendet, die nicht speziell ausgewählt wurden, sondern die sich spontan ergeben haben. Es gibt drei Untergruppen von praktischen Beispielen. In der ersten Gruppe stellte sich die Frage, gibt es eine relevante Verbindung zwischen Symptomatik und Faktoren des Horoskops? Da dies der Fall war, wurde die zweite Untergruppe zu Rate gezogen mit der Frage, zeigt sich neben der astrologischen Struktur auch eine zeitliche Dimension der Symptomatik? Auch dies war der Fall, sodass in der dritten Untergruppe von Fallbeispielen eine systematische Analyse von psychologischen und astrologischen Elementen zu einer sinnvollen Verbindung der beiden Ansätze führte.

Im vierten Teil werden verschiedene astrologische Techniken im Hinblick auf die Plausibilität der Astrologie bewertet.

Die vier Teile sind nicht strikt nacheinander und voneinander getrennt dargestellt, wie es der Übersichtlichkeit halber denkbar wäre. Aus didaktischen Gründen ist es eher so, dass die Kapitel aufeinander aufbauen und es so zu einer grösseren Abwechslung von Theorie und Praxis kommt. Die leicht verständliche Einführung in die Astrologie ist gleichermassen für Einsteiger geeignet, bietet aber auch Psychotherapeuten und Beratern eine Arbeitsgrundlage.

Zur Geschichte der Astrologie

W. Gundel (1936) erforschte die frühen Wurzeln der Astrologie. Ein Beispiel dazu ist ein Traktat, das er im britischen Museum gefunden hat und das den Namen Harleianus Nr. 3731 trägt. Die Abschrift von einem Original geht auf karolingische Zeit zurück. Aussergewöhnlich ist, dass das Traktat ein Liber Hermetis Trismegisti enthält, dessen Inhalte auf das dritte vorchristlichen Jahrhunderts datiert werden kann. Der Astrologe Firmicus (2008) bezeugte in der Antike, dass der allmächtige Gott Hermes diese Lehre den göttlichen Alten Äskulap und Anubis mitgeteilt habe. Am Anfang stehe die grundlegende Auffassung, dass der Mensch ein Gleichnis des Makrokosmos sei und dass die Gestirne im Moment der Geburt eines Menschen sein Schicksal anzeige. Schon damals wurde die Lehre von den vier Quadranten im Horoskop formuliert. Daran könne man bei der Geburt den Verlauf von vier späteren Lebensalter erkennen. Die vier Quadranten würden im Uhrzeigersinn das erste Lebensalter, das mittlere Alter, das Greisenalter und schliesslich das gelebte Leben bis zur Todesstunde repräsentieren. Viele Astrologen des Altertums bestätigten, dass sie die Lehren des Hermes befolgt haben. Der Text ist durch verschiedene Hände gegangen und beruht auf einem verlorenen Urtext der hellenistischen Astrologie. Er zeigt, wie die hellenistischen und ägyptischen Autoren die verschiedensten astrologischen Techniken bis in die Details ausgearbeitet haben. Es ist anzunehmen, dass diese Techniken auf verschiedene ägyptische Tempelorakel zurückgehen. W. Gundel meint, dass nur ein Gott wie Hermes Trismegistos, ein König oder hohe Würdenträger es wagen durften, diese Priesterlehren zu sammeln und den griechischen Gelehrten zugänglich zu machen. Diese Schriften sind als hellenistisches Kompendium des Hermes bekannt geworden. Beispielsweise wurde unter dem Namen des Königs Nechepso eine Abhandlung der Tierkreiszeichen dem Autor Hermes selber zugeschrieben. Der Urtext des Traktats wurde im Verlaufe der Zeit immer wieder überarbeitet oder erweitert. Wurde in frühester Zeit von Sternengöttern ausgegangen, die das Schicksal der Menschen bestimmen, erfolgte die Interpretation von kosmischen Energiequellen als Alternative dazu schon im zweiten vorchristlichen Jahrhundert. W. Gundel beurteilt den Fund als besonders wertvollen Teil der ältesten astrologischen Berichte, der in diesem hermetischen Werk unverhofft wieder zugänglich wurde.

Die Ärztin I. Eisenmann-Stock (2011), ergänzt, dass viele Götter ursprünglich erleuchtete Menschen waren, deren Wirken im Lauf der Zeit legendär wurde und diese Menschen schliesslich als Götter galten. Das habe auch für den ägyptischen Mondgott Thoth gegolten, der später von den Griechen Hermes Trismegistos, den Dreimalgrossen genannt worden sei. Er sei unter anderem als Begründer der ägyptischen Kultur, Vater der Wissenschaft und als Schriftgelehrter der Götter genannt worden. Platon sagte von ihm, dass Hermes Zahl und Schrift, Mathematik und Astrologie entwickelt habe. Hermes sei einer der grössten Eingeweihten aller Zeiten gewesen. Klemens von Alexandrien habe das Vorhandensein von 30 000 Schriftrollen von Hermes erwähnt, die in der Bibliothek des Grabmals von Orymandias aufgestellt waren. Der römische Kaiser Alexander Severus habe später in seinem Machtanspruch ganz Ägypten durchsucht, um heilige Bücher über Mystizismus zu zerstören. Dabei seien viele Schriften von Hermes zerstört worden. Seleucus, dessen genaue Identität umstritten ist, datierte immer noch 20 000 Werke von Hermes in die Zeit vor der Herrschaft von Menes. Gemäss Wikipedia galt Menes als altägyptischer König aus der 1. Dynastie, der um das Jahr 3000 gelebt hat. Sein Name steht auf der Königsliste von Abydos aus der Zeit von Sethos I, wo er als erster Kartuschenname die Königsliste offiziell einleitet. Manetho, ein Tempelschreiber aus Sebeunytos im altägyptischen Theben, schrieb um die Mitte des 3. Jahrhunderts vor Chr. eine Chronik der ägyptischen Geschichte. Danach habe Menes 62 Jahre regiert. Eusebius, gestorben 339 n. Chr., war ein belesener Gelehrter, der Zugang zu vielen Quellen und Archiven hatte und Bischoff von Caesarea wurde. Er habe die Bibliothek des Pamphilos benutzt und berichtete, dass er noch 42 Bücher von Hermes gesehen habe. Von Hermes wurden auch die sieben hermetischen Prinzipien im Buch Kybalion (1981) bekannt.

Wie ist Hermes zu seinem kosmischen Bewusstsein gekommen? Nach I. Eisenmann - Stock sei Hermes nach langer Meditation über Wesen und Ursprung des Seins zu einem Erleuchtungserlebnis gekommen. Hermes berichte, dass ihn ein unendliches Wesen beim Namen gerufen habe. Wer bist du, fragte Hermes? „Ich bin der Weltengeist, ich will dich lehren, den Ursprung des Seins zu erkennen". Das Auge des Geistes habe sich aufgetan und Hermes habe ein unbegrenztes Gesicht gesehen, das von hellen Licht durchflutet war und Entzücken ausgelöst habe. Nach dem Licht sei eine schreckliche Dunkelheit aufgetaucht, dann ein Feuer. Aus dem Feuer sei der Logos getreten und habe erklärte, das Licht sei der Geist der Gottheit, die Finsternis sei die materielle Welt und das Feuer das göttliche Wort. Danach habe Hermes begonnen, die befreiende Botschaft von dieser Erkenntnis zu lehren. Nach I. Eisenmann weisen alle Berichte Hermes als Mystiker aus. Was die Menschen Tod nennen sei danach nur Erneuerung und Verwandlung des Lebens. Der Mensch könne seiner Unermesslichkeit gewahr werden und die Räumlichkeit und Zeitlichkeit überspringen.

Ob diese Geschichte Wahrheit oder Legende ist, diese frühesten Einschätzungen über die Natur des Menschen decken sich weitgehend mit den Berichten anderer Mystiker oder Religionsstifter und mit ganz modernen Vorstellungen, auf die später zurückzukommen sein wird.

Nach W. Knappich (1988) und D. / J. Parker (1984) haben auch die Priester der Summerer vor über 4000 Jahren die Bewegungen der Sterne am nächtlichen Himmel studiert und bestimmten deren Rhythmen. Gemäss dem damaligen Weltbild ging es darum, mögliche Offenbarungen der Götter zu erfahren. Im alten Ägypten war der heutige Tierkreis noch nicht bekannt. Jene Art Astrologie beruhte nicht auf einer direkten Himmelsbeobachtung, sondern auf einer Deutung der von den Göttern beherrschten Zeiträume anhand von Göttersagen. In der ältesten gefundenen Keilschrift war das Sternensymbol ein Zeichen für Gott. In ptolemäischer Zeit um 200 v. Chr. befanden sich im Khum Tempel zu Esnet die älteste Liste der 12 Tierkreiszeichen, wo markante Sterne zu den Sternbildern des Tierkreises gruppiert waren. Die Astrologie begann sich zu entwickeln, als wiederkehrende Planetenkonstellationen mit gleichzeitig stattfindenden irdischen Ereignissen in Beziehung gesetzt wurden. In einem zweiten Schritt konnte damit auch auf künftige Ereignisse geschlossen werden. 1847 wurde die älteste Bibliothek der Welt des Königs Aschurbaipal bei den Ruinen von Ninive ausgegraben. Es handelte sich um 25 000 Tontafeln mit einer Omensammlung aus der Zeit von 669-626 v. Chr. Darunter waren 4000 Tafeln mit einem Bezug zu den Sternen. Beispielsweise ist zu lesen: Wenn Venus mit ihrem Feuerlicht die Brunst des Skorpions beleuchtet, dessen Schwanz dunkel ist und dessen Hörner hell leuchten, so wird Regen und Hochflut das Land verwüsten. Ochsen und Grossvieh wird dezimiert werden. Damit erwies sich die altbabylonische Astrologie als reine Omendeutung, indem die Götter den Menschen ein Zeichen gaben, ohne dass Anzeichen einer rechnenden Sternenkunde zu finden waren.

Die älteste Tagesprognose wurde in den Ruinen von Illahuan bei Kairo aus der Zeit der zwölften Dynastie gefunden. Ebenfalls beschreibt der Papyrus Sallier aus der Zeit der neunzehnten Dynastie um 1500 v. Chr. astrologische Prognosen. Die altbabylonische Astrologie war mundan, das heisst auf bestimmte Orte oder Länder bezogen und fokussierte wirtschaftliche und politische Belange und nicht das persönliche Schicksal eines Menschen. Der erste babylonische Tierkreis hatte 18 Sternbilder. Die allersten Astrologen arbeiteten währen der Regierungszeit von Esarhaddons (681-668). Sie berechneten, wann mit der Wiederherstellung von Götterstatuen begonnen werden sollte. Erst nach dem 5. Jahrhundert vor Chr. konnte man die Bahnbewegungen der Planeten berechnen. Die zwölf Abschnitte zu je 3o Grad auf der Ekliptik wurde auf einem Keilschrifttext gefunden, der auf 419 v. Chr. datiert werden konnte. Die Ekliptik beschreibt die Bahn, die die Sonne von der Erde ausgesehen am Himmel beschreibt. Hinter der Ekliptik lagen damals die zwölf Tierkreiszeichen, nach denen die Abschnitte der Ekliptik benannt wurden. Dies wurde darum so benannt weil damals hinter den Tierkreisabschnitten die hellen Fixsterne der bekannten Sternbilder leuchteten. Wegen der Kreiselbewegung der Erde, der Präzession kam es zu einer relativen Verschiebung zwischen Tierkreis und Sternbilder. Beides deckt sich heute nicht mehr. Die Astrologie arbeitet mit den Zeichen auf der Ekliptik und nicht mit den Sternbildern, was bis heute zu Verwechslungen führt.

Das früheste gefundene individuelle Horoskop, heute in der Bodleian Bibliothek in Oxford aufbewahrt, stammt aus dem Jahr 410 v. Chr. Es betraf den Sohn von Schuma-usar, der geboren wurde, als „der Mond sich unterhalb des Horn des Skorpion befand, Jupiter in den Fischen, Venus im Stier, Saturn im Krebs ,Mars in den Zwillingen." Eine Auswertung dazu fehlt aber.

Ägypten hat zwar mit der Erfindung der Dekane von je 30 Grad bei jedem Sternbild einen Beitrag zur Astrologie geleistet. Ein erster ägyptischer Tierkreis wurde um 221 v. Chr. in einer Decke eines Gebäudes nördlich von Esna eingraviert gefunden. Aber erst in hellenistischer Zeit erlangte dies Bedeutung zusammen mit den hellenistischen astrologischen Konzepten der vier Elemente, der Planeten, der 12 Häuser sowie der Aspekte der Planeten. Unter dem Einfluss orientalischer Astrallehren wurden die griechischen Planetengötter populär. Philipp von Opus, ein Schüler Platons, hat wahrscheinlich auf dem Hintergrund von archetypischen Erfahrungen erstmalig die Namen der Planetengötter mit den realen Planeten in Zusammenhang gebracht. Plotin (205-270) n. Chr. ein römischer Philosoph, der die Ideen Platons vertrat, hat in seiner Abhandlung der vierten Enneade darauf hingewiesen, dass die Wirkung der Planeten nicht im Sinne von Ursache und Wirkung zu verstehen sei. Die Sterne würden nur eine Zeitqualität anzeigen. Seit dem 1. Jahrhundert v. Chr. war es möglich, ohne Beobachtung der Sterne Astrologie zu betreiben, da jetzt Jahrbücher und Ephemeriden mit den nötigen Berechnungen vorlagen. Claudius Ptolemaeus (ca.100-160) hat das gesamte Wissen der Sternenkunde seiner Zeit in zwei Handbüchern, der rein astronomischen „Syntaxis" und der rein astrologischen „Tetrabiblos" während seiner Zeit in Alexandria zwischen139 und 161 n. Chr. systematisch zusammengefasst. Sie sind bis heute erhalten geblieben (C. Ptolemäus 2000). Es entstand eine vom Mythos losgelöste Astrologie, in der die alten Planetengötter zu blossen Naturkräften wurden. Nicht nur der Lauf der Sonne, des Mondes und der Planeten, sondern auch bestimmte Fixsterne wurden mit allen rechnerischen Einzelheiten zusammen getragen. Ptolemäus betonte schon damals, dass es auf die Position der Planeten auf den 30 Grad Abschnitten des Tierkreises ankomme und nicht darauf, ob hinter ihnen bestimmte Sternbilder stehen oder nicht. Der bekannte Astrologe Vettius Valens aus Antiochia hat um 188 n. Chr. eine grosse Sammlung von Horoskopen zusammengetragen und ist dem Einfluss der Planeten auf die Lebensläufe seiner Klienten in allen Einzelheiten nachgegangen. Er hat Lehrbücher geschrieben und musste sich gegen Angriffe von astrologischen Gegnern verteidigen.

Im Frühjahr 1900 wurde in der Agäis aus dem Wrack eines antiken Frachtschiffes ein Instrument gefunden, das um 80 v. Chr. gefertigt worden war. Man konnte damit die Bahnen der Sonne, von Mond, Merkur, Venus, Mars, Jupiter und Saturn berechnen. (P.M. Okt.2006). Die damals gültigen Theorien wurden von den Astronomen Appolonios von Rhodos (295-215 vor Chr.) und Hipparchos von Nicäa (190-120 vor Chr.) entwickelt. Hypparchos entdeckte schon damals die Präzession, das heisst die Kreiselbewegung der Erde. Und er konnte Positionen auf der Erde mit Hilfe der geografischen Breite und Länge berechnen.

Die ersten Jahrhunderte nach Christi Geburt waren geprägt von Anhängern der Astrologie. Zunehmend stand sie aber im Widerstreit mit dem göttlichen Heilsplan der Religion und schliesslich wurde im Konzil von Toledo im Jahr 400 erklärt, "wer die Astrologie als glaubwürdig ansieht, der sei verdammt".

Im 12. Jahrhundert wurden viele astrologische Texte ins Lateinische übersetzt. So wurde beispielsweise die Tetrabiblos von Plato aus Tivoli und später das Gesamtwerk von Aristoteles anfangs des 13. Jahrhunderts übersetzt. In der Folge haben bekannte Persönlichkeiten wie Albertus Magnus, Thomas von Aquin oder Dante die astrologische Theorie anerkannt. Ebenfalls hat die Kirche damals die Astrologie als Wissenschaft akzeptiert.

Im Mittelalter blieb die Astrologie im persönlichen und gesellschaftlichen Leben aktuell .Speziell in der Medizin war es bis ins 18. Jahrhundert an einigen Universitäten nicht möglich, ohne Astrologie die Examen als Arzt zu bestehen. Morin de Villefranche (2005), (1583-1650) war Arzt und Professor für Mathematik. Er veröffentlichte 1660 die 26 bändige Astrologica Gallica. Er war mit Descartes befreundet und schloss sich ganz dem neuen methodischen Denken an. Dieser Erneuerung im astrologischen

Denken fielen alle subjektiven und psychischen Inhalte zugunsten von Objektivität weg. Placidus de Titlis (1603-1689) war Mönch und wurde später Professor für Physik und Mathematik an der Universität Pavia. Auf ihn geht das gleichnamige Häusersystem zurück. Als sich mit Keppler, Galilei und Newton die kopernikalische Wende durchsetzt hat, kam die Astrologie mit ihrem geozentrischen Weltbild in Konflikt mit dem neuen wissenschaftlich begründeten heliozentrischen Weltbild. Sie verlor damit immer mehr an Einfluss. Allerdings zitiert B. A. Mertz (1995) Johannes Keppler, der gesagt habe, dass zwanzig Jahre emsiger Praxis seinen rebellischen Geist von der Astrologie überzeugt habe. Daneben spielten für den schwindenden Einfluss der Astrologie der kulturelle Niedergang im 30 jährigen Krieg und der steigende Druck der Kirche auf die freie Forschung eine Rolle.

Ebenfalls zitiert Mertz als Vertreter der modernen Wissenschaft Albert Einstein. Danach sei die Astrologie eine Wissenschaft für sich, aber eine wegweisende. Er habe viel aus ihr gelernt. Deshalb sei sie eine Art Lebenselexier für die Gesellschaft. Mit der Neuzeit setzte sich eine symbolische Astrologie durch. S. Freud zeigte auf, dass es tiefe Schichten des Bewusstseins gab. C. G. Jung erschloss das kollektive Unbewusste und die archetypischen Bilder des Menschen, die verblüffende Ähnlichkeiten mit Mythen und Märchen haben. Zusätzlich gab er laut Mertz an, dass die Determinierung des naturwissenschaftlichen Zeitalters die Überzeugungskraft des Synchronizitätsprinzips nicht löschen konnte und dass Synchronizität kein Aberglauben sei. Vorreiter der modernen Astrologie waren unter anderen Thomas Ring, Dane Rudhyar oder Liz Greene. Speziell in der Schweiz entwickelten Bruno und Louise Huber auf dem Hintergrund der Psychosynthese des Psychiaters Assagioli (1988) seine psychologische Astrologie. Mit dem Aufkommen der Computer für den Hausgebrauch und entsprechender Software wurde die Arbeit einfacher und auch populärer. In den letzten zwanzig bis dreissig Jahren sind in der Folge die Publikationen über jedes denkbare Gebiet der Astrologe sprunghaft angestiegen. Die Geschichte hat gezeigt, dass das Verständnis der Astrologie sehr eng an das Verständnis der Welt im Ganzen gebunden war. Offenbar hatten sich schon in frühester Zeit die komplizierten

Berechnungen der Planetenbahnen gelohnt, um daraus einen Gewinn für Erntezeiten zu gewinnen oder wichtige Fragen von gesellschaftlicher Bedeutung zu lösen. So wie heute wurde die Astrologie aber auch abgelehnt. Speziell die naturwissenschaftliche Auffassung des Kausalitätsprinzips und das heliozentrische Weltbild konnten die scheinbaren Irrtümer der Astrologie offenlegen. Nach den neuesten Erkenntnissen über Mensch und Welt stellt sich aber die Frage, ob die Astrologie eine Form des Aberglaubens ist oder eine andere Form, den Menschen und die Welt zu sehen.

Ist Astrologie wissenschaftlich belegbar?

Schon Karneades von Kyrene (214-129 v. Chr.) gab zu bedenken, dass verschiedene Personen, die zur gleichen Zeit und am selben Ort geboren wurden, später ein unterschiedliches Schicksal hätten. Heute gibt es eine Reihe von empirischen Untersuchungen, um astrologische Hypothesen zu beurteilen. Ein Beispiel sind die Untersuchungen von M. Gauguelin (1973) in Frankreich. Die Untersuchung war laut S.Grof (2006) darauf angelegt die Astrologie zu entlarven. In mehr als 40 jähriger Arbeit hat M. Gauguelin die Daten von über 20 000 berühmten Persönlichkeiten geprüft. Dabei zeigte sich, dass etwa bei Sportlern der Mars im Horoskop überdurchschnittlich oft am Aszendent stand. Bei Schriftstellern und Malern stand der Mond signifikant öfter an dieser Stelle. Zur Überraschung der Forscher zeigten sich deutliche Signifikanzen. Die statistische Wahrscheinlichkeit, dass dieses Phänomen zufällig war, lag bei eins zu fünf Millionen. Die Daten seien später von andern Forschern durch unabhängige Untersuchungen bestätigt worden. In Amerika gab es eine Organisation namens CSICOP, die das Anliegen hatte, gegen unwissenschaftliche okkulte Meinungen wie die der Astrologie vorzugehen. Aus diesem Grund hat die Organisation eigene Untersuchungen zu diesem astrologischen Thema gemacht. Die Ergebnisse haben die Resultate von M. Gauguelin bestätigt. Nach internen hitzigen Diskussionen seien die Daten schliesslich gefälscht worden. Dennis Rawlins (1981), Mitbegründer von CSICOP habe den Betrug in seinem Artikel „Starbaby" aufgedeckt. Allerdings fand später M. Gauguelin in einer Nachfolgeuntersuchung keine statistischen Signifikanzen mehr. Bekannt wurden auch die Untersuchungen von Hans Jürgen Eysenck (1987), bis 1983 Professor für Psychologie am Institut of Psychiatrie in London, der die Resultate von Gangueline überprüfte und von positiven Ergebnissen berichtete. P. Niehenke (1987) hat ebenfalls eine empirische Studie gemacht, aber keine positiven Ergebnisse gefunden. U. Vollmer (2003) überprüfte die Wirkung von Transiten und kam bei einer Stichprobe von 400 Personen zum Schluss, dass es einen Zusammenhang vom Uranus Transit mit Lebensveränderungen gebe.

Gunter Sachs (1997) fand in empirischen Untersuchungen unter Einbezug von professionellen Statistikern allein aufgrund des Sonnenstandes im Horoskop signifikante Ergebnisse, die für die Validität der Astrologie sprachen. Dies wurde von Kritikern allerdings stark angezweifelt. Die Meinungsforscherin Elisabeth Noelle-Neumann, die einen Beitrag zu der Studie beigetragen hatte, schlug daraufhin vor, unabhängige Experten zur Beurteilung beizuziehen. J. Chlumsky und M. Ehling vom Bundesamt für Statistik kamen zum Schluss, dass aus statistischer Sicht keine gravierenden Mängel bei dieser Studie vorliegen würden. Die anhaltende Diskussion veranlasste G. Sachs (2014), eine zweite Studie in Angriff zu nehmen. Er wurde dabei neben seinem in der Schweiz gegründeten „Institut zur empirischen und mathematischen Untersuchung des Wahrheitsgehaltes der Astrologie in Bezug auf das Verhalten des Menschen und deren Anlagen IMWA", von versierten Statistikern der Universität München und von Sachs Bekannten, dem Nobelpreisträger für Chemie Kary Mullis unterstützt. Die Ergebnisse der Studie wurden dem Professor für Wirtschafts- und Sozialstatistik an der technischen Universität Dortmund Walter Krämer zu Beurteilung vorgelegt. Bei den 14 eingereichten Untersuchungen ergaben sich 14-mal signifikante oder hochsignifikante Ergebnisse in Bezug auf astrologische Effekte. Die Wahrscheinlichkeit, dass dies ein zufälliges Ergebnis war, wurde als ungefähr 1: Trillion mal 1 Trillion eingestuft. Die Zufälligkeit solcher Ergebnisse konnte damit praktisch ausgeschlossen werden. W. Krämer folgerte, dass ein System hinter den Ergebnissen stecken müsse. In der Folge wurden zwischen 2010 und 2013 weitere vier Studien ausgewertet, die ebenfalls signifikante Ergebnisse lieferten.

G. Sachs standen verschiedene Daten zur Verfügung. Vom statistischen Bundesamt in Bern wurden 470 000 Daten von Eheschliessungen und Scheidungen über acht Jahre zur Verfügung gestellt. Die persönlichen

Daten wurden zuvor vom Amt in Tierkreiszeichengruppen umgerechnet. Nach den ersten Ergebnissen sei es leichter geworden, zu Daten zu gelangen, sodass am Schluss insgesamt über 20 Millionen Daten zur Auswertung zur Verfügung standen. In einem weiteren Schritt wurden auch Planetenpositionen und Planetenaspekte in die Datenanalyse einbezogen. Da in diesen Datensätzen die üblicherweise notwendige Geburtszeit fehlte, suchte man nach einer Alternative. Man fand dies in Horoskopen, die aus einer heliozentrischen Perspektive gestellt werden. Die meisten Horoskope werden dagegen mit einer geozentrischen Perspektive berechnet. Hier ist die Geburtszeit nötig. Das erste Horoskop aus heliozentrische Sicht wurde 1951 vom Geologen Siegfried Schiemenz vorgestellt, in der die Sonne im Mittelpunkt von den Planeten umkreist wird. Aspekte von 60, 9o oder 180 Grad zwischen den Planeten konnten so ohne genaue Geburtszeit für ein Kosmogramm berechnet werden. Ebenfalls wurde die Präzession mit der Verschiebung des Frühlingspunktes berücksichtigt, um die Tierkreisbereiche präzise zu berechnen. Deren Abweichung besteht allerdings nur circa nun ein Jahr während eines Zyklus von 25 800 Jahren.

Welche Ergebnisse zeigten sich nun beispielsweise? Ein Resultat beruhte auf den Daten des französischen statistischen Bundesamtes INSEE von 6 498 320 Angaben über Eheschliessungen sowie 2 008 780 schweizerischen Daten dazu. Es zeigte sich, dass Paare aus demselben Tierkreiszeichen und aus demselben astrologischen Element einander häufiger heiraten. Die Wahrscheinlichkeit einer Scheidung im berühmten siebten Jahr ist um die Hälfte höher als das Scheidungsrisiko in den übrigen Jahren. Langjährige Ehepartner haben zudem signifikant mehr grosse Trigone, wo drei Planeten im Winkel von 120 Grad zueinander stehen. Im beruflichen Bereich wählen eindeutig mehr Widder den Beruf des Landwirts. Löwen sind übervertreten als Unternehmer, Direktoren oder Hoteliers. Horoskope mit einer Zusammenballung von drei Planeten an fast derselben Stelle finden sich vermehrt bei russischen Kosmonauten als auch bei Spitzenfussballern. Langsam laufende Planeten zeigen auffällige Zusammenhänge mit medizinischen Diagnosen. So zeigt ein schlecht aspektierter Neptun Erkrankungen des Blutes oder der blutbildenden Organe an. Schlussendlich scheint sich der Tod beim Menschen in gleichmässigen Schritten von ungefähr acht Jahren zu nähern. Beträgt beispielsweise im Alter von 24 Jahren das Risiko innerhalb dieses Jahres zu sterben 1:4 000, so ist es mit 32 Jahren 1:2000, mit 4o Jahren 1: 1000 und so weiter. Bei einer Geburt im November lebt der Mensch 11 Monate länger lebt als jemand, der im Mai geboren würde. Wenn Transite dazu führen, dass mindestens drei Planeten auf einer Achse in Konjunktion oder Opposition im Horoskop stehen, treten vermehrt Todesfälle der Betreffenden auf.

Die Ergebnisse dieser Untersuchungen sind eindeutig. Sie beziehen sich allerdings auf Vergleichsgruppen und nicht auf ein individuelles Horoskop. Es gibt aber keine Argumente, dass Astrologie nur mit diesem Setting, nicht aber für ein Einzelhoroskop ihre Gültigkeit belegen könnte. Ebenfalls fehlen Argumente, dass nur Horoskope mit einer heliozentrischen, nicht aber auch mit einer geozentrischen Berechnung ihre Gültigkeit zeigen könnten.

Es gab auch Versuche, die Astrologie naturwissenschaftlich zu begründen. Eine überzeugende Theorie liegt aber nicht vor. Immerhin gibt es wissenschaftlich untersuchte Phänomene, mit denen man nicht unbedingt rechnet. Eine Theorie ist der Global Scaling Ansatz. Er baut auf naturwissenschaftlichen Erkenntnissen auf und kommt zu Ergebnis, dass sehr grosse Mengen von Daten aus Natur, Forschung und Technik immer die gleiche innere Struktur besitzen. Grund dafür sei die Existenz stehender Wellenprozesse im physikalischen Vakuum. Es kann damit gezeigt werden, dass chemische Elemente eine bestimmte Struktur haben oder dass Planeten eine bestimmte Umlaufbahn zeigen. Der entstehende Ausleseprozess wirke auf die zum Leben gehörende Systeme vom kleinsten bis zum grössten. Eine Auswertung von Daten habe immer wieder sowohl im mikroskopischen wie im makroskopischen Bereich dieselben Muster ergeben. Es wird als fundamentales Fraktal bezeichnet. Ob diese Theorie eine Bedeutung für die Astrologie hat, bleibt abzuwarten. Eine andere Idee hat W. Lang (1986). Er sieht in der irdischen Perisphärenschwingung jenen Einflussbereich, den wir als irdische Tierkreiswirkung kennen. Alle astrologischen Techniken hätten ihren Ursprung in den Wechselwirkungen zwischen rotierender Erde und schwingender Perisphäre. Die Erdrotation lasse den Tierkreis entstehen und dabei komme es zu einem konstanten Vibrieren im 10 Hz Rhythmus. Diese Schwingung wirke auf jede Zelle. Ihre Resonanz führe zu einer Art Gedächtnis.

Percy Seymour (1992) Dozent für Astronomie an der Polytechnic South West in Plymouth leistete Pionierarbeit beim Einsatz mathematischer Techniken zum Studium des Erdmagnetfeldes. Er meint, einen Zusammenhang mit den Magnetfeldern und den Ergebnissen von M. Gauglin gefunden zu haben. Es bestehe ein Zusammenhang zwischen der inneren Persönlichkeitsstruktur und dem Erdmagnetfeld, das mit den Bewegungen von Sonne, Mond und Planeten in Verbindung steht. Die Lebenszyklen von jedem Organismus würden zwar biochemisch gesteuert, seien im Wesentlichen aber von mathematischer Natur.

Kulturhistorische und gesellschaftliche Entwicklungen hat der Psychologe Richard Tarnas (2007) im Zusammenhang mit astrologischen Transiten untersucht. Auch hier zeigen sich klare Ergebnisse. Beispielsweise trat bei Galileo ein Uranustransit von 180 Grad auf seinen Geburtsuranus zwischen Oktober 1609 und März 1610, als Galileo seine bahnbrechenden Entdeckungen mit seinem Fernrohr machte. Den gleichen Uranus Transit hatte Rene Descartes 1637, als er sein bekanntes Werk „Discour de la methode" veröffentliche. Ebenfalls zeigte sich bei Isaac Newton 1687 der gleichen Transit, als seine „Prinzipia „ veröffentlicht wurden. Uranus steht in der astrologischen Tradition für Durchbrüche, Entdeckungen oder Rebellion. Weitere gleiche Transite betrafen Sigmund Freud 1895 -1897 als er begann, die Psychoanalyse zu entwickeln und seine Traumdeutung verfasste. Bei C. G. Jung trat der Transit 1914- 1917 auf, als er seinen Prozess der Selbstanalyse studierte und das kollektive Unbewusste und den Prozess der Individuation darstellte.

Daneben gibt es eine Reihe von Einzelfallstudien. Anlässlich des Astrologischen Weltkongresse 2000 in Luzern gewann beispielsweise G. Lukert einen Forschungspreis. Er fand einen Zusammenhang des Jupiterzyklus mit dem Ablauf der russischen Geschichte. Auf der anderen Seite wurden gegen die Astrologie viele Argumente eingebracht.

Rich Snyder, Psychologieprofessor in Kansas, führte den Pseudo- Individualisierungseffekt an. Personen glaubten Deutungstexte, als man ihnen erklärte, es sei ein Text zu ihrem Geburtsdatum. Bekannt wurde auch das Experiment, wonach Probanden das Horoskop eines Massenmörders vorgelegt wurde und sie im Glauben gelassen wurden, es sei ihr Horoskop. Auch wurde schon argumentiert, dass aus dem Horoskop von A. Hitler nicht ersichtlich sei, was seine Taten erkläre. 1975 schrieben amerikanische Wissenschaftler, darunter 19 Nobelpreisträger im Wissenschaftsmagazin The Humanist eine Stellungsname gegen die Astrologie. Der Wissenschaftstheoretiker Paul Feyerabend, damals Professor an der Universität Berkley, meinte dazu, dass obige Wissenschaftler ein vorsintflutliches anthropologisches Verständnis hätten. Auch J. C. Weiss (1998), Astrologe und Mitbegründer einer astrologischen Ausbildungsschule, wurde mit Kontroversen konfrontiert. Er kommt nach über 40 jähriger Erfahrung zum Schluss, dass rationalistisch orientiert Wissenschaftler ständig neue Auflagen machen, um möglichst kein Einverständnis bezüglich wirksamer astrologischen Zusammenhängen abgeben zu müssen. Positive Ergebnisse würden nicht veröffentlicht oder Kontrollversuche so angelegt, dass positive Resultate möglichst verhindert werden.

Neben der praktischen Schwierigkeit Astrologie empirisch zu begründen, gibt es ebenso einige theoretischen Schwierigkeiten. Um ein Beispiel zu nennen: Es gibt zwar 12 Tierkreiszeichen, aber weniger als 12 Planeten. Vor der Entdeckung von Uranus, Neptun und Pluto kam die frühe Astrologie gar nur mit 7 Planeten aus. Bis heute behilft man sich damit, dass die Venus für zwei Tierkreiszeichen, nämlich für Stier und Waage zuständig ist und Merkur für Zwilling und Jungfrau. J. C. Weiss (1994) meint dazu, dass das Jungfrauzeichen nur ungenügend mit dem zuständigen Planeten erklärt werde könne und es sei anzunehmen, dass im Laufe der Zeit ein neuer Planet entdeckt werden könnte.

Neben dem kontroversen Nachweis aufgrund von Theorie und empirischer Überprüfung astrologischer Befunde gibt es das Argument der persönlichen Erfahrung. Wenn es Personen gibt, die das Sternzeichen von Bekannten erraten, kann das als ein Zufall aufgefasst werden. Andere sind von der Wirksamkeit der Astrologie überzeugt. Selber besuchte ich einige astrologische Lerngruppen und konnte dort beobachten, dass dies zu einer vertieften Selbstreflexion der Gruppenmitglieder führte. Viele Aha- Erlebnisse stellten sich dabei ein. Eine differenzierte Beschreibung der Herkunftsfamilie durch die Kursleiterin aufgrund des Horoskops stellte sich im anschliessenden Gespräch mit den Teilnehmern meistens als richtig heraus. Die Deutungen gingen weit über Allgemeinplätze oder als zufällig zu erklärende Fakten hinaus. Ein anderes Phänomen war ebenso eindrücklich. Die Gruppeninteraktion schien Aspekte des Horoskops der Beteiligten abzubilden. Wie in jeder Gruppe gab es Teilnehmer, die sich gerne in den Vordergrund rückten, andere hielten sich zurück. Dies korrespondierte mit einer stark gestellten Sonne oder Merkur respektive dessen Gegenteil.

Ein Verfechter aufgrund persönlicher Erfahrung war beispielsweise F. Riemann (1999). Der Psychoanalytiker wehrte sich gegen falsche Unterschiebungen und meinte, dass der Astrologie ein kausales Verständnis vorgeworfen werde, was sie aber nicht habe. Nicht die Planeten würden etwas bewirken, sondern sie würden nur etwas anzeigen. Der Mensch besitze ein breites Band von Verhaltensmöglichkeiten, sodass eine Konstellation nicht ein klar definiertes Verhalten provoziere, sondern ein Potential. Der Autor sieht Grenzüberschreitungen bei Astrologen, wenn sie von einer fatalistischen Schicksalsgläubigkeit ausgehen würden.

Ein anderes persönliches Erlebnis schildert der bekannte Arzt D. Chopra (2oo5). Als gebürtiger Inder wurde er von einem Freund in der Nähe von Neu Delhi zu einem alten Mann und einem jungen Priester geführt. Der junge Priester habe selber kein Horoskop für Chopra erstellt. Alle Horoskope, die er brauche, seien schon vor vielen hundert Jahren erstellt worden und auf Palmblätter festgehalten worden. Der alte Mann übersetzte die Aussagen des Priesters vom Tamilischen ins Hindi. Beide Personen hätten Chopra nicht gekannt und zum ersten Mal gesehen. Der Priester habe dann in Bezug auf Chopra das Geburtsdatum, die Namen seiner Eltern und seiner Frau, die Anzahl seiner Kinder und deren Aufenthaltsort sowie Todestag und Stunde seines Vaters, der kürzlich verstorben war sowie den Namenswechsel der Frau in deren Alter von drei

Jahren genannt. Auch das voraussichtliche Todesdatum wurde erwähnt, das beruhigend weit in der Zukunft lag. Diese Phänomene, die unter dem Namen Palmblattbibliothek bekannt wurden, sind mit dem herkömmlichen Weltbild nicht zu vereinbaren, vorausgesetzt, dass die Quellen verlässlich sind. Immerhin hat das Time Magazin D. Chopra, der das Erlebnis als nicht-lokales Wissen interpretierte, zu den 100 herausragenden Köpfen des 20. Jahrhundert gezählt. Auch der Astrologe C. Weiss berichtete von einem Astrologen, der ihm während einer Indienreise Erstaunliches erzählt habe.

Ob die Astrologie wissenschaftlich belegbar ist, bleibt vor allem für ihre Gegner eine zu verneinende Frage. Sie ist nicht zu beantworten, wenn die Grundlagen dazu unklar bleiben. Wissenschaftliche Überlegungen führen zur Methodenfrage. Dazu gehört üblicherweise die Objektivierung von Sachverhalten, die Wiederholbarkeit und die Messbarkeit eines kausalen Faktors auf dessen Effekt.

Zum Wissenschaftsverständnis

Wie hat sich wissenschaftliches Denken entwickelt? Nachdem Galilei und Newton vorausgesetzt haben, dass Raum, Zeit, Bewegung und Kausalität fixe Grössen waren, wurde es möglich, die Welt als Gegenstand zu objektivieren und sie messbar und damit beherrschbar zu machen. Der Erfolg dieses Vorgehens war so gross, dass der Eindruck entstand, das eigentlich Wirkliche an einer Sache sei deren Berechenbarkeit. Bekannt ist der Ausspruch des Physikers Max Blanck, wonach das wirklich sei, was sich messen lässt. Inzwischen zeigt sich allerdings selbst in der exakten Mathematik ein spezielles Phänomen. K. Gödel, ein Freund von A. Einstein, formulierte 1931 einen mathematischen Satz, der seine eigene Nichtbeweisbarkeit behauptete. Laut dem Mathematiker und Physiker R. Penrose (1994) meint K. Gödel, dass die Wahrheit mathematischer Sätze nicht an ihre Beweisbarkeit gekoppelt sei. Menschliche Einsicht liege jenseits von formalen Beweisen und berechenbaren Verfahren.

Näher an der aktuellen Fragestellung, diskutiert J. Spengler (2001) Fragen um Erkenntnistheorie und Objektivität. Als Analytiker am C.G. Jung Institut in Zürich meint er, dass es in der Wissenschaft oft um die Ausschaltung des Unvorhersehbaren und Unkontrollierbaren, aber auch um die Reduktion von Einflussvariablen gehe. Das Ganze könne der Angstabwehr der Forscher dienen. Vor allem können subjektive Einflüsse beim Forschenden ausgeblendet werden. Eine solche Wissenschaft würde sich in einigen Bereichen bewähren, nicht aber dort, wo es nicht um einen Gegenstand oder um ein Faktum geht, sondern um das Sein des Menschen.

Mit andern Worten geht es um die Transparenz der paradigmatischen Grundsätze und um die Frage, welche Methode der Fragestellung angemessen ist. Es bleibt zu prüfen, ob astrologische Sachverhalte mit statistischen Verrechnungen objektiviert werden können. Möglicherweise sind die Erfahrungen dazu zu kompliziert, um sie statistisch zu formalisieren.

Sie spielen sich vielleicht im Denken oder in den Gefühlen ab oder gar im Unbewussten. Es ist deshalb nicht verwunderlich, dass eher Therapeuten oder Berater von astrologischen Erfahrungen berührt werden und dies weniger bei Forschern der Fall ist, die zwar statistische Methoden anwenden, aber keinen vertieften Kontakt zu Klienten haben.

Ein Kritiker der Astrologie ist der Universitätsprofessor in Wien A. Hergovic (2005). Er hat sich mit Astrologie befasst, ohne dass er von einer entsprechenden eigentlichen Ausbildung oder therapeutischen Tätigkeit berichtet. Nach der Diskussion von falschen astronomischen Voraussetzungen und psychologischen Mechanismen zur Erklärung der Astrologie kommt er zum Schluss, dass diese ähnlich funktioniere wie Kaffeesatz lesen. Obwohl der Autor in einigen Punkten, die er bemängelt, Recht haben mag, bleibt er nicht offen für das vorerst Unerklärliche und ignoriert in seinem wissenschaftlichen Weltbild Fakten, die sich eher in einem therapeutischen Setting ergeben. Er kommt konsequenterweise in einem zweiten Buch (2005) zum Schluss, dass es auch keine paranormalen Phänomene gebe.

Demgegenüber meint der frühere Chefarzt der Externen Psychiatrischen Dienste Baselland Jakob Bösch (2006), dass ein Forscher mit seiner Einstellung und seiner Methode bestimmt, welche von mehreren Zustandsmöglichkeiten Wirklichkeit werden soll. Er sieht das mechanistische, kausal determinierte und linear ablaufende Weltverständnis in Auflösung. Von Ergebnissen der Quantenphysik oder von der Chaostheorie, wonach sich ein komplexer Vorgang in der Natur nie genau gleich wiederholt, schlägt Bösch einen Bogen zu einem spirituellen Menschenbild. Er zitiert den bekannten Naturwissenschaftler David Bohm als Beispiel, dass es neue Hypothesen bezüglich Wirklichkeit gibt, wonach der menschliche Geist in holografischem Sinn in gewisser Weise das Universum repräsentiert und jeder Teil des Universum die in ihm enthalten Organismen wiederspiegeln. Entscheidend bleibt die Auffassung, dass sich dann Erkenntnis einstellen kann, wenn der Mensch dafür offen ist.

J. Bösch (2015) berichtet auch, dass er sich viele Jahre mit verschiedenen astrologischen Methoden beschäftigt hat. Er kenne kein anderes so differenziertes und integrales System, das helfen könne, das Verhalten des Menschen zu verstehen.

H. A. Wiltsche (2013) befasst sich mit Wissenschaftstheorie. Er diskutiert einige Ansätze in diesem Fachbereich. Dazu gehören die Arbeiten von F. Kuhn und dessen Ansatz des „received view", der bis 1962 üblich war. Wiltsche zeigt, dass die fünf Aspekte dieser Sicht nicht zu halten sind. Beispielsweise, dass Nachfolgetheorien stets eine Erweiterung der Vorgängertheorie sein und sie einen kumulativen Charakter haben sollen. Ebenso kann nicht davon ausgegangen werden, dass die Wissenschaftsentwicklung stets von einer identifizierbaren Methode vorangetrieben werden sollte. Es sei aussichtslos, an klar explizierbaren Methoden festzuhalten, da Wissenschaftler bloss impliziten Routinen der Identifikation von Ähnlichkeiten folgen. Sie folgen aber keinem algorithmusartigem Prozedere wie beispielsweise einem naiven Weg der Falsifikation. Ein Vertreter dieser Auffassung, der Philosoph Karl Popper meinte, man arbeite dann wissenschaftlich, wenn man Hypothesen möglichst strengen Testbedingungen aussetzt. Nach dieser Meinung gehe es nicht darum, Hypothesen immer weiter zu bestätigen, sondern sie zu falsifizieren, um eine Theorie zu widerlegen. Wiltsche überzeugt diese Auffassung nicht, weil die strikt retrospektiven Eigenschaften des Bewährten relevant sein sollen, wenn es um die zukünftige Relevanz von Hypothesen geht. Die besten Theorien seien aber in Gebrauch, die den Kriterien der Falsifizierbarkeit nicht entsprechen würden. Falsifikationen können niemals die definitive Aufgabe einer Hypothese erzwingen. Entscheidend sei die Unterscheidung von Progressivität und Degeneration. Forschungsansätze seien aufzugeben, wenn sie über längere Zeit hinweg degenerieren oder wenn sie mit alternativen Ansätzen konfrontiert sind, die progressiver sind als der zur Diskussion stehende Ansatz. Wissenschaftliche Rationalität könne man nicht in eine Formel zwängen. Als Beispiel führt Wiltsche die geozentrisch-aristotelische Kosmologie von C. Ptolemäus an, die das Denken bis in die Neuzeit dominierte. Ptolemäus war ein Pionier der wissenschaftlichen Methode, weil er sich vor allem durch Beobachtung leiten liess. Er verliess diesen Boden, als er sich von philosophischen und religiösen Autoritäten eine falsche Kosmologie vorschreiben liess. Die genaue Beobachtung allein kann aber auch zu falschen Schlüssen führen. So war es für Ptolemäus unzweifelhaft, dass sich die Erde nicht bewegte, weil z. B. fliegende Vögel diesen Eindruck erweckt haben. Deshalb sei bei Theorien Voraussetzungslosigkeit und Vorurteilslosigkeit gefordert. Unklar bleibt aber für Wiltsche, ob sich eine Trennung von Beobachtung und Theorie in der Praxis durchhalten lässt.

Zusammengefasst ist wissenschaftliches Vorgehen ist keine feststehende Grösse, sondern es entwickelt sich. In der Wissenschaftsgeschichte gab es Auffassungen, die lange als gesicherte Tatsachen galten, die sich aber als Dogmen erwiesen und den Fortschritt behindert haben. Wird mit fixen wissenschaftlichen Vorstellungen an Phänomene herangegangen, ohne zu fragen, ob diese Vorstellungen der Untersuchung angemessen sind, ist dieses scheinbar wissenschaftliche Vorgehen unwissenschaftlich. Die Methode soll einer Fragestellung angemessen sein und es ist keinesfalls so, dass nur die statistische Methode die Wirklichkeit des Menschen beschreibt. Für unsere Fragestellung ist zu beachten, dass zuallererst ein Offensein für mögliche astrologische Phänomene vorausgesetzt werden sollte. Erst in diesem offenen Raum des Vernehmens können sich diese Phänomene zeigen.

Wenn von Phänomenen und Methode gesprochen wurde, stellt sich die Frage, was ist wahr und was ist wirklich? Es könnte sein, dass es Phänomene gibt, deren Wesen nicht dem Kriterium der Messbarkeit entsprechen. Ebenfalls könnte es wahr sein, dass es Phänomene gibt, die nur einmalig auftreten und die nicht reproduzierbar sind. Es könnte sein, dass es Phänomene gibt, die nicht objektivierbar sind, weil sie in Abhängigkeit von einem speziellen Bewusstsein auftreten. Wenn von einer cartesianischen Aufteilung der Welt in res extensa und res cogito ausgegangen wird, hat dies zwar die Möglichkeiten der Naturwissenschaft und deren subjektunabhängige Erkenntnisgewinnung durch Objektivierung erst ermöglicht. Allerdings zeigte sich in der modernen Quantenphysik, dass eine Messung durch ein menschliches Bewusstsein die untersuchten Phänomene beeinflusst. Zusätzlich kann gefragt: wem vermag sich ein Phänomen in welchem Bewusstsein zu erschliessen? Dies ist die Frage des Menschenbildes. Je nachdem, wie sich der Mensch versteht, versteht er seine Welt.

Von einem mechanistischen zu einem spirituellen Menschenbild

P ersönlich wurde ich während meines Studiums für die Fragen um ein adäquates Menschenbild als Grundlage für die Psychotherapie von der Zürcher Schule des Psychiaters und Analytikers Medard Boss (1971) beeinflusst. Boss hat einen Teil seiner Lehranalyse bei Sigmund Freud in Wien absolviert. Später hat er sich in Zürich mit C. G. Jung über mehrere Jahre in einem Studienkreis getroffen. Weil er mit der Theorie der Psychoanalyse und deren naturwissenschaftlichen Hintergrund nicht zufrieden war, begann er sich früh mit indischer Philosophie zu befassen und las unter anderem die Upanishaden. Boss wurde nicht müde zu betonen, dass das vernehmende Offenständigsein ein wichtiger Wesenszug des Menschen sei, indem die Phänomene der Welt erst erscheinen können. Er war überzeugt, dass das Bewusstsein nicht naturwissenschaftlich erklärt werden könne und dass es als Offenheit keine festen Grenzen habe. Er setzte der Objektivität und der Kausalität Grenzen und berichtete nach zwei Reisen nach Indien (M. Boss 1994) vom altindischen Denken, das ganz anders als das eher analytische westliche Denken ist. Dort wird das Wesen des Menschen als „ Prakasa" und als „Chit" bezeichnet. Beides meint ein Lichten, ein Wahrnehmen und Vernehmen. Menschsein sei ein Teilphänomen, das als „Atman" dem einen grossen Erhellen und Aufgehen, dem „Braham" zugehört. „Sat" meint ein Ereignen von Sein. Das „aufgehende Erhellen und „erlösendes Öffnen" wird als „Ananda" bezeichnet. „Sat-chit-ananda" ist darum der altindische Name, der die Essenz der menschlichen Existenz beschreibt, nämlich ewiges Sein, Bewusstsein und Glück in Vollkommenheit, unberührt von Raum, Zeit und Vergegenständlichung. Sat ist in Allem, was ist. Chit ist in jedem Bewusstsein und Ananda meint die Seligkeit im reinen Bewusstsein. Das Selbst, hier Atman genannt, baut sich auf dessen

Wurzel ath auf, was Ausdehnung bedeutet. Diese Ausdehnung bedeutet ein universelles Eingebettet sein. Das Dasein wird im Sanskrit nara genannt. Das heisst: dasjenige, welches für das Unzerstörbare steht. Die innere Verbundenheit des Menschen mit dem übrigen Sein drückt sich im Sanskrit Begriff „soham" aus d.h. Ich bin er. In den Vorlesungen hat M. Boss diese indische Philosophie allerdings nicht erwähnt und hat auch nie von Astrologie geredet. Für unser Thema ist allerdings bedeutsam, dass ein anderer bekannter Begriff oft zitiert wird, nämlich „tat twam asi" das heisst: Das bist Du (alles). Dies meint die Einheit des Menschen mit allem, was ist. Allerdings hat M. Boss (1974) in seinem Buch über die Traumdeutung ein Beispiel erwähnt, das etwas von dieser östlichen Philosophie anklingen lässt. Eine Frau träumte in grossen Zeitabständen, dass ein riesengrosses Etwas da sei. Sie nehme es mit Sinnen wahr, die über die gewöhnlichen Sinne hinausgehe. Man könne das Etwas auf eine Art greifen, man sei aber gleichzeitig mitten in ihm und es in einem. Es sei riesengross und zugleich winzig klein Das Ganze löse Erstaunen und Ehrfurcht aus. Lässt diese Art des Innenseins, so frägt Boss dazu, etwas ahnen vom Wissen östlicher Weisen?

Das oft verwendete Bild von der Welle als Symbol für Atman, die zum Meer als Symbol für Braham gehört, bedarf allerdings einer Differenzierung. Larry Dossey (2014), ein amerikanischer Arzt, stellt eine einheitliche Sicht der Welt dar. Er dividiert in Anlehnung an den Religionsphilosophen Husten Smith die Verbindung zwischen Menschlichem und Göttlichem hierarchisch auseinander zum Niedrigeren und Höheren und zitiert dazu den Hindu Weisen Shankara, der sagte: Ich bin aus Dir. Nicht Du, oh Herr, aus mir. Aus dem Meer ist die Welle, doch aus der Welle nicht das Meer.

Stanislav Grof, Psychiater und Bewusstseinsforscher (1985, 1987), vertritt einen holotropen Ansatz. Damit geht es ihm darum, die auf Ganzheit ausgerichteten Bewusstseinszustände zu dokumentieren. Im Rahmen seiner Arbeit beschrieb S. Grof Bereiche der Psyche, wo archetypische Kräfte zur Darstellung kamen und so eine Plausibilität für astrologische Konzepte geliefert hat. Das, was in einzelnen Punkten als bisherige wissenschaftliche Weltanschauung gelte, beruhe laut S. Grof auf einer

Unmenge von gewagten metaphysischen Voraussetzungen. Stattdessen würden Menschen nach holotropen Bewusstseinszuständen zum Schluss kommen, dass das Universum von einer höheren kosmischen Intelligenz durchdrungen ist. In letzter Analyse sei dies identisch mit ihrer eigenen Psyche und ihrem Bewusstsein. Ein Aspekt dabei sei die „ trächtige Leere". Dies meint ein Potenzial, das sich noch nicht verwirklicht hat. Vieles spreche dafür, dass die Welt mit ihrem dreidimensionalen Raum und der linearen Zeit eine Schöpfung des „absoluten Bewusstsein" sei. Der Kosmos und die Welt seien ein einziges Wesen und es gäbe keine absolute Grenze zwischen Psyche, der Schöpfung und dem schöpferischen Prinzip selber. Das „absolute Bewusstsein" scheine dabei etwas zu suchen, was ihm in seinem ursprünglichen Zustand fehle. Möglicherweise gehe es darum, das volle Potential zu erfahren. Erfahrungen aus holotropen Zuständen bestätigen S. Grof, dass der gesamte Kosmos auf geheimnisvolle Weise in der Psyche des Menschen eingeschrieben ist. Auch ist S. Grof der Meinung, dass die Vertreter der materialistischen Wissenschaft ihr gegenwärtiges Weltbild nur aufrechterhalten können, weil sie alle nicht ins Konzept passende Daten unterschlagen würden. Grof sieht mit seiner Sicht einen Zusammenhang mit der Philosophia perrennis, der ewigen Philosophie, die seit jeher ähnliche Gedanken formuliert hat.

Am Anfang seiner Forschungstätigkeit arbeitete S. Grof mit LSD, einer chemischen Verbindung, die eine psychotrope Wirkung entfaltet. Auch unter dieser Substanz wurden ähnliche bewusstseinserweiternde Erfahrungen gemacht. Von den Ureinwohnern im Amazonasgebiet und nicht nur von dort wird berichtet, dass deren Schamanen mit einem psychotropischen Pflanzencocktail ihren Körper verlassen, mit ihren Ahnen Kontakt aufnehmen oder die beglückende Einheit alles Seins ebenfalls erfahren können. Von den Mystikern werden ähnliche Erlebnisse geschildert. Irritierend für die damalige Zeit war das Erlebnis der Einheit mit der Göttlichkeit. Das war ein Grund, den Mystikern Häresie vorzuwerfen. T. Assmann (2011) präzisiert dazu, dass Meister Eckhart (1260-1327) gesagt habe, „Der erkennt Gott recht, der ihn in allen Dingen gleichermassen erkennt". Meister Eckhart sei während eines Inquisitionsprozesses gestorben, der zu einer bis heute gültigen Verurteilung seiner Lehren geführt habe.

Ein Menschenbild dieser Art mit überprüfbaren Erfahrungen stellt einen plausibleren Boden für die Astrologie dar. Falls aber unter dem Einfluss des herkömmlichen Menschenbilds die Meinung vertreten wird, dass die „Sterne" das konkrete Verhalten des Menschen steuern, tönt das so unglaubwürdig, dass man mit Recht den Kopf schütteln kann. Nun könnte man einwenden, die Arbeit von S. Grof sei ein Einzelfall und es sei nicht mehr als eine spekulative subjektive Phantasie.

Zufällig arbeitete an unserem Psychiatrischen Dienst ein Mitarbeiter, der völlig unabhängig von S. Grof oder H. Städeli zu ähnlichen Ergebnissen wie Grof kam. Hermann Maass (2004) war Jungianer und arbeitete mit Imaginationstherapien, befasste sich aber nicht mit Astrologie. Ihm war der Begriff des Archetyps sehr nahe, wenngleich ich ihm in unseren Diskussionen sagte, ich würde erst daran glauben, wenn ich einen dieser Art treffen würde. In späteren Jahren behandelte Maass vermehrt gesunde Klienten, die nicht aus klinischen Gründen eine Psychotherapie in Anspruch nahmen. Vielmehr gewannen diese Imaginationsserien den Charakter einer vertieften Selbsterforschung. Eine Arbeit von Maass (2004) beruht auf einer mehrjährigen Imaginationserfahrung eines Mannes. Dabei kam es zu Grenzerfahrungen mit dem Gefühl, dass sich das Bewusstsein vom Körper löse. Sprachlich kam der Mann bei der Beschreibung der Bilder an eine Grenze, sodass einzelne Bilder in Anführungszeichen gesetzt sind. Das Bewusstsein löste sich in dieser Erfahrung von Raum und Zeit, sodass dies zu paradoxen Wahrnehmungen führte. So kann es sich mit hoher Geschwindigkeit bewegen und zugleich stillstehen. Oder es kann sich gleichzeitig nach oben oder unten bewegen. Es kann auch erleben, dass es sich in einem Raum bewegt, der sowohl völlig leer, aber auch ausgefüllt ist mit allem, was es auf der Welt gibt. Das Bewusstsein des Menschen entdeckt, dass jede Wahrnehmung in einem „Zentrum", das sehr energiegeladen ist, vorgebildet ist. Alle Möglichkeiten des Denkens und Handelns sind dort vorhanden und zwar ohne Zuordnung zu einer materiellen Quelle. Die bisherige Identifikation des Bewusstseins mit dem eigenen Körper wird aufgelöst und das Bewusstsein erfährt das gesamte mögliche Wahrnehmungsfeld der Welt als Inhalt der eigenen Person und ist damit identisch mit einem weitgespannten Bewusstseinsfeld.

Das" Zentrum" wurde erfahren derart, dass es in allem Seienden enthalten ist. Dabei entsteht ein starkes Gefühl einer Einheit allen Seins. Das „Zentrum" erscheint als ungeheure Energieansammlung und der Kontakt mit ihm löst ein grosses Glücksgefühl aus. Während einzelne Religionen das „Zentrum" als objektiv vorhandenes göttliches Wesen sehen, das dem Menschen von aussen gegenübertritt, zeigt sich in der Innenschau etwas anderes. Die Kraft, die alles durchdringt und den Kosmos gestaltet, ist auch gleichzeitig ein Inhalt der eigenen Psyche. Zudem wird die Gestalt und die Form, in der das „Zentrum" erscheinen kann, vom Menschen bestimmt. Das Zentrum ist reine Energie, die jede Form annehmen kann. In den Sitzungen zeigt sich, dass stets eine Weiterentwicklung des menschlichen Bewusstseins anvisiert wird. Dabei wird dem Mensch die Freiheit der Entscheidung überlassen, wie auch dessen Selbstständigkeit respektiert. Vieles spricht dafür, dass zwischen dem „Zentrum" und dem bewussten Ich des Menschen eine Wechselwirkung stattfindet. Mit besonderem Nachdruck wird erfahren, dass von einem „übergeordneten" Standpunkt aus es eine „objektiv" vorhandene Welt gar nicht gäbe. Objektive Wirklichkeit wird nur dem „Zentrum" zugeschrieben. Die erscheinenden Formen der realen Welt sind eher Ausdruck oder Projektion des „inneren Bewusstseins". Das „Selbst" ist aber in allem, was existiert, vorhanden.

In neuerer Zeit sind von ganz anderer Seite zu diesem Thema Beiträge geliefert worden. Van Lommel (2012), ein niederländischer Kardiologe, veröffentlichte seine Untersuchung zu Nahtoderlebnissen. Sie betreffen Erfahrungen von Patienten, „die klinisch tot" waren, aber mit Reanimierungsmassnahmen wieder das Bewusstsein erreicht haben. Viele davon berichten von einem Licht mit unendlichen Wissen und Weisheit, bedingungsloser Liebe, Akzeptanz und Energie, dessen Erfahrung mit einem grossen Glücksgefühl verbunden sei. Die Patienten beschreiben ein allumfassendes Einheitsempfinden und die Überzeugung, dass eine andere Form von Existenz erscheint. Sie erleben die Einheit von sich mit dem Licht und allem, was ist. Es wird für die Patienten schwierig, zurück in den Körper zu gehen, weil das „Andere" viel attraktiver ist. Mit dieser Erfahrung ändern viele Patienten ihr Leben nachhaltig und sie verlieren die Angst vor dem Tod. Als Schlussfolgerung ist daran zu denken, dass

Bewusstsein zwar nicht unabhängig von der Funktion des Gehirn existiert, aber nicht ausschliesslich dort entsteht. Dies ist die Eigenschaft des Nicht-lokalen Bewusstseins.

Jean-Jacques Charbonier (2015) ist ein französischer Notfallmediziner und Anästhesist, der während 25 Jahren mehrere Hundert Aussagen von Patienten gesammelt hat, die einen klinischen Tod erlebt haben. Auch er kommt zum Schluss, dass es ein nicht-lokales Bewusstsein gibt. Er präzisiert, dass diese Patienten keine Nahtoderfahrung erlebt haben, sondern aus medizinischer Sicht tatsächlich tot waren. Nach dem Tod würde das Bewusstsein der Betroffenen weiter existieren. Charbonier systematisiert diese Erfahrungen und fasst sie in sieben Gruppen zusammen. Dabei führt er die üblichen Gegenargumente einer scheinbar wissenschaftlichen Argumentation an, die diese Phänomene in „Wirklichkeit" erklären würden. Charboniers Antwort auf die Gegenargumente ist klar. Er widerlegt diese Gegenargumente und kommt zum Schluss, dass sich das Leben nach dem Tode in einer anderen Dimension fortsetzt. Genaueres darüber berichtet glaubwürdig das Medium Pascal Voggenhuber (2008), dem die Überprüfbarkeit seiner Aussagen wichtig ist und dessen Kernaussagen zum Menschenbild mit den hier geschilderten Ideen kompatibel sind.

Aus einer ganz anderen Perspektive berichten verschiedene moderne Naturwissenschaftler, die zu Ergebnissen kommen, welche für unser Thema wichtig werden könnten. Sie behandeln nicht das Gebiet der Astrologie und es ist demzufolge auch keine Erklärung für unser Thema zu erwarten. Es lässt aber ahnen, in welcher Richtung mögliche Erklärungen für die Astrologie gesucht werden könnten. Es lässt sich leichter verstehen, dass Astrologie als Phänomen möglich sein könnte. Angestossen wurde diese Diskussion mit dem Aufkommen der Quantenphysik im letzten Jahrhundert. U. Warnke (2011) hat dazu einige Stellungsnahmen von Wissenschaftlern zusammengetragen. Die neue Forschungsdisziplin der Quantenphilosophie formuliert den Kerngedanken, dass erst das Bewusstsein die Welt erscheinen lässt. Laut dem bekannten Physiker Werner Heisenberg seien die kleinsten Materieeinheiten nicht physikalische Objekte im klassischen Sinn, sondern Formen, Strukturen, im platonischen Sinn

Ideen, über die man nur in der Sprache der Mathematik eindeutig sprechen könne. (Zitiert nach K. Wilber 1984 S.51). Der Physiker Eugen Paul Wigner (1902-1995) hat den Nobelpreis 1963 erhalten und meinte, dass die Quantentheorie die Existenz eines universellen Bewusstseins beweise. Aus dieser Sicht existieren die Dinge der materiellen Welt nur in Beziehung zu einem Bewusstsein. Alle geistigen Erfahrungen werden in einem Feld gespeichert und sind überall vorhanden Die Quantenphysiker J. A. Wheeler und R. Feynman (1949) stellten fest, dass dieses Feld nicht in der Raum-Zeit existiert. Eher sei es denkbar, dass eine Informationsspeichereinheit von repräsentierten Informationen in einer Art Wellenstruktur ins absolute Vakuum, auch Nullpunktfeld genannt, eingeprägt wird. Das Vakuum ist zwar leer an Massen, es ist aber voll von unvorstellbar viel Energie und Information als codierte Wellenfunktion im Modus der virtuellen Möglichkeit. Dort sind die Informationen verschränkt überall vorhanden. Dieses „Meer aller Möglichkeiten" lässt es zu, dass alle Information mit allem kommunizieren kann. Interessant ist, dass diese wissenschaftliche Hypothese eine Entsprechung mit der buddhistischen Idee der „Leere" zeigt. Dort ist die Leere eine Grundlage dafür, dass etwas in reale Erscheinung treten kann.

Bereits in den 70-er Jahren hat der Physiker F. Capra (1978) auf die Zusammenhänge von neuerer Naturwissenschaft und dem östlichen Denken aufmerksam gemacht und zitierte beispielsweise aus einem buddhistischen Sutra, wo es heisst: Form ist Leere und Leere ist Form. Leere unterscheidet sich nicht von Form und Form unterscheidet sich nicht von Leere. Was Form ist, das ist Leere und was Leere ist, das ist Form. Die Leere wurde in den Upanischaden mit Freude gleichgesetzt und ist ein unbegrenztes schöpferisches Potential.

Der Nobelpreisträger Eccles hat schon 1975 darauf hingewiesen, dass das Bewusstsein ausserhalb des Gehirns unabhängig von Zeit und Raum existieren müsse. Zur gleichen Zeit meinte der Neurochirurg Wilder Penfield (1978), dass das Gehirn keinesfalls als Sitz des Bewusstseins infrage kommt. 1982 publizierte Eccles zusammenmit dem bekannten Philosophen Karl Popper, dass der sich selbst bewusste Geist als etwas vom Gehirn Getrenntes aufgefasst werden müsse. Karl Pribram, ein

Neurowissenschaftler, entwickelte zusammen mit David Bohm in den sechziger Jahren eine holonome Quantenfeldtheorie für das Gehirn. Demnach sind alle gelernten Eindrücke in fast allen Teilen des Gehirns präsent. Laut Pribam werde dann das Gehirn auf die holografische Ordnung des Universums eingestimmt.

Diese moderne Idee des Hologramms wurde allerdings in alter Zeit schon im Buddha- Avatamaska-Sutra beschrieben, der vom Sanskrit 420 n. Chr. ins Chinesische übersetzt wurde. Darin steht, dass alle Bilder der Welt des Geistes in einem einzigen Staubkorn sichtbar sind. Man muss sich allerdings nicht an östliche Quellen halten, wenn es um die Idee einer verschränkten Einheitlichkeit geht. U. Warnke (2011) zitiert dazu das Thomas Evangelium. Dort sagt Jesus: Wenn ihr zwei zu eins macht, und wenn ihr das Innere wie das Äussere und das Äussere wie das Innere und das Göttliche wie das Irdische macht und ihr das Männliche wie das Weibliche zu einer Einheit macht, dann werdet ihr in das Königreich eintreten.

Nach diesen neuen Ergebnissen kann vergleichend noch einmal zu einer alten Geschichte zurückgeblättert werden. Sie steht in der Bhagavadgita und wird von J. Hawley (2002) erzählt. Das heilige Buch der Hindu enthält die spirituellen Prinzipien, wie sie seit uralter Zeit weitergegeben wurden. Nach der Überlieferung stand im „Jahr 3141" vor unserer Zeitrechnung Arjuna, ein Krieger vor der Aufgabe, ein Königreich wiederzugewinnen, das rechtmässig ihm gehörte. Vor der Schlacht stand Arjuna in seinem von vier Streitrössern gezogenen Kriegswagen. Der Wagenlenker war Krishna, der Freund Arjunas. Krishna galt als Avatar, eine Inkarnation Gottes, was Arjuna nicht wirklich klar war. Krishna gab in dieser brisanten Situation Antworten auf Fragen, die sich im Angesicht eines möglichen Todes stellten. Danach sei nur der Körper des Menschen sterblich. Der Atman, das wahre innere Selbst, sei nie geboren worden und sterbe niemals. Nach dem Tod werde der Mensch eins mit dem Göttlichen. Das Göttliche sei es aber, das im Menschen als ihr eigenes Selbst wirke. Die Bewusstseinsquelle sei in allen Wesen. Krishnas Natur sei primär Braham, das ewig Göttliche. So wie die Welle kein vom Meer unabhängiges Sein habe, besitze die Einzelseele kein vom Göttlichen unabhängiges Sein. Krishna enthüllte Arjuna im Weiteren seine kosmische

Gestalt. Arjuna konnte dabei keinerlei Beschränkung feststellen. Er nahm wahr, dass alles ohne Ende oder Anfang war. Krishna sagte weiter, dass das göttliche Prinzip gestaltlos als auch gestaltgebunden sei, bewegt und auch nicht bewegt, für die Unkundigen fern und für die gut Unterrichteten nahe. Die Einzelseele „vergesse" ihr wahres Wesen Atman und identifiziere sich fälschlicherweise mit dem Körper. Alle Geschöpfe seien zwar dem Anschein nach voneinander getrennt, aber wahrhaft nur eins. Alle Gegebenheiten der Welt seien nichts anderes als die Verbindung der drei Guna Qualitäten Sattva, Rajas und Tamas. Die drei Gunas würden die Begründung liefern für das gesamte Verhaltensmuster des Menschen. Guna würde Strang bedeuten, d.h. Kräfte die sich ineinander verweben, um das Selbst ans Leben fest zu binden.

Nach M. Eliade (1979) gebe es drei Seinsweisen. Sattva ist die Modalität der Helligkeit und Harmonie, Rajas die der bewegten Energie und Aktivität und Tamas die der statischen Unbeweglichkeit oder Trägheit. Die Gunas haben einen Doppelcharakter. Sie seien „objektiv" d.h. für die Phänomene der äusseren Welt konstitutiv und andererseits seien sie subjektiv und tragen das Leben. Die Gunas durchwalten das Universum und stellen nach Eliade eine Verbindung zwischen Mensch und Kosmos her. In der Popularisierung wurden diesen drei Eigenschaften Gottheiten zugeordnet, nämlich Maneshvara (Tamas), Brahma (Rajas) und Vishnu (Sattva). Eine andere Zuordnung ist Brahma (Erschaffung), Vishnu (Erhaltung) und Shiva (Transformation). Übersetzt in unsere moderne Zeit übersetzt heisse dies Impuls, Verdichtung und Funktion. Wir werden diese Prinzipien bei der Herleitung des astrologischen Tierkreises wiederfinden.

In der vedischen Astrologie tauchen diese Begriffe wieder auf. Nach S. Meyer (2003) ist Maharshi Parashara der Urvater der vedischen Astrologie. Er habe vor tausenden von Jahren das Standartwerk Brihat Parashra Hora Hastra verfasst. Gemäss dieser Auffassung umfasst der Urgrund der Schöpfung gleichzeitig Einheit und Vielfalt. Das reine Bewusstsein umfasst den Wahrnehmenden, das Wahrgenomme und den Prozess der Wahrnehmung. Dieser Dreiheitsaspekt ist der Grund der Schöpfung und findet sich in unserer Kultur als Strukturen des Körpers, der Seele und des Geistes. Sattva ist die evolutionäre Kraft, Rajas die schöpferische und Tamas die auflösende Kraft. Sie sind Entsprechungen des reinen Bewusstseins, wirken immer gleichzeitig und sind Wesenskräfte des Menschen. Parahara ordnet die drei Gunas den Sternzeichen als auch den Planeten zu. Das mathematische System der vedischen Astrologie beruht demzufolge auch auf dieser Dreierstruktur mit den 9 Planeten, den 27 Mondhäusern und den 12 Tierkreiszeichen des Fixsternhimmels. Dieses System arbeitet mit dem siderischen System, das heisst mit den tatsächlichen Positionen der Sternbilder für die Berechnung der Tierkreiszeichen. Im Gegensatz dazu arbeitet die westliche Astrologie mit dem tropischen System und definiert 0 Grad Widder als Beginn des Tierkreises.

Zusammenfassend lässt sich sagen, dass sich die Aussagen der angeführten Autoren bezüglich Menschenbild bemerkenswert gleichen. Dabei spielt es keine Rolle, ob die Konzepte in alter Zeit in der altindischen Philosophie im Osten gemacht wurden oder im neuester Zeit von hochrangigen Wissenschaftlern im Westen. Auch zeigten sich ähnliche Einsichten bei Forschern mit einem wissenschaftlichen Hintergrund aus verschiedenen Fachbereichen. Darunter sind rational denkende Psychiater, Psychotherapeuten und Bewusstseinsforscher, die sich damit der Kritik der wissenschaftlichen Orthodoxie ausgesetzt haben. Ebenfalls führt Stanislav Grof, auch entsprechende Erfahrungen von Schamanen oder Mystiker aus verschiedenen Kulturen an, die zu ähnlichen Ergebnissen gelangt sind wie auch Vertreter der Jungschen Psychologie, die sich mit dem kollektiven Unbewussten auskennen. Schliesslich gehören die klinischen Erfahrungen aus Nahtoderlebnissen dazu. Sie alle berichten, dass das menschliche Bewusstsein ein grundlegendes Merkmal der menschlichen Existenz ist, das nicht ausschliesslich aus dem Gehirn stammend zu erklären ist. Dieses Nicht-lokale Bewusstsein vereint zusätzlich vielmehr die Menschen und ihre Welt zu einer Verbundenheit und Einheit. Die übliche alleinige Identifikation des Menschen mit seinem Körper kann so nicht länger vertreten werden. Sie macht Platz einer Identifikation des Menschen mit dem übrigen Sein, von dem das menschliche Sein ein Teil ist. Das Wesen des Menschen wurde in altindischen Denken als Sein-Bewusstsein und Glück bezeichnet, unabhängig von Zeit und Raum. Sein Kern ist Wissen, Energie und Liebe. In der realen Welt ist allerdings das

Leben gezeichnet von den verschiedenen Polaritäten wie Gut und Böse, was den wahren Wesenskern des Menschen verhüllt.

Erst in den letzten Jahrzehnten gewann diese Auffassung Unterstützung von Vertretern der modernen Physik. Hochrangige Physiker oder Nobelpreisträger und Hirnforscher reden von einem universellen Bewusstsein oder thematisieren eine holographische Ordnung im Universum. Schlussendlich wurden schon in alter Zeit die Gunas beschrieben, die eine Verbindung aller Gegebenheiten der Welt gewährleisten und für unsere Begründung der Astrologie einen Baustein bilden.

In Bezug auf das Thema Astrologie lässt sich sagen, dass nicht wie in der populären Volksmeinung die Sterne astrologische Effekte produzieren, sondern archetypische Kräfte. Dies ist allerdings eine vorläufige Aussage, da der Begriff der Kraft und damit verbunden des Effekts möglicherweise nicht den Kern der Sache trifft, aber die Meinung eines Sterneinflusses immerhin zurückweist. Die angeführten Argumente aus breiter klinischer Erfahrung und naturwissenschaftlichen begründeten Aussagen sind valide genug, um eine Hypothese zu formulieren, wonach die Kraft, die den Kosmos gestaltet, auch in der menschlichen Psyche ist und dass es einen engen Zusammenhang von beiden Ebenen gibt. Damit ist eine sinnvolle Ausgangsbasis für astrologische Untersuchungen gegeben. Die Natur des Menschen zeigt sich im Lichte dieser Erkenntnisse in zusätzlich anderer Art, als es der naturwissenschaftliche Zugang mit einem Ursache-Wirkungs Mechanismus allein zu leisten vermag. Sogar die Natur der Welt selber zeigt ebenso eine zusätzliche Qualität. Nicht alles, was es gibt, funktioniert nach einem Mechanismus, der ausschliesslich nach Ursache und fixem Effekt zu verstehen ist. Schon in der Antike beschrieb Aristoteles nicht nur eine, sondern vier Kausalitäten. Ebenfalls wurde schon eine andere Art von Beweggrund beschrieben, der eine breitere Bandbreite von möglichen Folgeerscheinungen offen lässt. Es sind Überlegungen, die dem offenen Wesen des Menschen anstatt einem roboterhaft gesteuertem Organismus Rechnung tragen wollen. Es geht um Symbole und Archetypen.

Zum Verständnis des archetypischen Symbols und des Archetyps

In der Astrologie meint ein Planet, zum Beispiel der Mars, den realen Planeten in unserm Sonnensystem. Seine Position wurde auf dem Hintergrund des geozentrischen Verständnisses zum Zeitpunkt der Geburt des betreffenden Menschen in das Horoskop gezeichnet. Zum zweiten meint der Mars aber noch etwas anderes. Der Mars ist eine archetypische Kraft, die strukturbildend wirkt. Der Mars steht symbolisch für etwas, was der reale materialistische Naturkörper noch zusätzlich ist. Noch einmal anders formuliert: Die Astrologie postuliert eine Kraft oder Energie, die sowohl den materiellen Mars als auch die „psychische Marsenergie" strukturbildend formt. Beides, realer Mars und symbolische Marsenergie, stehen in einer analogen oder vielleicht „verschränkten Verbindung" zueinander. Gedeutet wird im Horoskop das Symbol wie zum Beispiel Mars.

Die beiden Begriffe Symbol und Archetyp wurden von C. G. Jung (1968, 1975) in seiner Psychologie dargestellt. Symbol kommt vom Griechischen, was zusammenballen meint. Der Begriff wurde so populär, dass er in die Alltagssprache eingeflossen ist. Bekannt ist das Symbol als Begriff in der Traumdeutung. Sowohl bei Jung als auch bei Freud meint Symbol eine mit den Sinnen wahrgenommene Gestalt, die auf etwas hinweist, das über das Wahrgenommene hinausweist. Das im Symbol Erscheinende kann nur durch das Symbol selber beschrieben werden. Nach Jung kann ein Symbol nie in seiner ganzen Fülle erfasst werden. Damit unterscheidet sich ein Symbol von einem Zeichen oder einer Allegorie. So impliziert das Symbol auch das vorläufig Unbestimmte. Nach Jung entstehen Symbole als Projektionen unbewusster seelischer Inhalte auf äussere Objekte. Das Symbolisierte könne nur in einem Symbol erfahren werden, weil es unbewusst sei.

Der Archetyp als Begriff wurde von Jung selber verschieden verwendet. Nach ihm sind Archetypen Inhalte des kollektiven Unbewussten. Jung hat die Handlungsmotive in den Phantasien einzelner Menschen mit den Motiven in der Mythologie der verschiedenen Kulturkreise verglichen. Dabei zeigten sich viele Ähnlichkeiten. Jung schloss daraus, dass es ein universelles Substrat in der Psyche gäbe. Deren Inhalte würden sich in Träumen äussern und seien vergleichbar mit den Motiven von Mythologien. Darüber hinaus seien Archetypen Urformen und Urbilder der Wahrnehmung und würden ein allgemein vorhandenes Formprinzip beeinflussen. Jung meinte, dass die Archetypen unbewusste Abbilder der Instinkte seien. Die Form der Welt sei dem Menschen bereits als virtuelles Bild angeboren und wirke als psychische Bereitschaft. Konkrete Inhalte dieses Potential bilden sich aber erst durch die persönliche Erfahrung. So wird ein Archetyp aktiviert, wenn ein Ereignis im Leben stattfindet, das dem Potenzial entspricht. Die Archetypen sind deshalb Transformatoren und Vermittler zwischen Unbewussten und Bewusstem. Wenn dabei Handlungen ausgelöst werden, wird Energie freigesetzt. Jung beschreibt z.B. den Mutter-, den Vater-, oder den Kinderarchetyp. Darüber hinaus bezeichnete er in manchen Schriften die Anima und den Animus als Archetyp. Jung spricht von Strukturdominanten, welche die seelische Entwicklung gliedern und lenken.

B. Romankiewics (2002) hat Jungs Archetypenlehre explizit mit der Astrologie verknüpft. Sie meint, dass sich der Archetyp auf den verschiedensten Lebensgebieten wie in der Natur, am Körper, bei seelischen Bedürfnissen, in Handlungsmustern, in der äusseren Erfahrungswelt oder in mythischen Bildern zeigen kann.

Nach S. Grof (2000) erleichtern holotrope Zustände, wie sie unter anderem mit Atemtechniken erreicht werden, den Zugang zu einer ganzen Reihe von mythischen Gestalten und ihren Reichen. Es gibt die friedvollen und zornigen Wesen wie die gute oder schreckliche Muttergöttin. Grof führt ein eigenes Beispiel einer holotopen Sitzung an, wo er personifizierte archetypische Prinzipien zu sehen bekam. Jeder dieser Figuren schien holografisch verschachtelt verschiedene Funktionen auszuüben und gleichzeitig eine Manifestation des gleichen Grundprinzips zu sein.

Eine Illusion der Erscheinungswelten, ein göttliches Spiel, das die Hindus Lila nennen.

Eine zweite Kategorie von Archetypen nach S. Grof stellen Gottheiten und Dämonen dar, die mit speziellen Kulturen oder Epochen zusammenhängen, besonders häufig Gottheiten, die selbst getötet wurden oder sich selbst als Opfer brachten und wieder zum Leben auferstanden. Überraschend war, dass es kulturunabhängig zu Identifikationen von Mythologien kam, die Klienten nicht kannten. Diese Personen interpretierten diese Archetypen als Wesen aus einer höheren Ordnung. Ihnen wurde die Fähigkeit zugesprochen, unsere materielle Welt zu gestalten.

In der Astrologie wird mit den archetypischen Kräften gearbeitet, die nach den Planeten unseres Sonnensystems benannt sind. Gleichzeitig wurden seit alter Zeit über die Götter Geschichten und Mythen erzählt. Dabei haben die Menschen eigene Verhaltensmöglichkeiten auf mythische Gestalten, Helden oder Götterfiguren projiziert. Es finden sich deshalb in der griechischen oder römischen Mythologie Gestalten, deren Namen wie beispielsweise Pluto mit den zugrundeliegenden archetypischen Kräften, wie sie in der Astrologie verwendet werden, identisch sind.

Ebenfalls hat sich R. Tarnas (1996) mit den Archetypen beschäftigt. Er wählte dazu drei verschiedene Herangehensweise. Erstens seien die ursprünglichen archetypischen Erfahrungen jene der grossen Götter und Mythen. Sie transzendieren die wahrnehmbare Welt und geben ihr Sinn und Struktur. Zweitens ist in der Philosophie von Platon die Archetypen als Ideen und Formen die absolute Grundlage aller Dinge. Drittens tauchte bei C. G. Jung der Begriff des Archetyps wieder auf. Jung hat Archetypen als Bestandteile der menschlichen Psyche beschrieben, die das Verhalten motivieren und strukturieren. Astrologisch zeigt sich ein sinnvolles Zusammentreffen von bestimmten Planetenpositionen mit der psychologischen Tiefgründigkeit der Mythen. Tarnas unterscheidet die Archetypen von Plato und jene von Jung. Jung hat die Archetypen als Formgrundlage aufgefasst. Platos Archetypen waren hingegen als essentielle Grundlagen der Wirklichkeit selber anzusehen. In astrologischer Hinsicht seien die Archetypen auf subjektive und objektive Weise existent. Sie wirken sowohl auf die menschliche Psyche wie auch auf den Kosmos selber.

Archetypen können so aufgefasst werden als psychologisches Prinzip nach Jung, als eine metaphysische Essenz nach Plato sowie eine Verkörperung in mythologischer Gestalt beispielsweise nach Homer. Die herkömmlichen Ansichten Jungs über die Archetypen beruhen auf den Schriften aus Jungs mittlerer Phase. In den späteren Arbeiten näherte sich jedoch Jung der Auffassung von Archetypen an, die nicht ausschliesslich psychische Faktoren meinten, sondern die sowohl der Psyche als auch der Materie innewohnen und sie strukturieren. Interessant ist, dass in der Neuzeit die neuen Planeten Uranus, Neptun und Pluto von ihren Entdeckern mit mythologischen Namen bedacht wurden, die aber wahrscheinlich nicht an archetypische Entsprechungen dachten. R. Tarnas kommt zu Schluss, dass eine anhaltende Beschäftigung mit astrologischen Archetypen dem menschlichen Bewusstsein ermöglicht, deutliche Anzeichen einer göttlichen Intelligenz in grosser Komplexität und Schönheit zu erkennen. Gleichzeitig bedeutet die Tatsache, Archetypen wahrzunehmen, dass sich der Mensch aus seiner Unbewusstheit herauslösen kann, um nicht nur Opfer des Schicksals zu sein.

Erstaunlicherweise wurde auch von ganz anderer Seite auf den Begriff des Archetyps zurückgegriffen. A. Goswami (1997) ist ein Quantenphysiker mit indischen Wurzeln. Er war Professor am Institut of Theoretical Science in Oregon. Er vertritt die Philosophie eines monistischen Idealismus im Gegensatz zu einem materialistischen Realismus. Er verweist auf die religiösen Schriften Indiens, wo das Sanskritwort nama zur Bezeichnung transzendenter Archetypen gebraucht wird. Rupa dagegen meint ihre immanente Form. Der Idealismus sei eine transzendente, archetypische Ideenwelt, aus der die materiellen und geistigen Phänomene hervorgehen. Interessant ist die Meinung von Goswami, dass aus der Sicht der Quantenphysik der monistische Idealismus für die Wissenschaft eine angemessene Philosophie ist. Er bilde für die Quantenphysik eine wesentliche Grundlage für ihre Deutungen. Der monistische Idealismus geht davon aus, dass Objekte bereits im Bewusstsein als transzendente, archetypische Möglichkeiten ausgeformt sind. Dazu gehört die Auffassung eines nichtlokalen Bewusstseins. Der Physiker Alain Aspekt habe 1982 mit dem Nachweis für das Quantenphänomen der

Nichtlokalität den Nachweis dazu erbracht. Danach liege es in der Natur eines korrelierten Quantensystem, eine ungeteilte Ganzheit zu sein, die ein beobachtendes Bewusstsein enthält. Diese Nichtlokalität passe mit der Beschreibung von C. G. Jung über die Synchronizität perfekt zusammen. Goswami interpretiert die Ergebnisse so, dass das Unbewusste von Jung einen transpersonalen kollektiven Anteil hat, der ausserhalb von Raum und Zeit wirken müsse. Das nichtlokale Bewusstsein wirke nicht in kausal-kontinuierlicher, sondern in kreativ-diskontinuierlicher Weise. Nach der idealistischen Erklärung existieren kohärente Superpositionen als formlose Archetypen der Materie in einem transzendenten Bereich. Die formlose Potentia, ein Begriff von Aristoteles, werde erst dann manifest, wenn sie von einem bewussten Wesen beobachtet werde. Insofern ist es nötig, dass ein Beobachter da sein muss, um das Universum ins Dasein zu rufen. In dem Sinn sei der Mensch Mittelpunkt des Universums, weil es ihm seine Bedeutung und seinen Sinn vermittelt. Der Geist bestehe letztlich aus den Archetypen. A. Goswami kann sich vorstellen, dass sie aus derselben Ursubstanz seien, aus der sich materielle Archetypen zusammensetzen.

R. Sheldrake (2008) kommt im Zusammenhang mit seiner Theorie der morphischen Felder auf die Jungschen Archetypen zu sprechen und zitiert Jung, wonach die Archetypen im kollektiven Unbewussten vererbt werden. Doch es sei sehr zweifelhaft, so Sheldrake, dass sich die Inhalte der archetypischen Formen auf chemische Weise in die Struktur der DNS oder in andern physikalischen Strukturen vererben können. Diese von dem Mystizismus der Pythagoräer stark gefärbte Archetypenlehre versage dort, wo es gelte, die Beziehung der ewigen Formen zu der sich wandelnden Welt der Phänomene zu klären. Eine metaphysische Begriffsbildung des morphogenetischen Feldes in Gestalt platonischer Formen könne für eine experimentelle Wissenschaft nicht von sonderlichem Wert sein. Gleiches könnte man von den astrologischen Archetypen denken. Allerdings gibt es auch Gegenargumente. R. Penrose (1994) ist auf der Suche nach einer naturwissenschaftlichen Erklärung des Bewusstseins. Er kommt zur Überlegung, dass die Welt der physikalischen Wirklichkeit auf geheimnisvolle Weise aus der platonischen Welt der Mathematik hervorgeht.

Der Begriff des Archetyps wird von ganz unterschiedlichen Autoren begründet und scheint geeignet, die Archetypen im Horoskop zu beschreiben. Über die Archetypen wirkt eine Energie auf äussere Objekte, aber auch auf die menschliche Struktur. Der Vollständigkeit halber muss allerdings gesagt werden, dass der Ausdruck, wonach archetypische Kräfte wirken, auch nur eine Interpretation eines Phänomens ist. Möglicherweise wirken aber keine Kräfte im üblichen Verständnis und die Archetypen zeigen nur an, um was es geht. Das Wesen dieser Kraft ist nicht vollständig zu fassen. In dem Sinn ist der Begriff möglicherweise ein vorläufiges Konzept. In herkömmlicher Sicht löst eine bestimmte Kraft ein bestimmtes Ergebnis aus. Dies ist die übliche naturwissenschaftliche Sicht. Die Kraft eines Archetyps wirkt aber anders und ist für Astrologie Kritiker schwer zu verstehen. Die selbe Kraft eines Archetyps kann ein Palette von vielen Ereignissen ermöglichen, die auf den ersten Blick nicht viel miteinander zu tun haben und darum als unglaubwürdig erscheinen können. Bei genauer Überlegung muss das aber so sein. Der Mensch ist kein Automat, bei dem ein bestimmter Input ein ganz bestimmtes Ergebnis hervorruft. Vielmehr bleibt ein gewisser Spielraum von Freiheit und individueller Verarbeitung offen. Ein Archetyp wirkt nicht monokausal und löst nicht ein spezielles Ereignis aus, aber was sonst?

Die Auffächerung und Bandbreite eines archetypischen Grundprinzips des Tierkreises

Wenn von Symbolen und von Archetypen gesagt wurde, dass die letztendliche Fülle der Begriffe nicht benannt werden kann, klingt hier eine grosse Offenheit an. Es heisst aber nicht, dass damit keine Grenzen gegeben sind und damit ein willkürlicher Umgang mit den Begriffen statthaft ist. R. Dahlke (1986) unterscheidet in diesem Zusammenhang ein „waagrechtes von einem „senkrechten Denken". Das waagrechte Denken ist ein kausales Denken, das zum wissenschaftlichen Denken gehört und es gehorche den Kriterien der Logik gehorche. Dieses Denken ist analytisch vernünftig. Beispielsweise erschliesst dieses Denken, dass ein Hund und ein Vogel etwas Gemeinsames haben. Sie sind Tiere.

Demgegenüber sei das „senkrechte" Denken eher intuitiv, künstlerisch und führe bald zu einem ganzheitlichen Erkennen von Bildern, Symbolen und Mustern. Dieses zweite Denken sei analog. Aus vorliegenden Begriffen wie beispielsweise Blei, Steinbock, Klosterzelle und Bergarbeiter schliesse das analoge Denken ebenfalls auf etwas Gemeinsames, nämlich das Wesen der „Kargheit", das diese Dinge durchwaltet. Astrologisch werden diese Begriffe als Ausdruck des Steinbockarchetyps gefasst. Die Kargheit ist in all diesen Begriffen ein inhärentes Prinzip und gehört zum Wesen dieser Dinge. Es sind analoge Entsprechungen und keine kausal miteinander verbundene Begriffe. Dahlke stellt ein anderes Beispiel vor, nämlich das Schützenzeichen, um das Vorgehen zu illustrieren. Jeder astrologische Archetyp, sein Symbol oder das Urprinzip zeigt sich auf der Erde, in Pflanzen, bei Tieren und Menschen, in Geschichten und Mythologien und am Sternenhimmel. Allen Erscheinungen durchwaltet das

Wesen des jeweiligen Archetyps. Beim Archetyp Schütze ist es die Fülle, das Wachstum und die Expansion.

Das Schützezeichen umfasst die Zeit vom 23. November – 21. Dezember. Der analoge Planet ist der Jupiter, der mit seiner Grösse und dem Farbenspiel beeindruckt. In der Mythologie entstanden Geschichten von Jupiter und Zeus. Ein Sprichwort aus dem Altertum heisst: Quod licet jovie, non licet bovi. Auf Deutsch: was dem Jupiter erlaubt ist, ist dem Rindvieh nicht erlaubt. Beim Mensch gibt es den Charakterzug der jovalen Güte. Sein Grundwesen sind Züge von Offenheit, Freiheit, Dynamik und Weitblick. Sein Körper wird stattlich und imposant. Im Körper interessieren Aufbau- und Wachstumsfunktionen. Das Denken wird idealistisch, optimistisch, arrogant, grossspurig oder philosophisch. Gefühle zeigen sich in warmherziger, humorvoller, grosszügiger, vertrauensvoller und toleranter Art. Der Donnerstag heisst Jovedi. Jupiterbetonte Formen sind überladen, prunkvoll, barock und grosszügig. Das Handeln wird gütig, weise, sinnvoll und gerecht. Das Denken wird geprägt durch Predigt oder Philosophie. Im Sport wird Polo, Weitsprung oder Bogenschiessen betont. Jurist, Priester oder Stratege wird zum Beruf. Nach dem Essen interessieren zwei Portionen Götterspeise. Im Urlaub wird die Weite gesucht. Als Lektüre dienen Börsenzeitschrift oder Reiseführer. Orte werden zu Punkten in Weltreisen oder zu Kathedralen. Eine politische Struktur wird zum Imperialismus oder zum freien Welthandel. Das Blau des Wassers und des Himmels verliert sich im Horizont. Der Blauwal ist der entsprechende Fisch. Pflanzen sind grossblütig. Ebenso werden Tiere gross und wuchtig wie ein Elefant. Beim Mineral findet sich das tiefe Blau des Lapislazuli. In all diesen Dingen zeigt das Prinzip Expansion oder Fülle.

Die Auffächerung eines Archetyps zeigt ein breites Spektrum von Äusserungsformen, die auf analogen Entsprechungen beruhen. Dies ist die Erklärung dafür, dass scheinbar ganz unterschiedliche Begriffe unter einem astrologischen Oberbegriff wie z.B. Schütze verwendet werden. Die analoge Bandbreite wird aber nicht überschritten. Der Begriff der Kargheit, der oben beim Steinbockprinzip eingeführt wurde, wäre hier falsch am Platz. Zusammengefasst geht es darum, die analoge Wesensgleichheit zu suchen, die ausgehend von einem Archetyp die verschiedenen konkreten Ausformungen des Archetyps durchwaltet. Ein Mensch kann nie genau wissen, auf welcher Ebene in welcher Art sich der entsprechende Archetyp meldet. Zudem wird die Äusserungsform individuell mitgeformt. Dies ist die Begründung dafür, dass mit statistischen Methoden der „Beweis" für das Wirken eines Archetyps kaum zu leisten ist. Da die Archetypen zudem mit andern Archetypen interagieren und nur zeitweise aktiv sind, wird das Ganze noch komplizierter. Dadurch wird es fast unmöglich, Phänomene mit einem herkömmlichen wissenschaftlich kausalen Verständnis zu erfassen oder es gar rechnerisch zu verarbeiten. Versucht man eine astrologische Blinddeutung ohne den Menschen genau zu kennen, gleicht dies einem Schrotschuss. Mit viel Glück kann es einmal zu einem Treffer führen, was natürlich einige Astrologen anvisieren, um damit die Astrologie zu legitimieren. Vielmehr bewegt sich ein Archetyp in einem Spektrum von Wahrscheinlichkeiten, was in Anbetracht des Wesens des Menschen gar nicht anders sein kann. Ebenso wird verständlich, dass astrologische Forscher mit einem wissenschaftlichen Design zu ganz andern Ergebnissen kommen als Kliniker oder Therapeuten, die die individuelle Lebensgeschichte eines Klienten bis ins Detail kennen. Es braucht etwas Übung, das Wesen der Einheit in der Vielfalt der Welt zu entdecken und es ist klar, dass je nach gesellschaftlicher Entwicklung wieder anderes gesehen wird.

Wenn in diesem Abschnitt der Steinbockarchetyp mit jenem des Schützen verglichen wurde, stellt sich die Frage: wie viele astrologische Kräfte gibt es? Die Astrologie arbeitet mit zwölf Grundprinzipien. Hermann Meyer (2013) hat eine Zusammenstellung der Analogien vorgestellt, wie sie in der praktischen astrologischen Arbeit verwendet werden. Die Begriffe geben eine Vorstellung von der Bandbreite möglicher Ausprägung von Archetypen.

Archetyp Mars kann sich zeigen in: Affekt, Aufbruch, Brennnessel, Drang, Feuer, Fieber, Frühjahr, Keim, Liebhaber, Krallen, Morgen, Risiko, Spritze, Vordergrund, Trieb, Zorn

Venus zeigt sich in: Absicherung, Bedächtigkeit, Etabliertem, Garten, Geselligkeit, Hamstern, Markierung, Naturverbundenheit, Platz, Ruhe, Schwerem, Status, Substanz, Wurzel

Zwilling zeigt sich in: Arme, Aktionsradius, Bezeichnung, Erschliessung, Geräte, Handel, Information, Intellekt, Lernen, Logik, Mechanik, Mobilität, Presse, Rundfunk, Statistik, Vermessung, Wege

Krebs zeigt sich durch: Aufnahme, Befriedigung, Bett, Familie, Frau, Fürsorge, Geborgenheit, Gefühl, Glaube, Haus, Heimat, Identität, Kind, Mutter, Nacht, Nahrung, Pflege, Seele, Soziales, Weiches, Wesen

Löwe zeigt sich in: Gefühlswallung, Charisma, Emotion, Eiche, Glanz, Grossmut, Herrschaft, Herz, Imponiergehabe, Kreativität, Licht, Luxus, Organisation, Pracht, Selbst, Bindungsfähigkeit, sichere Identität, Stolz, Vater

Jungfrau zeigt sich durch: Abhängigkeit, Analyse, Anpassung, Dienen, Fleiss, Genauigkeit, Haustier, Hygiene, Krankheit, Labor, Ökonom, Sparsamkeit, Vernunft, Verwertung, Wahrnehmen

Waage: Anmut, Arrangement, Ausgleich, Ausstrahlung, Begleitung, Beschönigung, Charme, Eleganz, Energieaustausch, Ergänzung, Erotik, Friede, Gegenpol, Geliebte, Harmonie, Kunst, richtiges Mass, Partnerschaft, Proportion, Selektion

Skorpion: Atom, Besetzung, Beziehungsfähigkeit, Autorität, Befehl, Fanatismus, Fixierung, Fremdbestimmung, geistiger Weg, Gewalt, Hypnose, Krise, Leidenschaft, Leitbild, Macht, Manipulation, Opfer, Prinzip, Schema, Stirb und Werde, Transformation, Umstrukturierung

Schütze: Assimilation, Aufschwung, Ausland, Bildung, Einsicht, Expansion, Fülle, Geist, Glück, Interesse, Optimismus, Philosophie, Reise, Verbesserung, Weisheit, Weite, Weltanschauung , Wohlstand

Steinbock: Abwehr, Ausdauer, Belehrung, Beruf, Bewusstsein, Ehrgeiz, Elternrolle, Ernst, Gesetz, Ideal, Kompetenz, Kontrolle, Norm, Perfektion, Realität, Rechte, Schuld, Strafe, Struktur, Trauma, Vater, Ziel

Wassermann: Antiautorität, Atheismus, Ausnahme, Befreiung, Blitz, Brüderlichkeit, Elektrizität, Erfindung, Extreme, Flugzeug, Freiheit,

Genialität, Gleichheit, Individuation, Intuition, Nervensystem, Opposition, progressiv, Reform, Sprengung, Trotz, Unfall, Veränderung, Vogel

Fisch: Ahnung, Alkohol, Anonymität, Betäubung, Betrug, Chaos, Erlösung, Entwertung, Film, Flucht, Gefängnis, Geheimnis, Hilfe, Hoffnung, Lüge, Meer, Mystik, Fantasie, Schein, Schwäche, Sinnlosigkeit, Täuschung, Transzendenz, Verdrängtes, Wasser, Wunder

Die angeführten Begriffe innerhalb eines Grundprinzips scheinen beim erstmaligen Lesen ohne jeden Zusammenhang. Was soll Alkohol mit Meer, Film oder Betrug zu tun haben? Die Begriffe scheinen dem logischen Verstand widersprüchlich. Es wirkt, als ob man in der Astrologie willkürlich Begriffe verwendet, die gerade ins Konzept passen. Ist man im analogen Denken jedoch geübt, kann man erkennen, dass das grundlegende Wesen, hier des Fischprinzips, als der gestalt- und namenlose Urgrund zur Funktion kommt. Meer, Film oder Betrug sind Erscheinungen der realen Welt, die keine feste Form haben. Das Meer kann Grenzenlosigkeit vorspiegeln, von unendlicher Tiefe sein, sich jeder beliebigen Form anpassen oder mit dem Blau des Himmels verschmelzen. Ein Film erschafft eine virtuelle Realität, die sich bei Ende des Filmes auflöst und die Realität des Kinosaals zurück lässt. Sah der Zuschauer einen Film über das Meer, ist es nur noch in seinem Bewusstsein als virtuelle Realität anwesend. Ebenso bedient sich der Betrüger einer vorgespiegelten Realität, um dann andere harte Tatsachen zurückzulassen. Vielleicht hat er sich eine andere virtuelle Realität vorgestellt, wenn er sich mit dem entwendeten Geld das blaue Meer der Karibik vorgestellt hat. Möglicherweise hat er gemeint, mit einer Flucht der realen Welt entrücken zu können, die sich als Illusion einer nur scheinbaren Realität erwiesen hat. Ein Archetyp als virtuelles Potential versammelt in sich die Wesensgleichheit in verschiedenen Äusserungsformen der Archetypen in der realen Welt. Doch wie begründen sich diese 12 Urprinzipien mit dem Namen Mars bis Fisch?

Die astrologische Begründung des Tierkreises durch die vier Kausalitäten und die drei Gunas

Wolfgang Döbereiner (1988) hat eine eigene astrologische Schule, die Münchner Rhythmenlehre, gegründet und hat die vier Kausalitäten nach Aristoteles dafür verwendet. Denkt man sich ein Kreuz, können die vier Kausalitäten in einer bestimmten Abfolge um den Mittelpunkt gruppiert werden. Die Quadranten sehen folgendermassen aus:

Im linken unteren Quadranten steht die causa materialis. Astrologisch meint dies der stoffliche Urgrund, der Körper oder das Materielle. Phänomene sind an der Person sichtbar.

Im rechten unteren Quadranten steht die causa formalis. Dies meint astrologisch der formgebende Urgrund, das Seelische als Ausformung des Körperlichen. Phänomene sind durch die Person sichtbar.

Im rechten oberen Quadranten steht die causa effiziens. Dies ist der bewirkende Urgrund, erfahren durch den Geist. Phänomene werden durch das Entgegenkommende sichtbar.

Im linken oberen Quadranten steht die causa finalis. Dies meint der erwirkte Urgrund. Phänomene erscheinen mit unsichtbarem Anteil des Erwirkten.

Die drei Gunas sind beschrieben worden als Prinzipien der Impulsgebung, der Verdichtung und der Funktion. Die drei Grundkräfte sind erstens zu verstehen als das Impulshafte im neu Erscheinenden. Dies verfestigt sich zweitens zu einer Struktur und wird zu einem verdichteten Bestand. In einem dritten Schritt fängt dies zu funktionieren an und zeigt seine Folgen und Auswirkungen. Diese drei Gunas haben in der Astrologie einen andern Namen, unter dem die angesprochenen Prinzipien besser bekannt sind. Sie heissen kardinal, fix und veränderlich. Werden die vier Quadranten mit den vier Kausalitäten je in die drei Gunas geteilt, entstehen um den Mittelpunkt des Kreuzes zwölf gleichgrosse Abschnitte. Werden diese Abschnitte um den Mittelpunkt eines Kreises geordnet, ist der astrologische Tierkreis gefunden. Der Tierkreis hat entgegen dem Namen nichts mit Tieren oder Sternzeichen zu tun. So wie die Sternzeichen ausser der Namensgebung nichts mit Astrologie zu tun haben. Der Begriff leitet sich vom germanischen Sonnengott Thyr ab. Der Tierkreis wurde im Gegenuhrzeigersinn in zwölf Abschnitte mit den bekannten Namen von Widder bis Fisch aufgeteilt. Die Bedeutung der zwölf Tierkreiszeichen kann jetzt konsequent und logisch aus den Grundlagen der Kausalitäten und der Gunas abgeleitet werden. Dabei ist zu erinnern: der erste Quadrant steht im Zusammenhang mit der materiellen Körperlichkeit, der zweite mit seelischen, gefühlsmässigen oder familiären Phänomenen als Ausformung des Körperhaften, der dritte mit Phänomenen, die dem Betroffenen als Bilder, Vorstellungen oder von einer Begegnung entgegentreten. Im vierten Quadrant kommen Phänomene vom Schicksal, aus einem transpersonalen Bereich oder völlig unkontrollierbar und unerwartet auf den Menschen zu.

Beim astronomischen Tierkreis wird nach H. Bazhaf (2001) die Bahn der Planeten betrachtet, die aus geozentrischer, menschlicher Sicht über das Firmament auf einer Bahn wandern, welche die Erde wie ein Band kreisförmig in Ost-West Richtung umhüllt. Dies ist die Ekliptik. Diese Planeten- und Sonnenumlaufbahn wurde in 12 Sektoren eingeteilt. Nach Lang (1986) verlaufen die sichtbaren Planeten in einer maximalen Breite von 8 Grad. Den Beobachtern des Himmels fiel also die 8 Grad breite gürtelförmige Zone um die Ekliptik auf. Zur Orientierung fasste man Sterngruppen in Form von Sternbildern zusammen, um den Lauf der beweglichen Gestirne besser zu verfolgen. Diese Sternbilder lagen in früher Zeit von der Erde aus gesehen hinter dem Tierkreis. Hipparch 190-125 v. Chr. soll die Zwölferteilung des astronomischen Tierkreises definiert haben. Der Tierkreis liegt demnach um die Erde und wandert mit ihm um die Sonne. Er sei bis maximal 300 000 km von der Erde entfernt. Der Tierkreis stellt eine gleichmässige Teilung der Ekliptik dar, die von vier astronomisch genau bestimmten Punkten ausgeht. Zwei dieser

Punkte liegen am Himmelsäquator. Die beiden andern sind die Orte der Sonnenwende am Sommer- und Winteranfang. Der Frühlingspunkt der Sonnenbahn entspricht dem Anfangspunkt des Tierkreises. Nach der Teilung des Tierkreises in 12 Häuser wurden die sieben von Auge sichtbaren Planeten den Häusern zugeteilt. Die Sonne und der Mond regierten je ein Haus. Die übrigen Planeten wurden je zwei Häusern zugeteilt. Der astrologische Tierkreis nach H. Banzhaf (2001) sah vor 5000 Jahren schematisiert folgendermassen aus: Zuoberst regiert die Sonne, das Löwezeichen und der Mond, das Krebszeichen. Darunter regiert Merkur die Jungfrau und den Zwilling. Darunter regiert die Venus die Waage und den Stier. Noch ein Stockwerk darunter regiert der Mars den Skorpion und den Widder. Wiederum darunter regiert der Jupiter den Schützen und den Fisch. Zuunterst regiert der Saturn den Steinbock und den Wassermann. Das war die Situation, bevor die neuen Planeten entdeckt wurden.

H. P. Hadry (2005), Allgemeinarzt und Astrologe, hat die vier Kausalitäten zur Begründung der Astrologie aufgenommen. Er kommt aber aus logischen Überlegungen zum Schluss, dass es richtig sei, die causa formalis und die cause effiziens von Döbereiner in ihrer räumlichen Anordnung zu vertauschen. Hadry argumentiert wie folgt:

Durch den stofflichen Urgrund (causa materialis) materialisiert sich ein Neues, sei dies physisch oder körperlich. Bei einem Gegenstand wird das sichtbar oder konkret. Beim Menschen zeigt sich, welche Anlagen dem Menschen und seinem Auftreten real physisch gegeben sind. Das Körperliche erscheint hier durch einen Impuls. Die causa materialis wird dem ersten Quadrant zugeordnet.

Betreffend dem Quadrant der causa formalis sei es so, dass in Anlehnung an Aristoteles alles Seiende geformt sei und alles Vergehen die Form verliere. Diese Umformung sei die Umwandlung einer Möglichkeit in eine Realität. Die causa formalis also die Form - Ursache sei nicht das Endprodukt, sondern die Ursache einer Veränderung einer Erscheinung. Dies sei der Grund, dass eine Erscheinung so und nicht anders in der realen Welt auftreten kann. Hadry ordnet diese causa formalis dem dritten Quadranten zu.

Die causa effiziens, die Wirk - Ursache sei die Ursache aller Veränderung. Der übergeordnete Begriff sei gemäss Aristoteles jener der Bewegung. Hadry ordnet dies dem 2. Quadranten zu.

Die causa finalis ordnet Hadry dem vierten Quadranten zu. Für Aristoteles strebe alles Seiende einem Ziel zu. Die Kräfte, die dies bewirken, nennt er energaia und entelechaia. Das Wort Energie heisst „im Werk stehen". Entelechie als Begriff nur in der Philosophie verwendet, heisst wörtlich übersetzt „ das Ende in sich haben" Das Wesen aller Dinge ist somit immer ein-für-etwas -geworden -sein.

Nach Aristoteles ist das Einzelseiende vergänglich. Alles Seiende hängt miteinander zusammen und ist in ein Weltganzes gefügt. Das Sein jedoch sei ewig, unvergänglich, ohne räumliche Ausdehnung und mit den Sinnen nicht wahrnehmbar. Deshalb sei das Sein schon von den Vorfahren für die Götter gehalten worden. Wenn aus diesem Sein über die vier Kausalitäten etwas Seiendes entsteht, bildet das Horoskop dies ab. Hadry ordnet den Quadranten 1 -3 die körperlichen, die seelischen und die geistigen Möglichkeiten zu. Der 4. Quadrant entspricht der Verknüpfungsstelle des Seienden mit dem transzendenten Sein.

Noch einmal fasst H.P. Hadry zusammen. Alles was „ da ist", ist für etwas bestimmt. Daraus ist zu schliessen, dass der 4. Quadrant ohne Zweifel die causa finalis betrifft. Das führt im dritten Quadranten dazu, dass eine causa formalis, als formgebende Ursache wirken kann. Dies ist wiederum Voraussetzung, dass im 2. Quadranten durch die causa effiziens, d.h. tätiges Handeln etwas verwirklicht werden kann. Voraussetzung dafür ist wiederum, dass etwas an Substanz oder materiell Gebundenes durch die causa materialis in Erscheinung treten kann.

Als Beispiel führt Hadry ein Hausbau an. Wenn die Zeit reif ist, stellen die Umstände die Möglichkeit eines Hausbaus vor. (4. Quadrant, causa finalis). Es folgt die Formgebung durch die Baupläne. (3. Quadrant, causa formalis). Aufgrund der Pläne wird das Haus gebaut. (2. Quadrant, causa effiziens). In der realen Welt erscheint aus einer ursprünglichen Idee das materielle Produkt des Schaffens (1. Quadrant, causa materialis).

Denken wir uns ein Kreuz, so steht also um den Mittelpunkt links oben die Causa finalis (Unbewussts), rechts oben die causa formalis (Geist), rechts unten die causa effiziens (Seele) und unten links die causa materialis (Körper).

In den vier Quadranten des Horoskops sind drei Punkte nach H.P. Hadry, aber auch in der allgemeinen Lehrmeinung, von besonderer Bedeutung. Erstens der Aszendent, AC, der Punkt des Sonnenaufgangs in einem bestimmten Horoskop. Zweitens der Stand der Sonne und dritten der Ort des höchsten Sonnenstandes, das Medium coeli. Durch den Aszendenten als Ausgangspunkt des ersten Quadranten bestimmt sich, welche Anlagen einem Mensch mitgegeben sind. Er soll sie im späteren Leben verwirklichen. Der Sonnenarchetyp setzt diese Anlagen um und gestaltet sie entsprechend den Fähigkeiten des Betreffenden. Das Medium coeli (MC) im höchsten Sonnenstand erreicht dort die beste Strahlkraft. Damit zeigt das MC in seiner Qualität die Bestimmung des AC. Werden die vier Kausalitäten respektive die vier Quadranten mit den drei Gunas Impuls, Verdichtung und Funktion in jedem Quadranten kombiniert, finden sich die 12 astrologischen Grundprinzipien. Diese Prinzipien zeigen eine logische Struktur und repräsentieren einen allgemeinen Entwicklungsablauf. In dieser Herleitung ist das astrologische Prinzip überraschend einfach und es ist wirkungsvoll in der Anwendung. Die 12 astrologischen Prinzipien werden nach den Namen von Sternbildern benannt, obwohl die Astrologie nicht mit den Sternbildern, sondern mit dem Tierkreis arbeitet.

Die 12 astrologischen Urprinzipien und ihre Analogien

Eine Frage bleibt. Die Zuordnung der Begriffe von Körper, Seele, Geist und transpersonale Wirklichkeit mögen idealistisch und schematisch wirken. Abgesehen davon werden sie in der aktuellen Psychologie so nicht verwendet. D. Hover (2012) versuchte diese Begriffe aus der Tradition mit der Astrologie in Verbindung zu bringen. Er bringt Geist mit dem kardinalen Kreuz in Verbindung, Seele mit dem veränderlichen, und den Körper mit dem fixen Kreuz. Historisch wurde Geist mit Gott gleichgestellt, erfuhr aber eine Begriffsverschiebung und meint aktuell eher das erkennende Prinzip des Menschen wie das Denkvermögen und die Intelligenz. Dies entspricht mehr einem Energieprinzip, ist unpersönlich und damit kollektiver Natur. Die Seele oder das Bewusstsein ist eine nicht materielle Instanz. Der Körper wird durch Raum und Zeit begrenzt Für Platon war die Seele geistig- göttlichen Ursprungs. Sie war ein Erzeugnis des Geistes. Plotin (204- 270) hat ein Modell von der Philosophie von Platon abgeleitet und machte eine Aufteilung nach Körper, Seele, Geist und dem „Einen". Das „Eine" ist das Ziel alles Seienden und gleichzeitig der Ursprung von Allem. Dort sind die Ideen für die geistigen Muster oder die Archetypen. Es als etwas Seiendes zu bestimmen, ist aber nicht möglich.

George Brown (1995) Harvard Absolvent, hat ein ähnliche Anliegen wie H.P. Hadry. Er will den Tierkreis sich selber erklären lassen. Dieser sei ein universeller Entwicklungsablauf, der allem Geschehen und allen Phänomenen zugrunde liegt. Auf die vier Quadranten angewendet, bildet er die Grundlage aller astrologischen Analogien. Analogie wird verstanden als die tatsächliche oder empfundene Wesensähnlichkeit zwischen Dingen, die scheinen, als seien sie von grundverschiedener Art. Die Prinzipien des

Tierkreises wirken sich auch in und durch den Menschen als 12 Kräfte oder Grundbedürfnisse aus. Er expliziert im Detail die Kombination von jedem der vier Quadranten mit den jeweils drei Phasen kardinal, fix und veränderlich. G. Brown formuliert die Urprinzipien respektive die astrologische Zeichen folgendermassen und sind hier kurz zusammengefasst:

Prinzip / Zeichen Widder

Im ersten Quadranten der causa materialis materialisiert sich physisch oder körperlich etwas Neues, das real wird und was materiell am Gegenstand, am Körper oder an der Realität sichtbar und konkret wird. In der ersten kardinalen, impulshaften Phase geht es um einen Anfang. Analogien eines Anfangs sind das Energische, das Aggressive oder das plötzliche Geschehen. Mittelbar abgeleitet ist es das Primitive, das Direkte oder das Durchbrechende. Beim Menschen ist es die Selbstbehauptung, die Ungeduld oder das Ursprüngliche. Motto ist der plötzliche Anfang. Das Wesen des plötzlichen Anfangs waltet allen Analogien des Widders inne.

Prinzip / Zeichen Stier

In der zweiten, fixen, verdichtenden Phase geht es um die Verfestigung dessen, was in der ersten Phase gebildet wurde. Analogien zur Festigung sind die Dichte, das Speichernde oder das Besitzende der causa materialis. Mittelbare Analogien sind die Schwere, das Geld, die Versorgung, auf den Menschen bezogen das Selbstwertgefühl, die Gemeinschaft oder die Nahrungsaufnahmen. Motto ist die Festigung.

Prinzip / Zeichen Zwilling

In der dritten veränderlichen Phase kommt das zur Funktion, was sich bisher entwickelt hat. Analogien der Funktion als Prinzip der causa materialis sind das mit der physischen Umwelt in Beziehung tretende, das Technische oder der austauschende Handel. Mittelbare Analogien sind das Interesse, die Sprache oder die Kommunikation, auf den Menschen bezogen die Kontaktfreudigkeit, die Sachlichkeit oder die körperliche Selbstdarstellung. Das Wesen der Funktion manifestiert über den Körper oder das Materielle waltet allen Analogien des Zwillings inne. Motto ist die Funktion.

Im zweiten Quadranten der causa effiziens stabilisiert sich der bisherige Prozess weiter. Es entwickelt sich aus der körperlichen Substanz etwas, was am Wesen, Verhalten und Eigenart zu erkennen ist. Beim Menschen ist das eine seelische Identität.

Prinzip / Zeichen Krebs

In der ersten kardinalen, impulshaften Phase wird wahl- und richtungslos psychische Energie in Form von seelischer Eigenheit mit Heftigkeit freigesetzt. Krebs ist das Wesenhafte, das aller individuellen Erscheinung zugrunde liegt. Krebsanalogien sind das Weibliche, das Seelische, das Aufnehmende. Mittelbare Analogien sind die Erde, die Quelle, die Theorie. Beim Menschen meint dies die Launenhaftigkeit, die Fürsorglichkeit, der Tiefgang. Motto ist der Ursprung. Das Wesen des Ursprungs waltet allen Analogien dieses Prinzips inne.

Prinzip / Zeichen Löwe

In der zweiten fixen, verdichtenden Phase festigt sich das Vorangegangene quasi wie als Frucht aus einem Samen. Als Ergebnis tritt eine Identitätsbildung in Erscheinung. Antrieb dazu ist aktives Gestalten und Hervorbringen, was zur Geltung kommen will. Analogien dazu sind das Lebendige, das Unsterbliche oder Kreative. Mittelbare Analogien sind der Mann, die Kunst oder das Blut. Auf den Menschen bezogen ist es Mut, Kinderfreundlichkeit oder Verspieltheit. Motto ist der Lebensausdruck.

Prinzip / Zeichen Jungfrau

In der dritten veränderlichen Phase kommt das zur Funktion, was sich in den beiden Quadranten bisher herausgebildet hat. Dabei muss sich der Drang zum Selbstausdruck an vorliegende Bedingungen und Umstände anpassen. Der Mensch übernimmt Funktionen im Sozialisierungsprozess, um in einer Gemeinschaft von seelisch empfindender Menschen Andere nicht zu behindern. Die masslose Löwenenergie des vorher Ich-zentrierten Individuums muss funktional angepasst werden. Jungfrau stellt die seelische Verbindung mit der Umwelt her. Analogien sind das Wahrnehmende, das Kritische, das Berechnende. Mittelbare Analogien sind die Analyse, die Ängstlichkeit, die Zweckmässigkeit. Auf den Menschen bezogen ist es die Pünktlichkeit, die Wachsamkeit, die Sauberkeit und die Arbeitswelt. Motto ist die Selbsterhaltung.

Der dritte Quadrant der causa formalis spiegelt das wieder, was ausgehend von den beiden ersten Quadranten in der Interaktion mit der Umwelt und in der Beziehung mit Andern zu erkennen ist. Beim Menschen zeigt, sich welche Anlagen auf allen Ebenen der geistigen Tätigkeit und der Beziehungsmodi zu erkennen sind.

Prinzip / Zeichen Waage

In der ersten kardinalen, impulsbetonten Phase wird Energie freigesetzt, um Bilder oder Gedanken zu kreieren. Diese Denkfähigkeit ist zugleich Beziehungsfähigkeit, weil Begegnung immer über vorgängige innere Bilder erfolgt. Diese Bilder sind beeinflusst von dem, was der Einzelne selber ist. Das Waagezeichen kann die belebte Umwelt wahrnehmen und davon ein eigenes „geistiges" Bild erzeugen. Über das Bild ist das Individuum bereit, auf Andere zuzugehen und mit ihm den Ausgleich zu suchen. Analogien dazu sind das Gleichwertige, das Abwägende, das Harmonische. Unmittelbare Analogien sind die Strategie, die Umgangsform, die Gleichheit. Auf den Menschen bezogen ist es die Friedfertigkeit, die Handlungsschwäche oder der Schönheitssinn. Das Motto heisst Bilderzeugung.

Prinzip / Zeichen Skorpion

Die zweite Phase dieses Quadranten ist fix und verfestigend. Die wahllos produzierten Bilder der Waage werden zu fixen Bildern verarbeitet. Die festen Vorstellungen und erstarrten Erfahrungsbilder aus der Waage werden zu abrufbaren Bildgefügen verarbeitet. Diese Musterbildung bindet viel Energie in sich. Sie kann lebensvernichtend wie lebenserhaltend sein, je nachdem, ob sich die bildliche Vorstellung als lebensbejahend oder verneinend erweist. Beim Aufbrechen von fixen Vorstellung wird die gespeicherte Energie freigesetzt. Die freigesetzten Bildelemente gruppieren sich wieder zu neuen Vorstellungen. Die Freisetzung von Energie, aber auch die fixierten Vorstellungsbilder, können als Krise erlebt werden. So spricht man auch vom Stirb- und Werdeprozess des Skorpionzeichens.

Analogien sind das Verschmelzende, das Zerstörende, das Mächtige, das Verbindliche. Mittelbare Analogien sind das Geheimnis, die Leidenschaft, die Genetik. Beim Menschen sind es Anziehungskraft, Herrschsucht, Gewalt und Intensität. Motto ist das Bild- oder Vorstellungsgefüge.

Prinzip / Zeichen Schütze

In der dritten veränderlichen Phase kommt das bisher Gefestigte zu seiner Funktion in Beziehung zur Umwelt. Dies entspricht einer Mustererkennung, wo jetzt die früheren fixen Vorstellungen in ihrer Tiefe begriffen, akzeptiert und auf Sinn in Bezug auf die Welt reflektiert werden. Wachsein mit aufhellender Mustererkennung ist ein Kennzeichen des Schützen. Analogien sind Bildung, Philosophie, das Ausland, die Weite, das Expandierende, das Sinnhafte. Mittelbare Analogien sind das Wachstum oder die Reise. Beim Menschen sind es der Optimismus, die Religion oder die Masslosigkeit. Motto ist die Erkenntnis.

Der vierte Quadrant geht über den körperlichen, seelischen und geistigen Bereich hinaus. Es ist der Bereich der causa finalis. Das Erwirkende in seiner ganzen Realität entzieht sich letzten Endes dem unmittelbaren Zu- oder Eingriff des subjektiven menschlichen Willens. Es ist der Bereich des transpersonalen Seins, der als Idee und Wahrheit des vierten Quadranten gedacht werden kann. Im Bereich des Menschseins ist die Thematik des realen Menschen aber nicht frei von subjektiver Verstellung. Die subjektiven Phänomene der drei ersten Quadranten werden hier an den transzendenten Bereich des vierten Quadranten angebunden. Die letzte Essenz hinter jedem Phänomen spiegelt wieder, was an einem Phänomen wirklich ist.

Prinzip / Zeichen Steinbock

Die erste kardinale Phase der causa finalis verweist auf dem ausserpersönlichen Bereich, in dem alles Reale gründet. Dieser Bereich stellt das vormaterielle Potenzial des Menschen dar. Hier zeigt sich die letzte Essenz der Wirklichkeit, die impulshaft in der realen Welt erscheint. Wegen seiner transpersonalen Forderung wird das Steinbockprinzip zuweilen vom Mensch als feindselig erlebt, wenn es mit subjektiven Bedürfnissen in

Konflikt kommt. Durch die Strenge des Steinbockprinzips wird Ordnung und Struktur geschaffen. Analogien sind das Wahre, das Trennende, das Regelnde, das Gerechte, das Massstäbliche. Mittelbare Analogien sind die Wahrheit, das Gesetz, die Einschränkung. Beim Menschen sind es die Sturheit, die Gehemmtheit oder das Verantwortungsbewusstsein. Das Motto ist die Anbindung an die transzendente Wirklichkeit.

Prinzip / Zeichen Wassermann

Bei der zweiten fixen, verdichtenden Phase der causa finalis geht es um eine Festigung der aussersubjektiven Wirklichkeit im individuellen Menschen. Das frühere Ich-Gefühl des Einzelnen diente dazu, sich von den Andern abzugrenzen. Jetzt kann man sich mit der erweiterten Wahrheit der transpersonalen Wirklichkeit identifizieren. Nach der Integration dieser eigenen Wirklichkeit im Wassermann ist es nicht mehr notwendig, sich subjektiv abzugrenzen. Hinter der sichtbaren Vielfalt der Welt wird die unsichtbare Einheit aller Dinge erkannt. Analogien sind das Reine, das Originelle, das Gleichgeartete, das Revolutionäre, das Skurrile und das Himmlische. Mittelbare Analogien sind die Gruppe, die Innovation, die Umwälzung, der Computer. Beim Menschen sind es die Sprunghaftigkeit, die Eigenwilligkeit, der Fanatismus oder das elitäres Gehabe. Das Motto heisst die reine Urform.

Prinzip / Zeichen Fisch

In der dritten, veränderlichen Phase der causa finalis will das zur Funktion kommen, was sich bisher als individuelle Wahrheit manifestiert hat. Nicht die subjektive Idee des Menschen, sondern transpersonale Ideen wollen in der Welt zur Funktion kommen. Das verlangt, sich dem Lauf der Dinge bedingungslos unterzuordnen und der Wahrheit im Dienste einer höheren Instanz oder dem Universellen gegenüber offen zu sein. Wenn die Realität der Welt für den Menschen schwierig wird, kann allerdings die Flucht in eine Idee der Weltabgeschiedenheit nahe liegen. Analogien sind: Das Mögliche, das Verschwommene, das Hilflose, das Unendliche und das Nicht-greifbare. Mittelbare Analogien sind die Erlösung, die Droge, die Täuschung, das Gefängnis, der Nebel. Beim Menschen sind

es die Passivität, die Sucht, die Lüge, die Selbstlosigkeit oder die Opferbe-
reitschaft und Schwäche. Motto ist der gestalt- und namenlose Urgrund.

Soweit das Konzept von George Brown. Die astrologischen Zeichen
sind damit logisch abgeleitet und voneinander abgegrenzt. Sie stellen ein
virtuelles Potential dar. Um zu einem realen Phänomen in der Welt zu
werden, brauchen sie die planetarischen Archetypen.

Die planetarischen Archetypen als strukturbildende Kräfte

Der Begriff der astrologischen Planeten deckt sich nicht mit dem üblichen Gebrauch der Planeten in der Astronomie. In der Astrologie wird auch der Mond oder die Sonne als Planet bezeichnet, in der Astronomie ist das nicht der Fall. Kürzlich haben Astronomen Pluto den Status als Planeten abgesprochen. In der Astrologie wird er weiterhin so bezeichnet. Der Grund für diese Namensverwirrung liegt darin, dass die Astrologie einerseits die Positionen der materiellen Planeten in unserm Sonnensystem zur Geburtzeit ermittelt und dazu den Mond auch als Planeten bezeichnet. Diese Positionen werden ins Horoskop eingetragen. Andererseits bezeichnet die Astrologie die Kräfte auf den Menschen, um die es ihr geht, auch als Planeten. Dies ist missverständlich, weil dies nahelegt, dass beispielsweise der materielle Mars auf den Menschen einwirke. In Tat und Wahrheit weiss niemand genau, ob oder wie ein materieller Planet im astrologischen Sinn wirkt. Hier sind die astrologisch wirksamen Kräfte als archetypische Kräfte definiert. Mars im astrologischen Sinn meint deshalb genauer die archetypische Marsenergie. Die Astrologie will beides bezeichnen. Einerseits den materiellen Mars, der um die Sonne kreist und den materielle Mars, wie er im Horoskop eingezeichnet ist, allerdings aus einer geozentrischen Sicht. Andererseits redet die Astrologie von den archetypischen Planetenenergien, die sich im Leben der Menschen auswirken. Beides, realer Mars und die Wirkungen der archetypischen Marskraft scheinen synchron miteinander verschränkt zu sein. Sie stehen aber nicht in einem kausalen Verhältnis zueinander. Da es in der Astrologie üblich ist, von Planeten zu reden, wird hier der klarere Begriff der archetypischen Planeten verwendet.

Wirksame Wesenskräfte im Menschen sind nichts Neues. Bereits Sigmund Freud postulierte die Kraft und Energie der Libido. Astrologisch gesprochen ist dies die Marsenergie. Das Über - Ich als moralische Instanz oder als begrenzendes Prinzip entspricht astrologisch dem Saturnprinzip. Die vermittelnde Instanz des Ichs wird astrologisch mit dem Sonnenprinzip gefasst. In der Astrologie werden weitere Energien oder Archetypen dargestellt. Speziell auf den Menschen bezogen sind es Lebensenergien des Menschen, die den 12 astrologischen Grundprinzipien zugehören. Die archetypischen Energien wirken so, wie es ihrer Natur entspricht. Aber sie fragen nicht, wie das Ergebnis qualitativ für den Menschen aussieht. Ein Archetyp wirkt nicht kausal als Ursache mit einem festgelegten Ergebnis, sondern im Sinne eines Ergebnisbereichs, der ein breites Spektrum von möglichen Einzelergebnisse offenlässt. Dieses Spektrum hat aber Grenzen in Bezug auf das Spektrum eines anderen Archetyps. Damit hat der Mensch gemäss seiner Grundnatur als offenes Wesen einen Spielraum von Möglichkeiten, der abhängig ist von seinem Stand des Bewusstseins, seiner Reife oder seiner Kultur. Die Verwirklichung der archetypischen Kräfte ist unabhängig von einer menschlichen Beurteilung nach den Kriterien von Gut oder Böse. Es ist dem Menschen vorbehalten, dies mittels seiner Ethik und Moral zu bewerten. Einzig der astrologischen Sonnenenergie geht es darum, die verschiedenen Kräfte zu kanalisieren und daraus ein sinnvolles Ganzes zu machen. Die archetypischen Planetenenergien werden als Träger oder Vermittler der Tierkreiszeichen von Widder bis Fisch betitelt. Der planetarische Archetyp Mars verkörpert das Widder Prinzip. Mars und Widder gründen im selben Urprinzip. Mars hat sich quasi daraus, bildlich gesprochen, verkörpert und repräsentiert das Widder Prinzip. Um bei einem symbolischen Vergleich zu bleiben: so wie ein König der Herrscher eines Landes ist und zum Handlungsbevollmächtigten geworden ist, wird der Mars der Herrscher des Widderprinzips und hat Handlungsbefugnisse. Das Gleiche gilt analog vom Stier- bis zum Fischprinzip. Da es um eine Psychologie des Menschen geht, hat die astrologische Tradition aus einer Vielzahl von Analogien bei den 12 Urprinzipien jene extrahiert, welche die Antriebskräfte oder Bedürfnisse des Menschen anzeigen.

Im Folgenden werden die Ausführungen von Georg Brown (2002) zu den planetarischen Archetypen zusammengefasst. Durch die Kräfte der

Planeten als Träger der Tierkreiszeichenprinzipien können diese Archetypen in allen Bereichen der materiellen und nichtmateriellen Schöpfung als Triebkräfte wirken. Dabei wird aus dem Urpotential der Zeichen über die Archetypen eine konkrete Erscheinung in die Welt gebracht. Die planetarischen Archetypen sind unberührt vom Entstehen, Bestehen oder Vergehen. Die archetypische Energie will nur ihr Potential in Erscheinung bringen. Die Archetypen enthalten alle dem Menschen zugänglichen Zustände, die virtuell in den Tierkreiszeichen gespeichert sind. Über die Archetypen kann der Mensch diese Möglichkeiten in Form von inneren oder äusseren Bildern abrufen. Diese Bilder dienen als Grundlage für die Gestaltung des seelischen Lebens und die Gestaltung der Aussenwelt. Wenn der Mensch lernt, die eigenen inneren Bilder zu steuern, gelingt ihm auch ein Stück weit die Kontrolle über sein Leben in der Welt.

Planetarischer Archetyp Mars

Über Mars stehen dem Menschen die im Zeichen des Widders gespeicherten Möglichkeiten zur Verfügung. Mars ist der Herrscher des Widders. Dieses Zeichen beinhaltet das Urprinzip „ Anfang". Mars ist die Kraft und ein Bedürfnis, das die Widderqualität „Anfang" in die Welt bringt. Mars äussert sich durch

1.) einen Aggressionstrieb in Form von Initiative, Raumergreifung oder Kampf.

2.) ein Bedürfnis sich auszudrücken in Form von Impulsivität, Spontaneität oder Gradlinigkeit .

3.) einem Realitätssinn in Form von konkreter Darstellung, Sichtbarkeit oder Klarheit.

4.) Tatendrang in Form von Pionierleistung, Urheberschaft oder Wegweisung.

5.) Innere oder äussere Bilder des Mars zeigen sich in Aggression, Primitivität, Mut, Angriff, Egoismus und Analogien dazu.

Venus

Über den Archetyp Venus stehen sämtliche im Zeichen Stier gespeicherten Möglichkeiten zur Verfügung. Venus ist der Herrscher des Stiers. Venus will das Urprinzip „Festigung" mit seinen Analogien in der Welt verwirklichen. Venus ist die Kraft und das Bedürfnis, das Stierpotenzial in die Welt zu bringen. Venus äussert sich in einem

1.) Speicherungstrieb durch Verwurzelung, Bestand oder Sesshaftigkeit.

2.) Herdentrieb durch Akzeptanz, sozialer Einordnung oder Frieden.

3.) Sinn für Werte durch Status, Wertschätzung oder Brauchbarkeit.

4.) Sicherungstrieb durch Abgrenzung, Wehrhaftigkeit oder Kraftspeicherung.

5.) Innere und äussere Bilder der Venus zeigen sich über Eingrenzung, Sammeln von Werten wie Selbstwert oder Reichtum.

Planetarischer Archetyp Merkur

Über den Archetyp Merkur werden Qualitäten in die Welt gebracht, die im Zeichen Zwilling gespeichert sind. Merkur ist der Herrscher von Zwilling. Im Zwilling sind die Inhalte der veränderlichen 3. Phase des 1. Quadranten des Tierkreises enthalten, die zur Funktion gelangen wollen. Merkur will das Urprinzip „Funktion" aus dem Potential in die konkrete Lebenswelt bringen. Dies verwirklicht sich über

1.) einen Funktionstrieb durch Selbstdarstellung, Beweglichkeit und Orientierung in der Umwelt.

2.) einen Antrieb zur Kommunikation durch Austausch, Lernen, Intellekt oder Beweglichkeit.

3.) einen Antrieb zur Unterscheidung wie Kennzeichnung, Kategorisierung oder Logik.

4.) einen Antrieb zur Analyse durch Eindeutigkeit, Aufspalten in Bestandteile oder formale Logik.

5.) Innere und äussere Bilder der Wahrnehmung innerhalb des Merkurprinzips zeigen sich in Sachlichkeit, Technik, Information oder Beweglichkeit und Wendigkeit.

Mond

Über den Archetyp Mond stehen sämtliche gespeicherten Möglichkeiten des Tierkreiszeichens Krebs zur Verfügung. Mond ist der Herrscher des Krebszeichens. Es sind dies Inhalte der 1. kardinalen Phase des 2. seelischen Quadranten. Der Mond will Möglichkeiten des Urprinzips „Ursprung" in die Welt transportieren. Dies verwirklicht sich über

1.) ein Bedürfnis nach tiefer Empfindung durch Geborgenheit, Zuwendung oder Fürsorge.

2.) ein Bedürfnis nach Regeneration durch Rückzug, Ruhe oder Zeit um aufzutanken.

3.) ein Bedürfnis nach Bemutterung, Einfühlsamkeit oder Ichbezogenheit.

4.) ein Bedürfnis nach Anlehnung durch Schutz, Pflege oder Hingabe.

5.) Die inneren und äusseren Bilder des Mondes zeigen sich über Mütterlichkeit, Fruchtbarkeit oder Heimat.

Planetarischer Archetyp Sonne

Über den Archetyp Sonne werden Phänomene des Tierkreiszeichens Löwe vom Potential in die konkrete Wirklichkeit geführt. Die Sonne ist der Herrscher des Löwezeichens. Sie will das Urprinzip „Lebensausdruck" in der Welt verwirklichen. Der Lebensausdruck verwirklicht sich über den

1.) Überlebenstrieb durch Stärke, Selbstzentriertheit, Selbstständigkeit oder Weitergabe des Lebens.

2.) Antrieb, sich auszudrücken durch Kreativität, Erfolg oder Unabhängigkeit.

3.) Antrieb, sich zu verwirklichen durch Willenskraft, Selbstbewusstsein oder Handlungsfreiheit.

4.) Antrieb zu gestalten durch produktive Tätigkeit, Führungsstellung oder Entscheidungsfreiheit.

5.) Die inneren und äusseren Qualitäten des Lebensausdrucks zeigen sich über den Vater, im Starksein, in Kindern oder durch die Selbstherrlichkeit.

Merkur

Dem archetypischen Planet Merkur stehen die Möglichkeiten des Zeichens Jungfrau zur Verfügung. Der Merkur ist der Herrscher der Jungfrau. Er will das Urprinzip der „Selbsterhaltung" in die Welt transportieren. Dies entspricht der 3. veränderlichen Phase des 2. Quadranten, wo das Potential zu Funktion gebracht werden soll. Dies geschieht über

1.) den Selbsterhaltungstrieb durch Vorsicht, Berechenbarkeit oder Sicherheit.

2.) den Lebenserhaltungstrieb durch Wirtschaftlichkeit, Vernunft oder Gesundheit.

3.) den Antrieb zur Anpassung durch Flexibilität, Nutzen schaffen oder Konformismus.

4.) den Antrieb wahrzunehmen durch Analyse, Klarheit oder gründliche Untersuchung.

5.) Die inneren und äusseren Bilder des Merkurs zeigen sich in Anpassung, Ordnung oder Dienstbarkeit.

Venus

Der Archetyp Venus will die Möglichkeiten des Zeichens Waage verwirklichen. Venus ist der Herrscher des Waagezeichens. Es geht um die 1. kardinale Phase des 3. geistigen Quadranten. Die Venus will das Urprinzip der „Bilderzeugung" in der Welt zum Vorschein bringen. Dies verwirklicht sich über

1.) den Antrieb zur Begegnung durch Akzeptanz, Partnerschaft oder Austausch.

2.) den Antrieb zum Ausgleich durch Ausgewogenheit, Gerechtigkeit oder Eintracht.

3.) den Antrieb zur Ausgeglichenheit über Meinungsfreiheit, Problemlösung oder Vielfalt.

4.) den Antrieb zur Ergänzung durch Vervollständigung, Begleitung oder Ausschmückung

5.) die inneren und äusseren Bilder von Venus zeigen sich in der Ergänzung, Harmonie oder Gerechtigkeit

Pluto

Der Archetyp Pluto verwirklicht Möglichkeiten des Zeichens Skorpion. Pluto ist der Herrscher dieses Zeichens. Pluto will das Urprinzip des fixen „Bildgefüges" in die Welt bringen. Dies realisiert er über

1.) den Machttrieb durch Gewalt, Manipulation oder totaler Kontrolle.

2.) den Antrieb zu Selbstüberwindung durch Krise, Gefahr oder Gegner.

3.) den Antrieb, sich zu verpflichten durch Dogma, Leitbilder oder Selbstaufopferung.

4.) Erotik in einer intensiven Beziehung durch Intimität, Leidenschaft oder Hingabe.

5.) Innere und äussere Bilder von Pluto zeigen sich durch Macht, in der Vollkommenheit oder im Tabu.

Jupiter

Der Archetyp Jupiter verwirklicht Möglichkeiten des Zeichens Schütze, das gemäss seiner Qualität zur Funktion gebracht werden soll. Jupiter ist der Herrscher des Zeichens Schütze. Jupiter will das Urprinzip „Erkenntnis" in die Welt bringen. Dies geschieht konkret durch den

1.) Antrieb zur Erkenntnis durch Einsicht, Weitsicht oder Bildung.

2.) Antrieb zur Expansion durch Wachstum, Über-sich-hinauswachsen, Aufbrechen zu neuen Horizonten.

3.) das Bedürfnis zu glauben durch Religion, Philosophie oder Zuversicht.

4.) Innere und äussere Bilder werden erfahren durch Lehrer, fremde Länder oder Sinnhaftigkeit.

Saturn

Der planetarische Archetyp Saturn verwirklicht Möglichkeiten des Zeichens Steinbock, das gemäss seiner kardinalen Phase den 4.Quadranten prägt. Saturn ist der Herrscher des Zeichens Steinbock. Saturn will das Urprinzip der nicht subjektiv verstellten Wirklichkeit zum Durchbruch verhelfen. Das geschieht durch

1.) den Antrieb, Wirklichkeit zu erfassen durch Objektivität, Echtheit oder das Wesentliche.

2.) Ehrgeiz über erstrebenswerte Ziele, Autorität oder Hindernisse.

3.) Antrieb zur Konstanz durch Zuverlässigkeit, Tradition oder Reife.

4.) Antrieb zur Selbstregulierung durch Moral, Leitlinien oder regelnde Massstäbe.

5.) Innere und äussere Bilder werden erfahren durch Recht, Staat oder Gesetze.

Uranus

Der Archetyp Uranus verwirklicht Möglichkeiten des fixen Zeichens Wassermann. Uranus ist der Herrscher des Wassermannzeichens. Uranus will das Urprinzip der reinen Urform oder der Wirklichkeit fixierend in die Welt bringen. Dies geschieht durch

1.) das Bedürfnis nach Freiheit durch Individualität Freizügigkeit oder Ungebunden sein.

2.) den Antrieb zu reiner Form durch Leidenschaftslosigkeit, Unberührtheit oder Unbeeinflussbarkeit.

3.) durch das Bedürfnis nach Freundschaft über Artgleichheit, Seelen- und Wesensverwandtschaft.

4.) durch das Bedürfnis nach transzendenter Erfahrung durch Religion oder Gotteserfahrung.

5.) Innere und äussere Bilder des Uranus werden erfahren durch Originalität, Arroganz oder Freiheit.

Neptun

Der planetarische Archetyp Neptun verwirklicht Möglichkeiten des Zeichens Fisch und will dessen Inhalte zur Funktion bringen. Neptun ist der Herrscher des Zeichens Fisch. Er will das Urprinzip des gestalt- und namenslosen Urgrundes in die Welt bringen. Dies geschieht durch

1.) den Antrieb auszuweichen durch Flucht, Illusion, Grenzenlosigkeit oder Idealisierung.

2.) das Bedürfnis nach Erlösung durch Helfen, totale Passivität, Widerstandslosigkeit oder Transzendenz.

3.) Das Bedürfnis nach Aufopferung, Selbstaufgabe oder Verzicht.

4.) innere und äussere Bilder des Neptuns zeigen sich über Schwäche, Phantasie oder eine Isolation.

Soweit das Konzept von G. Brown. In neuerer Zeit arbeiten Astrologen mit weiteren Faktoren. B. Eichenberger (1995) berichtet, dass Chiron 1977 von L. T. Kowal am 1.11.1977 in Passadena, Californien entdeckt wurde. Der Kleinplanet zeigt eine exzentrische Umlaufbahn. In der Mythologie wurde Cheiron schon viel früher beschrieben. Er war der Sohn des Kronos und der Okeanostochter Philyra. Als Cheiron in einer Höhle zur Welt kam, hatte er den Unterkörper eines Pferdes und den Oberkörper eines Gottes. Die Mutter schämte sich ihres Sohnes so sehr, dass sie Zeus bat, sie in eine Linde zu verwandeln. Cheiron wurde von Apoll gefunden und zog ihn als Mischwesen auf. Der grossgewordene Cheiron zeigte Talente in der Heilkunst, in der Jagd- und Kriegskunst und wurde unsterblich. In einem Kampf mit Kentauren um einen Weinkrug wurde Cheiron unbeabsichtigt mit einem Giftpfeil verwundet. Es war klar, dass die Wunde nie heilen werde. Herakles und Prometeus verhandelten, was zu tun sei. Man einigte sich, dass Prometheus unsterblich werden durfte und dass Cheiron sterben dürfe. Anschliessend wurde er als Sternbild Centauros an den Himmel versetzt. Astronomisch zieht Chiron seine Bahn zwischen Saturn und Uranus.

Wie es bei den ab 1781 neu entdeckten Planeten Uranus, Neptun und Pluto der Fall war, muss der Mensch die astrologischen Manifestation von

Chiron erschliessen. Dies geht über den Weg der analogen Kennzeichnung. Es wird angenommen, dass eine archetypische Kraft im Weltall wirkt und den materiellen Chiron auf seine Bahn bringt. Eine andere Ausdrucksebene ist jene des menschlichen Geistes. Sie entwarf Bilder von mythologischem Gehalt, welche im alten Griechenland von den Einen gehört, von den Andern als Botschaft der Götter aufgefasst wurde. Die heutige Symbolik will die Bedeutung aus dem Wesen Chiron erschliessen. Chiron zeigt an, dass der Mensch gespalten ist zwischen dem Göttlichen und dem Menschlichen, zwischen Saturn und Uranus. Er ist ein Vermittler zwischen den geistigen Planetenarchetypen und Saturn, welcher für Verkörperung und Grenzsetzung steht. Chiron lässt sehen, dass das Heile, aber auch das Kranke wirkt. Dieses Paradox ist schmerzhaft und schwer zu ertragen. Chiron gilt als Bild eines verletzten Heilers. Es hat einen starken Bezug zur Körperlichkeit und Krankheit.

In der empirischen Forschung geht es darum, in immer mehr Einzelfallstudien die Stellung von Chiron im Horoskop zu erfassen und die lebensgeschichtliche Bedeutung im Zusammenhang zu erfragen. Es hat sich gezeigt, dass sowohl Geburtsdefekte als auch chronische Krankheiten mit einer Schwachstelle von Chiron einhergehen. Daraus folgt, dass Chiron eine Entwicklungsaufgabe bedeutet. Wunden des Chiron sind nicht zu heilen, sondern verlangen Akzeptanz. Der Betreffende muss lernen mit schwierigen Anteilen zu leben. Gleichzeitig liegt das Potenzial von Chiron in den heilenden und lehrenden Fähigkeiten. In der kurzen Zeit seit der Entdeckung von Chiron zeigte sich, dass viele Menschen mit einer Chironschwäche zu Pflegern. Lehrern oder Heiler wurden.

Lilith, der schwarze Mond ist ein weiterer Punkt, mit dem seit den 80er Jahren astrologisch gearbeitet wird. Eine differenzierte Darstellung findet sich bei K. von Stuckrad (2009). Lilith ist kein materieller Körper, sondern ein blosses Konstrukt respektive ein mathematischer Punkt. Der Mond bewegt sich auf einer leicht elliptischen Bahn um die Erde. Der eine Brennpunkt diese Bahn, welche der Mond um die Erde beschreibt, ist die Erde selber. Der zweite Brennpunkt ist ein leerer Punkt komplementär zur Erde, der Lilith getauft wurde. Die Geschichte von Lilith tauchte früh in der Mythologie auf. Aktuelle Auslösungen von Lilith werden mit

Geburten, Fehlgeburten, Täuschungen von Schwanger- oder Vaterschaft in Zusammenhang gebracht. Der schwarze Mond zeigt virtuelle, potenzielle Möglichkeiten.

Zwei weitere astrologische Punkte sind die beiden Mondknoten, auch Drachenschwanz genannt. Die Sonnenbahn auf der Ekliptik und die Mondbahn, die dazu um 5 Grad schräg ist, schneiden sich im absteigenden und aufsteigenden Mondknoten. Diese Schnittpunkte kannten die Astronomen schon vor 4000 Jahren und sie beobachteten die Ergebnisse, die diese Konstrukte auf der Welt ergaben. Beide Mondknoten bilden eine Achse. Der aufsteigende Mondknoten im Symbol mit einen geschlossenen Bogen nach oben bildet symbolisch das Ende eine Strasse, zu dem der Mensch aufzubrechen hat. Der absteigende Mondknoten mit dem schalenförmigen Bogen verweist auf die Vergangenheit, wo der Mensch herkommt. Nach J.C. Weiss (1994) ist es der Ort der Vertrautheit mit dem, was sich die Gefühlsbedürfnisse wünschen und was man ständig wiederholen möchte. Der aufsteigende Mondknoten bietet den Ort des optimalen Reifeprozesses. Es ist der Ort, der uns von der Abhängigkeit der Vergangenheit wegführt und neue Horizonte ermöglicht. So repräsentieren die Mondknoten die Leitlinie der menschlichen Entwicklung.

Einige Astrologen arbeiten noch mit weiteren Punkten respektive Planeten. Seit 2002 wurden Quaoar, Orcus, Santa, Sedna und Xenia entdeckt. Die Vereinigung der Astronomen IAU begann eine Diskussion darüber, was ein Planet sei und schliesslich wurde Pluto wie erwähnt aufgrund seiner kleinen Grösse als Planet ausgeschieden. Für die Astrologen hat dies allerdings keine Relevanz und Pluto wird weiter verwendet.

Die planetarischen Archetypen transportieren bildlich gesprochen die Energien der Tierkreiszeichen in die reale Welt. Die in der Psychoanalyse, in der Jungschen Psychologie oder in der Individualpsychologie beschrieben seelischen Kräfte oder Bedürfnisse, sei es ein Über-Ich, ein Selbst oder ein Machtstreben, werden aufgenommen, systematisiert und erweitert. Beispielsweise betrifft aber ein Unterschied zur Psychoanalyse den vierten Quadranten. Während S. Freud in religiösen Gefühlen unreife Anteile sah, formuliert der 4. Quadrant in der Astrologie eine Seite des Menschen, die in seiner wesenhaften transpersonalen Natur liegt. Die planetarischen Archetypen lassen einen grossen Handlungsspielraum des Menschen offen und definieren ihn dadurch nicht als fremdbestimmten Organismus. Auf der andern Seite setzen Archetypen Schwerpunkte für Verhaltensmuster. Die Bandbreite des Verhaltens, die zwischen den beiden Polen entsteht, entspricht der tatsächlichen Bandbreiten des Verhaltens der Menschen, wie es zu beobachten ist.

Zur symbolischen Darstellung der Tierkreiszeichen und der archetypischen Planetenprinzipien

D ie Darstellung von B. Theler (2000) wird hier kurz zusammengefasst.

♈ **Das Widder Zeichen:** Es stellt den Aufbruch der natürlichen Kräfte im Frühling dar. Die Energie strebt von unten ans Licht und zeigt einen Neubeginn an. Man könnte auch Widderhörner erkennen, die Neuland erobern.

♉ **Das Stier Zeichen:** Stoffliche Nahrung wird über die obere Schale gesammelt und dem Kreis einverleibt. Ebenfalls könnte ein Stierkopf gedeutet werden, der für Fruchtbarkeit und die nährende Mutter Erde steht.

♊ **Das Zwilling Zeichen** besteht aus einer aufnehmenden und einer abgebenden Schale. Das Kommunikationszeichen nimmt Informationen über den oberen Teil auf und gibt sie nach Analyse unten wieder ab.

♋ **Das Krebs Zeichen** steht mit den gegenläufigen Spiralen für die auf- und absteigende Sonnenbahn. Die Schalen reflektieren das Licht gegen innen, wo sie als Seelenenergie ruht.

♌ **Das Löwe Zeichen:** Es geht von einem Kreis aus, der rechts zu einer Kuppe führt. Damit ist die Extravertiertheit ausgedrückt. Der rechte Teil kann als Schlange oder als Löwenschwanz gedeutet werden, die beide Kraft symbolisieren.

♍ **Das Jungfrau Zeichen** könnte Ähren darstellen, die mit einer Sichel geerntet werden. Fleiss und praktische Veranlagung drückt sich damit aus.

♎ **Das Waage Zeichen** stellt die untergehende Sonne über dem Horizont dar. Ebenfalls könnte man eine stilisierte Waage erkennen, die im Gleichgewicht ist.

♏ **Das Skorpion Zeichen** besteht aus drei nach unten gerundeten Halbmonden sowie unten rechts aus einem Stachel. Das Symbol drückt Tiefgründigkeit und Leidenschaft aus.

♐ **Das Schütze Zeichen** zeigt einen Pfeil nach rechts in die Zukunft als Streben nach dem Höheren. Es symbolisiert Sinnsuche und Begeisterungsfähigkeit.

♑ **Das Steinbockzeichen** symbolisiert die aufsteigende Sonne zur Wintersonnenwende. Der obere Pfeil zeigt an, dass Ziele langsam und mit Durchhaltewillen erreicht werden.

♒ **Das Wassermann Zeichen** zeigt zwei Wellenlinien, die als Wasser und damit als Leben, die aber auch als Wechselstrom gedeutete werden können. Nach rechts zeigen sie die Zukunft an. Damit drückt das Symbol Ideenreichtum und Lebendigkeit an.

♓ **Das Fisch Zeichen** besteht aus zwei vertikalen aneinandergestellten Halbmonden. Sie stehen für die zu- und abnehmenden Halbmonde der Mondphasen. Damit ist es ein Symbol für Tod und Wiedergeburt mit einem Bezug zum Transzendenten und der Mystik.

Zu den planetarischen Archetypen:

Allgemein steht ein Kreis für Ganzheit und Vollkommenheit. Er symbolisiert ewige Wiederkehr ohne Anfang und Ende und damit Zeit- und Raumlosigkeit.

Der Halbmond ist das Symbol der grossen Mutter. Er steht für das passive, aufnehmende Prinzip. Er symbolisiert das empfangende, bewahrende und reflektierende seelische Prinzip.

Das Kreuz ist das Symbol der vier Himmelsrichtungen, der vier Elemente sowie des Geistes (vertikale Linie), der in die Materie (horizontale Linie) hinabsteigt. Damit steht das Kreuz für Raum und Zeit, für das Körperliche und Materielle.

Der Pfeil steht für das durchdringende männliche Prinzip und für die zielgerichtete Kraft. Er zeigt einen Impuls an, der über Grenzen hinausgeht.

Der Punkt ist ein Symbol für das Zentrum und für reines Sein. Er ist der göttliche Funke und ein Ort, um den sich alles dreht. Zudem steht er für die Verbindung von Mikro- und Makrokosmos, wo alle Gegensätze aufgehoben sind.

Die Planetensymbole für die zehn Planetenprinzipien entstehen aus einer Kombination dieser Einzelsymbole:

⊙ **Das Sonnensymbol** als Kreis stellt das schöpferische geistige Prinzip dar. Im Mittelpunkt ist der göttliche Funken. Er bildet das Zentrum der Persönlichkeit.

☽ **Das Mondsymbol** zeigt das empfangende und bewahrende Prinzip. Der Halbkreis steht für seelische Anteile.

☿ **Das Merkursymbol** zeigt die Verbindung von Körper (Kreuz), Seele, (Mondsichel) und Geist (Kreis). Über die Mondschale nimmt Merkur Eindrücke auf, leitet sie zur Verarbeitung nach innen und gibt sie über das Kreuz in die manifeste Welt.

♀ **Das Venussymbol** zeigt, dass das Geistige (Kreis) auf dem Körper und auf dem Irdischen ruht (Kreuz). Das Schöne steht über dem Zweckmässigen, das Ideelle über der nüchternen Wirklichkeit.

♂ **Das Marssymbol** zeigt eine nach aussen gerichtete Impulsivität (Pfeil), die dem Zentrum (Kreis) entspringt. Die Kraft drängt nach Durchsetzung und Raumeroberung.

♃ **Im Jupitersymbol** steht das Seelische (Mond) über dem Körperlich-Materiellen (Kreis). Beide Prinzipien kommen zur Geltung als Ausdruck eines erfüllten Lebensgefühls.

♄ **Das Saturnsymbol** entspricht dem umgekehrten Jupiterzeichen. Das Kreuz steht für das Irdische. Der Halbmond repräsentiert das Seelische. Das Kreuz lastet auf der Gefühlsnatur, verleiht ihr aber Sicherheit und Stabilität.

♅ **Im Uranussymbol** steht das Sonnenzeichen für das Zentrum (Kreis). Der nach oben gerichtete Pfeil steht für das Überschreiten und die Ausweitung des Sonnensymbols. Es ist der Impuls nach Höherem, Geistigem zu streben und damit die Grenzen des Egos zu transzendieren. Das hier verwendete grafische Symbol lässt den vom Kreis nach oben gerichteten Pfeil nicht optimal erkennen.

♆ Im Neptunsymbol wird die begrenzte Materie (Kreuz) durch das Seelensymbol (Mond) mit der Gefühlswelt und der unendlichen Weite des Unbewussten verbunden.

♇ Im Plutosymbol steht hier ein P auf einem waagrechten Boden. In anderer Fassung wird ein Trichter gezeigt, der auf einem Kreuz steht und einem Vulkankrater gleicht, der seinen unterirdischen Inhalt aus der Tiefe an die Oberfläche katapultiert. Aus der Tiefe kommt die schöpferische Kraft. In unseren Horoskopgrafiken wird Pluto mit einem Halbmond im Kreis dargestellt.

Die Aspekte

So wie beispielsweise S. Freud in der Psychoanalyse gezeigt hat, dass das Es nicht unabhängig vom Über-Ich funktionieren kann, arbeiten planetarische Archetypen selten allein. Aspekte zeigen, wie sie miteinander kooperieren. Unter einem Aspekt im Horoskop wird das Distanzverhältnis der Planetenarchetypen untereinander verstanden. Die Theorie der Aspekte war bereits den Babyloniern bekannt. J. Kepler (1571-1630) baute die Lehre der Aspekte aus. Im Folgenden werden die Ausführungen von B. Eichenberger (2000) zusammengefasst. Als Aspekte gelten die Winkel, welche aus der Teilung des 360 Grades umfassenden Tierkreis durch eine Zahl entstehen und zwar bei den Hauptaspekten durch die Zahl 1,2, 3, 4 und 6. Die zwischen zwei Planeten liegende Distanz beruht auf einem Schwingungsmuster, wie sie durch die Teilung des Kreises entsteht. Wo die Welle die Mittellinie schneidet, ergibt sich ein Nullpunkt von hoher Energie. Bei diesem Punkt wirkt die Energie und damit der Aspekt. Die Toleranzgrenze vom genauen Grad eines Aspekts liegt zwischen 6 und ausnahmsweise 8 Grad bei einer Konjunktion.

Die Konjunktion entsteht durch Division der 360 Grad durch die Zahl 1. Hier befinden sich zwei Planetenarchetypen an derselben Stelle im Tierkreis. Sie bilden keinen Winkel. Die Kräfte der Archetypen ballen sich hier. Ihre Begegnungsqualität ist konzentrierend.

Die Opposition entsteht durch Division der Grade durch 2. Zwei Archetypen stehen sich 180 Grad gegenüber. Hier geht es darum, immer wieder eine Gegenposition einzunehmen und mit der Konfrontation umzugehen. Die Begegnungsqualität ist polarisierend.

Das Trigon entsteht durch Division durch 3. Zwei Archetypen stehen sich im Winkel von 120 Grad gegenüber. Die Partner arbeiten gut zusammen und ergänzen sich. Da die Kräfte ohne grossen Schwierigkeiten miteinander harmonieren, kann dies zu Bequemlichkeit der betreffenden Person führen. Die Begegnungsqualität ist stabil.

Das Quadrat entsteht durch Division durch 4. Zwei Archetypen stehen sich im rechten Winkel von 90 Grad gegenüber. Dies führt zu einer Spannung und der Konstellation von Schwierigkeiten. Leistung und Konfliktlösung werden hier herausgefordert. Das Quadrat zeigt, in welchen Bereichen Anstrengungen unternommen werden sollten und wo die Kraft dazu auch gegeben ist. Die Begegnungsqualität ist gespannt.

Das Sextil entsteht durch die Division durch 6. Zwei Archetypen stehen sich im Winkel von 60 Grad gegenüber. Hier sind gute Anlagen gegeben, oft verbunden mit Unschlüssigkeit und Zweifel. Die Begegnungsqualität ist harmonisch.

Daneben werden noch vier Nebenaspekte verwendet:

Das Halbquadrat entsteht durch die Teilung durch 8. Zwei Archetypen stehen sich im Winkel von 45 Grad gegenüber. Dies ist ein unbewusster Spannungsaspekt, der aber schwächer als beim Quadrat ist. Die Begegnungsqualität drückt sich durch eine Gereiztheit aus.

Das Anderthalbquadrat entsteht durch die Teilung durch 8 mal 3. Zwei Archetypen stehen sich im Winkel von 135 Grad gegenüber. Die Begegnungsqualität ist nervend.

Das Halbsextil entsteht durch die Teilung durch 12. Zwei Archetypen stehen sich im Winkel von 30 Grad gegenüber. Die Begegnungsqualität ist anregend.

Das Quinkunx entsteht durch die Teilung durch 12 mal 5. Zwei Archetypen stehen sich im Winkel von 15o Grad gegenüber. Die Begegnungsqualität ist irritierend.

Die Aspekte werden in den meisten Horoskopen farbig eingezeichnet, wobei die Farbe nur eine Funktion zur Orientierung ist. Rote Aspekte bedeuten Spannung und Energie. Sie bringen Dynamik und Vitalität und Herausforderung. Blaue Aspekte wirken eher harmonisch, wobei wegen fehlender Spannung Potentiale oft wenig umgesetzt werden. Ambivalente grüne Aspekte können irritierend wirken. Diese grobe Unterscheidung beruht auf einem unterschiedlichen Beziehungsverhältnis der zu einander stehenden Kräfte, und hängt im Detail auch von der Art der Archetypen ab, die in Verbindung zueinander stehen. Nicht alle Planeten bei identischen Aspekten wirken gleich. Der langsamer laufende Planet beeinflusst den schnelleren stärker. Die Beeinflussung nimmt in der folgenden Zusammenstellung von Pluto ausgehend ab: Pluto-Neptun-Uranus-Saturn-Jupiter-Mars-Sonne-Venus-Merkur-Mond. Venus beeinflusst beispielsweise den Mond in einem Quadrat stärker als es der Merkur in einem Quadrat mit dem Mond macht. Ebenfalls spielt das Zeichen eine Rolle, in dem Planeten mit Aspekten stehen. Die Energie zwischen den gleichen Elementes fliesst harmonischer als im gegenteiligen Fall.

Daneben macht es Sinn, spezielle Aspektfiguren zu beachten, wenn mehr als zwei Planeten mit einander verbunden sind. Bei den roten Aspekten sind:

das Stellatium: Hier sind mindestens vier Planeten in einem Zeichen oder Haus. Das bedeutet eine starke Bündelung zu einer speziellen Begabung oder Fertigkeit.

das T Quadrat: Zwei Planeten bilden eine Opposition und stehen im Quadrat zu dritten Planeten. Dies bedeutet eine grosse Spannung auf einem hohen Energiepegel.

das grosse Quadrat ist ein doppeltes T Quadrat mit vier Planeten respektive zwei Oppositionen, die 90 Grad zueinander sind. Diese Konstellation bedeutet viel Energie. Es ist eine Herausforderung, sie positiv einzusetzen.

Bei den blauen Aspektfiguren gibt es:

das grosse Trigon. Drei Planeten stehen in Zeichen des gleichen Elementes und sind alle im Trigon zu einander. Hier gelingt es gut, die Kräfte umzusetzen. Es zeigt das Element an, wo man sich wohl fühlen kann.

das kleine Talentdreieck. Es besteht aus zwei Sextilen und einem Trigon und wird von mindestens drei Planeten gebildet. Es ist möglich, Erfahrung zu sammeln und Talente zu entwickeln.

Die rot-blaue Aspektfigur ist der Drachen. Er besteht aus einem Grossen Trigon und mindestens einem zusätzlichen Planeten, welche eine Opposition zum einem und je ein Sextil zu den beiden andern Planeten des grossen Trigons bilden. Hier zeigt sich ein Streben nach Vollkommenheit.

Die rot-grüne Aspektfigur ist die Yod-Figur, die aus zwei Quinkunxen und einem Sextil besteht. Sie hat einen widersprüchlichen Charakter, da sich die Planeten in unverträglichen Elementen befinden.

Für die praktische Arbeit braucht es Übung, um die einzelnen Archetypen gemäss ihren Aspekten zu formulieren, umso mehr, wenn Haus und Zeichen berücksichtigt werden soll. Für das Thema der Psychotherapie und der Emotionen sind speziell Mond und Venus zu beachten. B. Egert (2014) hat zu diesen Archetypen eine Zusammenstellung gemacht. Danach steht Mond als Herrscher des Zeichens Krebs für eine einfühlende und beeindruckbare Wesensseite. Venus als Abendstern sei Herrscherin der Waage. Als Morgenstern werde sie dem Zeichen Stier zugeordnet. Beiden gehe es um Schönheit, Harmonie und Selbstwertgefühl. Sie können aber auch gefühllos und ichbezogen sein. Die Äusserungsformen der Verbindungen der Archetypen sind abhängig von der Art der Aspekte.

B. Egert meint zu Mond-Saturn Aspekten, dass es auch Beispiele von Menschen gebe, die fröhlich und zugänglich seien. Die Bandbreite der Erscheinungsformen bewegt sich von früher Übernahme von Verantwortung, seelischer Stabilität, Besonnenheit bis zu gefühlsmässiger Verunsicherung, Defiziten an Liebe und Urvertrauen, Einsamkeit und Misstrauen den eigenen Gefühlen gegenüber.

Zu Mond-Uranus Aspekten: Die mögliche Bandbreite reicht von Neugierde, gefühlsmässiger Unabhängigkeit, intuitiver Einsicht, Mangel an emotionaler Wärme und Stabilität bis zu Verlustängsten.

Bei Mond-Neptun Aspekten können auftreten: Empathie, Hochsensibilität, Mitgefühl, psychologische Begabung, frühe Gefühle der Verlorenheit, Opferhaltung, Ängste und Sehnsüchte.

Bei Mond-Pluto treten auf: hohe Emotionalität, Macht und Ohnmacht, Transformationsprozesse, Phobien, Tiefgründigkeit oder heilende Qualitäten.

Bei Venus-Saturn treten auf: Pflichtgefühl, Treue, Ehrlichkeit, Verantwortungsgefühl, Selbstbeherrschung, Eifersucht, Trennung, Angst vor Nähe, Gefühlskälte, Selbstwertprobleme oder Freudlosigkeit.

Bei Venus-Uranus treten auf: Liebe zu Rhythmus, Kontaktfreude, Toleranz, Flexibilität, Eigenwilligkeit, Egozentrik oder Unbeständigkeit.

Bei Venus-Neptun treten auf: Romantik, Ästhetik, Einfühlsamkeit, Fantasie, guter Geschmack, seelische Verbundenheit, Fremdbestimmung, Intrigen, Gefühlsverwirrung, passive Aggression

Bei Venus–Pluto treten auf: Intensität, unverbrüchliche Treue, Eifersucht, Neid, Kontrolle, Abhängigkeit, Fanatismus oder Dominanz.

Die vier Element und die drei Gunas oder Kreuze und die Polaritäten als Strukturelemente des Tierkreises

Die vier Elemente

Ein weiteres Verfahren den Tierkreis mit seinen Zeichen zu strukturieren und gegenseitige Beziehungen offenzulegen, sind die Elemente. Die Bedeutung der Elemente sieht nach G. Brown (1995) folgendermassen aus: Jedem Zeichen ausgehend vom Widder wird fortlaufend das Element Feuer, Erde Luft und Wasser zugeordnet. So ist der Widder feurig, der Stier erdig, der Zwilling luftig und der Krebs wässrig.

Feuer: Widder, Löwe und Schütze gehören zu diesem Element.

Hier geht es um Sichtbarwerden und Konkretisierung von etwas Neuem. Aktivität, Willenseinsatz, Spontaneität, Enthusiasmus, Lebensfreude. Optimismus oder Führung sind Ausdruck des Feuers, wenn dies in entwickelter Form ausgedrückt werden kann. Feuer wirkt direkt, dynamisch und impulsiv. In gehemmter Form wird es schwierig, auf vorliegende Umstände adäquat einzugehen oder es entsteht eine Skepsis für Neues. Der Typus ist intuitiv und entspricht dem cholerischen Temperament. Das Feuerelement macht die kardinale Qualität sichtbar.

Erde: Stier, Jungfrau, Steinbock.

Hier geht es um Stabilisierung und Festigung. Bewahren, berechnen, langsames Abwarten, Zuverlässigkeit, Geduld und Hingabe sind entwickelte Fähigkeiten des Erdelements. Fixe Erdelemente stabilisieren. In gehemmter Form kann sich Passivität ergeben. Der Typus ist der Empfindungstyp und entspricht dem melancholischen Temperament.

Luft: Zwilling, Waage, Wassermann .

Bei den Luftzeichen geht es um das Funktionieren und Interaktion mit der Umwelt. Dieser Typ ist flexibel, neugierig, neutral, sachlich, beweglich, austauschfreudig und offen für Eindrücke, die anregend sind. Probleme können in dieser entwickelten Form gedanklich und intellektuell angegangen werden. Veränderliche Luftelemente funktionieren in Interaktion mit der Umwelt. In gehemmter Formentsteht wenig Sinn für echte Nähe und wenig Gefühlserleben. Dieser Typus ist der Denktypus und entspricht dem sanguinischen Temperament.

Wasser: Krebs, Skorpion, Fisch.

Wasser ist passiv, einfühlsam und verbindlich. Es hat künstlerische Ausdrucksfähigkeiten und eignet sich für helfende Berufe. Die Reaktionen sind langsam und abhängig von der Stimmung. Dieser Fühltypus verkörpert den nicht rationalen Bereich und entspricht dem Fühltypus oder dem phlegmatischen Temperament. Die Wasserzeichen umfassen das allumfassende „Nichts", aus dem alle sichtbaren Erscheinungsformen hervorgehen. Wasser sucht ein Fliessen der Gefühle.

Jeder Mensch trägt diese vier Temperamente in einem bestimmten Anteilverhältnis in sich. Die Anteile werden von den Programmen der üblichen Astrologie Software automatisch berechnet. Dabei wird berücksichtigt 1) welche Planeten incl. AC, MC und Mondknoten sind in welchen Elementen? 2) wird dies nach Punktzahl gewichtet. Stark gewichtet werden Planeten, die nahe an den Achsen sind, speziell am AC, MC, und DC sind. Ebenso werden diejenigen Planeten gewichtet, die starke Aspekte haben. Verwendet werden z. B. 2 Punkte für Sonne und Mond, ¾ Punkte für Uranus, Neptun und Pluto.

C.G. Jung hat eine Typologie entwickelt, welche sich gut mit der astrologischen Auffassung deckt. Sein intuitiver Typ entspricht dem Feuerzeichen, der Empfindungstyp dem Erdelement, der Denktypus dem Luftelement und der Fühltypus dem Wasserelement.

S. Arroyo (1992) diskutiert ausführlich die Elemente. Werden sie mit den drei Modalitäten kardinal, fix und veränderlich kombiniert ergibt sich ebenfalls der Tierkreis. Arroyo bezeichnet ihn als archetypisches Schwingungsfeld. Dessen Energiefelder seien identisch mit den Archetypen. Arroyo hält es für wenig wahrscheinlich, dass sie bewusst gemacht werden können, da sie transzendenter Natur seien.

Die Gunas oder Kreuze

Die Kreuze, von G. Brown auch Stadien oder hier Gunas genannt, zeigen an, was ein Zeichen ermöglicht.

Die kardinalen Zeichen Widder, Krebs, Waage und Steinbock leiten einen Vorgang ein.

Die fixen Zeichen Stier, Löwe, Skorpion und Wassermann fügen Vorgänge zusammen.

Die veränderlichen Zeichen Zwilling, Jungfrau, Schütze und Fische bringen Vorgänge in der Umwelt zur Funktion.

Die Polaritäten

Nach G. Brown pulsiert der ganze Tierkreis bildlich gesprochen rhythmisch wie ein menschliches Herz. Dieses Pulsieren ergibt sich aus der Zeichenpolarität mit der Abwechslung von männlich-aktiven und weiblich passiven Zeichen. Zu den männlichen Zeichen gehören alle extravertierten „explosiven", auch Yangzeichen genannten Feuer- und Luftzeichen wie Widder (im Tierkreis 1. Zeichen), Zwilling (3), Löwe (5), Waage (7), Schütze (9) und Wassermann (11). Zu den weiblich nach innen gerichteten „implosiven" Yingzeichen gehören Stier (2), Krebs (4), Jungfrau (6), Skorpion (8), Steinbock (10), und Fisch (12). Das polare Pulsieren macht die Verhältnisse der Zeichen untereinander logisch ableitbar und zeigt sich besonders bei aufeinander folgenden Zeichen. Zum Beispiel bei Widder und Stier, wo sich ein anfeuerndes, öffnendes und zentrifugales Prinzip abwechselt mit einem bremsenden, schliessenden und zentripetalen Prinzip.

Die astrologischen Häuser

Die Einteilung des Tierkreises in verschiedene Häuser ist ein weiteres Strukturelement der Astrologie. Die Einteilung in Häuser hat nach W. Lang (1986) einen Bezug zum Irdischen, während dem die Einteilung nach den Zeichen einen Bezug zum Ideenhaften, Transzendenten hat. Wird der Tierkreis in 12 gleich grosse Häuser zu je 30 Grad eingeteilt, spricht man von äqualen Häusern. Bei den inäqualen Häusern werden die vier Quadranten des Tierkreises in jeweils drei ungleich grosse verschiedene Abschnitte eingeteilt. Für die Zwischenhäuser gibt es mehr als zwanzig verschiedene Berechnungsarten. Es gibt kein objektives richtiges Häusersystem. Je nach Fragestellung werden unterschiedlich präzise Deutungen erreicht. Placidus de Titis (1603 - 1668), italienischer Astrologe und Geistlicher, unterteilte die Strecke zwischen Aszendent und Medium Coeli zeitlich in drei Teile, ebenso die Strecke zwischen AC und DC. Mit zeitlich meinte Placidus die Zeit, die ein Grad der Ekliptik für die entsprechende Strecke benötigt. Für die zeitliche Auslösung im 7er Rhythmus nach Döbereiner wird das Placidus System verwendet. Koch (1895-1970), Oberstudienrat und Astrologe, berief sich auf das von F. Zansinger und H. Specht entwickelte GOH Geburts- Ort- Häuser- System. Dabei werden die Breitenkreise des Horoskops in zwölf gleich grosse Abschnitte unterteilt. Für die zeitliche Auslösung im 6er Rhythmus wird in der Huberschule das Häusersystem nach Koch verwendet. Mit zeitlicher Auslösung ist gemeint, dass die Archetypen offenbar wie die Menschen Zeiten haben, wo sie „schlafen" und Zeiten, wo sie aktiv sind. Dies wird in einem späteren Abschnitt erklärt.

Die Quadrantensysteme entstanden schon im 4. Jahrhundert. Die Quadranten- und Häusersysteme waren mathematisch gewonnene Räume, denen 12 Lebensbereichen zugeordnet wurden. Hermes Trismegistos, der gerne von Astrologen mit seiner Aussage "so wie oben, so unten" zitiert wird, wurde ein 12 teiliges Häusersystem zugesprochen mit gleichgrossen

Häusern. So wie ein Zuhause dem Menschen einen Ort und eine Zeit zur Verfügung stellt, so wirken Archetypen während „ihrer Arbeitszeit" am Ort, wo sich der Mensch in den verschiedenen Lebensbereichen, das heisst Häusern, entfaltet.

Nach G. Brown (1995) sind die Häuser Schauplätze, wo konkrete Erscheinungen in der Alltagswelt ihren Raum finden. Sie beschreiben konkrete Umstände, Bedingungen und Zustände. Zeichen und Planeten können nur über ihre Erscheinungsform im Haus erlebt werden. Der Punkt, wo ein Haus beginnt, nennt man die Häuserspitze. Jedes Haus hat zudem einen Herrscher. Es ist der Planet oder Archetyp, der dem Zeichen an der Häuserspitze zugeordnet ist. Zeichen, Planeten und Haus stehen in einem Zusammenhang. Aus dem Zeichenverständnis kann das Planeten- und Hausverständnis abgeleitet werden. So sind das Widderzeichen, sein Planet Mars und das 1. Haus in einem analogen Zusammenhang und können aus dem Urprinzip abgeleitet werden, das hier „Anfang" heisst. Anfang darum, weil dieses Prinzip der ersten impulsiven, kardinalen Phase des 1. Quadranten der causa materialis entspricht. G. Brown begründet folgendermassen:

Das 1. Haus ist Widderboden und dient der Selbstbehauptung und Durchsetzung. Es zeigt an, welche Mittel dem Menschen zur Verfügung stehen, um sich als körperliches Wesen mit seinem Körper, seiner Antriebsenergie und seiner physischen Anlagen durchzusetzen.

Das 2. Haus ist Stierboden und dient in dieser 2. Phase des ersten Quadranten der „Festigung" und kann nur räumliche und zeitliche Erscheinungsformen hervorbringen, die das Stierprinzip verkörpert. Es geht darum, sich in einer festen Form von der Umwelt abzugrenzen und sein eigenes Revier zu schaffen. Aus dem Besitz bezieht der Mensch sein Wert- und Sicherheitsgefühl. Fähigkeiten werden entwickelt, um eine Verwendbarkeit für sich und die andern zu erschaffen. Dazu dient Geld, Besitz, Organisation, Status oder materielle Absicherung.

Das 3. Haus ist Zwillingsboden und bringt als 3. Phase des 1. Quadranten das Urprinzip „Funktion" in Erscheinung Diese Funktion kommt in Beziehung mit der physischen Umwelt zur Darstellung. Sie zeigt auf welche Art der Mensch sein eigenes entsprechendes körperliches oder technisches Instrumentarium einsetzt. Dazu gehört Sprache und Kommunikation, die allerdings emotionslos und sachlich geprägt ist.

Das 4. Haus ist Krebsboden und lässt gemäss der 1. Phase des 2. Quadranten das Prinzip „Ursprung" in Erscheinung treten. Das Haus zeigt die konkreten Umstände und Bedingungen von Herkunftsbedingungen im Leben des Menschen an. Auf dem Hintergrund der seelischen Entwicklung wird angezeigt, wie man in der Familie gesehen und empfunden wird.

Das 5. Haus ist Löweboden und dient dem Ausdruck der Lebenskraft. In diesem Haus sind die konkreten Bedingungen der Kindheit und der Erziehung zu erkennen. Ebenso wie die Eltern und speziell der Vater erlebt wurden. Hier gehört alles dazu, was dem Kind Spass macht, wodurch es sich verwirklicht oder wodurch es sich ins Rampenlicht setzt.

Das 6. Haus ist Jungfrauboden und lässt das zu, was dem Prinzip der „Selbsterhaltung" dient. Daraus entstehen die Phänomene, durch die sich der Mensch in seiner subjektiven Eigenart zu seiner Umwelt in Beziehung setzt und die seiner Selbsterhaltung dienen. Dazu gehören der Beruf und die Gesundheit. Die Sinneswahrnehmung und das Bewusstsein als Funktion der Selbsterhaltung können sich hier konkretisieren.

Das 7. Haus ist Waageboden und verwirklicht gemäss der kardinalen ersten Phase des 3. Quadranten konkrete räumliche und zeitliche Erscheinungsformen des Prinzips der sich neu einstellenden geistigen Vorstellungsbilder. Im siebten Haus ist das anzutreffen sei, was dem Menschen in Form des Andern und an Ergänzungen entgegenkommt. Dabei kommt es zu einem inneren Bild der äusserlichen Realität. Es ist die Begegnung mit Menschen, Dingen oder Situationen. Das 7. Haus beschreibt die Art, wie auf Andere zugegangen wird oder Andere auf einem zukommen. Durch was fühlt sich der Betreffende ergänzt und wie wird der Ausgleich mit dem Andern gesucht? Speziell ist das 7. Haus jenes der Partnerschaft. Allerdings geht es dabei erst um eine Begegnung und noch nicht um eine Beziehung.

Das 8. Haus ist Skorpionboden. Hier werden die inneren Bilder zu fixen Vorstellungskonzepten verdichtet. In der Folge davon ergibt sich das, wovon der Mensch sich besonders angezogen fühlt oder wodurch er auf Andere eine starke Anziehungskraft ausübt. Es kommt zu einer

Macht der inneren Bilder und Überzeugungen, die als fixe Konzepte oder dogmatische Vorstellungen gewonnen wurden. Beziehungen mit fixen Vorstellungen einzugehen, verpflichtet und kann zu Hass, Gewalt und Zerstörung führen, wenn die Macht der Vorstellung nicht positiv gebunden und verdichtet werden kann. Dabei kann es zu Krisen kommen, wo dunkle Seiten des Menschen erscheinen.

Das 9. Haus ist Schützeboden und verwirklicht räumliche und zeitliche Erscheinungsformen des Prinzips der Erkenntnis. Hier findet sich das, was ausgehend von den verfestigten Bild- und Vorstellungsgefügen jetzt zu seiner Funktion in der Umwelt führt. Dies leitet dazu über, dass der Mensch über seine eigenen persönlichen Grenzen der Lebens- und Denkräume hinauswächst. Neue Eindrücke, Informationen, Bildung, Religion Philosophie und Weltanschauung sind Erkenntnisse, die als Folge von Bildern in die Funktion gekommen sind und dem Leben Sinn verleihen.

Das 10. Haus ist Steinbockboden und verwirklicht gemäss der ersten kardinalen Phase des 4. Quadranten konkrete räumliche und zeitliche Erscheinungsformen des Urprinzips, das eine transzendente Wirklichkeit zulässt. Hier findet sich die Thema, die nicht mehr dem subjektiven menschlichen Denken, Fühlen und Handeln entsprechen. Angelegenheiten, die der Mensch für erstrebenswert hält, worauf er sich als seiner letzten Wirklichkeit und Wahrheit gemäss entwickelt, sind Erscheinungsformen, die jenseits von persönlichem oder subjektiven Glauben liegen Es ist ein übergeordneter höchster Massstab oder eine letzte Autorität, die sich über dieses Prinzip der Wirklichkeit melden. Auf Steinbockboden empfindet der Mensch seien Grenzen mit Erschwernissen und Hindernissen, wenn seine rein subjektive Wünsche verhindern, dass er sich dem Bereiche jenseits der eigenen Befindlichkeit zu öffnen vermag. Traditionell werden der Beruf, der Staat, Gesellschaftsformen und Institutionen dem 10. Haus zugesprochen.

Das 11. Haus ist Wassermannsboden und verwirklicht konkrete räumliche und zeitliche Erscheinungsformen, die das Prinzip der „reinen Urform" verwirklichen. Hier finden sich alle Dinge und menschlichen Eigenschaften, durch die sich die Individualität des Menschen zum Ausdruck bringt. Die Einmaligkeit und die Unterscheidung von Andern dienen diesem Zweck. Ebenso dient die freie Entfaltung dazu, um sich von Hindernissen, fremden Druck und Beschränkung zu befreien. Dazu gehört der Zusammenschluss mit Gleichgesinnten, Freundschaften, aber auch Dinge, zu denen man eine Affinität verspürt .Der Wassermann erkennt die Gleichheit in der Unterschiedlichkeit. Damit wird die Logik der realen Welt aufgehoben. In der Tradition wurde dem 11. Haus freigewählte Beziehungen und Originalität zugeschrieben.

Das 12. Haus ist Fischboden und bringt die räumlichen und zeitlichen Erscheinungsformen hervor, die das Prinzip des „gestalt-und namenslosen Urgrund" verwirklichen. Im zwölften Haus wird der Mensch mit vielem konfrontiert, das er sich nicht wünscht. Hier realisieren sich Ding und Situationen, die den Menschen auf sich selber zurückwerfen, um Besinnung zu finden. Das Fischprinzip legt nahe, sich von der realen Welt zurückziehen, um eine Zugang zum übergeordneten und transzendenten Bereich zu ermöglichen. Fischboden kann den Menschen lähmen, ihn funktions- und handlungsunfähig oder einsam und krank machen. Abgeschiedenheit, Gefängnis oder Krankenhaus können über das Leid helfen, um zum eigen tiefen Ursprung zurückzufinden. Die andere Seite dieses Prinzips ist Hoffnung, Unterstützung, Hilfe und Erlösung. Soweit das Konzept von G. Brown.

H. P. Hadry ordnet den 12 Urprinzipien, respektive den Häusern folgende Bedeutung zu:

1. Widder/ 1. Haus: Durchsetzung im realen Bereich

2. Stier/ 2. Haus: Sicherung und Verfestigung der materiellen Welt

3. Zwilling/ 3. Haus: Die Funktion im realen Raum

4. Krebs/4. Haus: Durchsetzung im Seelischen

5. Löwe/ 5. Haus: Verfestigung des Seelischen

6. Jungfrau/ 6. Haus: Funktionelle Aussteuerung des Seelischen

7. Waage/ 7.Haus: Durchsetzung im geistigen Bereich

8. Skorpion/ 8.Haus: Fixierende Sicherung der geistigen Welt

9. Schütze/ 9.Haus: Die Funktion des Geistigen

10. Steinbock/ 10. Haus: Die Durchsetzung der transpersonalen Wirklichkeit unter Einbezug des Unbewussten

11. Wassermann/ 11. Haus: Die fixierende Sicherung der transpersonalen Wirklichkeit

12. Fisch/ 12. Haus: Die Funktion der transpersonalen Wirklichkeit

Diese Zusammenstellung zeigt schön und klar die Logik, wenn die vier Quadranten mit den drei Gunas zusammengedacht werden.

Bruno und Louise Huber (1990) teilen den Häusern folgende Bedeutung zu:

1. Haus: Ich-Bildung

2. Haus: Schaffung eines eigenen Lebensraum

3. Haus: Lern- und Bildungsphase

4. Haus: Loslösung vom Elternhaus

5. Haus: Experimentier- und Erprobungsphase

6. Haus: Existenzbewältigung

7. Haus: Intensive Wendung zur Aussenwelt

8. Haus: Wandlungsphase mit Stirb- und Werdeprozess

9. Haus: Bildung einer eigenen Lebensphilosophie

10. Haus: Berufung und Selbstverwirklichung

11. Haus: Frei gewählte Beziehungen

12. Haus: Phase der Verinnerlichung

Die Häuser sind bildlich gesprochen der Lebensraum, wo die Archetypen beheimatet sind und sie gemäss ihrer Natur das verwirklichen, was aufgrund ihrer Lebensbedingungen möglich ist. Einige Häuser sind von Archetypen bewohnt, andere bleiben leer. Ein Haus ist auf einem Marsboden errichtet worden, das andere auf einem Fischboden. Dieser Boden prägt die Atmosphäre im Haus, aber jedes Haus wurde so gebaut, dass es sich für einen bestimmten Zweck eignet. Beim 12. Haus mag dies eine Klosterzelle, ein Gefängnis oder ein Spital sein.

Die Dynamik des Horoskops

Die Dynamik eines Horoskops zeigt, wie die einzelnen Elemente eines Horoskops zusammenwirken. In diesem Zusammenspiel entsteht eine sinnvolle Ganzheit und zwar so, dass sich die Planeten in unserem Sonnensystem in der psychischen Struktur der Menschen und auch im Horoskop wiederspiegeln. Die einzelnen Elemente eines Horoskops wurden bisher isoliert voneinander dargestellt. In Wirklichkeit zeigt ihr Zusammenspiel ihren Sinn.

Der Tierkreis ist erstens astronomisch eine Bahn der Planeten innerhalb der Ekliptik aus einer geozentrischen Sicht gesehen. Er ist zweitens astrologisch auch eine Idee, wonach in jedem der 12 Tierkreiszeichen ein archetypisches Prinzip als universelles Wirkungspotential gespeichert ist. Die Zeichen enthalten nur virtuelle Möglichkeiten und keine konkreten Manifestationen. Der Tierkreis ist im Gesamten ein universeller Entwicklungsablauf eines Geschehens und des Lebenslaufes eines Menschen. Dessen Existenz wird begründet durch die vier Kausalitäten. Im Gegensatz zu einem Roboter begründet sich das Menschsein nicht nur durch die causa efficiens, wo ein Input eine klar definierbare Wirkung erzielt. Wenn beim Zeichen Widder ein Materialisieren impulshaft startet, wird ein Entwicklungsvorgang im archetypischen Sinn mit einem relativ offenen Horizont angestossen, der aber gleichzeitig die Grenzen des Archetyps in Bezug auf einen anderen Archetyp beinhaltet. Das impulshafte Aufbrechen findet eine Fortführung im der Verdichtung im Stier und in der Funktionalität im Zwilling. Damit ist die physische Formgebung abgeschlossen. Aus der real materiellen oder körperlichen Entwicklung ergibt sich die Weiterentwicklung beim Menschen auf einer seelischen Ebene und schliesst dabei den 1. Quadranten mit ein. Auch hier kommt es neben dem aufkeimenden Seelischen über die Verdichtung und der Funktion zum nächsten Schritt. Aus der seelischen Empfindung ergibt sich im 3. Quadranten die geistige Vorstellungfähigkeit, die den 2. Quadranten mit einschliesst. Was sich wiederum nach einer Verdichtungs- und Funktionsphase schliesslich über den 4. Quadranten zum transzendenten Bewusstsein entwickelt, schliesst wiederum den 3. Quadranten mit ein.

Über die beiden Achsen AC / DC und MC / IC können die vier Quadranten unterschieden werden. Die obere Hälfte des Horoskops kann gemäss B. Eichenberger (2000) als bewusster Raum gelten. Dort ist möglich, Eindrücke und Erlebnisse wahrzunehmen und zu verarbeiten. Planeten in der oberen Hälfte können bewusster gesteuert werden .Die betreffende Person ist dementsprechend oft selbstbewusst.

Die untere Hälfte des Horoskops repräsentiert den unbewussten Bereich. Planeten in diesem Bereich sind schwieriger zu steuern und werden eher als Wirkungen aus der Umwelt erfahren. Die betreffende Person reagiert instinkthaft und reflexartig. Hier zeigt sich ein Bedürfnis nach Sicherheit und Geborgenheit. Das Leben wird mehr unbewusst gesteuert.

Der linke Raum des Horoskops entspricht der Ich - bezogenen Seite, wo die eigene Person der Massstab wird, an dem Ereignisse und Taten gemessen werden. Planeten im linken Raum dienen dem persönlichen Ausdruck und der Selbstverwirklichung. Im Extremfall kann es sein, dass das Gegenüber nicht adäquat wahrgenommen wird.

Der rechte Raum des Horoskops symbolisiert das Du über die begegnende Umwelt. Es geht um den Kontakt mit der Aussenwelt, wo Anpassung oder Ablehnung möglich ist. Oft begegnet dem Mensch die Energie eines Archetyps über die Aussenwelt, wobei der betroffen Person das scheinbar Fremde zurückgespiegelt wird.

Die Quadranten stehen gemäss G. Brown (1995) durch die Elemente miteinander in Beziehung. Das erste Element Feuer mit der Impulssetzung ist über den Widder im ersten Quadrant mit dem Löwen im 2. Quadranten und mit dem Schützen im dritten Quadranten verbunden. Das Element Erde verbindet den ersten, zweiten und vierten Quadranten. Luft verbindet den ersten, dritten und vierten Quadranten. Wasser verbindet den zweiten, dritten und vierten Quadranten. Im 1. Quadranten wird vorbereitet vor, was im 2. Quadranten Thema wird, nämlich jenes des Element Wassers. Die Abfolge in den Elementen entspricht der Logik des Tierkreises. Genauso logisch ist das Fehlen eines Elementes in jedem

Quadrant. Beispielsweise bereitet erst das Luftzeichen Zwilling im 1. Quadranten vor, was im 2. Quadranten neu Thema wird, nämlich jenes des Element Wassers. Im Zwilling ging es in der vorbewussten Weise um das Erkennen der Unterschiedlichkeit der Dinge anhand ihren Formen und Funktionen. Damit wird klar, dass der 1. Quadrant quasi über die Funktion der Form zum Behälter wird für das Thema Krebs, wo es um Inneres und Wesenhaftes geht. Ein Inneres kann sich nur über eine Form ausdrücken, was mit dem Element Feuer bewerkstelligt wird. Der 1. Quadrant verhält sich so zum 2. Quadrant wie Form zu Inhalt. Das veränderliche Erdzeichen Jungfrau als 3.Phase des 2. Quadranten bereitet auf die Thematik des 3. Quadranten vor. In der Jungfrau geht es darum, sich sozial einzubinden und sich anzupassen. Im 3. Quadranten verwirklicht sich eine bewusste Begegnung mit der Welt und um das „Andere", was nicht zum „Ich" gehört. Erst in der Waage anfangs des 3. Quadranten wird es möglich, im vollen Bewusstsein die Unterschiede von „Ich" und „Nicht-Ich" zu erkennen. Das veränderliche Feuerzeichen Schütze als letzte Phase des 3. Quadranten bereitet vor, was im 4. Quadranten Thema wird, nämlich jenes der Erde. Aufgabe des 3. Quadranten ist es, offen für das „Du" zu sein. Deswegen fehlt im 3. Quadranten die Erde, weil dieses Element unbeweglich macht und es sich nicht verträgt, damit auf andere zuzugehen. Die Abfolge der ersten drei Quadranten entspricht den Begriffen Körper, Seele und Geist. Bei den ersten drei Quadranten fehlt immer das Element, das der Thematik des Quadranten zu wiederläuft. Im dritten Zeichen Schütze des dritten Quadranten wird mit der Denkfunktion der reale Lebensbereich mit dem Feuerzeichen abgeschlossen. Im 4. Quadranten fehlt das Feuer, das Reales und Subjektives konkret und sichtbar macht. Deshalb ist hier für Real-Konkretes kein Platz, weil es jetzt um transpersonale Wirklichkeit geht. Wirklich ist ein Phänomen dann, wenn der Mensch seinen Anteil des subjektiven Meinens oder Glaubens über die scheinbare Bedeutung eines Phänomens weglässt und offen wird für das eigentliche Wesen dessen, was sich ihm offenbart.

Die Kreuze oder Gunas sind weitere Verbindungsteile im Tierkreis. Die kardinalen Zeichen verbinden die vier Quadranten mit der jeweils 1. Phase der Impulssetzung. Ihnen ist allen gemeinsam, dass etwas Neues und Ungeordnetes einsetzt. Die fixen Zeichen verbinden die 2. Phase in den vier Quadranten. Die fixen Zeichen stabilisieren neu, was in der vorangegangenen Phase formlos eingeleitet wurde. Die veränderlichen Zeichen verbinden die 3. Phase mit der Funktion in der Umwelt. Sie lassen das, was im fixen Zeichen stabilisiert wurde, neu zu einer Funktionalität in der Umwelt kommen.

Die planetarischen Archetypen sind Träger von Kräften, die sich nur in den konkreten Erscheinungsformen der Häuser manifestieren können und nur dort erkennbar werden. Die Archetypen sind Verkörperungen des Urprinzips der Zeichen, die sie verkörpern. Jeder der 12 Planeten entspringt einem der 12 Tierkreiszeichen. Die Archetypen können aus ihrem angestammten Herrschaftsterritorium in jedes andere Haus eines Horoskops „auswandern". So kann zum Beispiel der Mars vom Widder in das Zeichen Stier auswandern. Die ursprüngliche Widder/ Mars Qualität moduliert sich entsprechend dem neuen Haus, wo der Mars tatkräftig und impulshaft auf Stierboden das Gespeicherte oder Wertvolle bearbeitet.

Für die Deutung der planetarischen Archetypen gilt: Die konkrete Manifestation von Phänomenen in den Häusern geschieht über die Archetypen. Es sind Wesenskräfte oder innere Bedürfnisse des Menschen. Ist zum Beispiel der Mars im elften Haus, zeigt sich das Bedürfnis nach Durchsetzung in einer Gruppe von Kollegen oder in einem Bereich von gesellschaftlicher Bedeutung.

Die Häuser, seien sie nach Koch oder Placidus berechnet, stellen sich den Planeten als Verwirklichungsraum zur Verfügung. Die Häuser sind der Raum und damit die Zeit, wo sich die Energie der Zeichen verwirklicht. Sie setzen das Potenzial im reinen „Meer der Möglichkeit" in ein konkretes Phänomen in der Welt um. Jedes Haus kann von jedem Zeichen im Tierkreis angeschnitten werden und untersteht damit dem Herrscher des Zeichens. Damit färbt sich die Qualität des Hauses. Ist zu Beispiel der Anfang des 2. Haus im Widder Zeichen, wird das Territorium, das Sammeln oder der Selbstwert energisch, impulsiv oder heftig gesichert. Dies wird analog für alle Variationen von Haus und Zeichen ausformuliert.

Die Archetypen setzen das in die konkrete Wirklichkeit um, was zuvor als unverwirklichtes Potenzial im entsprechenden Tierkreiszeichen gespeichert ist. Im 1. Haus wird Widderhaftes umgesetzt, im 2. Haus Stierhaftes bis zum 12. Haus, wo Fischhaftes umgesetzt wird. Dies gilt unabhängig, ob sich ein anders Tierkreiszeichen am Beginn des entsprechenden Hauses befindet, was fast immer der Fall ist. Das Zeichen am Beginn des Hauses beeinflusst jedoch, wie ein Vorgang umgesetzt wird, aber nicht, was umgesetzt wird. Ist Widder am Hausbeginn, wird das Haus impulshaft angegangen. Sind Archetypen in den Häusern platziert, stellen sie spezielle Kräfte in den entsprechenden Häusern dar. Wenn Häuser unbesetzt von Archetypen unbesetzt sind, heisst das nicht, dass das Haus unwichtig ist. Zur Deutung können dann Zeichenverhältnisse, Aspektbeziehungen oder Häuserstellungen herangezogen werden.

Die Zeichenverhältnisse

Eine andere Form Aspektbeziehungen zu verstehen, beschreibt ebenfalls G. Brown (1995). Die ergiebigste Quelle für das Begreifen astrologischer Zusammenhänge sind nach ihm die Verhältnisse der Zeichen zueinander. Wie weit im Tierkreis zwei Zeichen von einander stehen, bestimmt ihre astrologische Beziehung zueinander. Genauer gesagt ist es nicht die Distanz, sondern die vorher dargelegte Logik des Tierkreises, die dazu führt, dass sie zwei Zeichen in einem bestimmten Sinn ergänzen können oder auch nicht. Diese Logik kann auf die Verhältnisse zwischen Zeichen und Häusern übertragen werden. Ausgangspunkt ist Null Grad Widder am östlichen Ausgangspunkt des Tierkreises. Alle Zeichenverhältnisse, in denen das Zielzeichen eine gerade Zahl aufweist, stehen in einem gegensätzlicher Bedeutung zueinander und bedeuten eine behindernde Spannung wie z.B. Widder - Jungfrau 1:6. Der Sonnenarchetyp ist dann gefordert, hier einen Ausgleich zu finden. Alle Zeichenverhältnisse, in denen das Zielzeichen eine ungerade Zahl aufweist, unterstützen den ergänzenden Charakter beider Zeichen. G. Brown beschreibt:

Das Verhältnis 1:2 ist das Form- und Brauchbarkeitsverhältnis. Es beschreibt wie sich das Ausgangsprinzip gegenüber allem andern abgrenzt, stabilisiert oder den Lebensraum einrichtet. Analog ist diese Vorgehensweise auf jeden Ausgangspunkt im Tierkreis mit Ausnahme des Widders anwendbar. Zum Beispiel: die Form (Stier) ist brauchbar, die ihre Funktion erfüllt (Zwilling). Start ist 0 Grad Widder. Stier ist im Tierkreis das 2. Zeichen, Zwilling das 3. Zeichen. In der Reihenfolge ist Zwilling das nächst folgende Zeichen auf Stier, deshalb ist das Verhältnis 1:2.

Das Verhältnis 1:3 ist das Antriebs- und Funktionsverhältnis. Es beschreibt, wie ein Ausgangsprinzip in der Welt funktioniert und sich in Beziehung setzt. Analog diesem Widder/ Zwilling Verhältnis zeigt sich zum Beispiel: die Kunst (Löwe) kommt in der Bildung von inneren Bilder (Waage) zur Funktion. Löwe (5. H.) und Waage (7. H.) bilden ein Verhältnis 1:3, weil mit dem 5. Haus gezählt, 3 Häuser addiert werden müssen bis zum 7. Haus.

Das Verhältnis 1:4 ist das Ursprungs- und Inhaltverhältnis. Es zeigt, was das Ausgangsprinzip (Widder) ist, woraus es entstanden ist und was es empfindet (Krebs). Zum Beispiel: das Selbstwertgefühl (Stier), ergibt sich aus einem gesunden Ich- Gefühl (Löwe). Ausgehend mit Stier ist der Löwe das 4. nächst folgende Zeichen.

Das Kuliminationsverhältnis 1:5 Widder / Löwe zeigt, wie sich das Ausgangsprinzip ausdrückt, sich spontan zeigt und zur Darstellung kommt. Zum Beispiel: die Nahrung (Stier 2. H.) ist optimal, wenn sie gesundheitsfördernd ist (Jungfrau 6. H.). Ausgehend mit Stier ist Jungfrau das 5. Haus.

Das Verhältnis 1:6 ist das Einbindungs- und Selbsterhaltungsverhältnis. Es zeigt, wie sich ein Prinzip in vorliegende Bedingungen einfügt, sich den Umständen anpasst und die Umwelt wahrnimmt (Jungfrau 6. H.). Beispiel: Die Kunst (Löwe 5. H.) kann nur dann bestehen, wenn sie sich nach höchsten Gesetzmässigkeiten richtet (Steinbock 10. H.)

Das Ergänzungsverhältnis 1:7 zeigt, wie ein Ausgangsprinzip auf das Gegenüber zugeht, was es sich für Bilder von der Welt macht und worin es seine Ergänzung sieht. Zum Beispiel: Die Analyse von Einzelheiten (Zwilling 3. H.) wird durch die Fähigkeit ergänzt, ein Gesamtbild mit einem Sinn wahrzunehmen (Schütze 9. H.)

Das konzeptuelle Verwandlungsverhältnis 1:8 zeigt, wie ein Ausgangsprinzip von Konzepten anderer angesprochen wird, womit es verschmelzen möchte, damit etwas Neues entstehen kann. Zum Beispiel: Disziplin (Steinbock 10. H.) wird verwandelt und aufgelöst, wenn Jedermann sich so kreativ ausdrückt, wie es seiner Selbstdarstellung entspricht (5. H.) Ausgehend vom 10. Haus über den AC ist das achte folgende Haus der Löwe.

Das Wesens- und Formvollendungsverhältnis 1:9 zeigt, wie ein Ausgangsprinzip die eigene Formvollendung erreicht, wodurch es Sinn und Bedeutung bekommt (Schütze 9. H.). Zum Beispiel ist die höchste Form der Selbstdarstellung (Zwilling 3. H.) das Erreichen der eigenen ursprünglichen Identität (Wassermann 11. H.)

Im Bestimmungs- und Wirklichkeitverhältnis 1:10 zeigt sich, wie ein Ausgangsprinzip seine höchste transpersonale Bestimmung erhält. Zum Beispiel ist die Bestimmung des Weiblichen (Krebs 4. H.) das Hervorbringen neuer Formen des Lebens. (Widder 1. H.)

Das Befreiungs- und Volkommenheitsverhältnis 1:11 zeigt, wie ein Ausgangsprinzip sich von allem andern abhebt, worin die eigene Wahrheit begründet ist. Zum Beispiel bedeutet ein Zusammenschluss in einer Gruppe, um übergeordnete Ziele zu verfolgen (Wassermann 11. Haus), Einsicht und Verständnis in grössere Zusammenhänge (Schütze 9. Haus).

Das Erlösungsverhältnis 1:12 zeigt, worauf ein Ausgangsverhältnis zurückgreifen kann, wenn es in bewusster Einheit mit der transpersonalen Wirklichkeit steht oder wie es mit Schwäche oder Krankheit umgeht. Sind die eigenen Energien erschöpft (Widder 1. H.) braucht es Rückzug (Fisch 12. H.), um sich zu erholen.

Für die Deutung der Zeichen gilt: Die Tierkreiszeichen symbolisieren die Art und Weise, wie ein Phänomen in den Häusern erscheint. Das Zeichen an einer Häuserspitze bestimmt die Qualität dieses Hauses. Es bestimmt, wie im Haus vorgegangen wird, aber nicht, welche konkrete Erscheinung überhaupt möglich ist. Mit der Zeichendeutung wird gefragt, wie die Beschaffenheit und die Merkmale der möglichen Phänomene sind. Ist zum Beispiel das Zeichen Löwe an der Spitze des 6. Hauses geht es darum, spielerisch und kreativ (Löwe) die Anpassung und Aussteuerung im Rahmen des Arbeitsfeldes (6. Haus) durchzuführen.

Das Haus in Kombination mit Zeichen und Planet:

Im nächsten Schritt kann nicht nur der Zusammenhang von einem Haus mit einem Zeichen betrachtet werden, sondern noch zusätzlich der planetarische Archetyp in einem bestimmten Haus. Dazu braucht G. Brown für jedes Haus eine Serie von Übungs- und Merkfragen und er gibt übungshalber mögliche Antworten für die Deutung des Horoskops. Hier zwei Beispiele:

In einem Horoskop schneidet der Stier das erste Haus an und der Merkur steht zusätzlich im ersten Haus. Die erste Übungsfrage lautet: Was steht hier für ein „Baumaterial" zum Aufbau meines realen körperlichen Daseins zur Verfügung? Die Antwort lautet: Ich (1.H) brauche festen Boden unter den Füssen und brauche materielle Sicherheit (Stier). Bei der Verwirklichung dieses Zustandes kommt mir zugute, dass ich sachlich denkend (Merkur) vorgehe.

Die zweite Übungs- und Merkfrage für die gleiche Konstellation lautet: Wie gehe ich vor, wenn es gilt, Dinge in die Tat umzusetzen? Die Antwort lautet: Mein spontanes (1.H) Absicherungsbedürfnis (Stier) lässt mich meine Bedürfnisse spontan und kraftvoll verbalisieren (Merkur im 1. Haus).

Diese zwei Beispiele zeigen, wie astrologische Deutungen eine Signatur nicht auf kausale Art mit einer fixen Deutung verknüpft. Vielmehr geht es um das Finden und Auslegen von Sinnzusammenhängen im Rahmen des analogen Denkens. An diesem einfachen Beispiel wird auch klar, dass eine statistische Verarbeitung diesen Sachverhalten nicht angemessen ist. Der Mensch im ersten Beispiel würde nur denken, der zweite Mensch würde nur reden, obwohl man von der gleichen scheinbaren „Ursache" ausging. Noch klarer wird das, wenn weitere analogen Entsprechungen angeführt werden wie: Ich bin (1. H) kein Einzelgänger, sondern ein gruppenorientierter Mensch (Stier) und verfolge das materielle Wohl (Stier) der ganzen Gruppe (Stier). Unabhängig von der konkreten Einzelerscheinung sind alle drei Beispielen durchwaltet vom Wesen der Verdichtung der causa materialis.

Die Aspekte

Die Aspekte sind eine Form der Ergänzungsverhältnisse. Wenn zwei oder mehrere Archetypen miteinander vernetzt sind, hat diese Verbindung ihre spezifischen Auswirkungen, welche die Psychologie des Horoskops des betreffenden Menschen beeinflussen. Allerdings ist die Deutung der Aspekte eine anspruchsvolle Frage an sich. Es geht nicht nur darum, die Art der Aspekte zu definieren, sondern auch darum, welche Archetypen mit welchen Partnern agieren und in welchem Haus ihre Energien zum Tragen kommen.

Eine Konjunktion ist beispielsweise möglich mit Pluto und Neptun. Dann prallt fixe Vorstellung oder Bindung mit Auflösung oder Helferwillen zusammen. Je nach Stellung im Haus ist die Realisierung wieder verschieden. Die Chance ist gross, dass hier ein Konfliktpotential liegt. Wenn eine Konjunktion von Sonne und Venus gegeben ist, kommt zur Persönlichkeit Harmonie oder Schönheit dazu. Die Betreffende ist vom Schicksal begünstigt. Wenn die Konjunktion im 1. Quadranten steht geschieht vielleicht durch körperliche Attraktivität, im 2. Quadranten durch eine harmonische seelische Struktur, im 3. Quadranten durch harmonische geistige Erfahrungen über die Aussenwelt und im 4. Quadranten durch positive gesellschaftliche Faktoren. Zumindest gilt das, wenn die entwickelte Form der Archetypen gegeben ist.

Wenn eine Opposition vorliegt, ist die Chance gross, dass ein Pol dieser Achse bewusster erlebt wird als der andere Pol. Wenn der eine Pol beispielsweise die Sonne ist und der andre Pol Neptun oder Pluto ist, können die transpersonalen Archetypen oft nur über die Projektion auf andere Menschen wahrgenommen werden.

Ein Quadrat bedeutet ein Spannungsverhältnis. Wenn ein Sonne Quadrat Neptun vorliegt, wie es bei vielen Therapeuten der Fall ist, kann dies ein Antrieb sein, mit Mitgefühl das Gegenüber wahrzunehmen. Genauso kann es möglich sein, dass ein anderer Mensch mit List und Täuschung operiert. Wie bei allen Strukturen, kann nicht aus der astrologischen Signatur die Ebene der Realisation des Verhaltens vorausgesagt werden. Nur der umgekehrte Weg ist möglich. Wenn ein konkretes Verhalten beobachtet wird, kann gesagt werden, ob die Signatur dazu symbolisch passt oder nicht.

Trigone und Sextile begünstigen die Zusammenarbeit der Archetypen. Da hier die Spannung fehlt, kann es den Archetypen aber langweilig werden. Auch hier gibt es Archetypen, die besser zusammenpassen als andere. Wenn beobachtet wurde, dass es bei einem Quadrat von Mond und Saturn zu Verstimmungen kommen kann, gilt das auch für ein Trigon, wenn Zeichen und Quadrant ungünstig wirken.

Ganze Aspektfiguren mit mehreren Archetypen sind noch schwieriger zu interpretieren und bedürfen einer genauen Analyse. Beispielsweise gilt die Yod Figur, auch Fingerzeig Gottes genannt, als primär konflikt-beladen. Es gibt zu diesem Thema Literatur, die hilft, das Wesentliche zu erfassen.

Das Herrschersystem

H.P. Hadry (2005) stellt das Herrschersystem aus der Döbereinerschule vor, mit dem es gelingen sollte, Herkunft und Wirkungen von Konflikten besser zu verstehen. Das Herrschersystem verknüpft die einzelnen Häuser eines Horoskops miteinander. Es ist ein Instrument, Ursache und Wirkung eines Problems zu identifizieren. Dabei bewirken die Probleme im Ursprungshaus nicht nur die Probleme im Zielhaus, sondern verstärken sie auch. Dasselbe gilt nicht nur für die negative Verstärkung, sondern auch umgekehrt im Sinne der positiven Verstärkung nach dem Motto: wer hat, dem wird gegeben. Die Regel heisst:

Im Ursprungshaus eines Herrschers findet man die Ursache eines Problems. Im Zielhaus, dem Haus, wo der Herrscher ausgewandert ist, sieht man die Wirkung des Problems.

Bei dieser Betrachtung soll erinnert werden, dass jedes Tierkreiszeichen einen Herrscher hat mit Ausnahme von Merkur und Venus, die jeweils zwei Zeichen beherrschen. Zur Erinnerung hier die

Zuordnung von Zeichen und Herrscher: Widder/ Mars, Stier/ Venus, Zwilling/ Merkur, Krebs/ Mond, Löwe/ Sonne, Jungfrau/ Merkur, Waage/ Venus, Skorpion/ Pluto Schütze/ Jupiter, Steinbock/ Saturn, Wassermann/ Uranus, Fisch/ Neptun.

H.P. Hadry deutet das Herrschersystem in 8 Schritten:

1. Welches ist das Ausgangshaus, respektive aus welchem Haus kommt der Herrscher? Dort liegt die Ursache eines Problems. Die Fähigkeit dieses Hauses muss entwickelt werden.

2. Welches Zeichen steht an der Spitze dieses Hauses? Das zeigt, wie eine Fähigkeit entwickelt werden soll.

3. Welches ist der Herrscher des Zeichens, das an der jeweiligen Häuserspitze steht? Er zeigt an, welcher Entwicklungsprozess angeregt werden soll.

4. In welches Zielhaus ist der Herrscher ausgewandert? Es zeigt die Auswirkung des Prozesses.

5. In welchem Zeichen steht der Herrscher? Es zeigt, wie der Prozess von statten geht.

6. Welche Planeten hat der ausgewanderte Planet im „Rucksack" mitgenommen? Dies sind die Planeten, die im Ausgangshaus gestanden sind, falls es dort überhaupt Planeten gegeben hat. Diese Planeten stehen naturgemäss unter der Herrschaft des Herrschers, müssen bei der Auswanderung mitkommen und werden bei der Deutung für das Zielhaus mitgedeutet.

7. Welche Aspekte hat der Herrscher? Die Anlage kann je nach Planet unterstützt oder gehemmt werden.

8. Durch wen wird der Herrscher selbst beeinflusst? Das Zeichen an der Spitze des Hauses, an dem der Herrscher steht und der dazugehörige Planet des Zeichens zeigen, wie sich die Anlagen zusätzlich auswirken.

Im Ursprungshaus eines Herrschers findet sich der Ursache eines Problems. Wenn man im Zielhaus, also dort, wohin der Archetyp ausgewandert ist und das Problem in Erscheinung tritt, dieses Problem lösen will, wird man laut H.P. Hadry kaum Erfolg haben. Stattdessen müssen die Fähigkeiten des Ursprunghauses entwickelt werden. Dazu gibt es nur eine Ausnahme, nämlich wenn der Herrscher im eigenen Territorium steht.

Jeder Mensch kommt mit einer spezifischen Struktur auf die Welt kommt. Man kann mit relativ einfachen, homogenen, konsistenten oder recht disharmonischen Signaturen geboren werden. In jedem Horoskop hat es Konfliktherde und Ressourcen. Es gibt Beispiele, wo es schwierig ist, eine Symptomatik aus einer Familienstruktur oder aus einer Anamnese

abzuleiten. In diesen Fällen ist eine konstitutionelle, konfliktreiche astrologische Struktur mit zu berücksichtigen. Auf der anderen Seite wird es
genauso Grenzen des astrologischen Ansatzes geben.

Bisherige Konzepte über die Verbindung von Psychologie, Psychotherapie und Astrologie

Es gibt eine Reihe von Arbeiten über den Zusammenhang von Astrologie, Psychologie und Psychotherapie. Welche Themen werden hier thematisiert? Wie ist das Verständnis der astrologischen Symbolik und welche möglichen Anwendungen werden beschrieben? Das zeigen die Gedanken der folgenden Autoren.

André Barbault (1989), ein französischer Astrologe, veröffentlicht ein Buch „Von der Psychoanalyse zur Astrologie". Darin diskutiert er psychoanalytische Konzepte und führt dazu einige Beispiele an. Würden zwei oder mehrere astrologische Aspekte in Spannung zusammenwirken, entspreche das einem Komplex in der Tiefenpsychologie. Die Komplexe seien an Instinkte gebunden, die unsere Gefühle und Empfindungen beeinflussen. Jeder Planet stelle eine Gruppierung von möglichen Verhaltensweisen dar, die vom pathologischen Bereich bis zur reifen Stufe der Sublimierung reichen. Dazwischen würden sich alle Nuancierungen des normalen Verhaltens finden. Allgemein zeige die astrologische Symbolik unbewusste Strukturen an wie das Funktionieren der Instinkte oder die eines Wiederholungszwangs. Konkret beurteilt A. Barbault astrologische Quadrate von Planeten als Quelle von möglicherweise tiefgreifenden Störungen. Ebenso seien Oppositionen konfliktbetont. Eine Verdrängung erfolge dann, wenn zum Beispiel ein dissonanter Planet zu Sonne oder Saturn stehe. Ein Sonne – Mond Quadrat könne beispielsweise zu einer Autoaggression oder zu einem Minderwertigkeitsgefühl führen. Das gesamte Seelenleben ordnet A. Barbault dem Mondprinzip zu. Die regressive Seite des Mondes könne mit der Konstellation Mutter - Kind zu tun haben, sodass der Mond nicht allein dem Kind oder der Mutter allein zuzuordnen sei. Demgegenüber sei das Sonnenprinzip mit dem Ich - Ideal assoziiert. Die Saturnsymbolik ordnet der Autor der Geburt und der Entwöhnung zu, weil damit Frustration und Angst verbunden seien. Ein Bezug zur oralen Phase wird mit Saturn weitergeführt, weil es zu Verzicht, Ablösung und Frustration komme. Eine Auswirkung sei die saturnische Introjektion. Im Gegensatz dazu sei eine glückliche orale Phase mit späteren Gefühlen von Optimismus und Selbstvertrauen verbunden, was nach Barbault der Jupiterqualität entspricht. Die oral- sadistische Phase wird dem aggressiven Marsprinzip zugeordnet. Der anale Zwangscharakter wird mit dem Jungfrauenprinzip assoziiert. Ordnungssinn, Sauberkeit, und Sparsamkeit sind Merkmale sowohl des Zwangscharakters wie auch der Jungfrau. Vom Venusprinzip sei in der Psychoanalyse wenig zu finden, weil dessen Thema der Ausgeglichenheit, der Harmonie oder geglückter Assimilation in der Therapie nicht zur Diskussion stehe. Merkur stehe in der Entwicklung dem älteren Kind näher, wenn es um das intellektuelle Funktionieren und die Anpassung an die realen Lebensumstände gehe.

Hermann Meyer (1988) glaubt, dass ein Therapeut ohne Astrologie nur die halbe Wahrheit erfassen kann, so wie es umgekehrt einem Astrologen ohne Psychologie auch ergehen kann. Wenn es einem Menschen gelänge die Anlagen, die von Abwehr oder Anpassungszwängen überlagert sind in eine entwickelte Form zu transformieren, werde der Mensch frei. Meyers Ansatz ist sehr strukturiert. Sein Astrocoachings umfasst eine Informationsphase, die analytische Phase, die Phase des Lernens in der Gruppe und die Phase der Ausbildung von Anlagen. Er ist kein Psychotherapeut und behandelt keine psychischen Störungen, arbeitet aber als Coach mit Klienten, die ein Problem haben.

Für die erste Phase zitiert Meyer zitiert Grundgesetze der Seele, die er für seine Arbeit braucht, nämlich:

Das Gesetz der Wiederkehr des Verdrängten besagt, dass Energien und Anlagen, die verdrängt wurden in einer verzerrten Form wieder erscheinen, die der Betroffene passiv als äusseres Schicksal erleidet. Auf die Astrologie bezogen sind die 12 kosmischen Prinzipien eine Einheit und symbolisieren die Ganzheit des Lebens. Wird ein Prinzip mangelhaft gelebt, erscheint es als „Schatten" in den verschiedensten Variationen.

Das Gesetz von Ursache und Wirkung besagt, dass Schicksalsschläge nichts anderes sind als Wirkungen auf Schicksalsschläge, die der Mensch selber gesetzt hat. Nach H. Meyer könne man diesen Kräften ausgeliefert sein oder die Kräfte für sich nutzen.

Das Gesetz der Entwicklung der geistigen Planeten geht von verschiedenen Verarbeitungsstufen aus. Der Mensch kann ihnen ohnmächtig ausgeliefert sein. Er kann kompensatorisch oder ideologisch reagieren oder aber eine eigene geistige Kompetenz erarbeiten. Beispielsweise kann der Mensch dort, wo Pluto im Haus und Feld steht und wo er Herrscher ist, ein eigenes neues Programm entwickeln. Ebenso mit den Planeten, die mit Pluto Aspekte bilden. Der letzte Schritt wäre die Umsetzung dieses Programm in die Praxis.

Das Gesetz von Inhalt und Form besagt, dass seelische und geistige Inhalte auch materiell oder körperlich ausgedrückt werden müssen. Dies kann freiwillig, aber auch unbewusst über das Schicksal geschehen. Sind Inhalt und Form nicht adäquat, komme es zu einer Störung der Harmonie.

Das Gesetz der Affinität besagt, dass zwischen den innerseelischen Persönlichkeitsanteilen und den Personen und Gegenständen der äusseren Welt eine Verwandtschaft besteht, sodass die seelische Szenerie auch in der Aussenwelt wiedergespiegelt wird. H. Meyer illustriert diesen Punkt anhand von männlichen und weiblichen Archetypen und ihrer Rolle in der Partnerwahl.

Zur analytischen Phase der astrologischen Beratung beschreibt H. Meyer fünf Ebenen, welche die zwölf kosmischen Grundprinzipien beinhalten. Beispielsweise heisst das beim Marsprinzip Triebleben, Durchsetzung, Ego, Körper und Aktivität. Günstig sei es, wenn alle Ebenen in einem ausgewogenen Verhältnis zu einander stehen. Es sei wichtig, von allen zwölf Prinzipien die verschiedenen Symbolebenen aufzuschreiben um festzustellen, was von einem Prinzip gelebt wird und was nur schwach ausgebildet ist. Jedes Defizit könne durch ein anderes kosmisches Prinzip kompensiert werden. Je mehr das möglich sei, desto stabiler werde die

Persönlichkeit. Zum Phänomen der Projektion meint Meyer, dass dies eine Möglichkeit sei alte Gefühle aus der Vergangenheit zu reproduzieren. Er unterscheidet die externalisierte, die kompensatorische und die Projektion in die Zukunft. Übertragen auf die vier Quadranten im Horoskop bedeutet dies beispielsweise, dass derjenige, der seine Planeten im 1. Quadranten in der Aussenwelt ausdrückt, Projektionsfläche für all die Menschen sind, die ihre Planeten im 3. Quadranten defizitär leben. Derjenige, der seine Planeten im 3. Quadrant lebt, wird zur Projektionsfläche für die Person, die ihren 1. Quadranten in der Hemmung erleben. Die Anlagen im 1. Quadranten müssen unbedingt materiell sichtbar gemacht werden. Planeten des dritten Quadranten sind zwar auch in der eigenen Vorstellung präsent, seien zunächst aber in der Form der Andern präsent. Insofern sei die Form der Andern die Wiederspiegelung der eigenen Anlagen im dritten Quadrant. Ein anderes Beispiel: ist der Herrscher von Haus 1 z.B. Mars in den 3. Quadranten „ausgewandert" wird damit die impulssetzende Anlage an einen andern Menschen abgegeben und kann nicht aufkeimen. Die Anlage muss aber selber verwirklicht werden, indem der Impuls dazu von aussen geweckt und dann selber übernommen wird.

Die dritte Phase des Coachings sind Gespräche in der Gruppe. Dabei werden Erkenntnisse aus der Selbstanalyse korrigiert und die Teilnehmer lernen, die neuen Erkenntnisse in die Praxis des Lebens zu integrieren.

In der 4. Phase lernen die Klienten in Workshops, wie sie Anlagen und Potentiale entwickeln können. Dazu müssen sie eine Abwehr überwunden. Die Energie eines Planetenprinzips wird dadurch transformiert. Projektionen und Erwartungshaltungen werden zurückgezogen. Feinbilder fallen weg und gestaute Energie beginnt zu fliessen.

Konkret formuliert Meyer (1986,1988) die astrologischen Grundprinzipien folgendermassen:

1. Widder: Durchsetzungsfähigkeit

2. Stier: Abgrenzungs-, Genuss- und wirtschaftliche Fähigkeit

3. Zwilling: Ausdrucks- und Kommunikationsfähigkeit

4. Krebs: Empfindungsfähigkeit und Fähigkeit zur Identitätsbildung

5. Löwe: Handlungs- und Bindungsfähigkeit mit dem Ziel zur Selbstverwirklichung

6. Jungfrau: Wahrnehmungsfähigkeit und Fähigkeit das eigene Wesen zu zeigen

7. Waage: Kontakt-, Liebesfähigkeit und Schönheitssinn

8. Skorpion: Beziehungs- und Vorstellungsfähigkeit

9. Bildungsfähigkeit und Sinnfindung

10. Verantwortungs- und Strukturierungsfähigkeit

11. Fähigkeit zu Freiheit, Unabhängigkeit und eigener Identität

12. Transzendente Fähigkeiten und Verantwortung

Jede Fähigkeit kann eine gehemmte, eine kompensatorische und eine reife Form aufweisen. Beim Widder wäre das eine Durchsetzungsschwäche, eine unangemessene Form von Aggression oder die Fähigkeit, Ziele mit Mut direkt anzusteuern. Zum andern unterscheidet Meyer bei jedem Grundprinzip sechs Stufen oder Ebenen, wie sich die Energie ausdrückt. Beispielsweise beim Stier wären das 1. eigener Besitz, 2. Handwerk, 3. Finanzen, 4. Vorrat, 5. Genuss und 6. Lebensstil.

Jede defizitäre Anlage verursacht eine Gefühlsreaktion, die spezifische körperliche Reaktionen hervorrufen kann. Der 1. Quadrant entspricht dem Soma, der 2. Quadrant der Psyche, der 3. Quadrant entspricht dem Denken und der 4. Quadrant dem Bewusstsein.

In neueren Arbeiten differenziert Meyer (2006, 2013) seinen Ansatz weiter aus. Er thematisiert zehn Bausteine des Astrocoachings. Unter anderem betont er die Folgerichtigkeit der 12 astrologischen Grundprinzipien oder die Wichtigkeit der Verwirklichung der beiden Hauptachsen AC/DC und MC/IC. Neben Abwehr und Widerständen legt er viel Wert auf die Erkennung der Grundprinzipien, wenn diese in der Hemmung, in der Kompensation oder in der reifen Form erscheinen.

Greg Bogart (1998) war ursprünglich Astrologe und liess sich zum Psychotherapeuten ausbilden. Er lehrt am Institut of Transpersonal Psychology und am Institut of Intergrative Psychology in Kalifornien. Er gibt an, dass immer mehr Therapeuten ein Interesse für Astrologie haben, das aber eher heimlich und inoffiziell sei. Trotzdem ist Bogart überzeugt, dass in Zukunft der Einsatz der Astrologie alltäglich sein wird. Sein Ansatz hat einen starken Bezug zur transpersonalen Psychologie und zur Entwicklungspsychologie nach Ken Wilber. Speziell gehe es darum, wichtige Themen und Lebensbereiche mittels Horoskop zu identifizieren, um dann das Leben aus einer symbolischen und zyklischen Perspektive wahrzunehmen. Dabei spielen Transite und Progressionen eine Rolle. Kontraindikationen für eine astrologische Arbeit seien manisch-depressive- oder schizophrene Erkrankungen, Borderlinestörungen oder starke Phobien. Zur Gegenübertragung in der therapeutischen Arbeit stellt Bogart fest, dass dies häufig die Symbolik eines wichtigen Transits wiederspiegelt, den der Therapeut erfährt. Einigen der wichtigsten Charakterzüge der herkömmlichen Psychologie ordnet er folgernden Symbolen zu:

Extraversion entspricht Sonne/ Mars/ Jupiter. Intellektuelle Offenheit entspricht Merkur/ Uranus. Pflichtbewusstsein mit starkem Überich entspricht Saturn/ Pluto und bewusste Identität entspricht Sonne/ Mond.

Ein zyklisches Verständnis der Lebensgeschichte bedeute, dass je nach Einfluss verschiedener Transite unterschiedliche Aspekte eines Problems in Erscheinung treten. Bogart gibt entsprechend den 12 astrologischen Grundprinzipien Hinweise, wie diese Themen bearbeitet werden können. In seinem Buch gibt es dazu viele Fallbeispiele. Mögliche Arbeitsmethoden, die den astrologischen Grundprinzipien entsprechen, zeigt folgende Zusammenstellung:

Widder/ 1. Haus: Lernen mit Instinkt umzugehen. Wünsche und Impulse angemessen ausdrücken. Überschüssige Energie konstruktiv einsetzen. Bildung der Identität.

Stier/ 2. Haus: Umgang mit Ressourcen und materieller Sicherheit. Arbeit mit sensorischer Bewusstmachung. Praktische, auf das Problem bezogene Beratung oder somatisch orientierte Therapie.

Zwilling/ 3. Haus: Kommunikative Therapiemethoden wie schreiben, Tagebuch führen, kognitive Therapie, mentales Training, Aufmerksamkeitsübungen.

Krebs/ 4. Haus: Bearbeitung von Gefühlen und persönlicher Erinnerungen, Familientherapie, psychoanalytische Arbeit.

Löwe/ 5. Haus: Therapeutische Arbeit mit der Möglichkeit zur Selbstdarstellung und Kreativität. Psychodrama, Kunsttherapie.

Jungfrau/ 6. Haus: Reflektierte Arbeit, Betonung der Selbstüberprüfung und Katharsis, Ernährung, berufliche Fortbildung, Bearbeitung der Themen Präzision und Perfektion.

Waage/ 7. Haus: Arbeit an der therapeutischen Übertragung und Rücknahme von Projektionen, Paartherapie.

Skorpion/ 8. Haus: Arbeit an Transformation und Macht, Krisenberatung, kathartische Methoden, Rebirthing, holotropes Atmen.

Schütze/ 9. Haus: Fokus auf Wahrheit und Erkenntnis, Bewertung von Moral, Glauben, Entwicklung einer persönlichen Philosophie oder Vision, existentielle Therapie, Logotherapie.

Steinbock/ 10. Haus: Focus auf Erfolg und Leistung, Entwicklung der eigenen Autorität und der beruflichen Stellung.

Wassermann/ 11. Haus: Entwicklung einer individuellen Perspektive, Reflexion der Rebellion gegen Konventionen, Entwicklung eines unterstützenden Netzwerkes, Verständnis für grössere soziale Zusammenhänge, Gruppenaktivitäten.

Fische/ 12. Haus: Thema des spirituellem Wachstums, grosse Bedeutung von Träumen und Phantasie, Respektierung von Verletzlichkeit, Bearbeitung des kollektiven Unbewussten, Hypnose, Imaginationstherapie, schamanische Reisen, Rückführungstechniken, Meditation.

Der Münchner Psychoanalytiker **Wolfhard H. König** (1999) will ebenfalls Astrologie für seine Arbeit fruchtbar machen. Er ist Lehrbeauftragter im Fachbereich Psychotherapie und Psychosomatik an der Universität München. Er hat seine Gedanken in mehreren Artikeln veröffentlicht und im Jahr 2000 an den Lindauer Psychotherapiewochen darüber gesprochen. Gleichzeitig ist er Mitarbeiter am Astrologische-Psychologischen Institut in Adliswil. Laut König zeige das Horoskop das gesamte psychische

Potential eines Menschen und eröffne damit gute Beratungsmöglichkeiten. Nach der diagnostischen Anwendung des Horoskops arbeitet W.H. König in einer anschliessenden Therapiephase im psychoanalytischen Verständnis weiter, wobei er neben der klassischen Triebtheorie auch die Ich- Psychologie, die Objektbeziehungstheorie sowie die Selbst- Psychologie verwende. König gibt selber an, eine Sonne / Neptun Konjunktion im Horoskop zu haben, mit der er sich besonders verbunden fühle. Für ihn bedeute dies die Möglichkeit, einfühlsam und emphatisch zu sein, um Menschen zu verstehen (Neptun) und doch im eigenen Selbst (Sonne) verankert zu sein. Als Beispiel für unbewusste Anteile der Psyche führt er eine Pluto / Mars Opposition an, die über Aspekte nicht in das übrige Horoskop eingebunden ist. Diese Konstellation bedeutet eine machtvolle (Pluto), aggressive Energie (Mars), die nicht in der Person integriert ist und die beispielsweise in der Projektion in andern Menschen gesehen wird. Hilfreich ist die Astrologie laut W.H. König für Beratung und Kriseninvervention sowie für die Berufsberatung. Ist eine Langzeittherapie erforderlich, ist allerdings die analytische Arbeit von Bewusstmachen und Durcharbeiten nötig.

Friedel Roggenbuck (1996) verfolgt eine Form des Astrodramas analog dem Psychodrama. Er begann seine astrologische Initiation 1976 an dem Ort, wo der Legende nach Buddha das Rad des Dharma in Bewegung setzte. In seinen Gruppenaktivitäten geht es darum, die Planetenkräfte zu spüren und sie gestalterisch ins Leben zu integrieren. In einer Gruppe übernehmen die Teilnehmen zum Beispiel mit Masken der Planeten die Aufstellung des Horoskops, wobei sich das Kräftespiel dieser Archetypen zeigt. Dabei kann die psychische Struktur und je nach dem psychische Probleme direkt erfahren werden. Ebenfalls mit dieser Methode arbeiten B. Schermer (1991) und H. Fass (2008).

Jürg Mächler und Hans Heini Lanz (1994) haben das Astrofocusing entwickelt. Dieser introspektive Weg führt dazu, astrologische Inhalte zu erahnen, die noch nicht durch den Verstand erfasst wurden. Grundlage zu dieser Arbeit sind die Ansätze von Eugene T. Gendlin im Rahmen der

Klientenzentrierten Gesprächstherapie. Zusätzlich werden die Modalitäten aus dem Neurolinguistischen Programmieren NLP nach Richard Bandler und John Grindler mitberücksichtigt. Hier werden alle Wahrnehmungskanäle einbezogen. Schliesslich integrieren die Autoren Techniken aus der Hakomi Therapie nach Ron Kurtz. Der Verlauf dieses Ansatzes beginnt mit der Auswahl einer astrologischen Konstellation, der mit Hilfe des Beraters nachgespürt wird. Dazu werden fünf bis zehn Begriffe über die verschiedenen Wahrnehmungskanäle assoziiert. Zum Beispiel Neptun: Morgendämmerung (sehen), Chorgesang (hören), Geborgenheit im All (fühlen), zarte Berührung (empfinden), Jasminduft (riechen). Der Fokussierende nimmt dies in absichtsloser Offenheit auf. Ebenso wird mit dem zweiten Begriff vorgegangen, um anschliessend beide Begriffe in einer Synthese zu vereinigen. Entscheidend sei, dass auch Klienten mit wenig astrologischen Vorkenntnissen verblüffend gut Bilder und Vorstellungen entwickeln, die mit der astrologischen Symbolik in Einklang stehen. Astrofocussing eigne sich bestens Erfahrungen ins Bewusstsein zu bringen, um mit Techniken wie Gestaltarbeit, Psychoanalyse, Psychodrama oder künstlerischen Ausdrucksformen weiter zu arbeiten.

Liz Greene und Howard Sasportas (1989) haben sich unter anderem mit den Dimensionen des Unbewussten in der astrologischen Arbeit beschäftigt. Sie diskutieren Aggression, Depression und Angst und führen verschiedene Abwehrformen an. Beispielsweise würden Menschen mit einer Sonne Mars Konjunktion oder Quadrat, die gegen aussen sehr gefügig erscheinen, zu Übererregung oder Überreizung neigen, wenn die Marsaggression bei grosser sozialer Anpassung nicht gelebt werde. Menschen mit Sonnen - Mars Opposition würden andere Menschen als Herausforderung ansehen oder Andere zu einem Konflikt provozieren. In diesen Fällen wird Mars auf den Partner projiziert. Menschen mit einer Mars - Neptun Opposition würden sich dagegen eher als Opfer anderer Menschen sehen. Menschen mit dieser Opposition ziehen diese Opferrolle an, weil das Neptunprinzip die gerichtete Aggression auflöst. Zur Depression hingegen meint L. Green, dass hier oft eine Venus – Saturn Konstellation zu beobachten sei. Venus in einem schwierigen Aspekt zu Saturn könne ein astrologisches Symbol für das Gefühl während einer einsamen und emotional verarmten Kindheit sein, wo man sich ungeliebt und isoliert gefühlt hat. Als Abwehrformen führt Green die Verdrängung, die Projektion, die Rationalisierung, den Pessimismus und die Dogmatisierung an. Bei den Ängsten differenziert L. Greene die Angst vor Veränderung, die Angst vor Verlust der Individualität, die Angst vor Verantwortung, die Angst vor Macht, die Angst vor Unzulänglichkeit, die Angst Überzeugungen zu verlieren, die Angst auf der falschen Fährte zu sein und die Angst für verschroben gehalten zu werden. Letztere Form trete auf, wenn sich ein Mensch gegen die Öffnung für transpersonale Bereiche wehre, weil sie fürchten, für verschroben gehalten zu werden. Dies könne auftreten, wenn Saturn einen schwierigen Aspekt mit Uranus oder Neptun verbunden sei. Uranus sei offen für alle möglichen Ideen, Saturn wolle dagegen absichern und Grenzen setzen. Insofern ist dies eine Erweiterung der Darstellung der psychoanalytischen Abwehrformen (A. Freud 1981). Liz Green (2000) geht in Ihrem Buch über Prognose und psychologische Dynamik auf das psychologische Modell der Komplexe ein. Es geht ihr darum, die persönlichen und familiären Konflikte besser zu verstehen. Sie findet es wichtig, den Vorgang der Projektion zu durchschauen. Statt das Unangenehme im Andern zu sehen ist es möglich, mit der Rücknahme der Projektion viel über sich selbst zu erfahren. Eine Auslösung durch einen Transit kann dabei ein äusseres Erlebnis auslösen aber auch die innere Dynamik der Psyche betreffen. Der Beitrag von L. Greene ist allgemein für die Entwicklung der psychologischen Astrologie sehr bedeutend.

Thomas Schäfer (1994) verfolgt einen therapeutischen Weg bezüglich der astrologischen Traumdeutung. Seine Sichtweise basiert auf der Tiefenpsychologie von C. G. Jung. Mancher Transit zeigt sich nach Schäfer nur in den Träumen, nicht jedoch im äusseren Leben eines Menschen. Im Gesamthoroskop glaubt der Autor den Archetypus des Selbst zu erkennen. Im Gegensatz zur Antike bemühen sich heute nur wenige Astrologen um eine Verknüpfung von Träumen mit dem Horoskop. Je nach den aktuellen Lebensumständen werden aber häufig vorkommende Traummotive in immer wieder neu abgewandelten Zusammenhängen und Bildabfolgen erfahren.

T. Schäfer berücksichtigt die Assoziationen zum Traum, um die individuelle Bedeutung eines Symbols zu verstehen. Ebenso berücksichtigt er die rhythmische Wiederkehr gewisser Symbole und Themen als auch die Deutung auf der Subjekt- und der Objektstufe. Allgemein nimmt T. Schäfer die praxisorientierte Zuordnung der Träume zur Astrologie auf zwei Arten vor. Zum einen lässt sich der Traum mit den Konstellationen des Geburtshoroskops verbinden. Dies bietet sich besonders bei sich wiederholenden Träumen oder sehr wichtig erscheinenden Träumen an. Zum andern spiegeln sich die meisten Träume in aktuellen Transitaspekten der laufenden Planeten zu den Faktoren im Radix wieder. Bei der Interpretation der Transite haben die Aspekte der langsam laufenden Planeten, das heisst bei Jupiter, Saturn, Uranus, Neptun und Pluto die grösste Bedeutung. Wegen der Dauer ihrer Aspekte zum Radix färben sie über einen längeren Zeitraum hinweg eine grosse Zahl von Träumen. Besonders ist das der Fall, wenn ein gleichsinniger Kurzzeittransit hinzukommt. Beispielsweise wird eine Opposition vom laufenden Saturn zum Radixmars gerade dann gut sichtbar sein, wenn der laufende Mars über den Radixsaturn oder über dessen Oppositionspunkt läuft.

Die grössten Zusammenhänge zeigen sich zwischen Traum und Transit bei Konjunktionen von Transitplaneten über Radixplaneten und über den AC, DC, MC und IC. Die zweitbesten Ergebnisse zeigen die Oppositionen der laufenden Planeten über die Radixplaneten, die persönlicher Natur sind wie Sonne oder Mond. Transitsextile, Quadrate und Trigone sind meist nur aussagekräftig, wenn sie von den langsam laufenden Planeten gebildet werden.

T. Schäfer illustriert diese Zusammenhänge anhand eines Fallbeispiels eines jungen Mannes, der an einem chronischen Magengeschwür litt. Weder eine schulmedizinischen Behandlung noch eine Psychotherapie hätten bisher helfen können. Nach Schäfers Erfahrung können Mond / Uranus, aber auch Mond / Mars Aspekte eine Störung in der Regulation der Magensäfte anzeigen. Im gegebenen Fall hatte der Patient eine Mond / Neptun Konjunktion, die im Quadrat zu Uranus stand. Zudem stand

Mars im Zeichen Krebs, das dem Magen zugeordnet wird. Das Verdauungsproblem sei hier mit einem unbändigen Hass auf die Mutter verbunden gewesen. Schäfer beschreibt eine ganze Reihe von Träumen, die einen Entwicklungsverlauf darstellen und er zeigt den Zusammenhang mit den astrologischen Symbolen auf. Mars und Uranus seien hier in einer unentwickelten Form gelebt worden und hätten sich mit der Zeit positiv entwickelt. Die Persönlichkeit sei damit reifer geworden und die Symptomatik habe sich gebessert. Das Grundgefühl und die Beziehungsfähigkeit (Krebs) waren offenbar angegriffen (Mars). Währen der Psychotherapie wurden die zentralen Konflikte bearbeitet und die Transite mit den astrologischen Deutungen verstanden.

T. Schäfer arbeitet auch mit Imaginationen, die er analog den Nachtträumen bearbeitet. Als Beispiel führt er eine Chemikerin an, die sich wegen Schwindelanfällen am Arbeitsplatz angemeldet habe. Am Tage des Erstgesprächs waren Transite zu beobachten: Die Transit Sonne lief über Radix Uranus und der Transit Uranus lief durch das 10. Haus. Die Chemikerin gab an, am Arbeitsplatz unzufrieden zu sein. In der Imagination bestieg sie einen „Berufsberg". Unten am Berg waren zwei Hinweisschilder für verschiedene Wege auf den Gipfel. Weg A war identisch mit ihrer Firma, Weg B war eine berufliche Alternative. Auf dem Weg A stellte sich bei der Frau Schwindel ein und sie kam an Hindernisse. Auf dem Weg B fand sich oben eine Forschungsstation, wo ihr ein Arbeitsplatz angeboten wurde. Damit schienen alle Weichen für einen Arbeitsplatzwechsel gelegt. Der laufende Uranus im 10. Haus, traditionell das Haus der Berufe, hat den Boden dazu bereitet. Dieser Langzeittransit wurde durch die Konjunktion der Sonne (Ich) mit dem Radix Uranus (Veränderung) verstärkt.

Michel Taber (2012) stellt eine astrologische Wachtraumtherapie vor, so wie H. C. Leuner (1985) psychoanalytisch mit dem Katathymen Bilderleben gearbeitet hat. In dieser Arbeit wird bei den Wachtraumreisen das Horoskop mit einbezogen. Das Ich des Klienten soll in seiner persönlichen und transpersonalen Entwicklung durch die Integration seines Potentials gefördert werden. Der Klient ist in einem veränderten Bewusstseinszustand und entdeckt verborgen Anteile seiner Psyche. Die Gestalten in dem Wachtraum können mit den Planeten des Horoskops assoziiert werden. Dabei kommt es zu einer Transformation unter Mithilfe der Energie des Herzchakras.

Nicht unerwähnt bleiben kann **Dane Rudhyar** (1979, 1990). Er war kein Therapeut, hat sich aber um die Entwicklung der Astrologie verdient gemacht. J.C. Weiss (1995) bezeichnete ihn als den wichtigsten Astrologen des 20. Jahrhunderts. D. Rudhyar, in Paris 1895 geboren und in Kalifornien 1995 gestorben, war zudem Maler und Musiker, dessen Kompositionen unter anderem in der Metropolitan Opera in New York aufgeführt wurden. D. Rudhyar hat sich von der astrologischen Ausrichtung auf Vorhersagen von Ereignissen losgelöst. Ebenso von den Wertungen in der traditionellen Astrologie und er konzentrierte sich auf die Persönlichkeit des Individuums. Er führte neue Methoden wie beispielsweise die Diskussion des Sonne-Mond Zyklus ein. Nach dem Studium von Buddhismus und östlicher Philosophie meinte er, dass die Verknüpfung von Astrologie mit der Jungschen Psychologie einen sehr fruchtbaren Ansatz ergebe. Während den Aufenthalten in Esalem in Kalifornien ergaben sich viele Kontakte mit Philosophen und Psychologen. Sein Buch „Die Astrologie der Persönlichkeit" 1936 geschrieben, ist nach J.C. Weiss immer noch von höchster Aktualität.

Ebenfalls hat im deutschsprachigen Raum **Thomas Ring** (1975) eine grosse Bedeutung erreicht. Er stellt die Existenz und das Wesen des Menschen sowie die kulturelle und religiöse Bedingungen in den Vordergrund, wobei der Mensch seinen Grund in der elementaren Ordnung des Kosmos findet. In dem Sinne diskutierte er eine reformierte Astrologie mit einem modernen Weltbild.

Die transpersonale Psychologie und Astrologie nach Stanislav Grof, Richard Tarnas und Ken Wilber

S tanislav Grof (2006) studierte Medizin und Medizinphilosophie in Prag und bildete sich zum Psychiater weiter. Am psychiatrischen Forschungskrankenhaus in Prag studierte er Möglichkeiten zur psychedelischen Therapie mittels der psychotropen Substanz LSD. Einen ersten Kontakt mit der Astrologie hatte er anlässlich eines Gastauftritts 1966 in einer Fernsehsendung. Er lernte dort den slowakischen Psychiater Eugene Jonas kennen, der damals seit 25 Jahren die Astrologie studiert hatte. Mit Hilfe von einem Buch über vedische Astrologie konnte E. Jonas das Geschlecht des Fötus im Rahmen eines Forschungsprojekts an den Universitäten von Bratislawa und Heidelberg in siebzehn aufeinanderfolgenden Fällen voraussagen, obwohl es damals noch keine Ultraschalluntersuchungen gegeben hatte. Jonas wollte damals Grof bei einem Essen überzeugen, dass die Astrologie für die Forschungsarbeiten von Grof von Interesse wäre. Dessen Skepsis war aber zu gross. Nach der Auswanderung 1967 in die USA arbeitete Grof für sieben Jahre an der Forschungsabteilung des John Hopkins University in Baltimore sowie am Maryland Psychiatric Research Center. Zudem war er Assistenzprofessor an der John Hopkins University in Baltimore. 1973 wechselte Grof ans Esalem Institut in Big Sur Kalifornien, wo er in Kontakt mit Richard Tarnas kam. Ebenfalls lernte Grof in Big Sur den Astrologen Arne Trettvik kennen, der Grof und Tarnas die Berechnung der Transite beigebracht hat. Damit konnten die prinzipiellen Lehren der Astrologie überprüft werden. Von da an sei S. Grof vom astrologischen Ansatz überzeugt gewesen. Die Astrologie wurde zu einem Werkzeug und habe überzeugendes Beweismaterial erbracht, dass es zwischen Wesen und Inhalt von holotropen, auf Ganzheit ausgerichteten Bewusstseinszuständen, die Grof mit Atemtechniken induziert hatte und den Planetentransiten eine systematische Korrelation gäbe. Im Laufe der Jahre konnte Grof diese Tatsache durch Tausende von spezifischen Beobachtungen bestätigen. Zurzeit ist Grof Professor für Psychologie am California Institut of Integral Studies in San Francisco und an der Wisdom University in Oakland.

Nachdem S. Grof eine siebenjährige Lehranalyse als Analytiker mit drei Wochenstunden hinter sich hatte, fand er zwar die Theorie der Psychoanalyse brillant, deren Praxis allerdings weniger gut. Insbesondere setzte er sich schon damals von der Meinung von Freud ab, dass die Seele bei der Geburt eine Tabula Rasa sei. Zudem lernte er neue Ansätze wie z.B. jenen von A. Maslow kennen. So wurde Grof neben Maslow Mitbegründer der Transpersonalen Psychologie. Das Weltbild, das Grof zusammen mit einer astrologischen Sichtweise gewann, ist ganz verschieden vom klassisch naturwissenschaftlichen Standpunkt. Er begriff die Psyche als Anima mundi, die ein unbeschränktes Bewusstsein aufweist und letztlich unabhängig vom Körper ist. In seinem Buch Kosmos und Psyche führt Grof (2000) aus, dass sich in holotropen Bewusstseinszuständen die Dynamik der kosmischen Schöpfungsprozesse erschliesst. Der „universale Geist" erschaffe durch Dissoziation und Prozesse des Vergessens virtuelle Realitäten und projiziere sich selbst in die individuellen Wesen, die sich getrennt und vom Urgrund entfremdet erleben. Dabei gebe es „viele Welten". Ein Bereich davon sei jene der archetypischen Welt, der mit der gewöhnlichen Sinneswahrnehmung nicht zu erschliessen sei. Die Wesen der archetypischen Welt seien mit ausserordentlicher Energie ausgestattet. Sie seien numinos und von alters her mit Göttern assoziiert. Ihr Reich sei nicht in einem kohärenten Raum- und Zeitgefüge angesiedelt. Es sei aber ontologisch ebenfalls real. Dieser Raum sei kein Produkt der menschlichen Phantasie. Er habe eine eigene, aber nicht unabhängige Existenz von der materiellen Welt. Deren Raum sei unserer Welt übergeordnet und durchdringe unsere Existenz. Grof führt als Beispiel die Erfahrung einer Anthropologin in holotropen Bewusstseinszuständen an. Die Gestalten, die sie wahrnahm, erinnerten an den griechischen Olymp. An Tiefe und gehaltvoller Energie liessen sie die griechischen Gestalten weit hinter sich. Die Frau sah an einen prachtvollen Ring am Finger eines dieser Wesen. Die Reflexion einer Facette dieses Rings traf sie als blendenden Lichtblitz und sie erkannte, dass sich dies in der materiellen Welt als Explosion einer Atombombe auswirkte.

Neben der Bedeutung der Archetypen hat Grof einen Bezug zu den perinatalen Geburtsmatrizen festgestellt. Anfänglich hatte Grof seiner Ausbildung entsprechend ein personales und biografisches Verständnis der Psyche. O. Rank und S. Ferenci wiesen allerdings schon früh auf die Bedeutung der Geburt hin. Diese biografische Ebene ergänzte Grof durch die perinatale Matrix und das transpersonale Verständnis. Dementsprechende Erfahrungen von Klienten sind nicht rekonstruierte, sondern holotrope Erfahrungen. Grof benutzt den Begriff Coex, das meint ein System der „conzentrierten" Erfahrung. Dies beinhaltet verdichtete vorgeburtliche, geburtliche und nachgeburtliche Erfahrung, die gleichzeitig erinnert werden können. Das Horoskop bildet die personale und transpersonale Ebene dazu ab. Es zeigt die transpersonalen Erfahrungen der Geburt und die zukünftigen möglichen Erfahrungen. Das Horoskop hat einen Bezug zu dieser Coex Struktur und die Geburt spiegelt die archetypischen Transite. Bildlich gesprochen ist das Horoskop der Schnittpunkt von zwei Bereichen. Das Coex System liegt räumlich oberhalb des Horoskops. Darunter liegt der Einfluss der Historie, des Karmischen, der Generationen vorher, des Mythologischen, des Tierbewussten oder der archetypischen Dimension. Eine allgemeine Topografie des Unbewussten umfasst nach Grof vier Ebenen:

1. Es gibt eine sensorische Barriere, um ins Unbewusste vorzustossen. Dabei spielen unspezifische Geräusche und Sensationen eine Rolle, wenn mit der Atmung anfangs das Unbewusste stimuliert wird.

2. Auf der biografischen Ebene werden Inhalte von emotionaler Relevanz angesprochen, die ursprünglich erlebt wurden wie z.B. eine physische Traumatisierung. Hier zeigt sich eine Verbindung mit entsprechenden Symptomen.

3. Auf der perinatalen Ebene zeigen sich Geburtserfahrungen. Damit sind Erfahrungen des Todes und der Wiedergeburt verbunden. Hier entsteht der Kontakt zum kollektiven Unbewussten nach C. G. Jung sowie die Öffnung zur Spiritualität.

4. Die transpersonale Ebene ist verbunden mit einer Erfahrung einer tiefen Krise. Die Situation kann unerträglich erscheinen, bis sie die Grenzen des Egos öffnet. Es wird deutlich, dass der Mensch als Mikrokosmos den Makrokosmos reflektiert. Dabei wird erfahren, dass sich in der Psyche das Weltall spiegelt. Parallel können verschiedene Bewusstseinszustände auftreten, z.B. wird eine räumliche Grenze überschritten und es kommt zu einer totalen Identifikation mit Allem. Ebenso kann die lineare Zeit transzendiert werden oder es kommt zu einer Begegnung mit archetypischen Gestalten und mythologischen Erfahrungen.

Den Zusammenhang der perinatalen Grundmatrizen mit astrologischen Archetypen sieht Grof folgendermassen: Die vier Phasen einer biologischen Geburt zeigen eine erstaunliche Ähnlichkeit mit den vier Archetypen, welche in einem Zusammenhang mit den vier äusseren Planeten des Sonnensystems stehen. Die erste Matrix entspricht Neptun. Hier ist das ungeborene Kind in der Einheit mit der Mutter verbunden. In der holotropen Arbeit entstehen ozeanische, numinose oder paradiesische Erfahrungen. Die zweite Matrix entspricht dem Saturn. Der Uterus zieht sich während der Geburt zusammen, wobei der Muttermund noch nicht offen ist und einer Sackgasse gleicht. Es entstehen in der holotropen Arbeit ängstliche, leidvolle, schuldhafte, hoffnungslose oder depressive saturnische Erfahrungen. Die dritte Matrix ist jene von Pluto. Das bedeutet, dass es ein Kampf ist, geboren zu werden und führt zu heftigen Energien titanischer, aggressiver, dämonischer oder kriegerischer Erfahrung. Die vierte Matrix ist geprägt von Uranus. Dies entspricht einem Austritt des Fötus aus dem Mutterleib und ist verbunden mit einer radikalen Änderung des vorhergehenden Zustandes. Es entstehen Visionen von Erlösung oder Befreiung durch ein weisses oder goldenes Licht.

Während Grof am Anfang seiner Forschungen in den Vorgängen des Geburtsprozesses etwas Feststehendes sah, erkannte er später, dass die perinatalen Matrizen Ausdruck von Archetypen sind. Je nach entsprechenden Transiten treten sie unterschiedlich in den Vordergrund. Die Idee, wirksame archetypische Konstellationen auch während der Geburt zu akzeptieren, scheint gemäss S. Grof in unserer Kultur mit dem herkömmlichen Weltbild schwierig zu sein.

Holotrope Bewusstseinszustände können zu den verschiedensten ungewöhnlichen Phänomenen führen. So ist es möglich, sich mit Tieren zu identifizieren, die das menschliche Vorstellungsvermögen überschreiten. Ähnliche Erlebnisse werden durch Einnahme von psychedelischen Substanzen ausgelöst. So beispielsweise durch die Dschungelpflanze Banistereopsis caapi, die Schamanen der peruanischen Indianer verwenden. Verwendet werden auch andere Substanzen wie Fliegenpilz oder die Samen von Windenarten. Neben der Identifikation mit Tieren, Pflanzen, toter Materie oder in ausserkörperlicher Erfahrungen sind PSI Phänomene möglich, wo Grenzen des Raumes oder der Zeit überschritten werden. Ebenso sind Kontakte mit Ahnen möglich. Daneben tauchen Erinnerungen auf, die als frühere Inkarnation gedeutet werden können. Nicht selten treten Synchronizitätsereignisse auf. Personen während karmischen Erlebnissen, die als Beziehungspartner der Klienten erscheinen, änderten sich in ihrer Einstellung zu den Klienten, obwohl diese Personen räumlich getrennt waren und von den holotropen Sitzungen ihrer Partner nichts wussten. Eine Änderung der Einstellung der Klienten im therapeutischen Rahmen kann so zu einer Änderung in der äusseren Welt führen. Allerdings ist Grof nicht sicher, dass dies zwingend ein Beweis für eine Reinkarnation ist.

S. Grof (2004) berichtet auch von eigenen pschedelischen Sitzungen und von holotropen Bewusstseinszuständen, wo die Aktivierung der Kundalini Energie, das Öffnen der Chakras und das Fliessen dieser Energie durch die menschlichen Hauptbahnen Ida und Pingala sowie die Verzweigung durch das Netz der Nadis für die Prana Energie spürbar war. Als Chakras werden die Zentren der Ausstrahlung der Urenergie oder des Prana bezeichnet, die mit bestimmten Körperorganen verbunden sind. Andere Klienten, die bisher die Astrologie, die Alchemie, das I Ging oder das Tarot belächelt hätten, erkannten nach holotropen Sitzungen den tieferen Sinn dieser Systeme.

Der grundlegende Aspekt seiner Forschung sieht S. Grof darin, dass das Bewusstsein ein von jeher bestehendes Merkmal der Existenz ist und nicht als eine Begleiterscheinung der Materie aufgefasst werden kann. Neben dem materiellen Körper sei der Mensch auch ein unendliches Bewusstseinsfeld, das die Grenzen von Zeit und Raum und linearer Kausalität überschreite. Diese Auffassung werde auf der Quanten- und Relativitätstheorie basierenden Physik (Capra 1983), der Informations-, Systemtheorie und Kybernetik (Bateson 1981) und der Thanatologie zunehmend vertreten. Die Techniken, um holotrope Zugänge zu erreichen sind Hypnose, Meditation, Biofeedback oder Hyperventilation, nicht aber ein blosser verbaler Zugang. Der frühere Einbezug von psychedelischen Drogen wie LSD oder MDMA würden aber nicht von sich aus die holotopen Erfahrungen produzieren, sondern diese würden nur bewusstseinserweiternd wirken. Die dabei gewonnenen spirituellen Erfahrungen würden gut zu den mystischen Schulen der grossen Weltreligionen wie der christlichen Mystik, dem Sufismus oder zum Kabbalah passen. Die etablierten Kirchen dagegen würden normalerweise eine Vorstellung vertreten, wonach das Göttliche eine Kraft ist, die ausserhalb des Menschen ist und die der Vermittlung durch die Kirche bedarf.

Im Zusammenhang damit berichtet S. Grof von einem der rätselhaftesten Phänomene der transpersonalen Erfahrung. Er nennt dies die supra oder metakosmische Leere. Diese Leere sei der Ursprung aller Dinge, die nicht von etwas anderem hergeleitet werden könne. Sie liegt unserer Welt sowohl zugrunde, ist ihr aber auch übergeordnet. Die Leere sei jenseits von Raum und Zeit, jenseits aller Polaritäten, jenseits von allem Konkreten und enthalte alles in potenzieller Form. Ohne Grund können aus dieser Leere Phänomene der Welt entspringen oder es könne sich Etwas ohne Grund im Nichts auflösen. Diese fehlende Kausalität und Paradoxie werde in holotropen Sitzungen von Klienten aber nicht mehr in Frage gestellt. Dies erinnert an buddhistischen Schriften. Auch dort wird gesagt, das Nichts sei die Leere, die die Form als Potenzialität beinhaltet.

Eine weitere Schlussfolgerung bezieht sich auf die psychiatrische Diagnostik. Es sei frustrierend, dass die Diagnoseleitlinien und das aktuelle klinische Bild der Patienten nicht zureichend übereinstimmen. Aus astrologischer Sicht spiegelt das Schwanken des klinischen Bildes die ständig wechselnde Beziehung zwischen den Planeten und den archetypischen

Einflüssen wieder. Es zeigte sich ein weiterer Punkt. Grofs Analyse von Horoskopen bedeutender Psychotherapeuten machte klar, dass diese Pioniere die Psyche ihrer Klienten nicht objektiv erfasst haben. Vielmehr sahen sie diese durch die Brille ihrer subjektiven Wahrnehmung, die durch Aspekte in ihrem eigenen Horoskop und durch aktuelle Transite begründet waren. Grof glaubt in den komplexen, kreativen und phantastischen Zusammenhängen, welche die Astrologie offenbart, eine göttliche Qualität zu entdecken. In seiner Sicht stellt sich das Universum nicht als ein materielles System dar, sondern als unendlich komplexes Spiel vom „Absoluten Bewusstsein". Die Astrologie ist darin ein Teil eines Ordnungsgefüges des universellen Gesamtzusammenhangs.

Aufgrund dieses Ansatzes geriet auch S. Grof in die Kritik. Er berichtet von einer Auseinandersetzung mit Carl Sagan, Professor für Astronomie und Raumfahrtwissenschaft an der Cornell Universität in New York. Sagan machte sich einen Namen bei der Mitwirkung an Missionen mit unbemannten Planetensonden. Er war beteiligt an der Entwicklung einer goldenen Informationstafel, mit der einer möglichen ausserirdischen Zivilisation eine Botschaft der Erdenbürger übermittelt werden sollte. Sie wurde mit der Sonde Pionier 10 gestartet und hat unser Sonnensystem verlassen. Sagan habe auch einen Feldzug gegen alles Irrationale und Unwissenschaftliche begonnen und sei deswegen Gründungsmitglied der CSICOP, einer Organisation zu Untersuchung paranormaler Behauptungen geworden. Sagan habe bei einem Gespräch nicht verstanden, dass Grof als intelligenter Mensch an Astrologie als offensichtlichen Unsinn glauben könne. Im Rahmen der Diskussion sei die Sprache auf die Befunde aus Nahtoderlebnissen mit Erfahrungen des Bewusstseins unabhängig von Hirnprozessen gekommen. Sagan habe dies schlussendlich als Public Relation Trick des beteiligten Herzchirurgen (Sabom 1987) interpretiert, um auf sich aufmerksam zu machen.

Grof (2002) bedauert die Arroganz, mit der die akademischen Kreise die Astrologie abwertend behandeln und diese Disziplin lächerlich machen. Er fand vor allem die Arbeit mit den Transiten allen andern Tests und Werkzeugen bei weitem überlegen, die zurzeit in der allgemeinen Psychologie und Psychiatrie verwendet werden. Er glaubt, dass eine

Kombination von Astrologie mit der psychotherapeutischen Arbeit wichtig werden wird.

Nun könnte man einwenden, die Bewusstseinserfahrungen in der holotropen Therapie seien trotz allen gegenteiligen Beteuerungen blosse Einbildungen der menschlichen Phantasie. Ich erinnere mich an einen Vortrag von Grof im Rahmen eines astrologischen Kongresses in Luzern, wo er seine Konzepte darlegte und seine für sich selbst sprechenden Erfahrungen weitergab. Eine Ärztin neben mir sagte anschliessend, das alles müsste Grof nur noch beweisen. Mir kam dazu nur der Satz von Martin Heidegger in den Sinn, wonach man auch wissen müsse, welche Phänomene man beweisen könne und welche Phänomene sich selber ausweisen. Dass aber menschliches Bewusstsein über Zeit und Raum hinweg Erfahrungen machen kann, ist nicht nur in der holotropen Arbeit möglich.

Russel Targ (2012) ist zwar kein Vertreter der transpersonalen Psychologie, kann aber einen Beitrag zur Natur des Bewusstseins beitragen. Stattdessen ist er ein Pionier der Laserphysik und hat einen naturwissenschaftlichen Hintergrund. Er hat sich lange mit aussersinnlichen Wahrnehmung befasst und ein Buch „für Menschen geschrieben, die nicht an ASW glauben". Seine Forschungen über nichtlokale Wahrnehmung, Remote Viewing, wurden bei Experimenten des Stanford Research Institut und andern Labors in der USA gewonnen. Die Forschungen wurden unter anderem von der NASA und der CIA mitfinanziert. Es sei mit Remote Viewing gelungen, beispielsweise einen abgestürzten Bomberpiloten in Afrika zu finden, einen entführten General in Italien aufzuspüren oder einen chinesischen Atombombentest drei Tage vor der Zündung zu beschreiben. Im Jahr 1995 beauftragte der US Kongress die American Institutes for Research die Echtheit des Remote Viewing zu überprüfen. Zur Beurteilung wurde die landesweit anerkannte Statistik-Professorin Jessica Utts von der University of California in Davis und der Skeptiker Ray Hyman, Professor für Psychologie an der University of Oregon und Mitglied des Ausschusses für die wissenschaftliche Überprüfung von Behauptungen des Paranormalen, berufen. In der Stellungsnahme von Utts heisst es: „...kommt man zum Schluss, dass paranormale Funktionen nachgewiesen sind. Die statistischen Ergebnisse der untersuchten Studien gehen weit über das hinaus, was zufallsmässig zu erwarten wäre. Einwände, diese Ergebnisse könnten auf methodische Fehler bei den Experimenten zurückzuführen sein, werden eindeutig wiederlegt". Hyman ergänzte: „Wir sind uns einig, dass die gemeldeten Effektstärken...zu hoch und zu konsistent sind, als dass sie als statistische Zufallstreffer von der Hand zu weisen wären". R. Targ begnügte sich nicht, Experimente zu machen, sondern suchte auch eine Erklärung für die gefundenen Phänomene. Zwar redet Targ von seinen Ergebnissen nur als Indizien und stellt fest, dass heute niemand wisse, wie ASW funktioniere. Er führt aber eine ganze Reihe von Hypothesen und Befunden aus der Naturwissenschaft an, um sich dem Problem zu nähern. So zitiert er John S. Bell (1964), der den mathematischen Beweis dafür vorlegte, dass unsere Zeit-Raum-Wirklichkeit nichtlokal ist. David Bohm (1993) hat sein Konzept der impliziten Ordnung und Einfaltung zur Erklärung eines holografischen Modells des Universums vorgelegt. Die wichtigste Idee sei, dass jeder Mensch seinen Geist in einem eigenen Stück des Zeit-Raum-Hologramm hat, das wiederum alle Informationen enthält, die es je gab. Die holografische Ordnung des Universums meint, dass das ganze Universum in gewisser Weise in allen Dingen eingefaltet ist und alle Dinge im Ganzen eingefaltet sind. Für Targ liegt es nahe, dass die gesamte Raum-Zeit unserem Bewusstsein zugänglich ist. Seine Experimente fasst Targ auf als Beispiel für die nichtlokale Beschaffenheit der Raum-Zeit, was ASW Verbindungen möglich macht. Wie fast nicht anders möglich, wird Targ bei diesen Überlegungen auch zu philosophischem Denken geführt. Er führt als Beispiel das buddhistische Blumengirlanden- Sutra (Torakazu 2008) oder das hinduistische Yogasutra (Patanjali 2009) an. In solchen Schriften wurden paranormale Fähigkeiten genau beobachtet und selbstverständlich so verstanden, dass zeitloses Gewahrsein die grundlegendste Essenz des Menschseins ist. Der indische Philosoph Patanjali lehrte, dass der Mensch alle ASW Daten durch Zugriff auf die Akasha Chronik erhalten und zwar durch zielgerichtete Ausrichtung der Aufmerksamkeit. Die holografische Vorstellung eines Universums wurde ebenfalls schon um die Zeit Christi von Buddhisten formuliert (F. H .Cook 1977 zitiert nach Targ). Die Nichtlokalität in den Worten der damaligen Zeit wurde in der Beschreibung von Indras Netz folgendermassen formuliert:

„Weit fort an der himmlischen Wohnstatt des grossen Gottes Indra gibt es ein wunderbares Netz. Es ist so aufgehängt, dass es sich unendlich in alle vier Richtungen erstreckt. Ganz nach dem erlesenen Geschmack der Götter hängt an jedem Verbindungsknoten des Netzes ein einzelner funkelnder Edelstein und da das Netz unendlich ist in seiner Ausdehnung, ist auch die Anzahl der Edelsteine unendlich. Wenn wir uns nun einen dieser Edelsteine zur näheren Betrachtung auswählen, so werden wir entdecken, dass sich in seiner geschliffenen Oberfläche alle andern Edelsteine des Netzes spiegeln, unendlich an der Zahl. Und nicht nur das, sondern jeder Stein, der sich in diesem spiegelt, spiegelt auch selbst alle andern Steine wieder. So setzt sich das Spiegeln unendlich fort".

Richard Tarnas, in Genf geboren, ist ein Astrologe, Historiker und Philosoph. Seit 1993 ist er Dozent für Philosophie und Psychologie am California Institut of Integral Studies in San Francisco. Am Pacifica Graduate Institute in Santa Barbara lehrt er klinische Psychologie und Tiefenpsychologie. Nach seinem Studium in Harvard arbeitete er als klinischer Psychologe und war am Esalem Institut in Big Sur als Direktor der Abteilung „ Programs and Edukation" tätig. Sein ersten Buch „ The Passion oft he Western Mind" gibt einen Überblick über die Entwicklung der westlichen Weltanschauung. Es wurde als Lehrbuch an vielen Universitäten verwendet. Tarnas arbeitete mit Grof in Esalem zusammen und begann Mitte der siebziger Jahre sich näher mit Astrologie zu befassen. Tarnas vergleicht die Tatsache, dass in der herkömmlichen Psychologie die Astrologie nicht verwendet wird mit der Erforschung einer Höhle, ohne dass man eine Lichtquelle einschalte. Ihm offenbart die Astrologie ein Universum, dass sinnhaft ist und ein System von Synchronizitäten zwischen Himmel und Erde offenbart .Das Universum sei geprägt durch archetypische Prinzipien und stehe mit dem Innenleben des Menschen in Resonanz. Da sich astrologisches Wirken in vielen Erscheinungsdimensionen abspiele, sei sie ihrem Wesen nach vieldeutig. Man wisse nie auf welcher Ebene sich etwas manifestiere und darum sei die Astrologie statistisch nicht fassbar.

In seinem neueren Buch, an dem er dreissig Jahre gearbeitet hat, beschreibt R. Tarnas (2006) die Entwicklung des Weltbildes u.a. seit dem kartesianisch-kantischen Denken bis zu einer heutigen Sicht der Archetypen. Tarnas begründet seine Erfahrung mit den Transiten und den Planetenzyklen und vermittelt viele Beispiele von astrologischen Entsprechungen sowohl mundaner Art, das heisst unpersönliche Ereignisse auf der Erde als auch in Bezug zu bedeutenden Persönlichkeiten. Schon früher zeigte Tarnas (1996), dass der Mythos von Prometheus besser die Qualitäten anzeigt, die in herkömmlicher Sicht Uranus zugeordnet wurden. Er untersuchte Horoskope von führenden Wissenschaftlern, die im Horoskop Uranus mit entscheidenden Erneuerungen zu verkörpern scheinen. Sowohl bei Kopernikus, Kepler, Galilei, Descartes und Newton waren wichtige Radixaspekte zwischen Sonne und Uranus festzustellen. Daneben zeigten durchschnittliche Menschen, deren Radix Tarnas untersuchte, in ihrem Alltag ebenso uranische Qualitäten wie unkonventionelle, rebellische, oder exzentrische Charaktereigenschaften. Der Uranusarchetyp kann sich in einer praktisch extrem grossen Zahl von Möglichkeiten verwirklichen. Ein Archetyp wirkt stärker, wenn der transitierende Planet z. B. Uranus den Radix Uranus aspektiert. Bei Descartes bildete Uranus zwischen Oktober 1635 und August 1638 eine Opposition zu seinem Radix Uranus. Am 8. Juni 1637 veröffentlichte Descartes die Abhandlung über die wissenschaftliche Methode, die zum Basiswerk der modernen Wissenschaft gehört. Ebenso ergaben sich relevante Uranus Transit Aspekte bei Galilei und Newton. Bei Uranus-Merkur Aspekten ist ein Zusammenhang mit Intellekt und Kommunikation zu erwarten. Bei Goethe, Schiller und Hegel ist dies der Fall, ebenso bei Heidegger, der eine eigene Sprachschöpfung wie den Begriff des In-der-Welt-seins geschaffen hat und im Radix eine Merkur- Uranus Konjunktion hat. Daneben ist dieser Aspekt bei S. Freud, W. Reich, O. Rank oder F. Perls zu finden. Auffällig ist bei diesen Autoren, dass sie neue (Uranus) Wörter (Merkur) prägten oder bestehende in unerwarteter Weise gebrauchten.

Methodisch kommt Tarnas zu Schluss, dass astrologische Phänomene zu vieldeutig sind, als dass man sie einer rein quantitativen Untersuchung unterziehen könnte. Eher müsse man sich den Aufgaben eines Biographen,

Historikers oder Tiefenpsychologen widmen als denen eines Statistikers. Es liege im Wesen der Astrologie, dass sie andere erkenntnistheoretische Voraussetzungen erfordere als die der herkömmlichen Wissenschaft. Besonders müsse eine Bereitschaft gegeben sein, eine beschränkte Sicht über die Wirklichkeit aufzugeben. Beispielsweise zeige erst die Akzeptanz von auftretenden Anomalien im wissenschaftlichen Weltbild neue Perspektiven. Eine Anomalie sieht Tarnas im Phänomen der Synchronizität. C.G. Jung beschrieb dieses Phänomen. Weil es gewisse Ähnlichkeiten mit Phänomen in der Relativitätstheorie und der Quantenphysik hatte, diskutierte er es mit den Physikern Albert Einstein und Wolfgang Pauli. In späteren Jahren sah Jung in den Archetypen auch Bedeutungsmuster, welche die Materie beeinflussen. Diese Konfrontation mit der Astrologie bedeutet eine gewaltige Herausforderung für den modernen wissenschaftlichen Geist. Neu ist, dass R. Tarnas einen grossen Orbis verwendet und dass damit eine mundane Konstellationen wie beispielsweise die Uranus / Pluto Verbindung bei einem Orbis plus / minus 15 Grad zwischen 1960 bis 1972 wirksam und 1965/66 exakt wurde. Es war die Zeit der Studentenrebellion.

Die transpersonale Psychologie ist ein Schritt dazu, die archetypischen Planetenenergien jenseits von Saturn, nämlich von Uranus, Neptun und Pluto mit zu berücksichtigen. Wenn vorgängig Stan Grof zitiert wurde, dann in seiner Rolle als Forscher und Praktiker.

Als Vertreter der transpersonalen Psychologie ist **Ken Wilber** nicht als Therapeut, sondern als Theoretiker hervorgetreten ist. Er wurde auch schon als „Einstein der Bewusstseinsforschung" bezeichnet. Obwohl er sich nicht in einer Publikation zur Astrologie geäussert hat, sind seine grundlegenden Gedanken hilfreich. F. Fisser (2002) hat Wilbers Arbeit zusammengefasst. Der Beitrag von K. Wilber zur transpersonalen Psychologie ist gewaltig, obwohl er ein unorthodoxer Quereinsteiger ist und keinen Studienabschluss in Psychologie hat. Bereits im seinem Alter von 23 Jahren fand seine Erstveröffentlichung „Das Spektrum des Bewusstseins" grosse Beachtung. Es darum ging, Erfahrungen der östlichen Philosophie mit der westlichen Psychologie zusammenbringen. Mit seinen

18 Buchveröffentlichungen ist Wilber der am häufigsten übersetzte Autor akademischer Bücher der USA. Mit seiner Synthese von Wissenschaft und Religion begab er sich allerdings in Distanz zum wissenschaftlichen Establishment. Zudem lebt Wilber in Boulder, Colorado und geht anscheinend lieber ins Kino anstatt zu Kongressen.

Zu unserem Thema der wissenschaftlichen Methode meint K. Wilber, dass es eine Übereinstimmung gebe, wonach kein allgemeingültiger Algorithmus aus Daten Theorie erzeuge. Allerdings unterscheidet er einen sinnlichen Empirismus, der sich auf Daten abstützt, die sich auf sensomotorischen Bereiche beschränken. Zweitens gebe es einen geistigen Empirismus, der Logik, Mathematik, Semiotik Phänomenologie und Hermeneutik umfasse. Drittens untersucht ein spiritueller Empirismus Mystik und spirituelle Erfahrung. Wissenschaft könne nicht nur im weitesten Sinn über sinnliche Erfahrung ausgeübt werden, weil man damit die meisten Werkzeuge zur Erkenntnisgewinnung ausschliessen würde. Wissenschaftliche Forschung müsse dagegen drei Stränge des Vorgehens berücksichtigen, nämlich erstens die instrumentelle Injunktion. Das heisst, ein Paradigma, ein Experiment oder ein bestimmtes Vorgehen muss eingehalten werden. Zweitens geschieht Erkenntnis in der direkten Wahrnehmung als unmittelbare Erfahrung der gewonnenen Daten. Drittens ist eine gemeinschaftliche Überprüfung der Daten mit Bestätigung oder Wiederlegung nötig. Wilber zitiert die beiden bedeutende Wissenschaftstheoretiker Thomas Kuhn und Karl Popper. Kuhn betont, dass Daten nicht einfach vorliegen. Sie enthüllen Erkenntnis und erfinden sie nicht. Für Kuhn müsse die Injunktion erfüllt sein und zwar nicht nur für den sinnlichen Bereich, sondern auch für die beiden übrigen Bereiche. Der Irrtum der Anhänger von Popper sei es, dass sie Falsifizierbarkeit auf Sinnesdaten beschränken und sie diesen Weg auch für geistige und spirituelle Erkenntnis anwenden. Geistigen und spirituellen Erkenntnissen werde so der Status von Erkenntnis aberkannt, was falsch sei.

Zum Menschenbild meint K. Wilber (2013), dass die Wirklichkeit aus verschiedenen Ebenen bestehe. Sie reiche vom Materiellen über den Körper weiter über den Geist zur Seele bis zum „grossen Geist", wobei alle Ebenen miteinander verwoben seien. Die Hierarchie von Materie, Körper,

Seele und Geist wurde sowohl in frühen schamanischen Traditionen als auch in hinduistischen oder buddhistischen Lehren formuliert. Sie gründet im allgegenwärtigen „grossen Geist". Jede höhere Ebene transzendiert die niedrigere Ebene und schliesse sie ein. Dies ist der Kern der Philosphia perennis und wurde auch als die grosse Kette des Seins benannt. Differenziert haben diese Ebenen beispielsweise der Mystiker und Philosoph Plotin (205-270) und aus dem östlichen Kulturkreis Sri Aurobindo (1872-1950) dargestellt, wobei die Übereinstimmung der beiden gross ist. Die Verschachtelung der verschiedenen Bereich bei Plotin betrifft beispielsweise Materie, vegetativer Bereich, Empfindung, Wahrnehmung, Emotion, Bilder und logisches Denkvermögen. Nach Wilber ist aber zu akzeptieren, dass die höheren Ebenen nicht mit dem Verstand erfasst werden können, sondern über Kontemplation oder mystische Erfahrungen. So wie es Ebenen des Seins gebe, gebe es Ebenen der Erkenntnis. Bildlich gesprochen meint Wilber, dass das Auge des Fleisches monologisch sei, das Auge des Geistes dialogische und das Auge der Kontemplation translogisch. Der grösste Teil der empirischen Wissenschaft sei monologisch, in dem man mit dem zu untersuchenden Gegenstand der materiellen Welt nicht kommuniziere. Mit dem Auge des Geistes geht es um Verständnis, was mit Dialog erreicht wird, wo Deutung und Hermeneutik möglich ist. Die translogische Erkenntnis erfasst mehr als auf den andern Ebenen und ist als kontemplative Öffnung der Kern der grossen Weisheitstraditionen. Entscheidend ist, dass man nicht nur den mit dem Auge des Fleisches gewonnen Ergebnissen Wirklichkeitscharakter zusprechen darf, sondern auch den Bereichen, die mit dem Auge des Geistes und mit dem Auge der Kontemplation gewonnen wurden. Methoden wie Statistik, Logik oder Mathematik werden zwar für die zu objektivierenden Bereiche angewandt. Als Methoden des Geistes sind sie aber in der realen materiellen Natur nirgends zu finden, sondern sind selber subjektive, intersubjektive und damit innere Sachverhalte. Ein Reduktionismus auf die scheinbare materielle Realität sei deshalb keine echte Wissenschaft.

K. Wilber fasst das Bewusstsein in letzter Konsequenz auf als einen absoluten Geist. Die Evolution sei der Weg vom Geist zum Menschen und als Involution vom Menschen zum absoluten Geist. Mit der Idee der Involution unterscheidet sich K. Wilber allerdings von vielen seiner transpersonalen Fachkollegen. Im Buch „Eros, Kosmos, Logos" entwickelt Wilber ein vier Quadrantenmodell des Bewusstseins. Er führt den Begriff des „Holons" ein, respektive übernahm ihn von Arthur Köstler. Dies sind Entitäten, die bestimmten Gesetzmässigkeiten folgen. Jedes Holon ist in sich vollständig, aber wiederum Teil einer übergeordneten Entität. Jedes sich selbst transzendierendes Holon schliesst quasi seine Juniorholone mit ein, entwickelt aber zusätzlich neue Qualitäten. Dabei entstehen Hierarchien zunehmender Tiefe wie z.B. Moleküle in Zellen. Diese Komplexität gehe mit zunehmender Bewusstheit einher. Dies ist allerdings nicht identisch mit einer panpsychischen Auffassung, da alle nicht menschlichen Daseinsformen keine menschlichen Bewusstseinsformen beinhalten. Jedes Holon hat vier Dimensionen, eine verhaltensmässige, eine intensionale, eine kulturelle und eine soziale Dimension. Die Wirklichkeit besteht aus ineinander verschachtelten Holons ohne erkennbare untere oder obere Grenze. Jedes Ganze ist wiederum ein Teil eines neuen Holons. Der Kosmos ist in dem Sinn holonisch. Die vier Quadranten repräsentieren die menschliche Entwicklung, bei denen sich auf den niedrigen Ebenen höhere Strukturen entwickeln, welche die niedrigeren aber integrieren. Wilber erstellte eine Datensammlung von mehreren Hundert Hierarchien aus den verschiedensten Wissensgebieten wie Systemtheorie, Entwicklungspsychologie oder Vedanta- Hinduismus. Es stellte sich heraus, dass es vier verschiedene Typen von Hierarchien gab, die auf das Innere, das Äussere, das Individuelle und auf das Kollektiv bezogen werden konnten. Wilber konnte erkennen, dass die traditionelle Religion und die moderne Wissenschaft zwei von den vier Hierarchien waren. Die zwei rechten Quadranten beschreiben die objektive oder äussere Wirklichkeit. Sie basieren auf einer objektivierenden, naturwissenschaftlichen Betrachtungsweise. Die beiden linken Hälften beschreiben die subjektive und innere Wirklichkeit. Sie basieren auf einer emotionalen, mentalen oder kognitiven Erfahrung. Die obere Hälfte der Quadranten bezieht sich auf eine individuelle, die untere Hälfte auf eine kollektive Sicht. Alle Holone sind im Zusammenhang mit andern Holonen zu sehen. Es gibt kein Inneres ohne das Äusseres und kein keine Mehrzahl ohne Einzahl. Der obere linke

Quadrant beispielsweise umfasst Daten von modernen Entwicklungspsychologen wie A. Maslow oder J. Piaget und weist eine Ähnlichkeit mit philosophischen Psychologien auf. Geist und Gehirn wiederspiegeln den Unterscheid von Innen und Aussen. Das Gehirn wird in objektivierender Weise erkannt. Den Geist erkennt man im Innern durch Gedanken, Empfindungen oder Sehnsüchte. Im linken oberen Quadrant wird das subjektive Gewahrsein repräsentiert. Im linken unteren Quadrant sind die kollektiven, intersubjektiven und kulturellen Bedeutungen repräsentiert. Das innere des Kollektivs bezeichnet Wilber als kulturell, das Äussere als sozial. Wilber schlussfolgert, dass die vier Quadranten wesentliche Merkmale oder Aspekte des Kosmos sind. Dieser evolutionäre Prozess ist auf Ganzheit gerichtet. Die grundlegende Entwicklungssequenz entwickelt sich von der Natur über das Menschsein zur Gottheit, vom Unbewussten über die Selbstbewusste zum Überbewusstsein, vom Präepersonalen über das Personale zum Transpersonalen. Dabei ist der „grosse Geist" als der Evolutionsprozess selbst präsent. Wilber wie Grof gehen davon aus, dass das Bewusstsein an sich eine Singularität jenseits aller rationalen Erfassbarkeit ist.

Das Wissenschaftsverständnis und das Menschenbild von K. Wilber sind mit dem hier vorgestellten Ansatz kompatibel. Das Modell der vier Quadranten von Wilber benennt die Quadranten formal auch mit derselben Bezeichnung, die in astrologischen Schulen üblich ist. Es gilt, dass die zwei unteren Quadranten den kollektiven und die zwei oberen Quadranten den individuellen Bereich bezeichnen. Die zwei Quadranten auf der linken Seite bezeichnen das Innere, respektive das Ich- bezogene. Die zwei rechten Quadranten bezeichnen die Aussenseite eines Holons, respektive die Aussenwelt in der Astrologie. Allerdings beziehen sich die Quadranten bei Wilber auf Aspekte der Holone. In der astrologischer Aufteilung ist inhaltlich so nicht die Rede. Es bleibt offen, ob eine astrologische Einteilung nach den Kriterien von Wilber möglich wäre. Die Verschachtelung von Körper, Seele, Geist und Transzendenz ist jedoch durch die philosophische Tradition belegt. Ebenso ist die Verschachtelung von grösseren mit kleinerer Holonen ein Gedanke, der mit der astrologischen Sicht kompatibel ist.

W. M. Weinreich (2005) hat ein umfassendes Therapiemodell auf der Grundlage der Integralen Philosophie nach Ken Wilber dargestellt. Der Kosmos erhalte eine sinnvolle Ordnung, wenn das Weltbild evolutionär und konstruktivistisch aufgebaut werde. Weinreich beschreibt die verschiedenen Entwicklungsebenen, ihre Störungen und die entsprechenden Therapiemethoden. Auch hat K. Wilber verschiedene Bewusstseinsstufen mit analoger Psychopathologie und entsprechenden Therapieformen dargestellt. Ein Vergleich der Kulturentwicklung zeigt auch gewisse Übereinstimmungen mit den Arbeiten von Jean Gebser (1949, 1953). Einen Bezug von Gebser zur Astrologie zeigt E. Schübli (2003) auf.

Die Entsprechung der tiefen-
psychologischen Konzepte mit den
Horoskopen ihrer Begründer

Es gibt einige Autoren, welche die Horoskope von S. Freud und C. G. Jung untersucht haben. H. G. Mols hat vor Jahren an einem Vortrag im Rahmen des Schweizerischen Astrologenbundes alle drei Horoskope der Tiefenpsychologen S. Freud, C. G. Jung und A. Adler diskutiert. Freud wurde bekannt durch die Abfassung seiner

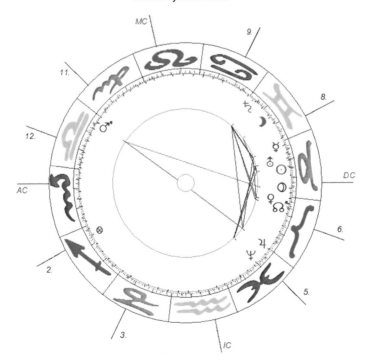

Horoskop von S. Freud, 6.5.1856, 18.30, Freiberg, Tschechien,
Häusersystem Koch

Erstellt mit Astroplus, © 2000-2007 by Astrocontact, Linz

Trieblehre. Die Libidotheorie rief im damaligen gesellschaftlichen Umfeld eine heftige Ablehnung hervor. Die Triebverdrängung spielt in der psycho-analytischen Theorie eine wichtige Rolle. Übersetzt in die Sprache der Ast-rologie meint Trieb Mars und verdrängende Einschränkung Saturn. Dies bedeutet einen konflikthaften dissonanten Aspekt zwischen beiden Arche-typen. Diese Konstellation findet sich bei Freud als Quadrat von Mars und Saturn in den Häusern 8 und 11. Gemäss dem Tierkreisschema heisst dies, dass der Konflikt zwischen den fixierten Vorstellungsbildern (in Haus 8) und der fixierten Wirklichkeitsauffassung (in Haus 11) vorliegt.

Bei C. G. Jung spielt in seiner Theorie das kollektive Unbewusste eine grosse Rolle. Astrologisch repräsentiert die Sonne das bewusste Ich. Im Gegensatz dazu symbolisiert der Mond das Unbewusste. Dies ist in Analogie dazu, dass die materielle Sonne von sich aus strahlt und der

Horoskop von C. G. Jung, 26.7.1875, 19.29, Kesswil, Koch

Erstellt mit Astroplus, © 2000-2007 by Astrocontact, Linz

146

materielle Mond erst dann in Erscheinung tritt, wenn er von der Sonne angestrahlt wird. Im zweiten seelischen Quadranten steht bei Jung der Mond kardinal im 4. Haus am tiefsten Punkt im Horoskop in der Nähe des IC. Der Mond geht eine Konjunktion mit Pluto ein. Das heisst, Pluto beeinflusst das Unbewusste mit der tiefgründigen und transformativen Energie dieses Archetyps.

Jung selber sah in der Astrologie die Summe aller psychologischen Erkenntnisse, die im Altertum gesammelt wurden. In einem Brief Jungs an Freud vom 12.06.1911, zitiert nach Romankiewicz (2002) ‚schrieb Jung, dass eines Tages sehr wohl ein gutes Stück Wissen, das an den Himmel geraten ist, entdeckt werden könnte. Es scheine, dass die Tierkreisbilder Charakterbilder und damit Libidosymbole seien. Jung habe auch beobachtet, dass eine deutlich umgrenzte Lebensphase von einem Transit begleitet worden sei. Er brachte auch den Lebenslauf synchronistisch in Zusammenhang mit der Planetenkonstellation und war erstaunt über die Stimmigkeit. Insofern glaubte er an eine gewisse Veranlagung, die sich im Horoskop zeigt, um später im Leben eine Rolle zu spielen. (C. G. Jung 1999) An anderer Stelle berichtet Jung (1991 S.448 zit. in T. Schäfer): „Manchmal können Leute, ohne unser Geburtsdatum zu kennen, unsere Sternzeichen mit erstaunlicher Sicherheit erraten. Mir ist das schon zweimal passiert, einmal in England und einmal in Amerika. Man sagte mir auf den Kopf zu, dass meine Sonne im Löwen und mein Mond im Stier stehe und der Aszendent im Wassermann. Das machte grossen Eindruck auf mich". Jung sprach von seinem Vater, den er als eher schwach erlebt habe. Ebenso beschrieb er seine Mutter. Was sie besonders unheimlich gemacht habe, sei der scharfe Kontrast von ihrer Seite in der Alltagswelt und ihrer dämonischen anderen Seite in andern Momenten. Stern (1988 S. 21) weist darauf hin, dass die Konstellation des Vaters gut zu Jungs Sonne - Neptun Konstellation und die Art der Mutter gut zur Mond / Pluto Konjunktion von Jung passt.

Bei der Theorie von A. Adler stand die Organminderwertigkeit mit kompensatorischen Reaktionen im Vordergrund. Selber litt er an einer Rachitis mit gelegentlichen Stimmritzenkrampf. Laut Adler wird das

Minderwertigkeitsgefühl gerne mit einem Machtstreben kompensiert. Übersetzt in astrologische Begriffe meint Macht Pluto und Streben meint Mars. In der Tat hat das Horoskop von Adler dieses Quadrat als Ausdruck eines Konflikts. Pluto ist zudem konjugiert mit Jupiter, der seine Fülle und Expansionsdrang dem plutonischen Machtstreben zur Verfügung stellt. Jupiter/ Pluto stehen auch im Quadrat mit der Sonne und die Sonne ist gleichzeitig mit Mars konjugiert. Adler hat also ein Mars - Pluto Quadrat, das sich deckt mit dem Sonne - Jupiter Quadrat.

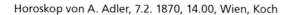

Horoskop von A. Adler, 7.2. 1870, 14.00, Wien, Koch

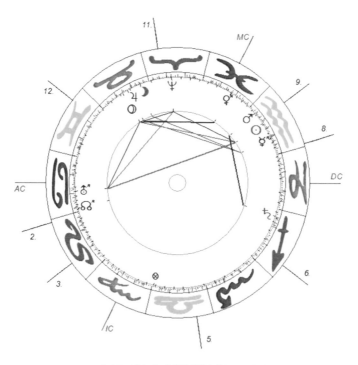

Der Vergleich der drei Horoskope zeigt, dass nur Freud die Betonung auf Trieb und Widerstand legte und sich dies im Horoskop spiegelt. Seine Triebtheorie ist aber nicht entstanden, nur weil er diese Konstellation hat. Er hätte sie auch anders leben können. Aber die Symbolik in seinem Horoskop ist dazu schlüssig im Gegensatz zu den andern beiden Tiefenpsychologen. Jung dagegen formulierte das kollektive Unbewusste, das weder durch eine Mars- Saturn Verbindung wie bei Freud noch durch eine Sonne- Pluto Verbindung wie bei Adler repräsentiert wird. Stattdessen zeigt sich das starke (Pluto) Unbewusste (Mond). Es war so stark, dass Jung bekanntlich Zeiten hatte, wo er vom Unbewussten überschwemmt und irritiert wurde. Die Irritation als Neptun Entsprechung passt übrigens genau, da Neptun ganz in der Nähe des Mondes steht.

Sowohl Freud als auch Jung waren Pioniere, die einem neuen Denken zum Durchbruch verhalfen Das neue, das unerwartete oder das originelle Suchen der Wahrheit ist in unserm Schema des Tierkreises das fixe Stadium des 4. Quadranten. Die Verdichtung, Versammlung oder das Zusammentragen in einer Theorie des Wahren ist die uranische Qualität des Wassermannzeichens.

R. Tarnas (1996) knüpft an die obige Analyse an. Freud zeige im Horoskop eine Uranus - Sonne Konjunktion, Jung dagegen ein Uranus - Mond Quadrat. Es sei auffällig dass sich Freud eher auf männliche Themen wie den Ödipuskomplex konzentriert habe. Jung dagegen widmete sich mit seiner Theorie der Anima ganz dem weiblichen Archetyp des Mondes. Allgemein war Jungs Psychologie geprägt von seiner Bilderwelt und seiner Mythologie und war durch deren Mehrdeutigkeit und intuitiver Vorgehensweise quasi eher feminin. Anhänger von Jung waren eher Frauen, jene von Freud eher Männer. Der Psychiater M. Boss sprach sinngemäss davon, dass sich Jung gerne mit einem Kokon von Frauen umgab, den er wahrscheinlich als Schutz empfand. Freuds Interesse galt dem Ich und seinem Kampf gegen das Es. Jung betonte das allumfassende Wesen des Unbewussten. Freud schrieb über den Urvater, Jung über die grosse Mutter. Freud befasste sich mit der monotheistischen Vaterreligion, Jung befasste sich mit dem matriarchalen Bereich. Hier wird deutlich, dass das Lebenswerk beider Tiefenpsychologen mit relevanten astrologischen Konstellationen im Horoskop sowie mit den materiellen Planetenstellungen „verschränkt" ist. Diese Zusammenhänge zeigen sich nicht nur anhand von inhaltlichen Themen, sondern auch zeitlich, wenn Archetypen aktiviert sind.

Dies zeigt Tarnas wiederum am Fallbeispiel von S. Freud. Er zog dazu die Biographie von Ernst Jones über Freud bei. Der laufende Transit Uranus bildete von November 1894 bis September 1897 eine Opposition zu Freuds Uranus im Radix. Im Einklang mit der symbolischen Bedeutung der Erneuerung durch Uranus veröffentliche Freud 1895 zusammen mit Josef Breuer das Buch „Studien über Hysterie". Dieses Werk leitete den Beginn der Psychoanalyse ein. Jones benennt einen historischen Augenblick, als Freud am 24. Juli 1895 einen seiner Träume analysierte, der unter dem Namen Irmas Injektion bekannt ist. Solche Einsichten werden dem Sterblichen nur einmal im Leben zuteil, schrieb später Freud dazu. Der Begriff der Psychoanalyse findet sich erstmals in einem Aufsatz, den Freud am 5. Februar 1896 fertigstellte. Freud gab in dieser Zeit die Hypnose als Mittel der Therapie auf und wandte sich der freien Assoziation zu. Anfangs 1996 war Freuds Traumdeutung in den Grundzügen fertiggestellt und im Frühling 1897 begann Freud, seine Vorstellung über den Ödipuskomplex auszuarbeiten. Später hat Freud die rückblickende Zusammenfassung „Abriss der Psychoanalyse" geschrieben, als sein Transit Uranus mit seinem Radix Uranus eine Konjunktion einging.

Auch bei Jung sind laut R. Tarnas diese Transitauslösungen zu beobachten. Als der Transit Uranus zwischen September und Juli 1960 eine Konjunktion mit dem Radix Uranus bildete, schrieb Jung die berühmte rückblickende Zusammenfassung seines Lebenswerkes „ Erinnerungen, Träume, Gedanken". Kurz vor Jungs Tod habe er sich mit seiner Tochter Gret - Baumann-Jung über Horoskope unterhalten und gemeint, das lustige daran sei, dass Astrologie sogar noch nach dem Tode funktioniere.

Zum Verhältnis von Freud und Jung finden sich gemäss Tarnas astrologisch ebenfalls Entsprechungen. Der Radix Mond befindet sich in einer genauen Konjunktion zu Freuds Radix Sonne, was zu dem erst engen, aber auch gegensätzlichen Verhältnis beider Therapeuten passt. Die Uranus Stellungen beider Horoskope bilden ein Quadrat zueinander. Ein Grund für die Trennung beider Persönlichkeiten kann mit ihrem Konflikt zwischen Sonne und Mond Archetyp interpretiert werden. Die Trennung fand zwischen 1911 bis 1912 statt, als der transitierende Saturn Aspekte zu dieser Konstellation Sonne/ Mond und Uranus bildete. Damals stand Saturn als Begrenzung in Konjunktion mit Sonne und Uranus in Freuds Horoskop und mit Mond in Jungs Horoskop.

Die astrologische Schulrichtung nach Bruno und Louise Huber und die zeitliche Auslösung der Archetypen im 6er Rhythmus

Bruno Huber war ein einflussreicher Schweizer Astrologe, der mit seiner Frau Louise zusammen eine eigene Schule begründet und die herkömmliche traditionelle Astrologie modernisiert hat. Er gründete das Astrologisch- Psychologische Institut, die Zeitschrift „Astrolog" und war an der Organisation der Weltkongresse für Astrologie in Luzern beteiligt. Nachdem Huber ursprünglich ein Studium in Astronomie und Physik begann, interessierte er sich zunehmen für Astrologie, obwohl sein Astronomielehrer regelmässig über die Astrologie geschimpft habe. Aus der Huberschule (1996) ist eine ganze Reihe von anwendungsorientierten Konzepten entstanden. Nur um einige anzudeuten, geht es dabei um die Deutung des Aspektbildes als Ganzes oder der graphische Struktur als Ausdruck der Lebensmotivation. Ferner liegt ein astrologisches Familienmodell oder der dynamischen Quadranten als Modell eines astrologischen Reaktionsmodells vor. Neben dem Grundhoroskop entwickelten Hubers das Häuserhoroskop, das die Umwelteinflüsse abbildet. Ein Mondknotenhoroskop zeigt die Herkunft des Menschen oder die Schattenpersönlichkeit. Erst die Kombination dieser Horoskope zusammen mit dem Radix zeige die ganze Persönlichkeit eines Menschen. Neben dem statischen Häusersystem teilen die Autoren die Häuser im dynamischen Häusersystem anders ein. Der Talpunkt eines Hauses wird mittels des goldenen Schnittes in einem Haus ermittelt. Das dynamische Häusersystem bilde die Umwelteinflüsse besser ab. Planeten, die sich zwischen Talpunkt und Häuserspitzen befinden, stehen in einem Stressbereich, weil dort der Einflussbereich von zwei Häusern sei, denen man genügen müsse. Ein Effekt dieser Konstellation sei, dass es zu Kompensationen kommen könne. Auch sei es möglich, dass sich die Planeten ihre Energie von andern Planeten holen, mit denen sie Aspekte bilden. Bei der Deutung wird auf drei Ebenen analysiert, nämlich auf der körperlichen Ebene, auf der Gefühlsebene und auf der Ebene der schöpferischen Prozesse. Bei eingeschlossenen Zeichen spielt die Zeichenqualität eine weniger grosse Rolle. Die Hausthematik wird schwerer gewichtet. Die Quadranten 1-4 umschreiben Hubers mit 1. Trieb, 2. Instinkt, 3. Denken und 4. Sein. Während die drei ersten Quadranten begrifflich nachvollziehbar sind, tönt der 4. Quadrant etwas abstrakt. Dazu wird ausgeführt, dass hier eine bewusste Ich- Gestaltung, eine Selbstverwirklichung und eine allgemeine Selbstwahrnehmung möglich wird. Es sei der Raum der bewussten Individualität, des Selbst, das was im Leben erarbeitet wurde.

Roberto Assagioli, ein italienischer Psychiater und Begründer der Psychosynthese, hat Hubers zu sich in die Toskana eingeladen, um Einblick in dessen Arbeit zu nehmen. B. Huber entwickelte aufgrund der damaligen widersprüchlichen Fachliteratur neue astrologische Hypothesen. Er prüfte diese an Hunderten von Besprechungsprotokollen von Klienten. Viele traditionelle Vorstellungen der Astrologie mussten danach fallengelassen werden und wurden durch ein modernes psychologisches Verständnis ersetzt. Mehr oder weniger zufällig stiess B. Huber auf ein zusätzliches Phänomen. Einige Klienten hatten ein Problem an ihrer Arbeitsstelle und waren alle zwischen 30 und 40 Jahre alt. Bei Betrachtung der astrologischen Häuser und Zeichen schien sich eine Regel herauszukristallisieren. Zog man den Zeitverlauf ausgehend vom Aszendenten in Betracht, zeigte sich, dass alle 12 Häuser in 72 Jahren von einem imaginären Alterspunkt durchlaufen werden. Die Probleme am Arbeitsplatz fielen auf das 6. Haus, traditionell das Haus der Arbeit und es wird vom Alterspunkt zwischen dem 30 und dem 36 Lebensjahr durchlaufen. Nach G. I. Hürlimann (1998) war aber der erste, der mit dem 6er Rhythmus gearbeitet hat, der Wiener Universitätsprofessor Dr. Karl C. Schneider. Er hat bereits 1932 diese Entdeckung beschrieben.

Die allgemeine Regel des Alterspunktes nach B. Huber lautet: Das Häusersystem in einem Horoskop wird nach Koch berechnet. Ein imaginärer Alterspunkt startet beim Aszendenten und durchläuft im Gegenuhrzeigersinn in 6 Jahren jedes Haus. Beim Übergang über einen Planeten wird dieser direkt ausgelöst. Es werden aber auch Oppositionen, Quadrate oder Trigone ausgelöst, wenn der Alterspunkt entsprechende Winkel zu den Planeten bildet.

Die astrologische Schulrichtung nach Wolfgang Döbereiner und die zeitliche Auslösung der Archetypen im 7er Rhythmus

W. Döbereiner (1928- 2014) hat eine eigene Schule begründet und die Technik der zeitlichen Auslösungen der astrologischen Konstellationen in verschiedenen Rhythmen, speziell in einem 7er Rhythmus vorgestellt. Döbereiners (1988) Schriften sind nicht einfach zu lesen und zeugen von einer gewissen Eigenwilligkeit. So meint H. P. Hadry (2005), dass die Münchner Rythmenlehre die bedeutenste Weiterentwicklung der Astrologie seit Nostradamus sei, dass es aber kein verständliches Lehrbuch darüber gäbe. Ich beziehe mich deshalb auf H. M. Zehl (2000) und C. Keidel-Joura (2005). Sie fassen das Konzept des 7er Rhythmus zusammenzusammen. Der 7er Rhythmus geht davon aus, dass das Leben alle 7 Jahre eine andere Qualität bekommt und ein anderes Lebensthema angesprochen ist. Gemäss der Erfahrung gibt es spezifische Zeitperioden, zu denen sich die Planetenqualitäten manifestieren. Dies kann sich in einem Ereignis in der äusseren Umwelt oder in einem seelischen Vorgang zeigen.

Die allgemeine Regel des Alterspunktes nach W. Döbereiner lautet: Das Häusersystem wird nach Placidus berechnet. Ein imaginärer Alterspunkt startet beim Aszendenten und durchläuft im Uhrzeigersinn jedes Haus in 7 Jahren. Beim Übergang über Planeten oder deren Aspekte werden diese ausgelöst.

Die Methode dieses 7er Rhythmus nach W. Döbereiner funktioniert nicht mit dem Koch Häusersystem. Das Zeichen, das durch die jeweilige Häuserspitze führt, entspricht dem Herrscher dieser Siebenjahresperiode. Im zwölften Haus wandert der Alterspunkt ausgehend vom Aszendenten von 0 bis zum Ende des 6. Lebensjahres. Im 11. Haus wandert der Alterspunkt vom 7. bis Ende des 13. Lebensjahres. Analog werden so die Häuser durchlaufen bis der imaginäre Alterspunkt nach 84 Jahren wieder den Aszendenten trifft. W. Döbereiner geht davon aus, dass sich alle Planeten in jeder Siebenjahresperiode auslösen. Mit dieser Betrachtung ergibt sich ein dynamischer Verlauf ausgehend von einem gegebenen Aszendenten. So lässt sich die Frage beantworten, in welchem Haus mit welcher entsprechenden Bedeutung der Mensch innerhalb einer bestimmten Zeitperiode konfrontiert ist. Ein bestimmtes Zeichen steht an der Häuserspitze des in Frage stehenden Zeitabschnitts. Dieses Zeichen prägt die Qualität dieser Periode mit. Ebenso interessiert die Frage, wer ist der Herrscher dieses Zeichens? Er prägt ebenfalls die Qualität dieses Zeichens.

Es zeigen sich zwei prinzipielle Arten von Auslösungen. Die erste Form entsteht durch die Auslösung des Zeichenherrschers alle 7 Jahre. Die dabei ausgelösten archetypischen Energien seien nur spürbar, wenn die durch den Planeten repräsentierte Symbolik für den Betreffenden ein Thema sei.

Die zweite Form der Auslösung ist die direkte Auslösung. Sie entsteht dadurch, dass der wandernde Alterspunkt im Horoskop genau auf einen Radixplaneten stösst. Auch diese Auslösung sei nicht immer zwingend.

Eine weitere spezielle Auslösung kommt in dem Fall dazu, wenn es sich um einen Planeten handelt, der dem jeweiligen Siebenjahresherrscher direkt zugeordnet ist. Zum Beispiel ist der Periodenherscher Schütze, wenn zu Beginn dieser Periode das Zeichen Schütze das entsprechende Haus anschneidet. Wird durch den Alterspunkt zugleich Jupiter angetroffen, wird dieser direkt ausgelöst, weil Jupiter der Herrscher des Schützen ist. Einfacher gefragt: Ist ein direkt ausgelöster Planet zufällig gleichzeitig der Herrscher des Zeichens, das durch die spezielle 7 Jahresperiode angeschnitten ist?

Weiter kann gefragt werden, welche indirekten Auslösungen ergeben sich durch Aspekte zu einem bestimmten Zeitpunkt?

Schlussendlich kann gefragt werden, in welchem Quadrant der direkt angetroffenen Planet steht. Ist er im ersten Quadrant, wirkt sich dies auf der körperlichen Ebene aus. Im 2. Quadrant hat dies seelische Auswirkungen. Im 3. Quadrant löst sich der Archetyp über die Umwelt aus. Im 4. Quadrant geht es um eine Auswirkung in der Gesellschaft oder der Öffentlichkeit.

Auf ein paar Besonderheiten der Schule nach W. Döbereiner geht H.P. Hadry ein. Es gibt Konstellationen, die eine Hemmung des Ausdrucks bedeuten. Das führt zwangsläufig zu Kompensationen. Beides zusammen bildet ein labiles Gleichgewicht. Innerhalb der Persönlichkeit wird dann nach Ausgleich gesucht. Das Ungleichgewicht kann aber auch auf eine andere Person übertragen wird. Diese Person soll eine Funktion übernehmen, damit sich der Betroffene stabilisieren kann. Beispielsweise führt Hadry den Fall von AC Widder und Sonne Stier an. Beides passt nicht zusammen. Der Widder ist der Krieger, der Stier ist der Sesshafte und damit der Verteidiger. Unvereinbare Anlagen können nie gleichzeitig gelebt werden. Hemmung ist ein Schutz gegenüber extremen Entwicklungen. Regulative sind demgegenüber verwandte Häuser in andern Quadranten, seien sie kardinal, fix oder veränderlich oder die Abfolge der einzelnen Häuser.

Die zeitliche Auslösung der Anlagen aber auch der Anlageblockierungen kann nach H.P. Hadry auch mit dem Bild einer Welle verglichen werden, wenn ein Stein ins Wasser geworfen wird. Die Bewegungen können mit verschiedenen Arten von Horoskopen quasi gemessen werden. Bei jeder Auslösung vergrössert sich das Phänomen bis im negativen Fall zur Vernichtung des Egos. Liegt beispielsweise Saturn am DC, so entspricht das Radix dem Horoskop des 1.Tages. Die Auslösung geschieht nach einem halben Tag. Das sogenannten 1. Lunar entspricht dem Horoskop des 1.Monats.Die Auslösung am DC geschieht nach der ersten Hälfte des Monats. Das sogenannte 1. Solar entspricht dem Horoskop des 1. Lebensjahres. Die Auslösung passiert nach 6 Monaten. Das 1. Septar entspricht den ersten 7 Jahren. Die Auslösung geschieht mit 3 ½ Jahren. Das 1. Dekar ist das Horoskop der ersten 10 Jahre. Die Auslösung geschieht mit 5 Jahren.

Horoskopvergleiche
von zitierten Autoren

W ie kann das Geburtshoroskop einiger der Autoren verstanden werden, die in dieser Arbeit zitiert werden?
Die gedeuteten Horoskopfaktoren sind dazu hinsichtlich der Übersichtlichkeit auf einige Punkte beschränkt worden. Aufgrund ihrer Wichtigkeit
kann angenommen werden, dass mit ihnen Aspekte der relevanten Struktur verstanden werden.

Horoskop von Stanislav Grof, 1.7.1931, 18.50, Prag, Koch

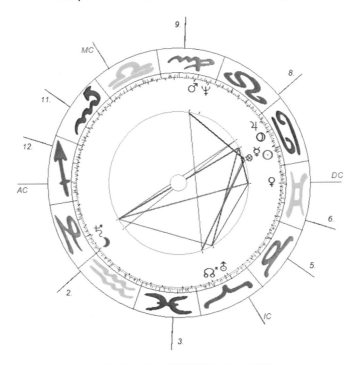

Der Vergleich der Horoskope von
Stanislav Grof und Richard Tarnas.

Zu den Deutungen des Potenzials wurden ergänzend jene von J. C. Weiss (1986) übernommen, um eventuellen subjektiven Deutungen vorzubeugen.

1. Aszendent: Schütze: Hier geht es um den Gewinn von Erkenntnissen, um die Entwicklung einer eigenen Lebensanschauung und einen Blick über den bisherigen Horizont.

2. Die Sonne ist im Krebs im 7. Haus: Sie lenkt intuitiv und mit Phantasie und hat das Bedürfnis nach einem gefühlsmässigen Austausch. Im 7. Haus ist Kontakt mit der Umwelt oder einem Publikum wichtig.

3. Das MC in Waage als Ziel der Entwicklung will geistige Bilder erkennen, zwischen Gegensätzen vermitteln, sie assimilieren und will mit vielen Menschen Kontakt verwirklicht sehen.

4. Der dritte Quadrant ist betont. Es geht um übergeordnete, geistige oder gesellschaftliche Anliegen.

5. Elementbetonung: Wasser. Damit liegt eine Betonung des Unbewussten, der Gefühlswelt und assoziativer Prozesse der Psyche vor.

6. Hausbetonung: Im 7. Haus wird Begegnung mit dem Du, Partnern, Gegnern oder Konfrontation mit dem eigenen Schatten und Aufhebung der Gegensätzlichkeit erlebt. Der Kontakt ist wichtig.

7. Zeichenbetonung: Krebs. In diesem Zeichen wird Rückkopplung an die Vergangenheit oder den eigenen Ursprung möglich. Gefühlsmuster reproduzieren sich oder werden bewusst gemacht. Emotionale Sicherheit wird wichtig.

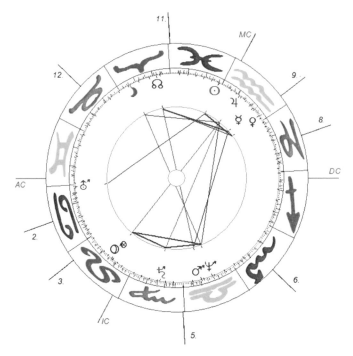

1. Aszendent ist Zwilling mit Uranus: Dieses Zeichen ermöglicht Offenheit und Neugierde für alles. Dazu gehört eine grosse Lernfähigkeit
   mit einem Staunen und Ehrfurcht vor allem Neuen. Uranus bedeutet
   die Möglichkeit, Wissen und komplexe Daten intuitiv zu erfassen und
   plötzliche Einsicht in Zusammenhänge zu verstehen.

2. Die Sonne im Fisch im 10. Haus ist einfühlsam, offen für den transpersonalen Bereich und geeignet für eine helfende oder beratende
   Tätigkeit.

3. Das MC ist im Wassermann. Das Ziel der Entwicklung erfolgt, wenn
   sich der Betreffende eher intellektuell und freiheitsliebend für das
   Zeitgeschehen interessiert. Er möchte sich nicht so leicht gefühlsmässig engagieren und sich von heftigen Auseinandersetzungen
   fernhalten.

4. Betont ist der 3. und 4. Quadrant. Geistige Vorstellungsbilder, gesellschaftliche und transpersonale Angelegenheiten sind gleichermassen wichtig.

5. Elementbetonung: Luft. Die Verarbeitung geschieht betont über das Denken, den Austausch und über neue Eindrücke. Mühe bereiten Situationen, wo Gefühle im Spiel sind.

6. Hausbetonung: Das 9. Haus ermöglicht die Suche nach dem Lebenssinn, einer Philosophie oder Religion. Wichtig wird das Erleben von neuen Dimensionen, vielleicht in der Welt der Ideen.

7. Zeichenbetonung: Wassermann. Die Verarbeitung geschieht originell und eher intellektuell im Bewusstsein eigener Freiheit.

Ein kurzer Vergleich beider Horoskope zeigt folgendes: S. Grof will gefühlsmässigen Austausch und ist betont auf Kontakt mit einem Gegenüber ausgerichtet. Sein Horoskop ermöglicht Rückkopplung an die Vergangenheit und sucht Ausgleich. Sein Pluto steht im 8. Haus. In seiner Arbeit geht es um tiefgreifende psychische Transformationsprozesse. Er ist Arzt und Therapeut.

R. Tarnas ist neugierig und will komplexe Daten verstehen. Er sucht keine heftigen emotionalen Auseinandersetzungen. Er beschrieb die Kulturphilosophie und den Archetyp Uranus, der an seinem Aszendenten steht. Er ist Kulturphilosoph und Dozent.

Wenn man entscheiden müsste, welches Horoskop zu welchem der beiden Autoren gehört, gibt es eine gewisse Plausibilität dafür, so wie es tatsächlich ist. Oder wie es einmal H. Städeli formulierte: Der Arzt will heilen, der Psychologe will verstehen.

Vergleich der Horoskope von
Bruno Huber mit Roberto Assagioli

Horoskop von Bruno Huber, 29.11.1930, 12.55, Zürich, Koch

Erstellt mit Astroplus, © 2000-2007 by Astrocontact, Linz

1. Aszendent ist Fisch mit Mond im 1. Haus. Als Anlage ist die Funktion des Transpersonalen oder Transzendenten als Ausgangspunkt für einen Entwicklungsprozess gegeben. Der Archetyp Mond will das Seelische oder gefühlsorientierte Moment einführen.

2. Die Sonne ist im Schützen. Die Verwirklichung der Anlage geht über Funktionen, die im geistigen Vorstellungsbereich liegen.

3. Das MC ist im Schützen. Ziel und Weg der Verwirklichung ist identisch. Die Verwirklichung der Anlage geschieht über geistige Vorstellungen oder Philosophien.

4. Die Betonung des Horoskops liegt auf dem 3. Quadranten . Es geht um geistige Erkenntnis und Vorstellungsbilder.

5. Betont ist das Element Wasser. Das Wesen der Verwirklichung geschieht einfühlsam und kontemplativ.

6. Betont ist das 9. Haus. Prozesse zeigen sich auf dem Boden von Erkenntnisgewinn und von erarbeiteten Philosophien.

7. Betont ist Zeichen Schütze mit analoger Bedeutung wie im 9. Haus.

Horoskop von Roberto Assagioli, 27.2.1888, 12.00, Venedig, Koch

Erstellt mit Astroplus, © 2000-2007 by Astrocontact, Linz

1. Der Aszendent ist Krebs. Das Thema der Gefühle und der Psyche will Ausgangspunkt einer Entwicklung werden.

2. Die Sonne ist im Fisch. Die Verarbeitung geschieht einfühlsam, sensibel und im Bewusstsein transzendenter Wirklichkeit.

3. Das MC ist im Fisch. Die Verwirklichungsart und das Ziel sind identisch, nämlich die Gefühle und die Psyche zu ergründen.

4. Die Betonung liegt auf dem 4. Quadranten. Es geht um gesellschaftliche und übergeordnete Dinge.

5. Betont ist das Element Wasser mit einer sensiblen Einfühlung.

6. Betont ist das 10. Haus. Die Arbeit erfolgt aus Berufung und berücksichtigt transzendente Qualitäten.

7. Betont ist das Zeichen Fisch. Der Gesamtprozess ist einfühlsam, hilfsbereit und pendelt möglicherweise zwischen unbewussten und bewussten Prozessen hin und her.

Der Vergleich beider Horoskope:

Es zeigen sich einige Ähnlichkeiten. Trotzdem ist Aszendent Krebs bei R. Assagioli eher Ausgangspunkt für die Entwicklung des psychischen Bereichs. Bei B. Huber startet der Entwicklungsprozess mit dem weichen sensiblen Zeichen Fisch mit Offenheit für Transzendenz. Die Sonne im Schützen bei Huber verwirklicht geistige Erkenntnisse, bei Assaglioli zielt sie direkter auf helfende Möglichkeiten. Das MC ist bei beiden Personen analog der Sonne. Das heisst, Verwirklichung und Ziel sind bei beiden seht pointiert und fokussiert. Bei Huber ist eher der 3. geistige Quadrant beteiligt, bei Assagioli bleibt der Fisch im 4. Quadrant zentral. Bei beiden ist die Wasserqualität im Vordergrund.

In einem Interview beschrieb V. Bachmann (2000) B. Huber als sehr sensibel und fein mit innerer Kraft und Feuer. Huber erzählte, dass er ursprünglich ein Studium in Astronomie begonnen habe. Als Kind habe Huber unter seiner Sensibilität gelitten. Auf die Frage, ob der Weltraum und die Verbundenheit damit das Zuhause von Huber sei, bejahte er das. Als Kind habe er oft gesagt, er sterbe nicht, bevor er nicht auf dem Mond gewesen sei. Zur Astrologie kam Huber erst in einem zweiten Schritt.

Assagoli hat mit zwei Jahren seinen Vater verloren und wurde später von seinem Stiefvater adoptiert. 1906 reiste er nach Beginn des Medizinstudiums nach Wien, wo er Kontakt mit S. Freuds Umfeld hatte. 1907 besuchte er die psychiatrische Universitätsklinik Burghölzli in Zürich und traf dort C. G. Jung. Später entwickelte er die Psychosynthese und war Mitglied der von Alice Bailey gegründeten Arkanschule. Die Mutter von B. Huber hatte mit dieser Schule Kontakt. Über diese Beziehungen lernten sich Huber und Assagioli kennen. Das Interesse am grenzenlosen Weltall, die grosse Sensibilität und der Umweg in der Berufsfindung passen besser zu einem Fischaszendent als zum Krebs. Der Krebs bei Assagioli steuert direkter den kardinalen seelischen Bereich an, als es bei Huber der Fall ist. Das MC bei Huber im Schützen ist geprägt vom Wusch, geistige Erkenntnisse zu gewinnen. Das MC von Assagioli im Fisch zielt direkter auf helfende Möglichkeiten als Arzt hin. Obwohl beide Persönlichkeiten in Theorie und Praxis viele Ähnlichkeiten aufweisen, sind es kleine Unterschiede, die trotz wenig biografischer Informationen eine gewisse Plausibilität zeigen, dass die reale Zuordnung beider Horoskope stimmig ist.

Der Vergleich der Horoskope von W. Döbereiner und H. Meyer

1. Der AC ist zusammen mit Pluto im Krebs. Krebs ist das empfangende, gefühlsbetonte Anlagepotential mit einem grundlegenden Bedürfnis nach Sicherheit. Pluto setzt grosse seelische Energien frei. Der Archetyp kann seine Umgebung mit einem Machtanspruch kontrollieren und will etwas Besonderes verwirklichen.

2. Die Sonne ist im Fisch und verwirklicht die Anlage einfühlsam und sensibel.

3. Das MC ist ebenfalls im Fisch. Die Art der Verwirklichung und das Ergebnis im MC sind analog.

4. Mit der Betonung des 4. Quadranten geht es um das transpersonale Sein, nicht um subjektive Bedürfnisse.

5. Die Elementbetonung ist Luft. Damit ist der bewegliche Denktypus austauschfreudig und macht sich gerne Erklärungsmodelle von der Wirklichkeit.

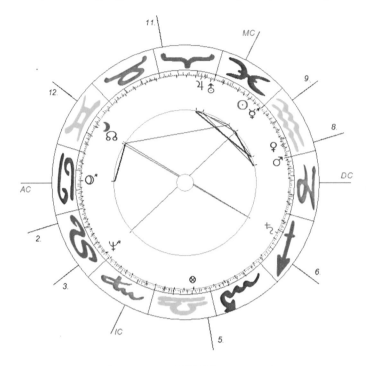

Erstellt mit Astroplus, © 2000-2007 by Astrocontact, Linz

6. Die Betonung liegt im 9. Haus, wo es um originelle und einfühlsame Erkenntnisgewinnung geht.

7. Das betonte Zeichen ist der Fisch, wo es um übergeordnete Entwicklungsziele geht.

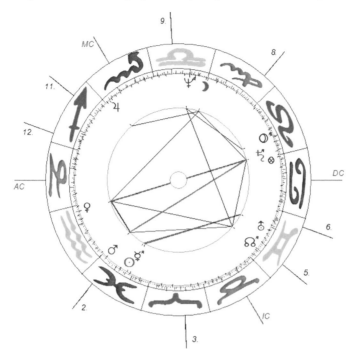

Horoskop von Hermann Meyer, 8.3.1947, 4.10, Prien am Chiemsee, Placidus

1. Der AC ist im Steinbock. In diesem Feld will man die Erwartungen der Eltern und des sozialen Umfeldes erfüllen, um etwas im Leben zu erreichen. Im Innersten wird ein Perfektionsideal angestrebt, das nur durch Arbeit an sich selbst mit Disziplin und Selbstbeherrschung erreicht werden kann. Leistung und Pflichterfüllung sind wichtiger als unbekümmerte Freude.

2. Die Sonne im Fisch ist einfühlsam im Umgang mit geistigen oder seelischen Dingen.

3. Das MC ist im Skorpion. Das erwirkte Entwicklungsziel ist das Aufdecken von Hintergründe eines Geschehens, das mit viel Energie verfolgt wird. Man bewältigt Krisensituationen und die Umwelt ist erstaunt über Ausdauer und Leistung.

4. Betont ist der 3. Quadrant. Es geht um geistige Vorstellungsbilder.

5. Betont ist das Element Wasser. Wirksam sind unbewusste Prozesse und nicht zweckgerichtetes Assoziieren. Gefühle können am ehesten über Beziehungen ausgedrückt werden.

6. Betont ist das 7. Haus mit der Begegnung mit einem Gegenüber, um jene Seiten kennenzulernen, die einem selber nicht bewusst sind und die nicht in das Bild der eigenen Identität aufgenommen worden sind. Trotzdem braucht es einen Partner, um sich im Gleichgewicht zu fühlen. Aufgabe ist, Projektionen zurückzunehmen.

7. Betont sind die Zeichen Löwe und Fisch. Der Löwe sucht eine sozial bevorzugte Stellung und hat ein Bedürfnis nach freier Entfaltung. Er kann im Glanz seiner Autorität erstrahlen, wenn dies über eigene Arbeit erwirkt wurde. Das Fischzeichen führt unter Mitgefühl und Anteilnahme weg vom Alltagzweck hin zur Verbindung zu etwas Grösserem.

Vergleich der beiden Horoskope:

Neben der Gemeinsamkeiten fallen folgende Unterschiede auf: Der Aszendent von W. Döbereiner ist als Krebs eher gefühlshaft orientiert. Jener von H. Meyer mit Steinbock ist eher disziplinorientiert, verbunden mit Ausdauer und einem Perfektionsanspruch. Weiter vorne wurde erwähnt, dass die Bücher von M. Döbereiner nicht einfach zu lesen sind. Die vielen Bücher von Meyer sind sehr strukturiert. H.P. Hadry (2005) meint in leicht gekürzten Wiedergabe dazu: „Obwohl das System der Münchner Rythmenlehre seit einem halben Jahrhundert bekannt ist, ist es dem Begründer nicht gelungen, ein Lehrbuch zu schreiben, das diesen Namen verdient und ohne Vorkenntnisse gelesen und verstanden werden kann. So ist jeder gezwungen, die chaotischen Seminaraufschriebe des Herrn Döbereiner zu lesen, was wegen des chaotischen Aufbaus zum Abbruch des Studiums der Astrologie führt". Mit gutem Grund kann deshalb der Merkur zusätzlich in beiden Horoskopen betrachtet werden. Döbereiner hat eine Merkur-Neptun Opposition auf der Kommunikationsachse 3/9. Meyers Merkur ist in einem Eineinhalbquadrat mit Saturn und mit einem Quadrat mit Uranus verbunden. Bei einer gefühlsbetonten Anlage und bei der vernebelten Merkurkommunikation hat es Döbereiner offenbar schwer, eine gut strukturierte Arbeitsweise zu entfalten. Mit Meyers Saturn und Steinbock dürfte das einfacher sein. Es ist deshalb plausibel, dass die Zuordnung beider Horoskope stimmig ist.

Der Horoskopvergleich von
Friedel Roggenbuck und Fritz Riemann

Horoskop F. Roggenbuck, 2.5.1955, 11.30, Leverkusen, Placidus

Erstellt mit Astroplus, © 2000-2007 by Astrocontact, Linz

1. Aszendent ist Löwe mit Pluto. Gegeben ist das Potential einer guten sozialen Stellung. In entwickelter Form verbunden mit seelischer Strahlkraft und zusammen mit der Energie von Pluto ermöglicht das einen machtvollen Auftritt.

2. Die Sonne ist im Stier. Sie vermittelt das Gefühl von Sicherheit und kann beharrlich auf ein Ziel hinarbeiten. Sie macht empfänglich für die Schönheit und verfolgt die Reviersicherung.

3. Das MC ist im Widder. Das Ergebnis der Entwicklung zeigt sich durch Spontanität gegen Widerstände in energievoller und unabhängiger Art, was durch eigenen Willen erreicht wurde.

4. Betont ist der 4. Quadrant mit den Themen der transpersonalen Angelegenheiten.

5. Betont ist das Element Erde. Der Empfindungstyp nimmt die äussere Realität auf, ohne sich von Vorstellungen leiten zu lassen. C. Weiss formuliert das entsprechende Motto so: Lieber den Spatz in der Hand als die Taube auf dem Dach.

6. Betont ist Haus 10. Damit soll eine berufliche Karriere ein Gefühl von Befriedigung und Anerkennung durch die Umwelt vermitteln.

7. Betont ist Zeichen Stier. Die Bedeutung liegt in der Sicherungs- und Genussfähigkeit

---

1. Aszendent ist Löwe an der Grenze zu Jungfrau mit Venus. Damit beeinflusst eher Jungfrau den Aszendenten. Das Anlagepotential ist geeignet, verstandesorientiert Sachverhalte auf innere Prozesse zu fokussieren, zu analysieren und zu erklären. So wird Ordnung und Klarheit möglicherweise in fast perfektionistischer Art geschaffen. Probleme werden gerne nach aussen projiziert, um sie lösen zu können. Venus macht freundlich und erweckt Sympathie.

2. Die Sonne in Jungfrau ermöglicht eine gründliche Arbeitsweise und ein methodisches und logisches Vorgehen bei hohen Erwartungen an Andere.

3. Betont ist der 1. Quadrant. Die Entwicklung läuft über den körperhaft-materiellen Bereich.

4. Das MC ist in Stier. Die Verwirklichung einer Entwicklung zeigt sich über die Sicherheit in einer stabilen Lebenssituation oder über die Schönheit der Natur.

Horoskop von F. Riemann, 15.9.1902, 3.45, Chemnitz, Placidus

Erstellt mit Astroplus, © 2000-2007 by Astrocontact, Linz

5. Betont sind die Elemente Erde und Luft. Damit wird die äussere Realität vorurteilfrei aufgenommen und verarbeitet. Durch das Luftelement ergibt sich eine Gefahr, sich im Abstrakten zu verlieren.

6. Betont ist Haus 1. Wichtig wird damit der persönliche Ausdruck, der
sich spontan entfaltet.

7. Betont ist Zeichen Jungfrau, welches gründliche Arbeit ermöglicht.

Vergleich der beiden Horoskope:

F. Roggenbucks Aszendent im Löwen mit Pluto bringt viel Energie und
tiefe Intensität zur Darstellung. Über die Stiersonne wird mit beharrlicher
Arbeit das Territorium gesichert oder äusserer Schönheit wertgeschätzt.
Das Entwicklungsziel wird erreicht über die Verwirklichung des Widderprinzips, wo körperorientierte Phänomene spontan und Widerständen
zum Trotz zum Vorschein gelangen.

Beim Aszendenten Jungfrau von F. Riemann geht es um Analyse von inneren Prozessen. Die Verwirklichung über die Sonne ist dem Aszendenten wesensgleich. Betont ist die Ich-Entwicklung mit dem Ziel, dass über die Verwirklichung des erdigen Moments Sicherheit, Wertschätzung oder Schönheit erscheint.

Hier ist es schwieriger, eine klare Zuordnung der Horoskope zu machen, Am deutlichsten unterscheidet sich der Aszendent. Mit Löwe am Aszendent und Pluto in dessen Nähe lässt sich aber Astrodrama besser verwirklichen als mit einem analytischen Prozess von eher innerer Verarbeitung. Es ist bekannt, dass Roggenbuck einen Teil des Jahres auf einer Insel in Griechenland verbringt. Ich nehme an, dass die äussere Schönheit dieser Insel für die Wahl eine Rolle gespielt hat. Wenn wir den Archetypen der Schönheit und den Herrscher des Stiers, der in beiden Horoskopen eine Rolle spielt noch zu Rate ziehen, stellen wir fest, dass Venus bei Roggenbuck im 9. Haus steht. Traditionell wird das 9. Haus dem Ausland zugeordnet. Bei Riemann steht Venus am AC und drückt sich damit über das Körperhafte des 1.Quadranten aus. Wir haben damit immerhin zwei Faktoren, die eine leichte Plausibilität der Zuordnung der Horoskope ergeben.

Der Vergleich der Horoskope von Liz Greene und Jean Claude Weiss

1. Aszendent: Beim Skorpion geht es um die Sicherung von geistigen Vorstellungsbilder und Konzepten. Er tendiert zum Schützezeichen, wo es um geistige Erkenntnis und um die Ausweitung von Grenzen geht.

2. Sonne: Die Jungfrau agiert im Sinn der funktionellen Aussteuerung der seelischen Substanz in einem Prozess, bei dem es um Arbeit geht.

3. MC ist Jungfrau. Das Ergebnis der Entwicklung wird über Analyse und genaue Wahrnehmung erreicht.

4. Betont ist der 3. und 4. Quadrant. Geistige Vorstellungsbilder mit transzendentem Bezug werden fokussiert.

Horoskop von L. Greene, 4.9.1946, 13.01, Englewood NY, USA, Koch

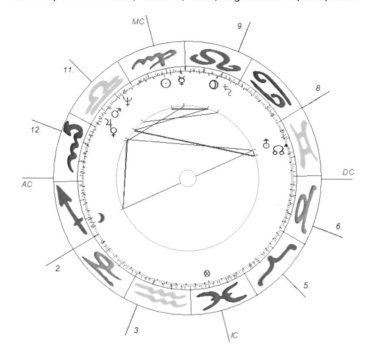

Erstellt mit Astroplus, © 2000-2007 by Astrocontact, Linz

5. Betontes Element mit 5 Planeten ist die Luft. Die Art der Verarbeitung ist eher intellektuell.

6. Betont sind die Häuser 10 und 11. Es zeigen sich Phänomene der transpersonalen, unbewussten oder gesellschaftlichen Ebene, die fixierend gesichert werden.

7. Betont sind die Zeichen Waage / Jungfrau. Zentral ist die Kontaktfähigkeit, Austausch und Ausgleich, um den geistigen Bereich zu ermöglichen. Die genaue Wahrnehmung und die seelische Anpassung sind ebenso Grundlagen dazu.

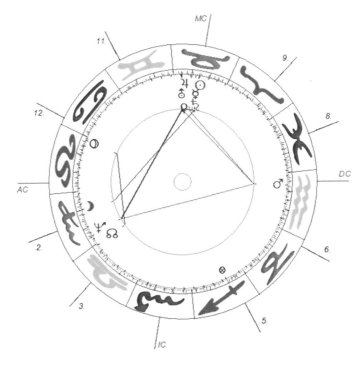

Erstellt mit Astroplus, © 2000-2007 by Astrocontact, Linz

1. Mit Aszendent Löwe wird ein verfestigter seelischer Bereich mit einer Handlungs- und Bindungsfähigkeit zum Anfang einer Entwicklung.

2. Die Sonne Stier agiert verfestigend und sichernd das eigene Territorium oder eigene Werte.

3. Im MC Stier zeigen sich die erwirkten, verfestigten, abgegrenzten Werte oder die Genussfähigkeit.

4. Betont ist der 4. Quadrant. Angelegenheiten mit transpersonalem Bezug werden fokussiert.

5. Betontes Element ist Erde und damit geht es um Stabilisierung, Festigung und zuverlässiges Berechnen.

6. Das 10. Haus ist betont. Durchsetzung und Verantwortung helfen, Erscheinungen dieses Hauses zu bewältigen, die über subjektive Angelegenheiten hinausgehen.

7. Das betonte Zeichen Stier ermöglicht Phänomene der Abgrenzung, der Sammlung und der konzentrierten Beschäftigung mit Werten.

Vergleich beider Horoskope:

Die Anlage im Aszendent von L. Greene ermöglicht die Verwirklichung von geistig-intellektuellen Erkenntnissen, die konzentriert als fixe Vorstellung verbindlich werden. J. C. Weiss will seelische Inhalte sichtbar werden lassen. Die Verarbeitung geschieht bei Greene durch Analyse und Vernunft, bei Weiss durch eine Sicherstellung von Werten. Das Ziel der Verwirklichung ist bei beiden analog ihrer Verarbeitung. Der Weg ist schon das Ziel. L. Greene ist im Element eher intellektuell und geistig abstrakt. J.C. Weiss ist erdig und konkret von der Umwelt geprägt. Von den Anlagen her in den Zeichen ist Greene Waage und Jungfrau betont, das heisst ausgleichend analytisch. Die erdige Zeichenbetonung bei Weiss will Revier und Werte sichern. Greene hat eine Mond - Neptun Opposition, das heisst, die herkömmliche kindliche Welt kann sich auflösen. Bei Weiss wird das 1. Haus von einem Neptun – Sonne Trigon berührt mit starker aktiver Phantasie. Bei Greene ist Pluto in Konjunktion mit Saturn. Pluto bei Weiss ist losgelöst und damit weniger strukturiert. Merkur von Greene ist harmonisch mit Jupiter und Mond verbunden. Das heisst, Kommunikation tendiert dazu, weitschweifig und gefühlsbetont zu werden. Der Merkur von Weiss ist in die geballte Ladung von 5 Archetypen am MC eingebunden.

Es ist bekannt, dass L. Greene von Amerika nach England gezogen ist und dann in der Schweiz den Wohnsitz genommen hat. In London hat sie mit Howard Sasportas ein Zentrum für psychologische Astrologie gegründet. Sie war neben der Beratung auch in der Ausbildung von Astrologen tätig. Mein ehemaliger Chef H. Städeli war von ihrer Kompetenz in ihren Seminaren beeindruckt. J.C. Weiss, geboren in Basel, wohnt immer noch in relativer Nähe bei Zürich. Die Bücher von Greene sind zum Teil Seminarabschriften und sind weniger stark strukturiert als diejenigen von Weiss. Soviel ich weiss, hat Greene kein Buch zur Börsenastrologie herausgegeben. Weiss schreibt regelmässig über dieses Thema und gibt Empfehlungen heraus, wie der Vermögenswert gesichert werden kann. Im Kontakt ist Weiss sehr konzentriert auf das Wesentliche bezogen. Zu ihm passt es als Astrologe und tüchtigem Geschäftsmann besser, wenn er einen Stieraszendenten hat. Stier passt darum besser, weil die Bodenhaftung gegeben ist und weil es um die Stabilisierung von Werten geht. Greene schöpft mit Mond eher aus der Tiefe des Unbewussten und verarbeitet dies analytisch. Die Zuordnung der Horoskope ergibt eine gewisse Plausibilität.

Der Horoskopvergleich einiger der hier zitierten Astrologen hat gezeigt, dass die bisher dargestellte Theorie auch bei wenigen, aber doch nötigen persönlichen Information über die Autoren in der Lage ist, eine gewisse Plausibilität dieses Ansatzes aufzuzeigen. Mit gutem Grund kann deshalb davon ausgegangen werden, dass sich in der praktischen Arbeit ein astrologisches Denken bewähren könnte.

Wie die Diagnostik und Therapie durch astrologische Konzepte ergänzt und differenziert wird

Das astrologische Konzept wird anhand der folgenden Fallgeschichten auf seine Stichhaltigkeit geprüft werden. Zugunsten der Übersichtlichkeit wird einiges vereinfacht oder andere Faktoren eines Horoskops werden gar nicht erwähnt. Drei Punkte seien nach G.I. Hürlimann (1998) folgendermassen definiert: Steht ein planetarischer Archetyp im letzten Sechstel eines Hauses, hat er bereits einen Einfluss auf das nächste Haus. Bei eingeschlossenen Tierkreiszeichens, wo keine Häuserspitze steht, kann sich die Energie nicht ohne weiteres in den Umraum entladen und die Entladung erfolgt über den Herrscher des Zeichens. Mit planetarischer Archetyp ist ausschliesslich das gemeint, was herkömmlich in der Astrologie als Planet bezeichnet wurde. Die Beispiele in allen folgenden Fallgeschichten wurden mit Horoskopzeichnungen mit dem Häusersystem nach Placidus illustriert und folgen so dem Schema nach H.P. Hadry und G. Brown, die sich ihrerseits an die Döbereiner-schule anlehnen. In der Döbereinerschule werden die Aspekte in einem Horoskop nicht eingezeichnet. Der Grund liegt vermutlich darin, dass sie nicht von der Logik des Gesamtzusammenhangs der Archetypen ablenken sollen. Für ungeübte Leser sind meiner Meinung nach eingezeichnete Aspekte aber eine Orientierungshilfe, sodass hier nicht darauf verzichtet wird. Grundgedanken der Deutungen sind:

1. Welche Anlage ist im Horoskop, auch Radix genannt, mit welchem Aszendent (AC) gegeben.

2. Mit welchem Verhalten setzt die Sonne die Anlage um?

3. Welche Finalität (MC) wird durch die Umsetzung der Anlage erreicht?

Aus Datenschutzgründen sind die genaueren Daten zu den Horoskopen weggelassen worden. Aus didaktischen Gründen ist die jeweilige Terminologie betreffend der vier Quadranten mehr oder weniger übernommen worden. Dies erlaubt eine schnelle Orientierung im Tierkreis, wenn es um materielle, seelische, geistige oder transpersonale Phänomene geht. So meinen beispielsweise transpersonale Erscheinungen jene Phänomene, die im 10. bis 12. Haus beschrieben werden können. Der Nachteil dabei ist allerdings, dass die beobachteten Phänomene nicht immer in der Sprache der akademischen Psychologie beschrieben sind. Es wird auch deutlich, dass noch ein weiter Weg bevorsteht, um die Ergebnisse kompatibel mit den neueren Erkenntnissen der Psychologie zu beschreiben. Ebenso sind die Beispiele vereinfachte Darstellungen. In der Praxis kann sich mit einer differenzierten Sicht auf die sich zeigenden Phänomene ihre Bedeutung durchaus verschieben.

Die astrologische Differenzierung einer Angstsymptomatik und mögliche Lösungen

Eine 17 Jahre alte Jugendliche wurde zur psychologischen Abklärung angemeldet. Sie hatte es bis anhin nicht geschafft, eine berufliche Perspektive zu entwickeln und weigerte sich, einen „gewöhnlichen" handwerklichen Beruf zu ergreifen. Parallel hatte sich eine Angstsymptomatik entwickelt. Die übliche Diagnostik umfasste Gespräche anamnestischer Art mit der Jugendlichen und ihren Eltern, eine klinische Befunderhebung sowie eine Testabklärung.

Die Mutter beschrieb die Tochter als wenig selbstbewusst, ängstlich, verschlossen und zurückgezogen. Die Patientin selber meinte, sie getraue sich abends bei Dunkelheit nicht aus dem Haus. Einmal habe sie einen Schatten bemerkt und sei nicht sicher, ob dies eine reale Person gewesen sei. Sie glaube an Geister und habe auch schon das Gefühl gehabt, dass jemand hinter ihr gestanden sei und ihr über die Schulter geblickt habe. In ihrer Wohnung habe sie in der darüber liegenden Wohnung jemand laufen gehört. Dazu komme ihre Angst vor Einbrechern. Im Krankheitsfall würde sie ungern in ein Spital eintreten, weil man während einer Operation sterben könnte. Auch habe ihr Bruder vor Jahren erwähnt, dass man von einem UFO entführt werden könnte. Vor lauter Angst habe sie sich auch schon einmal betrunken. In einem Nachttraum habe ihr eine Kollegin die Haare geschnitten. Die Patientin sei dann ganz verwirrt gewesen. Bezüglich Behandlung wünsche sie sich jemand, der sie verstehe und zuhöre, da ihr oft die Worte fehlen, um sich auszudrücken. Diagnostisch war an eine generalisierte Angststörung auf dem Hintergrund einer mangelnden Triangulierung und einem symbiotischen Verhältnis zu ihrer Mutter zu denken.

Zentral bei diesem Gespräch mit der Jugendlichen war es zu erfahren, dass das Begegnende als angstauslösend, verwirrend oder unsicher erscheint Gleichzeitig kann sie keine adäquate eigene Kommunikationsform entwickeln, da ihr die Worte fehlen. Dies führt zu eingeschränkten Beziehungs-, Lebens- und Berufsmöglichkeiten. Wenn dies in die astrologische Sprache übersetzt wird, ist das Begegnungsgeschehen Angelegenheit des 3. Quadranten. Das heisst allerdings nicht, dass die andern Quadranten nicht beteiligt sind, da jedes Phänomen sich erst durch die vier Kausalitäten zeigen können. Welche Hypothesen sind möglich? Das verwirrende, unsichere geisthaft wieder entschwindende Nebulöse und Schattenhafte könnte eine Neptunerscheinung sein. Die Angst, das Einschränkende, Einengende, Abschneidende passt gut zu einer Saturnentsprechung. Die Kommunikationsunsicherheit dagegen spricht für die Beteiligung von Merkur. Man weiss anfangs nicht genau, welche Hypothese zutrifft und wenn ja, ob sich die Problematik über die Zeichen, die Häuser oder über Aspekte von Planetenarchetypen ausdrückt.

Ein Blick ins Horoskop zeigt tatsächlich, dass Neptun und Saturn im 7. Haus liegen. Es ist das erste kardinale Haus der Begegnung des 3. Quadranten. Beide Archetypen bilden eine Konjunktion. Sie liegen fast gradgenau auf dem Deszendenten, sind also sehr energiereich und dominant. Sie sind im Zeichen Steinbock, im Zeichen wo Saturn von Hause aus regiert und er seinen Heimvorteil hat.

Rückübersetzt heisst diese astrologische Konstellation: Ein Mensch sieht das Begegnende durch die Brille des sehr strukturierten Saturn im Falle einer gesunden Verfassung oder durch die Brille eines einschränkenden

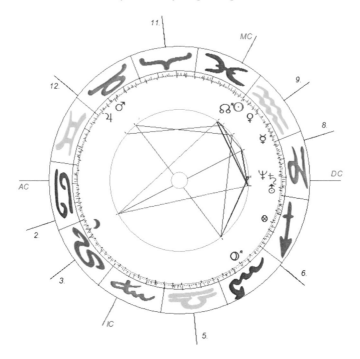

Horoskop einer 17 jährigen Jugendlichen

und Angst auslösenden Saturn bei einer neurotischen Verfassung. Auf welchem Level eine Konstellation gelebt wird, kann aus dem Horoskop nicht herausgelesen werden. Allerdings ist es so, dass schwierige Konstellationen das Risiko von Lebensschwierigkeiten vergrössert. Aus diesem Grund sind die Partner der vorliegenden Konjunktion zu betrachten. Unterstützen sich beide Partner aufgrund ihres Potentials oder kommen sie sich in die Quere und verstärken sich dadurch die Schwierigkeiten? Saturn strukturiert, ist erdig, hat klare Grenzen. Neptun löst auf, ist schwammig und konturlos. Mit andern Worten kommen sich beide Prinzipien in die Quere und bilden ein Konfliktpotential. Da beide Archetypen transpersonaler Art sind, ist es nicht leicht, sie beide kreativ mit der Sonne zu lenken. Wenn sich diese Konstellation zeigt, heisst das aber umgekehrt nicht, dass bei einem nebulösen Kontaktverhalten Neptun immer im 7. Haus stehen muss. Es zeigt nur an, dass in diesem Fall die Struktur der ängstlichen Verwirrung sich hier genau lokalisieren lässt. Damit wird das Verständnis für dieses Problem vergrössert. Der Gewinn in dieser astrologischen Analyse ergibt eine Zusatzinformation und führt zu genaueren Überlegungen zu den Ressourcen und der Problemlösung. Saturn und Neptun zeigen ein strukturelles Problem an, wobei diese Konstellation eine lebenslange Struktur bleibt. Die Schwierigkeiten werden in diesem Bereich kaum nur gerade zum aktuellen Zeitpunkt wirksam sein. Vielmehr geht es um eine adäquate Problemlösung und um die Frage, wie ein Patient die gleiche Struktur zukünftig leben kann, wenn auch auf einer andern Ebene. Mit andern Worten räumen die daran beteiligten Archetypen nach einer gebesserten Symptomatik nicht das Feld. Die Patientin kann aber lernen aus der Bandbreite der astrologischen Analogien adäquatere Formen zu erlernen. Saturn ist nicht nur Angst und Einschränkung, sondern auch Struktur und Hüter des transpersonalen Bereichs. Ein Mönch beispielsweise, der tagsüber nur zeitweise Kontakt mit seinen Mitbrüdern hat und sich der Kontemplation des Transzendenten widmet, könnte eine Saturn / Neptun 7. Haus Konstellation haben. Für die Jugendliche ist dies keine Alternative, aber eine Lösung müsste in Analogie dazu gesucht werden. Damit ist eine Leitlinie gegeben, um Möglichkeiten, aber auch Grenzen einer Intervention zu sehen. Sie wird wahrscheinlich präziser sein, als wenn man eine Lösung ohne astrologische Überlegungen anstrebt. Es geht um die Entwicklung von reiferen Lebensmöglichkeiten und um die bewusste Steuerung dieser archetypischen Kräfte im Kontaktfeld. In der gehemmten und unreifen Form kann die Saturnenergie Angst- und Schuldgefühle ermöglichen. Der Betroffene fühlt sich ängstlich, angeklagt oder diszipliniert. In der reifen Form wird sich der Betreffende der strukturierenden Funktion von Saturn bewusst, ordnet sich einer Notwendigkeit unter oder macht das, was möglich ist, auch wenn es nicht ideal ist. Ein Motto dazu wäre Dienst an der Sache.

Dasselbe gilt für die Suche nach einer reifen Form des Neptunprinzips. In der unreifen Form kann Neptun Täuschung, Verwirrung, Schwäche oder Hilflosigkeit bedeuten. In der reifen Form löst sich das Individuum von Anpassungszwängen und wird sich der übergeordneten Bedeutung von Hilfestellung, Einfühlung oder Offenheit für transzendente Erfahrungen bewusst. Wie kann der Saturn- und Neptuneinfluss noch genauer erfasst werden? Dazu kann neben dem Haus, in dem die Archetypen stehen, nach den Aspekten der Archetypen gefragt werden sowie nach dem Zeichen, in dem die Archetypen stehen und nach der Achse gefragt werden, auf der sie stehen. Hier zeigt sich ein Kontakt und Begegnungsproblem auf der Achse 1 / 7.

Anders ausgedrückt heisst die vorliegenden Konjunktion: das Reale (Saturn) und das Ideale (Neptun) fallen zusammen. Harte Realität und Traumwelt treffen zusammen und müssen sich ihrer Natur nach fast ausschliessen. Aus diesem Konflikt entsteht eine Angstsymptomatik. Möglicherweise könnte Teil einer Lösung sein, beide Pole zeitlich getrennt anzuvisieren. Ein Ideal kann als ein langfristiges Ziel angestrebt werden, die Realität kann als unmittelbare Aufgabe aufgefasst werden. Das Materiell- Konkrete (Saturn) kann im Dienste einer höheren Angelegenheit (Neptun) stehen, die beispielsweise. im Dienst der menschlichen Gesellschaft einem tieferen Sinn verfolgt.

Welche Aspekte bilden Saturn und Neptun? Bei Saturn sind dies ein Eineinhalbquadrat zu Jupiter und ein Halbquadrat zur Sonne. Bei Neptun sind dies ein Halbquadrat zur Sonne, ein Trigon zu Mars und ein Eineinhalbquadrat zu Jupiter. Jupiter ist damit zwar an der Konstellation beteiligt. Er will von seiner Art her Sinn, Erkenntnis und expansives Bestreben in diese Angelegenheit bringen, ist aber durch eine Spannung dabei eher gehemmt. Die bremsende Kraft kann entsprechende Pläne erschweren. Kompensatorisch könnte gelernt werden Gesetze (Saturn) zu übertreten (Jupiter) und Grenzen zu suchen, was nicht ideal wäre. Die Lösung könnte sein, einen Drang nach Expansion (Jupiter) mit einer gewissen Selbstbeschränkung (Saturn) zu kombinieren. Analoges gilt für die Spannung mit der Sonne. Auch hier ist ein hemmender Einfluss auf das Selbstwertgefühl (Sonne) möglich, was gemildert werden könnte, wenn Ziele im Rahmen des Möglichen schrittweise angegangen werden.

Bei Neptun ist ebenfalls die Hemmung zur Sonne zu berücksichtigen. Neptun Trigon Mars heisst allerdings, dass sich die Durchsetzungskraft (Mars) mit Feinfühligkeit und Sensibilität (Neptun) trifft und damit Ziele angegangen werden können. Dies könnte zum Beispiel im Bereich des 7. Hauses (Waageboden) mit künstlerischer Tätigkeit verwirklicht werden.

Mit diesen Überlegungen ist die Erschliessung von möglichen Lösungen noch nicht am Ende. Denken wir an die Dynamik des Tierkreises und reflektieren wir noch einmal Saturn und Neptun. Im Tierkreis gehören beide Archetypen dem 4. Quadranten an. Saturn ist das erste impulshaft kardinal geprägte Anliegen, das dem subjektiven Bedürfnis Schranken setzt zugunsten einer übergeordneten Wahrheit. Neptun ist die dritte veränderliche Stufe, wo reine Wahrheit in Funktion treten soll. Mit andern Worten wird ein hoher Anspruch an das Ich oder an die Sonne gestellt von zwei Prinzipien, die im Dienst einer ähnlichen Sache sind, aber sich in der Art nicht gut miteinander vertragen. Struktur und Auflösung sind nicht optimale Partner. Schauen wir jetzt, welche Herkunft beide Archetypen Saturn und Neptun im Horoskop haben und aus welchen Haus sie ausgewandert sind. Saturn als Herrscher des Steinbocks ist nicht aus einem andern Haus eingewandert. Er ist in seinem angestammten Territorium geblieben und diszipliniert die Begegnungsmöglichkeit über das 7. Haus. Neptun dagegen ist aus dem 10. Haus, dort wo das Fischterritorium ist, ins Exil ausgewandert und in das 7. Haus eingewandert.

Die Ich - Du Achse 1/7 hat dabei den Ausgangspunkt Krebs als Aszendent. Krebs meint die Impulssetzung (1. Phase) der Gefühlswelt (2. Quadrant), die nicht einfach so in Begegnung oder die Welt gesetzt werden soll. Vielmehr scheinen Saturn und Neptun als Regulativ zu wirken, um subjektive Bedürfnisse einzugrenzen und übergeordneten Momenten im Rahmen einer Begegnung mehr Platz zu verschaffen.

Zusammengefasst zeigt eine Kurzdeutung folgenden Gesamtüberblick: Aszendent ist Krebs. Es geht um die Entwicklung des Seelischen als Ausdruck des 2. Quadranten. Die Sonne liegt auf gut 29 Grad Wassermann an der Grenze zu Fisch. Zwischen Wassermann und Fisch ist die Verwirklichung erschwert, weil ihr Territorium weder Fisch noch Vogel ist. Die steuernde Funktion der Sonne hat hier ein Energieproblem. Das Ziel (MC) liegt im Fischzeichen, d.h. das Ziel des gesamten Lernprozesses ist es, sich dem Hintergründigen zu öffnen, das Transzendente zu suchen. Dass sich dabei die Patientin weigert, einen „gewöhnlichen" handwerklichen Beruf zu suchen, leuchtet auf diesem Hintergrund ein. Es heisst aber nicht, dass dieser Entwicklungsprozess nur über den beruflichen Weg zu machen ist. Ob das in Anbetracht ihrer Schullaufbahn und der aktuellen Rahmenbedingungen möglich ist, bleibt eine andere Frage. Auf jeden Fall zeigt das Beispiel, dass es eine gut zu verstehende Entsprechung von klinische Symptomatik mit der astrologischen Signatur gibt, was ein tieferes Verständnis ermöglicht.

Der Zusammenhang von Horoskop, Psychodiagnostik und Berufswahl

Die Anmeldung eines Jugendlichen erfolgte, weil er emotional belastet war und Identitätsschwierigkeiten zeigte. Von einem schweren Schicksal getroffen, musste er den Verlust beider Eltern verkraften, die zu unterschiedlichen Zeiten durch Krankheit gestorben waren. Bei der diagnostischen Abklärung mit projektiven Tests zeigt sich, dass er keinen tragenden Boden unter den Füssen zu haben schien. Im projektiven Wartegg Test zeichnete er einen Hochsitz im Wald, einen Mann auf einem Einrad auf einem Seil sowie einen Mann an einem Gleitschirm in der Luft. Zusätzlich verband eine Schwebebahn eine Talstation mit einer Bergstation. Allen Lösungen ist gemeinsam, dass die direkte Bodenhaftung der Menschen an den gegebenen Orten nicht gegeben war. Der Tod der Eltern hatte dem Jugendlichen den Boden unter den Füssen weggezogen.

Bei der Aufgabe, angefangene Sätze zu ergänzen, schrieb der Jugendliche, dass sein grösster Wunsch seit langem sei, Fluglotse zu werden. Er dachte an eine Ausbildung als Flugdienstberater, um eine Flugzeugbesatzung bezüglich Flugroute und Treibstoffverbrauch zu beraten. Auf einer psychologischen Ebene kann das so interpretiert werden, dass der Patient eigene Anteile seiner Persönlichkeitsstruktur, die sich nicht in direkter Bodenhaftung wiederspiegeln, quasi auf die Flugzeugmannschaft externalisiert, der er seine Dienste anbietet. Diese Berufswahl nimmt einerseits das Gefühl der Bodenlosigkeit auf, schafft aber zugleich Sicherheit auf eigenem Boden und bietet dem bodenlosen Anteil Hilfe an. Insofern wäre dies eine kreative Lösung. Wie sehen die astrologischen Komponenten aus? Diese Analyse wird ohne Horoskopzeichnung beschrieben. Einen astrologischen Zugang zur Berufsberatung beschreibt E. Bauer (1996).

Der Aszendent ist Fisch. Die Sonne ist im Zwilling, das ein Luftzeichen ist. Sie steht im 4. Haus. Dort geht es um die Entwicklung des Seelischen und damit um erste familiäre Beziehungen. Auch im Krebs steht der Mars, allerdings schon im 5. Haus. Der Mars hat hier eine weiche Art und steht im Dienst der Selbstmanifestation und des eigenen Ausdrucks. Mars steht allerdings in Opposition zu Neptun. In der schematischen Auswertungssoftware des verwendeten Programms ist der Satz zu dieser Opposition nachzulesen, „wenn man handelt, entsteht der Eindruck, nicht auf festem Boden zu stehen. Es kommt das Gefühl hoch, ins Leere (Neptun) zu stossen (Mars)". Ebenfalls steht Merkur im Krebs. Die Interessen kreisen danach nicht um rein sachliche Themen (Merkur), sondern um menschliche, soziale oder psychologische Themen in einem vertrauten Umfeld (Krebs).

Das 10. Haus ist nach astrologischer Tradition das Haus des Berufs, weil man die Tätigkeit in Dienst einer Sache stellt. Saturn ist hier platziert und steht so in seinem Territorium. Die Anforderungen bei Saturn in diesem Feld sind damit gegeben. Saturn hilft Strukturen bilden, kann aber auch Grenzen aufzeigen, wenn man im subjektiven Empfinden verharrt.

Das 6. Haus ist Krebsbetont und gilt traditionell als das Haus der Arbeit, weil es hier um funktionelle Anpassung geht. Es ist die dritte, veränderliche Phase des 2. Quadranten. Das Seelische soll zur Funktion im Umfeld kommen. Es geht dabei um die Steuerung und Anpassung, wie das dem 6. Prinzip des Tierkreises, der analytischen, zuverlässigen und genauen Jungfrau entspricht. Die Krebsbetonung des Arbeitsumfeldes meint hier, dass ein vertrautes Umfeld mit fast familiärer Atmosphäre gesucht wird und dies die Arbeit begünstigt. Dazu passt, dass auch der Mond im 6. Haus steht. Damit wird ein vertrautes Gefühlsleben mit Kollegen angestrebt und eine Tätigkeit, die einen Umgang mit Menschen bietet.

Zusammenfassend zeigt sich, dass bei diesem Patienten ein Beruf im Umfeld einer familiären Geborgenheit im Austausch mit Andern gesucht werden soll. Das Gefühl, nicht auf festem Boden zu handeln, wird noch durch den hohen Anspruch des 10. Hauses akzentuiert. Die enge Verbindung der Berufswahl mit dem Thema der Familie und der eigenen

Bodenlosigkeit wird kreativ unter einen Hut gebracht mit dem konkreten Berufswunsch des Flugdienstberaters. Dies dient der Verarbeitung des eigenen Schicksals mit dem Elternverlust. Ein direkter Zusammenhang der astrologischen Fakten mit dem Berufswunsch Flugdienstberater ist natürlich nicht zwangsläufig und im Sinn einer Kausalität gegeben. Diese Konstellation könnte sich auch in einem analogen Berufsfeld, aber wahrscheinlich nicht in einem beliebig andern beruflichen Umfeld ausdrücken. Eindrücklich bei diesem Beispiel ist jedoch der schlüssige Zusammenhang von Lebensschicksal, Testbefunden, Berufswunsch und entsprechender astrologischer Konstellation. Die Nützlichkeit des astrologischen Verständnisses liegt darin, dass weitere Elemente des astrologischen Potentials in die Diskussion eingebracht werden können, die wahrscheinlich bei dem Klienten noch kein Thema waren. Ein anderes Detail kann das illustrieren. Beim Rorschach Test sah der Patient auf der neunten Tafel „ein Feuer, das herausschiesst". Das Impulshaft Feurige, das heisst die geballte Kraft und Energie zeigt sich im Horoskop in einer Sonne / Pluto Verbindung. An sich wäre die Sonne das Element, das Archetypen steuern kann. Bei den transpersonalen Archetypen wie in diesem Fall, schiesst die Energie impulshaft aus der Tiefe und bleibt unstrukturiert. Hier scheint Pluto im Sinn von „Stirb und werde" die Sonne in seinen blinden Schicksalszwang eingezogen zu haben. Die Entsprechung der Symptomatik und der astrologischen Signatur ist gegeben.

Das astrologische Familienmodell von Louise und Bruno Huber bei einem Patienten mit verminderter Selbstdurchsetzung

Eine Mutter meldete ihren 11 jährigen Sohn an. Er habe in der Schule soziale Schwierigkeiten, werde gehänselt und leide unter den Spannungen, die sich daraus ergeben würden. Anamnestisch zeigte sich eine schwache Selbstdurchsetzung, die sich seit der frühen Kindheit durch das Leben des Patienten zog. Beide Eltern beschrieben sich von Natur aus eher als ängstlich und gaben an, dass sie als Kind ähnliche Züge wie ihr Sohn aufgewiesen hätten. Der Vater meinte, dass er wahrscheinlich seine eigene Unsicherheit auf den Sohn übertragen habe.

Das Familienmodell nach B. und L. Huber (1984) geht davon aus, dass der Vater astrologisch von der Sonne repräsentiert wird. Sie ist trotz der weiblichen Sprachform ein männliches Symbol und verkörpert den Sonnenarchetyp im Löwezeichen. Im Tierkreis ist der Löwe das fixe Stadium des 2. seelischen Quadranten. In der ersten kardinalen Phase des Krebses will das Seelische impulshaft zum Vorschein kommen. In der fixen 2. Phase wird diese Manifestation zentriert, verdichtet und gemäss dem Element des Löwen mit Feuerenergie versorgt. Diese Bedeutungen sind analoge Entsprechungen des väterlichen Prinzips. Nach der Huberschule wird die Mutter im Saturn repräsentiert. Saturn repräsentiert im Tierkreis die 1. kardinale, durch einen neuen Impuls hervorgebrachte erdige Phase des 4. Quadranten. Das mütterliche Prinzip bedeutet auch Abtrennung und Frustration, wenn nach der Symbiose ein eigenständiges Wesen mit einer eigenen Identität aufwachsen und unabhängig von den subjektiven Bedürfnissen der Mutter existieren soll. Das Kind wird nach der Huberschule im Mond repräsentiert. Der Mond repräsentiert die 1. kardinale, neue Phase durch das wässerige Krebsprinzips im 2. seelischen Quadranten. Hier formiert sich die kindliche Psyche.

Hypothetisch kann aufgrund der Selbstbeschreibung der Eltern angenommen werden, dass der Sonnenarchetyp bei ihrem Sohn geschwächt ist. Eine Schwächung kann sich zum Beispiel in einem schwierigen Aspekt zu andern Archetypen zeigen oder in einer ungünstigen Zeichenstellung. Zur Erinnerung: ein Aspekt ist nicht Ursache einer eventuellen Spannung, sondern die Folge von einem schwierigen oder anspruchsvollen Verhältnis zweier Tierkreiszeichen zueinander.

In unserm Beispiel liegt eine Sonne / Neptun Opposition auf der MC / IC Achse vor. Der Vater (Sonne) ist in Opposition zum Transzendenten, zum vernebelten, nicht fassbaren Bereich oder einer sonstigen Neptunentsprechung. Durch die Opposition sind nicht alle Neptunanalogien möglich, sondern nur jene, die Spannungsanalogien entsprechen. Um das herzuleiten, kann ein Bild helfen. Wir können an einen Teich denken (Wasser = Neptun), an dem sich die umgebenden Bäumen im Wasser spiegeln. Die festen Konturen der Bäume neben dem Teich lösen sich in der

Erstellt mit Astroplus, © 2000-2007 by Astrocontact, Linz

Wasserspiegelung durch das Neptunprinzip auf. Die Konturen werden
unscharf, klare Linien lösen sich auf, sie verlieren ihre eindeutige Struktur. Diese Auswahl an Neptunentsprechungen ist anders als jene, die wir
bei einer harmonisch betonten Neptunstellung vermuten wie Sensibilität,
Verschmelzung oder Eingehen in eine grössere Einheit. Zudem ist aus
den Schilderungen der Eltern bekannt, welche symbolische Entsprechung
passen würde. Wir können deshalb festhalten, dass der Vater dem Sohn
als konturlos oder strukturlos erscheint und er möglicherweise keine klare
Linie vertritt. Diese mögliche Deutung entspricht der Selbsteinschätzung
des Vaters und deckt sich mit einer möglichen Hypothese bezüglich der
Symptomatik in Bezug auf eine astrologische Entsprechung, die sich jetzt
betätigt. Nun liegt diese Sonne / Neptun Opposition nahe der IC / MC
Achse. Diese Platzierung ist im Normalfall mit einer starken Aufladung
von Energie der Archetypen verbunden. Sie liegen bildlich gesprochen
auf einer Autobahn, wo sie Gas geben. In diesem Fall ist anzunehmen,

dass diese Energie die Opposition verstärkt. Was auch immer in dieser Position steht, will mit voller Energie zum Zuge kommen, gleich wie dies auch endet. Die Sonne steht in Krebs an der Spitze des 10. Hauses. Die Verwirklichung des Selbstgefühls (Sonne) erfolgt auf dem Krebsboden als Territorium der seelischen Eigenart in Hinblick auf die berufliche Entwicklung (10. Haus). Die Sonne ist der Oppositionspartner von Neptun, der im Zeichen Steinbock an der Spitze des 4. Hauses steht. Steinbock ist im Tierkreis das kardinal auftretende Streben nach Wahrheit und will dabei die subjektive Position überwinden. Im vierten Haus kann Seelisches erscheinen. Mit der Aktivierung der Achse 4 / 10 ist gemeint: die karge (Steinbock) familiäre vernebelte unklare (Neptun) Struktur muss zugunsten einer Wohlfühlatmosphäre (Krebs) im Hinblick auf ein berufliches Umfeld (10. H.) geändert werden. Was hilft dabei? Welche Aspekte sind mit der Sonne und mit Neptun verbunden? Die Sonne ist mit Saturn harmonisch, mit dem Mond harmonisch, mit Uranus oppositionell, mit Jupiter in Spannung, mit Pluto harmonisch und mit Mars ebenfalls harmonisch verbunden. Diese sehr gute Einbindung der Sonne hilft ihr, die Kräfte der übrigen Archetypen zu bündeln und sie energetisch zu stärken. Fast möchte man meinen, der stark energiegeladenen Grundproblematik der Achse ist hier kompensatorisch ein ebenso starkes Hilfsmittel als Regulativ zur Verfügung gestellt worden. Interessant ist auch, dass es um eine Änderung des Lebensentwurfs geht. Uranus als Vertreter des Neuen ist als Aspekt dissonant und er ging zusätzlich mit Neptun eine Konjunktion ein. Das heisst, er unterstützt den Wandel von Neptun im 4. Haus. Der väterliche Archetyp, der sich hier zeigt, entspricht symbolisch gleichzeitig dem Selbstausdruck und der Darstellung des eigenen löwenhaften Ausdrucks.

Betrachten wir den mütterlichen Archetyp mit Saturn. Grundsätzlich kann man die Frage stellen, ob diese Zuordnung der Huberschule richtig ist. Wenn es um Abgrenzung von der Mutter sowie um die Entwicklung einer eigenen Identität geht und dies mit Gefühlen des Verlusts durch Abnabelung und damit verbundener Frustration einhergeht, mag diese Logik stimmen. Wenn wir das mütterliche Prinzip von Nahrung und Geborgenheit spenden betrachten, kann mit gleicher Plausibilität an den Mondarchetyp gedacht werden. Die Huberschule beruft sich auf die Erfahrung, dass sich ihre Zuordnung in der Praxis bestätige. Möglicherweise gehören beide Archetypen zum mütterlichen Prinzip.

Saturn steht im Fischzeichen im 6. Haus. Was oben beim Vater über den Neptun gesagt wurde, gilt hier analog für das Tierkreiszeichen Fisch, dessen Herrscher der Neptun ist. Struktur löst sich auf. Die Konturlosigkeit und die mangelnde Struktur widerholt sich hier. Die Selbsteinschätzung beider Eltern bestätigt sich, wonach sie ängstliche Naturen seien. Das 6. Haus ist das Feld, wo die 3. Phase der funktionellen Einbindung im Rahmen des 2. seelischen Quadranten spielt. Anpassung an die realen Bedingungen mit Fragen nach der Gesundheit und des Arbeitsleben sind hier nötig. Weil Saturn Struktur ist und der hiesige Boden Fisch Auflösung bedeutet, vertragen sich beide Prinzipien hier nicht gut und geraten in Widerspruch. Eine mütterliche strukturgebende Haltung würde man hier nicht erwarten. Dieser Logik folgend steht Saturn in Opposition mit Mars. Von einem angegriffenen Saturn ist keine optimale Tatkraft (Mars) zu erwarten. Mars steht in Jungfrau im 12. Haus. Im Tierkreis entspricht das 12. Haus dem Fisch und dieser versorgt dem Mars mit auflösender Tatkraft. Er ist geschwächt. Dies geschieht im Zeichen der Jungfrau. Sie ist die dritte kardinale Stufe des 2. seelischen Quadranten. Sie beeinflusst die Tatkraft des Mars, indem sie zur Funktion bringt, was sich seelisch entwickeln soll. So wie Saturn und Fisch in Konflikt geraten, so kommen Mars und Saturn auf dieser Achse 6 / 12 in Konflikt. Mars gibt bildlich gesprochen Gas, wenn auch auf geschwächtem Niveau und Saturn bremst. Mars im 12. Haus heisst zudem, dass die eigene Durchsetzung nicht über den körperlichen Bereich (1. Quadrant), nicht über den seelischen Bereich (2. Quadrant) und auch nicht durch äussere Anreize über das Begegnende erfolgt (3. Quadrant). Vielmehr steht die Tatkraft im Dienste einer übergeordneten Idee. Im Kindesalter ist das schwer zu realisieren. Die Mutter dieses Kindes wirkte im Kontakt tatsächlich unsicher und schwammig. Sie war beruflich in einem Krankenhaus tätig, was genau dem Fischprinzip im 6. Haus (Gesundheit / Krankheit) entspricht, dort wo sie symbolisiert im Saturn steht.

Gemäss dem Familienmodell ist neben der Sonne und dem Saturn als Drittes das Mondprinzip zu beachten. Der Mond symbolisiert den Kindarchetyp. Der Mond umkreist Mutter Erde, so wie ein Kind die Mutter umkreist. Der Mond hat keine eigene Strahlkraft, wird von der Sonne beschienen und wird dadurch erst sichtbar. Das Kind ist energetisch von den Eltern abhängig, die ihm damit ermöglichen, autark zu werden. Der Mond in unserm Beispiel steht im Wassermann an der Spitze des 5. Hauses. Wassermann ist die 2. fixe Phase des 4. Quadranten. Er agiert deshalb gerne unabhängig und individuell und bewegt sich auf dem Territorium des 5. Löwehauses, um sich seelisch selber zu verwirklichen. Die Gefühle sollen zu einer Strahlkraft der Persönlichkeit finden.

Der Aszendent steht in Waage. Im Tierkreis repräsentiert sie sie die 1. kardinale Phase des 3. Quadranten. Hier geht es darum, sich dem neu erscheinenden Begegnenden zu öffnen und das, was sich im 2. Quadranten seelisch entwickelt hat, über die Bilder der Welt aufzunehmen. Diese Anlage soll durch die Sonne mit dem Ziel am MC umgesetzt werden. In diesem Beispiel ist speziell, dass Sonne und MC zusammenfallen. Hier ist der Weg schon das Ziel. Die bildliche Vorstellung von der Welt durch die Waage kommt zum Ziel, wenn die Persönlichkeit des Jungen ausgehend von der Prägung durch die elterlichen Archetypen sich gemäss Krebsart so entwickeln kann, dass ein seelisches Wohlgefühl im beruflichen Umfeld oder in der Öffentlichkeit (10. Haus) wirksam werden kann.

Bei diesem Beispiel ist noch ein Punkt auffällig. Die meisten Archetypen stehen hier an energetisch aufgeladener Stellung. Alle Planeten liegen auf der MC/ IC Achse oder in der Nähe von Häuserspitzen. Das Horoskop zeigt eine gute Einbindung der Archetypen in das Gesamthoroskop und mit dieser guten energetischen Ausstattung wird der Patient einiges erreichen können. Es zeigt trotz allem ein gutes Potenzial, obwohl es möglich ist, dass wegen der Betonung von Pluto und Skorpion im 2. Haus des Selbstwerts Krisen durchstehen muss. Dieses Beispiel zeigt anhand des Familienmodells von B. und L. Huber, dass die reale Familienstruktur analoge Bezüge zur astrologischen Struktur aufweist.

Die Aktivierung einer geburtsanalogen Konstellation im Rahmen einer Psychotherapie und ihre astrologische Wiederspiegelung

Ein Mädchen in der Adoleszenz wurde von den Eltern auf Anraten der Lehrerin angemeldet. Grund waren Leistungsschwankungen in der Schule. Das Mädchen könne sich schwer ausdrücken. Es reagiere mit Verstimmungen, zeige eine schwache Lernmotivation und meine, sie könne nichts. Von der Mutter wolle sie sich zuhause nichts sagen lassen. Die Diagnostik zeigte eine Selbstwertproblematik bei einer durchschnittlichen Intelligenz.

Anamnestisch war zu erfahren, dass in der Schwangerschaft die Plazenta zu wenig durchblutet war. Es bestand die Gefahr, dass es zu einer Fehlgeburt hätte kommen können. Das Geburtsgewicht blieb unter der Norm. Das Baby war schwierig zu füttern, es nahm nur kleine Portionen an Nahrung zu sich und konnte wenig gestillt werden. Die Mutter sei damals verzweifelt gewesen.

Bei der Abklärung erfuhr ich von der Mutter die Geburtszeit des Mädchens. Nach der Sitzung konnte ich mich beim besten Willen nicht mehr erinnern, ob sich die angegebene Zeit auf den Mittag oder auf Mitternacht bezog. Ich schaute mir beide Varianten im Horoskop an. Bei der möglichen Tageszeit ist der Aszendent Steinbock mit einer Mond/ Neptun/ Uranus Konjunktion 5 Grad entfernt vom AC. Bei der Geburtszeit in der Nacht ist der Aszendent Löwe, die Konjunktion Mond/ Neptun fällt ins 5. Haus, was auch Löweterritorium ist. In Anbetracht der schwierigen Schwangerschaft mit der mangelnden Durchblutung der Plazenta glaubte ich an die erste Geburtszeit auf dem kargen Boden des Steinbocks. Die kraftvolle, spielerische Art des Löwen schien wenig zur Situation zu passen. Im Zeichen des Löwen gebären wäre ein Geschehen, das aus dem Vollen schöpft. Diese Fülle schien nicht zu einem zu kurz gekommenen Säugling zu passen. Steinbock dagegen schränkt ein, setzt Grenzen und ist als Geburtsanalogie in diesem Fall plausibel. Bei einer Nachfrage bei der Mutter stellte sich dieser Logik entsprechend heraus, dass die Steinbock Variante die richtige war.

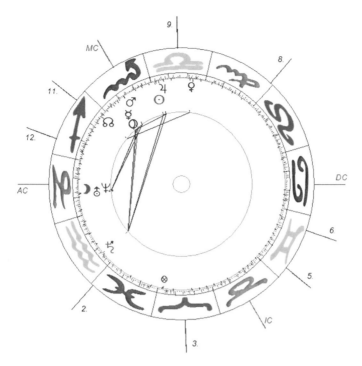

Der Aszendent ist Steinbock. Er leitet den 4. Quadranten im Tierkreis kardinal ein. Es geht dabei um Angelegenheiten, die nicht mit eigenen subjektiven Massstäben entwickelt werden wollen. Drei Archetypen sind bei der Geburt nur 5 Grad vom Aszendenten entfernt. Der Mond als Kindsymbol, der Neptun als Prinzip der Auflösung, Entgrenzung oder Verwirrung und Uranus, der für Veränderung und für das Individuelle steht. Den beiden geistigen Planeten geht es um Angelegenheiten losgelöst von subjektiven Wünschen. Der Mond allerdings vertritt das Anliegen im Sinne der 1. Phase des 2. seelischen Quadranten im Tierkreis, nämlich das „Seelische zu gebären". Passen Uranus und Neptun zum Mond? Zwar bilden alle Planeten eine Konjunktion, aber in welcher Qualität? Im Tierkreis ist Uranus ist die 2. fixe Phase im 4. Quadrant. Wie verhält er sich zur 1. kardinalen Phase des 2. Quadranten, wo der Mond zu Hause ist? Neptun und Uranus als Vertreter von Wassermann und Fisch kommen sich aufgrund ihrer unterschiedlichen Intention in die Quere.

Sie sind konflikthaft auf einander bezogen und übertragen diesen Konflikt in der gegebenen Konjunktion zwangsläufig auf den Mond. Uranus will konzentrierend zur wahren Eigenart führen. Neptun will auflösen, Mond will gebären und Steinbock will dazu einen kargen Boden zur Verfügung stellen. Mond / Neptun als Launenhaftigkeit und damit als Verstimmungsbereitschaft kann als ein Ausdruck der anfangs geschilderten Symptomatik des Mädchens aufgefasst werden. Dies prägt als Aszendent die Persönlichkeit des Mädchens. Der mangelnde Selbstwert (2. Haus) wiederspiegelt Saturn mit seinen Grenzsetzungen im 2. Haus. Das Mädchen drückte dies mit seinen Worten aus: „ich kann nichts".

Abgeleitet von der Symptomatik der Lernschwierigkeiten mit Leistungsschwankungen und schwacher Lernmotivation könnte man an eine Merkur Problematik denken. Merkur verarbeitet Information und ist Herrscher des Zeichens der Jungfrau. Die Lernhemmung, die Ausdruckshemmung könnte Ausdruck des grenzsetzenden Saturns sein. Ein Merkuraspekt zu Saturn in Spannung würde deshalb nicht überraschen. Tatsächlich liegt hier ein Quadrat beider Archetypen vor. Merkur ist im 10. Haus und liegt auf Skorpionboden. Saturn ist im 2. Haus und liegt auf Wassermannboden.

Wie immer in einem Horoskop gibt es neben herausfordernden Faktoren auch Ressourcen. Auffallend ist die starke Betonung des 9. und 10. Hauses mit 6 Archetypen. Das 10. Haus ist im Tierkreis Steinbock, sodass hier zusammen mit dem Aszendent dieses Zeichen eine besondere Bedeutung hat. Sämtliche Archetypen des Horoskops sind zudem eingebunden mit Mars, der am MC steht. Mit der Skorpionqualität des MC und Pluto, der dort auf Heimterritorium steht, können berufliche oder gesellschaftliche Aktivitäten über fixe Vorstellungen oder besser mit hartnäckigen Konzepten verwirklicht werden. Die Sonne ist zudem in einer Konjunktion mit Jupiter verbunden und könnte mit seinem Expansionsdrang ein Regulativ zu den betonten einengenden Steinbockfaktoren sein.

In der Psychotherapie arbeiteten wir unter anderem mit Imaginationsgeschichten, wie sie im Katathymen Bilderleben nach H. C. Leuner (1985), H. Maass (1981) und W. Krucker (1987) verwendet werden. In den beiden ersten Sitzungen passierte Folgendes:

Das Mädchen war in einem Märchenwald, so war die Vorgabe Es lief einem kleinen Dinosaurier hinterher. Unvermittelt fand sich das Mädchen aber plötzlich in der Luft und flog circa 1000 Meter über den Wald. Um die Patientin herum nahm sie kleine Vogeleier wahr. Kleine Vögelchen waren im Begriff, sich aus der Schale zu befreien. Schlussendlich gelang es ihnen auch, mit den Füssen aus der Eierschale heraus zu kommen. Die heraus geschlüpften Vögel blieben bei der Patientin. Auf Nachfrage des Mädchens gab ein junger Vogel zu verstehen, dass er unten auf der Erde nicht nur den kleinen Dinosaurier, sondern auch einen grossen Dinosaurier sehe. Allein sein Umfang des Auges betrage 45 cm. Das Vögelchen schwenkte mit seinen Flügeln Richtung Erde und gab an, auch gerne einmal so gross werden zu wollen wie der grosse Dinosaurier. Allerdings gewann die Patientin den Eindruck, dass dieses Ungetüm auch gefährlich für das Vögelchen werden könnte, da die Erde beim Gehen des Dinosauriers recht stark bebte. Die Patientin beschloss, die Sitzung war fast zu Ende, auf der Erde an einem sicheren Ort zu landen und für den kleinen Vogel besorgt sein zu wollen.

In der zweiten Sitzung kümmerte sich das Mädchen um Nahrung für den jungen Vogel. Es galt Würmer in der Erde zu suchen. Der Boden war aber trocken und steinig, so dass es eine Hacke brauchte, um Nahrung zu finden. Nachdem dies erfolgreich abgeschlossen war, fand sich ein kleines Teichbecken mit lauwarmen Wasser, wo die Patientin den kleinen Vogel waschen wollte. Der kleine Vogel fühlte sich dabei wohl, weil er schön durchgerubbelt wurde. Ganz am Schluss dieser Imagination tauchte unvermittelt eine Schildkröte mit einem Panzer auf. Dies sei das Lieblingstier der Patientin, meinte sie. Beim anschliessenden Zeichnen dieser Szene meinte unser Mädchen, die Zeichnung sei nicht so gut herausgekommen.

Diese Imagination kann einerseits psychologisch gedeutet werden. Es geht darum, aus dem Ei heraus auf die Welt zu gelangen und dort gefüttert und umsorgt zu werden. Unschwer kann dies als geburtsanaloges Geschehen aufgefasst werden. Dies steht mit der Erfahrung in Einklang, dass in Imaginationen eine psychische Entwicklung nachgeholt oder gefördert wird. Das Mädchen nimmt über das hier Erscheinende an der eigenen Entwicklung teil. Sie ist nicht Opfer, sondern aktive Gestalterin eines Geschehens in einem entwicklungsfördernden Prozesses. Sie beginnt damit ganz vorne bei der Geburt. Es ist nicht das erste Mal, dass ich mich gefragt habe, wer einem Patienten einen Prozess anbietet, der genau zum richtigen Zeitpunkt die richtigen Imaginationsbilder schickt, um eine richtige Entwicklung anzustossen? Die paradoxe Antwort lautet, das Unbewusste weiss mehr als das Bewusstsein. C. G. Jung würde sagen, das Wissen liegt im höheren Selbst. Würde man dem Mädchen sagen, dass das Geschehen geburtsanalog ist, würde sie dies vermutlich nicht verstehen und es ist auch nicht nötig, in diese Richtung Kommentare abzugeben.

Andererseits kann versucht werden, die Imagination astrologisch zu verstehen. Zeigen sich zur Imagination im Horoskop symbolische Entsprechungen? Ungewöhnlich und überraschend bei dieser Imagination ist auch nach langjähriger Erfahrung, dass das Mädchen in der Luft geflogen ist. Schon dieser Satz drückt die Uranusentsprechung des Ungewöhnlichen und dem unerwarteten schnellen Wechsel im Geschehen aus. Gemäss astrologischer Tradition sind Luftfahrt, Flugzeuge oder das Fliegen uranische symbolische Analogien, da schnelle Ortswechsel und damit neue Erfahrungen möglich werden. In unserer Geschichte ist die Geburt der Vögel Uranus betont durch das Fliegen, ist aber auch verkörpert im Vogel selbst. Das Kindsein, hier verkörpert durch die neugeborenen Vögel ist eine Mondentsprechung. Der harte Boden, der einer Hacke bedarf, kann mühelos als die Kargheit des Steinbock Prinzips beschrieben werden. Schlussendlich taucht die Schildkröte auf mit dem harten Panzer. Auch dieses Tier kann als Steinbock analoges Symbol aufgefasst werden. Das Spezifische bei diesem Tier ist der Panzer, der es von andern Tieren unterscheidet. Der Panzer setzt eine harte Grenze zwischen Organismus und Umwelt. Ihre Schwerfälligkeit und die Enge ihres Aktionsradius sind weitere Merkmale der Schildkröte. Ihre Struktur in der Grenzsetzung durch den Panzer ist im eigentlichen Sinn des Wortes verhärtet. Zugleich wird das Tier dadurch in seiner eigentlichen Natur geschützt. Eine weitere Aktivität in der Imagination beschreibt einen Teich und das Bad im Wasser. So wie Neptun in der Mythologie als Herrscher des Meeres beschrieben wurde, so ist der Herrscher des Wassers Neptun, den wir am Aszendenten unseres Horoskops wiederfinden. Mond/ Neptun Konjunktion kann eine träumerische Seite darstellen, wo der Realitätsbezug darunter leiden kann. Mond/ Uranus kann eine eigenwillig oder unkonventionell Qualität ausdrücken.

Die Imagination, die ohne psychologisches oder astrologisches Wissen unserer Patientin gestaltet wurde, zeigt von sich her die Archetypen Mond, Uranus, Neptun auf Steinbockboden, die eine geburtsanaloge Geschichte reinszenieren, genauso wie völlig unabhängig davon das Horoskop unserer Patientin die gleiche archetypische Konstellation am Aszendenten und damit bei der Geburt zeigt. Die Patientin ist mit diesen Überlegungen viel besser im Hinblick auf eine konstruktive Entwicklung des astrologischen und psychologischen Potentials zu verstehen.

In der zweiten Sitzung fiel auf, dass das Mädchen im Gegensatz zur Abklärungsphase viel kommunikativer war. Sie fragte schon auf dem Weg vom Wartezimmer ins Büro, ob der Therapeut beim Friseur gewesen sei, was der Fall gewesen war. Kaum war sie im Zimmer, erzählte sie von einem bevorstehenden Flötenkonzert, bei dem sie teilnehmen werde. Flötenspielen war ihr Hobby. Das Mädchen wollte wissen, wie bei verschiedenen Arten von Flöten beim Spielen vorzugehen sei, was ich natürlich nicht beantworten konnte.

Zu der Imagination fiel der Patientin folgendes ein: Die kleinen Vögelchen hätten eine dünne Haut. Aus diesem Grund blieben sie während der ganzen Imaginationszeit im Wasser und wärmten sich. Die Neptunqualität, sich im Wasser wohlzufühlen, fand somit nach der ersten Sitzung eine Fortführung. Das Mädchen überlegte, ob die Schildkröte eine Wasserschildkröte sein könnte. Dies war aber nicht der Fall. Auch die Steinbockqualität in Form der Panzerung blieb erhalten. Ergänzend dazu meinte das Mädchen, dass die Schildkröte ihr Lieblingstier sei. Sie war weiterhin besorgt um die Tiere und fütterte sie. Indem die Patientin über die imaginierten Tiere an deren Wachstum teilnahm, förderte sie damit ihr eigenes seelisches Wachstum.

In der dritten Sitzung fand sich das Mädchen wieder in der Luft. Sie ging mit der Schildkröte bis zum Ende der Welt. Überall in der Luft schwebten feste Platten in der Luft. Das Mädchen flog mit dem jungen Vogel von einer Plattform auf die andere und beide nahmen dort ein Mittagessen ein. Das Mädchen merkt dabei, dass ihr Körper zusammenschrumpfte und nur noch 25 cm gross war. Um die Plattform herum hatte es Häuschen mit Menschen, die dort wohnten. Das Mädchen fühlte sich in dieser Situation wohl. Auf Nachfrage zeigte sich aber, dass zwischen den Platten weiter unten eine schiefe Platte war. Man wäre tot, wenn man dort hinunterfallen würde. Das Mädchen wollte ein Haus besser kennenlernen und trat in ein Haus ein. Es war leer, kein Mensch war anzutreffen. Allerdings waren die Wände farbig angemalt.

Der unsichere Boden, auf dem sich das Mädchen befand, war ihr vertraut und erschien ihr nicht gefährlich. Körperlich entstand der Eindruck, nur 25 cm gross zu sein, was nicht einmal der Grösse eines Neugeborenen entspricht. Wie ist die Geborgenheit (Mond) beim Anblick des menschenleeren Hauses zu verstehen? Und was heisst eine Konjunktion Mond / Uranus, die am Aszendent steht? Nach C. Weiss (1992) ist Mond/ Uranus das Bedürfnis, originelle Wege als Kind zu gehen. Man ertrage äussere Zwänge schlecht und sei eigenwillig und wolle sich ganz selber sein.

In der nächsten Sitzung gehen das Mädchen und der kleine Vogel ein Stück weiter. Ein anderer kleiner Vogel zwitschert und schliesst sich an. Plötzlich merkt das Mädchen, dass der Vogel am Rande der Platte abgestürzt ist und dabei wahrscheinlich den Tod gefunden hat. Die Intervention bestand in der Frage, ob es möglich sei, dem Vogel zu helfen, ihn genau zu untersuchen oder andere geeigneten Massnahmen zu ergreifen. Das Mädchen kommt auf die Idee, mit einem imaginären Fallschirm von ihrer Platte auf den Boden zu fliegen. So wie es aussehe, könne dem Vogel geholfen werden, um die verschobenen Knochen wieder in Ordnung zu bringen.

Nach der Regression zeigte diese Stunde die Gefährlichkeit dieses Ortes und dieser Zeit, was über den jungen Vogel erfahren und wieder durch eigene Massnahmen in eine bessere Richtung gelenkt wurde. Das zuvor unbewusste Potential, in der Luft den eigenen Boden zu verlieren wurde real erfahren. Statt in der Rolle des Opfers zu verbleiben, hat da Mädchen die Möglichkeit aufgenommen an der eigenen Stabilisierung zu arbeiten.

Aus astrologischer Sicht ist zu sehen, dass Eigenwilligkeit (Uranus) und eine helfende, einfühlsame Komponente (Neptun) wichtig sind. Beide Archetypen sind in einem Sextil mit Merkur und Mars verbunden. Damit ist zu erwarten, dass beide Qualitäten über Kommunikation und Lernen (Merkur), aber auch über Tatkraft (Mars) zu erreichen sind. Beide Planeten stehen im 10. Haus nahe dem MC. und haben dadurch hat viel Energie.

In der folgenden Therapiestunde kümmerte sich das Mädchen weiterhin um das Wohlergehen des verunglückten Vogels. Dieser musste sich nach wie vor vom Unfall erholen. Gleichzeitig bemerkte das Mädchen, dass es wieder an Grösse zunahm und jetzt schon etwa 80 cm gross war. Mit dem kleinen Dinosaurier und der Schildkröte spazierte sie weiterauf einer Platte in der Luft. Sie hatte dabei ein gutes Gefühl Allerdings flogen jetzt über der Gruppe fünf grosse Adler, die gefährlich ausschauten. Die Adler schienen auf der Suche nach Beute zu sein, würden die Patientin aber kaum angreifen. Die Adler fragten die Patientin, wo es Würmer zum fressen gäbe.

Auch diese Stunde zeigte, dass trotz vorgängiger Bodenlandung die Uranus Qualität weiterhin wirksam ist. Wiederum hält sich das Mädchen in der Luft auf. Sie kümmert sich um die Verletzung des Vogels und es zeigt sich dabei ein Gewinn an Energie und Vitalität über die Adler. Die Regression wandelt sich bei der Körpergrösse in eine Progression um.

In der nächsten Sitzung konnte das Mädchen feststellen, dass sich der Vogel weiterhin auf dem Weg der Besserung befand. Er war unten auf dem Boden in seinem Gehege. Die Adler waren in der Zwischenzeit weitergeflogen. Auch das Mädchen fand sich jetzt auf dem Boden der Erde. Zum ersten Mal bemerkte es, dass es ihr hier auch wohl war. Sie fütterte den Vogel. Plötzlich bemerkte sie, dass ein Sturm aufkam und viele Bäume in der Nähe umgeknickt wurden. Das Mädchen und der Vogel wurden durch Baumstämme eingeschlossen. Jetzt blieb dem Mädchen, dem kleinen Dinosaurier und dem Vogel nur noch ein Ausweg. Sie mussten wegfliegen. Von oben in der Luft sahen sie unter sich viele Steine und Felsen. Die Gruppe landete bei einem kleinen Häuschen unten am Boden. Hier gab es keine Anzeichen eines Sturmes.

Das Wohlgefühl (Mond) wurde bald wieder aufgelöst und ersetzt durch den plötzlich auftretenden Sturm (Uranus), dem aber zu entkommen war mit wegfliegen (Uranus). Hier deutet sich an, dass ein Archetyp auf verschiedenen Ebenen gelebt werden kann, sei es durch eine passive Opferhaltung oder sei es wie jetzt neu durch eine eigene Problemlösung. Diese Konstellation um den AC ist naturgemäss eine basal gegebene Ausgangslage der Entwicklung. Bei einer Psychotherapie braucht es sinnvolle Interventionen, damit sich Patienten nicht im Kreis drehen. Hier war es der Vorschlag, sich um den verletzen Vogel zu kümmern und ihm zu neuem Leben zu verhelfen. Es kann nicht erwartetet werden, dass sich wie in diesem Fall eine schwierige Konstellation schnell löst. Therapeutische Interventionen können den AC nicht wegzaubern, sondern sollten ihn berücksichtigen. Es geht darum, adäquatere, reifere Verhaltensmöglichkeiten zu ergreifen, die auf einer stärker werdenden Persönlichkeit beruhen und wo die Qualitäten der betreffenden Archetypen reflektiert werden. Der Therapiebeginn zeigte insgesamt das Thema eines Anfangs einer Entwicklung. In der Imaginationsgeschichte waren die gleichen astrologischen Signaturen zu finden, die bei der eigenen Geburt der Patientin beim Aszendenten gegeben waren.

Psychosomatische Beschwerden in astrologischer und psychologischer Sicht

Ein gut dreizehnjähriger Junge litt nach einer Grippe an Bauchschmerzen, die sich über Wochen nicht mehr zurückgebildet haben. An einer Stelle rund um den Bauchnabel spürte er ein Druckgefühl und eine schmerzhafte Verkrampfung. Der Schmerz war immer an der genau gleichen Stelle spürbar und blieb dort unverändert stark. Eine medizinische Abklärung ergab keinen auffälligen Befund. In der Folge fehlte der Junge oft in der Schule. In der Anamnese zeigte sich weder in der Familie noch in der persönlichen Lebensgeschichte eine Belastung. Bei der Abklärung wirkte der Junge sehr freundlich, kooperativ angepasst und hinterliess einen eher aggressionsgehemmten Eindruck. Damit konnte eine erste Hypothese formuliert werden. Führte eine Verdrängung von aggressiven Impulsen zu den Bauchschmerzen?

Da die Eltern, die auf das aggressive Durchsetzungsvermögen des Jungen angesprochen wurden, dazu nichts Auffälliges zu erzählen wussten, schlug ich dem Jungen vor, die Bilder des Rorschach Tests anzuschauen. Auf der ersten und zweiten Tafel zeigten sich Hexen und normale Personen. Auf der dritten Tafel sah der Junge zwei Menschen, die einen Magneten auseinanderdrückten, obwohl sie aufeinander zu kommen wollten. Die vierte und fünfte Tafel waren unauffällig. Auf der sechsten Tafel konnte ein Drachen nicht fliegen, da er zu kurze Flügel habe. Auf der siebten Tafel war eine Frau auf eine andere Frau wütend. Beide beschimpften sich, weil nur eine Frau irgendetwas bekommen habe. Auf der achten Tafel veranstalteten zwei Elche einen Wettkampf. Auf der neunten Tafel spuckten sich zwei Drachen mit Feuer an. Schliesslich beschimpften sich kleine Tiere und stritten miteinander auf der letzten Tafel.

Entgegen den geschilderten Aussagen sowohl des Jungen als auch der Eltern zeigte sich damit, dass es hier nicht nur um einen konfliktlosen, angepassten und lieben Jungen ging. Vielmehr nahm er projizierend auf Andere eine Welt voller Energie, Konflikte, Wut und einen Wettkampf wahr. Ein Unvermögen, sich zu bewegen, wurde über den Drachen mit den zu kurzen Flügeln wahrgenommen. Streit, Wut, Wettkampf und Feuerspucken können problemlos als Mars Analogien interpretiert werden. Mit Erstaunen konnte zur Kenntnis genommen werden, wie die mitgeteilten Informationen der Familie mit den hier erfahrenen Daten auseinanderdrifteten. Es lag der Verdacht in der Luft, dass das Familiensystem gelernt hatte, einiges auszublenden.

In dieser Situation macht es Sinn, das Horoskop zu Rate zu ziehen. Die Hypothesen lauten: Wo steht Mars in welchem Zusammenhang? Wie zeigt sich eine eventuelle Aggressionshemmung, vielleicht als Mars / Saturn Verbindung? Wie stehen die Persönlichkeitsplaneten Sonne, Mond und Saturn, die zugleich Hinweise für die Eltern - Kind Beziehung zeigen? Wie erscheint das Köperhafte im Symbol des Saturns? Kann Mond / Krebs gemäss der astrologischen Tradition verstanden werden als Symbol der Magenregion? Ressourcenorientiert kann gefragt werden, wie zeigt sich die Lebensmotivation über den AC und den MC?

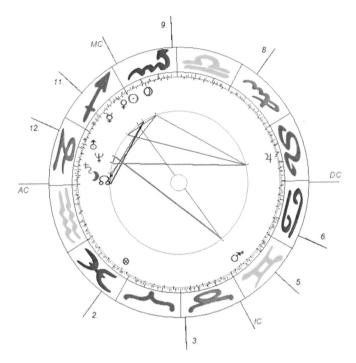

Das Horoskop zeigt folgendes: Es gibt eine auffallende Häufung der Planetenarchetypen im 4. Quadranten. Der Mars ist zwar im 4. Haus des Krebs in der kardinalen Phase des seelischen Bereichs und der Jupiter im 7. Haus auf der Begegnungsachse. Der Mars steht zudem in Opposition zur Sonne. Die Sonne steht am MC und ist konjugiert mit Venus. Übersetzt in die psychologische Sprache heissen diese astrologischen Symbole: Mein Ich (Sonne am MC) will nicht, was meine aggressive Durchsetzung (Mars) wünscht. Meine aggressive Durchsetzung opponiert gegen mein Bedürfnis, ausgleichend (Venus) mein Selbst (Sonne) als Entwicklungsziel (MC) zum Ausdruck zu bringen. Eine einleuchtende Hypothese heisst demnach: Der Junge selber und seine Eltern nahmen offenbar die harmonische, freundliche und energetisch stark gestellte Sonne / Venus Konjunktion in ihrem Lebensalltag wahr und blendeten den Marsarchetyp in der Opposition im Alltag aus. Er musste sich ein anders Ventil suchen, um seine Energie loszuwerden. Die Marsenergie trat als selbstdestruktiver Schmerz im Bauchweh, als projizierte aggressive Energie im Rorschach Test und als Eindruck einer Aggressionshemmung im Kontakt auf.

Zur nächsten Frage von Mond / Saturn. Im Horoskop sind Mond und Saturn konjugiert verschmolzen im 12. Haus. Übersetzt heisst das: Das Gefühl (Mond) verschmilzt mit einem strukturierenden, eingrenzenden (Saturn) Erleben und wird im Bereich des Rückzugs (12. Haus) manifest. Wenn Mond / Saturn historisch in der Astrologie als Entsprechung der Bauchregion und zugleich als Risiko für depressive Verstimmungen gilt, können wir formulieren: Das Leiden durch die Bauchschmerzen zeigt, dass aggressive Impulse in autoaggressives Erleben gewandelt wurde, das durch Rückzug der Empfindung (Mond 12. Haus) und den einengenden (Saturn) Druck begünstigt wurde. Die Marsenergie hat offenbar Mühe, sich genau im 4. Haus, jenem der familiären Hintergrundes zu manifestieren, weil dazu offenbar keine vernünftigen Ausdrucksmöglichkeiten vorgebahnt waren. Dazu kommt, dass der Mars in einem eineinhalb Quadrat von 135 Grad durch Saturn gebremst wird. Der Junge muss bildlich gesprochen mit angezogenen Bremsen fahren. Ein weiterer Faktor kommt dazu. Die Mond / Saturn Konjunktion liegt nur gut 5 Grad vom Aszendenten entfernt. Damit will sich diese Konstellation mit dem AC verwirklichen. Das Territorium, auf dem sich die Mond / Saturn Thematik abspielt, ist jenes vom Steinbock. Saturn wird hier energiemässig unterstützt, weil er als der Herrscher im eigenen Haus wirkt. Der Mond aber wird durch den Steinbockboden saturnisch beeinflusst und verliert damit an weicher Gefühlsqualität.

Wo sind die Ressourcen? Die Sonne am MC ist energetisch stark ausgestatte und ist konjugiert mit Venus. Damit könnte eine harmonische persönliche Ausstrahlung verbunden sein, die in einem zukünftigen Beruf eine positive Rolle spielen könnte. Voraussetzung ist das Finden einer Lösung für die aktuell verdrängte Marsenergie. Nach der astrologischen Huberschule liegt die Lösung eines Problems nicht am Ort des Konflikts, sondern auf der Achse, die 90 Grad von der Mars Konfliktachse entfernt liegt. In diesem Fall ist das die Achse Fisch/ Jungfrau mit den Häusern

2 / 8. Die Arbeit am Selbstwert und die Konzepte einer eigenen Weltanschauung könnten bei diesem Problem hilfreich sein. Auch hier wurde mit der Imaginationstherapie gearbeitet, bis sich die Symptomatik gebessert hatte. Eine Entsprechung der Symptomatik mit der astrologischen Signatur ist auch in diesem Beispiel gegeben.

Astrologische Familiendynamik und die fehlende Mutter

Ein sechsjähriger Junge wurde von seiner Grossmutter im Einverständnis mit der leiblichen Mutter zur Abklärung angemeldet. Die Erziehung des Kindes sei sehr schwierig. Der Junge sei ein „Wirbelwind", liesse sich wenig sagen und halte seine Umgebung dauernd auf Trab. Phasenweis waren Mutter und Grossmutter mit ihren Nerven am Ende. Die Eltern des Jungen hatten sich früh getrennt. Wegen einer Überforderung der Mutter lebte der Junge bei der Grossmutter. Seine auffälligsten Verhaltensweisen betrafen eine ausgeprägte Hyperaktivität und Impulsivität (Uranus). Er war oft aggressiv (Mars). Sein Vater (Sonne) hatte ihn früher oft geschlagen (Mars) und seine Mutter (Saturn, Mond) entzog sich (Neptun) ihrer Erziehungsaufgaben (Saturn) und überliess das Kind der Grossmutter. In diesem Beispiel ist durch den Zusammenhang der Familienkonstellation zu dem auffälligen Verhalten sogar eine Hypothesen möglich, welche die Art der Planetenverbindungen betreffen. Die Schläge des Vaters lassen daran denken, ob der Sonnen- und der Mars- Archetyp mit einem Aspekt verbunden sein könnten und zwar in einem spannungsbetonten. Die Auflösung (Neptun) der mütterlichen Erziehungsaufgaben (Saturn) könnte sich ebenfalls in einem direkten Aspekt beider Planeten zeigen, der spannungsbetont ist. Dass der Junge bei der Grossmutter platziert wurde, ist hier ein weiterer Faktor. Das Kind (Mond) und die Erziehung (Saturn) stehen in einem Verhältnis, das als astrologische Konstellation schwieriger in einer Hypothese zu formulieren ist. Mond meint das Kind, eine Grundstimmung, das Wohlsein, die Launenhaftigkeit oder die Betreuung. Saturn in diesem Zusammenhang meint Erziehung, weil sie grenzsetzend ist, weil sie Struktur vermittelt, weil sie äussere Leitlinien vorgibt, an die sich ein Kind halten muss und weil dabei auch Frustration auftritt. E. Sullivan (1997) beschreibt astrologische Familiendynamik und meint beispielsweise zu Mond/Saturn Aspekten, dass dies nicht heissen muss, eine kalte Mutter zu haben, aber dass damit Menschen angezogen werden, die den emotionalen Ton der Beziehung bestimmen.

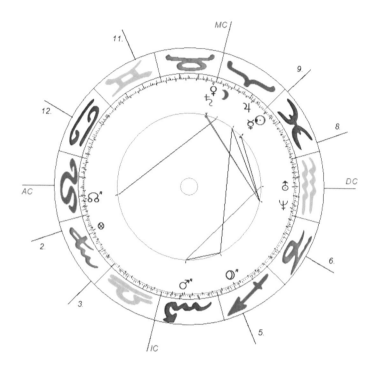

Erstellt mit Astroplus, © 2000-2007 by Astrocontact, Linz

Die Prüfung der Positionen der einzelnen Archetypen im Horoskop zeigt folgendes: Der Uranus liegt genau auf dem Deszenten. Alles, was dem Jungen begegnet, verarbeitet er durch den Filter des Uranus. Das heisst, es hat die Qualität der plötzlichen Veränderung, der Unruhe und des Impulsiven, der nervösen Anspannung, des Eigenwilligen und Unerwarteten. Die Qualität und die Platzierung für Uranus sind hier sehr stimmig, allerdings nicht zwingend. Es wäre denkbar, dass Uranus in der Nähe des Aszendenten liegen könnte. Hier sehen wir einen Löwenaszendenten, der sich in Szene setzen will und seine Lebenskraft im Sinne der zweiten fixen Phase im seelischen Bereich löwenhaft zur Darstellung bringt. Die

Sonne ist tatsächlich direkt in einem Spannungsaspekt mit Mars verbunden. Beide Archetypen benutzen zur Darstellung die Häuser 8 und 4. Die Sonne sagt symbolisch: ich agiere auf dem Territorium des Skorpion, wo es um Macht oder um tiefe Veränderungen in den Konzepten der Vorstellung geht, wenn ich auch vom Zeichen Fisch her geprägt vorgehe. Mars im 4. Haus ist familienbetont. Es geht ihm hier um Aktivitäten, die im Sinne der ersten impulshaften Phase des 2. Quadranten seelische Erscheinungen ins Leben bringen will. Pluto, der Machtfaktor, der auch Gewalt symbolisiert, ist ebenfalls in diesem 4. Haus des familiären Ursprungs zu finden. Auch Chiron, der verletzte innere Heiler, ist hier platziert.

Saturn und Neptun sind ebenfalls in einem Spannungsaspekt direkt miteinander verbunden. Auch das ist eine stimmige Konstellation. Eine fixe Struktur kann damit aufgelöst werden. Die spezielle Frage mit dem Mond zeigt sich unerwartet in einer Konjunktion von Mond, Saturn und Venus und das am höchsten Punkt am MC. Eine Konjunktion von Saturn und Mond könnte heissen: die Gefühle sind verschmolzen mit einer grenzsetzenden Struktur. Das sind zwei Prinzipien, die sich nicht gut vertragen. Um nicht den Eindruck zu erwecken, hier mit zurechtgestutzten Deutungen zu arbeiten, kann C. Weiss (1994) befragt werden. Er meint zur Konjunktion Mond / Saturn: „Die Gefühle in der Kindheit stiessen auf Kühle oder Ablehnung. Die Eltern waren nicht fähig ihre Zuneigung in Gefühlen auszudrücken. Möglicherweise fehlte in der Erziehung eine Mutterfigur". Venus ist ebenfalls mit Saturn in Konjunktion. C. Weiss meint, dass mit dieser Konstellation eine Beziehungsunsicherheit verbunden sei. Man fürchte sich vor Zurückweisung und habe Angst, die eigenen Gefühle zu zeigen. Andererseits sei man in der Lage eine Beziehung zu führen, auch wenn gewisse Schwierigkeiten damit verbunden seien. Man fühle sich möglicherweise von älteren Personen angezogen, wenn diese mehr Verantwortungsgefühl zeigen als jüngere Menschen. Die Verbindung von Venus und Mond mache weich und gefühlsvoll. So ist in diesem Beispiel die Betreuung durch die Grossmutter stimmig mit der Signatur.

Diese astrologische Struktur findet somit eine Wiederspiegelung in der Lebensgeschichte. Selbst die Mond / Pluto Verbindung zu Haus 4 macht hier Sinn und wiederspiegelt die häusliche Gewalt. Die therapeutische

Begleitung hatte hier vor allem eine stützende Funktion. Die Grossmutter war oft am Rand ihrer Kräfte. Diagnostisch war es schwierig zwischen Bindungsstörung und einem ADHS zu unterscheiden. Der Gedanke tauchte auf, dass es in einem späteren Alter des Jungen nötig werden könnte, eine Platzierung in einem Schulheim ins Auge zu fassen.

Ein Junge mit Schulproblemen, Verstimmungen und sozialen Schwierigkeiten

Ein Junge in der Grundschule wurde für eine Abklärung angemeldet. Er habe Wahrnehmungsprobleme, Konzentrationsschwierigkeiten und brauche länger, bis er den Schulstoff begriffen habe. Anamnestisch gab seine Mutter an, dass sie in der Schwangerschaft viel Ärger gehabt habe, weil ein eigenes Geschäft der Eltern nicht optimal funktioniert habe. Sie fragte sich, ob das einen negativen Einfluss auf das Ungeborene gehabt haben könnte. Zur Symptomatik wusste sie zu berichten, dass der Junge in der Schule sehr unkonzentriert und unruhig sei. Seine Frustrationstoleranz sei klein. Andere Kinder würden mit ihm streiten oder ihn ausschliessen. Darauf reagiere er wütend, komme heim und drangsaliere die Mutter mit seiner Wut. Er schlage die Türe zu oder sei beleidigt. Ebenfalls sei sein Selbstwertgefühl vermindert.

Folgende Hypothesen fallen zu dieser Fragestellung ein: Die Unruhe und Unkonzentriertheit kann mit Uranus in Verbindung stehen. Zusammen mit dem Mond könnte das die mangelnde Frustrationstoleranz anzeigen. Das damit verbundene mangelhafte Selbstwertgefühl kann eine Sonne in Spannung oder eine Spannung in Haus 2 anzeigen.

Bei diesem Beispiel wird das Deutungsschema für ein Horoskop systematisch nach H.P. Hadry dargestellt.

1. In welchem Zeichen steht der Aszendent? Im Skorpion. Damit will die gegebene Anlage will die geistigen Vorstellungsbilder fixieren.

2. In welchem Haus steht der Herrscher des Skorpions und welche Aspekte hat er? Der Herrscher ist Pluto und er steht im 2. Haus. Er ist in einem Eineinhalbquadrat verbunden mit Mars. Pluto agiert

deshalb auf dem Feld 2 der Sicherung der materiellen Welt oder hier dem Alter entsprechend eher auf dem Feld des Selbstwertes. Pluto übt Macht aus über den Mechanismus der Abgrenzung.

3. Gibt es Planeten in Haus 1? Nein

4. In welchem Haus steht die Sonne? Sie ist im 8. Haus. Die Umsetzung der Anlage, nämlich die Fixierung von geistigen Vorstellungsbilder erfolgt über die Sonne im Territorium des 8. Hauses. Dort, wo geistige Vorstellungsbilder besonders gut verwirklicht werden können. Die Identitätsbildung über die Sonne verfolgt damit ein Ziel, das im Aszendent schon vorgegeben ist. Übersetzt in die kindliche Sprache könnte diese Konstellation heissen: es muss so laufen wie ich es will.

5. In welchem Zeichen steht die Sonne? Sie ist im Krebs. Krebs ist im Tierkreis das erste kardinale Zeichen des 2. seelischen Quadranten und will damit seelische Äusserungen oder Empfindungen ermöglichen.

Obiges Motto könnte ergänzt werden: es muss so laufen wie ich will, damit ich etwas spüre.

6. Welches Haus schneidet das Löwezeichen an? Das Löwezeichen ist von Krebs und Jungfrau eingeschlossen und schneidet damit kein Haus an. Dies ist ein Spezialfall und heisst, dass das Löweterritorium energetisch weniger stark besetzte Ereignisse ermöglichen kann.

7. Welche Aspekte bildet die Sonne? Sie ist mit Saturn konjugiert. Gemäss dem Familienmodell nach B. und L. Huber haben sich der Väterliche und der Mütterliche Archetyp zu einer Einheit vereinigt mit dem Ergebnis, dass die männliche Identität eine Verbindung mit dem strukturgebenden oder sogar grenzsetzenden weiblichen Anteil eingegangen ist. Ob die gemeinsamen Sorgen wegen des Geschäfts während der Schwangerschaft dazu beigetragen haben, wäre wohl etwas gewagt zu behaupten. Zwar ist die Sonne noch im 8. Haus, wo Stirb und Werde Prozesse möglich sind. Saturn ist aber bereits im 9. Haus. Jupiter im Sextil zur Sonne unterstützt sie durch einen Wachstumsimpuls. Das Halbsextil der Sonne zu Venus und ein Trigon zu Uranus ermöglichen Ausgleich und Erneuerung.

8. Welcher Planet ist der Herrscher des Hauses, in dem die Sonne steht. Das Haus ist angeschnitten vom Zwilling. Sein Herrscher ist der Merkur. Die Umsetzung der Anlage über die Sonne wird unterstützt vom Merkur. Dieser Archetyp will Informationen verarbeiten, und lernen. Lernen steht damit im Dienste der Fixierung der geistigen Vorstellungsbilder.

9. Welches Zeichen steht am MC? Dies ist die Jungfrau. Im Tierkreis ist es das Zeichen, das seelische Empfindung zur Funktion bringt. Es geht um die Anpassung an der Umwelt.

10. Wo steht der Herrscherplanet von Jungfrau? Der Herrscher der Jungfrau ist Merkur. Er steht im 9.Haus. Er ermöglicht auf dem Boden des 9. Hauses ein Lernen, das Schütze betont ist und Erkenntnisgewinn anstrebt.

11. Welche Aspekte hat der Herrscherplanet? Merkur bildet eine Opposition zu Mond. Das heisst Lernen und Gefühle vertragen sich nicht

gut. Ein Halbquadrat von Merkur zu Venus und Jupiter heisst, dass Lernen ist eine Herausforderung ist. Der erkenntnisinteressierte Jupiter verträgt sich auch nicht gut mit dem faktensammelnden Merkur. Auch der verletzte Chiron steht in Opposition zu Merkur.

12. Gibt es Planeten im 10. Haus? Nur Jupiter. Dieser Archetyp sucht Erkenntnis und kommt durch sein Eineinhalbquadrat zum Mond ebenfalls in Konflikt zur Gefühlswelt des Kindes und durch das Halbquadrat zu Merkur unter Stress.

Uranus steht damit tatsächlich energetisch an exponierter Stellung. Ebenfalls ist der Gefühlsbereich deutlich unter Spannung mit einer Opposition und zwei Eineinhalbquadraten. Die Sonne (der Vater, das identifizierte Selbst) ist ernst (Saturn) verstimmt (Gefühlszeichen Krebs) und agiert möglicherweise mit Krisen (8. Haus)

Ressourcen: Uranus am IC ist stark gestellt und ist in Opposition zum MC. Die Hyperaktivität des Jungen kommt damit aus der Tiefe und ist mit zu erreichenden Zielen in Opposition. Das Gegenüber im Kontakt wird mit der „Stier Brille" wahrgenommen. Venus als Vertreter des Stierprinzips ist ebenfalls im 7. Haus platziert. Begegnung will als harmonisch erlebt werden. Eigene Anliegen werden vielleicht über passiven Widerstand erreicht. Abgrenzungsmöglichkeiten von den Eltern können sinnvoll sein, um das eigene Territorium auch im Kontaktverhalten zu verteidigen.

Verlauf: Einen wichtigen Teil der Behandlung war die störungsspezifische Beratung der Eltern. Wie oft bei Kindern mit einem ADHS brauchten sie viel Geduld und Energie und Unterstützung, um mit dem Sohn umzugehen. Der Junge brauchte länger als andere Klassenkollegen bis er den Schulstoff intus hatte. Wir haben seine sozialen Konflikte mit den Kollegen besprochen und adäquatere Verhaltensmöglichkeiten gesucht. Was besonders für die Eltern im Zentrum stand, war die Kränkbarkeit des Jungen, der bei kleinen Auslösern seine Wut zeigte. Insofern ging es auch um einen Aufbau des Selbstwertgefühls mit der Förderung von Ressourcen. Der Vater erinnerte sich, dass er während seiner Schulzeit ähnliche Probleme wie der Sohn gehabt habe und gab deshalb acht auf seine eigene Tendenz zur Impulsivität. Ebenfalls war die Lehrerin bereit, den Jungen mit seinen Schwächen zu unterstützen. Hier ist der Zusammenhang der astrologischen Struktur mit der Symptomatik teilweise durch die Spannung der Gefühlswelt und die starke Stellung des Uranus gegeben.

Zeit und Horoskop

Die Bestimmung der Zeitqualität mit dem Siebener-Rhythmus nach Wolfgang Döbereiner

Es gibt Methoden, die aufzeigen, welche Archetypen zu welchem Zeitpunkt im Leben des Menschen aktiv bestimmend sind. Die eine Möglichkeit bietet der Siebener- Rhythmus nach Wolfgang Döbereiner. Ich stütze mich auf eine gut strukturierte Zusammenfassung dieses Themas von C. Keidel- Joura (2005). Frank Glahn hat in den zwanziger Jahren des letzten Jahrhunderts die Idee formuliert, dass ein imaginärer Alterspunkt jedes astrologische Haus in sieben Jahren im Gegenuhrzeigersinn und im Uhrzeigersinn durchwandert. Ausgangspunkt war der 0 Grad Widderpunkt. Glahn nahm an, dass im Uhrzeigersinn eher äussere Ereignisse und das Schicksal zum Ausdruck kommen. Im Gegenuhrzeigersinn komme demgegenüber die persönliche Entwicklung zum Ausdruck. Glahns Schüler R. Engelhardt modifizierte dieses Vorgehen damit, dass der Beginn des zeitlichen Durchlaufs beim Aszendenten lag.

W. Döbereiner ergänzte das System so, dass ein imaginärer Alterspunkt ausgehend vom Aszendenten im Uhrzeigersinn jedes der 12 Häuser in 7 Jahren durchwandert, um nach 84 Jahren wieder den Aszendenten zu treffen. Dazu wird das Häusersystem nach Placidus verwendet. Das durchgewanderte Haus wird, vom Planeten regiert wird, der dem Zeichen entspricht, das an der betreffenden Häuserspitze steht. Dieser Planet wird Phasenherrscher genannt. Der Phasenherrscher kann direkt oder über Aspekte ausgelöst werden. Ein ausgelöster Planet setzt sein eigenes Zeichen und das Haus in Schwingung, das von diesem Zeichen angeschnitten wird. Nach den Erfahrungen von C. Keidel-Jouras sei es aber so, dass in jeder Sieben-Jahres Phase alle Planeten ausgelöst werden.

Die Regeln von C. Keidel-Joura lauten zusammengefasst:

Zwischen 0 und 7 Jahren wird das 12. Haus im Uhrzeigersinn ausgehend vom Aszendenten durchlaufen. Es wird vom Aszendenten und seinem Herrscherplaneten dominiert.

Zwischen 8 und 14 Jahre wird das 11. Haus durchlaufen und es wird vom Herrscher des Zeichens dominiert, welches das 11. Haus anschneidet. Dies gilt analog für den ganzen Tierkreis.

Jeder Planet kommt innerhalb der Siebenjahresperiode einmal zur Auslösung, unabhängig davon, wo er im Horoskop steht. Wann er ausgelöst wird, muss ausgerechnet werden. Nehmen wir beispielsweise an, ein Haus hätte die Grösse von 35 Grad. Der Mond würde auf 30 Grad stehen. Dann lautet der Dreisatz: für 35 Grad Durchlauf braucht es 7 Jahre. Für 30 Grad braucht es X, das heisst, der Mond wird mit 6 Jahren ausgelöst. Diese 6 Jahre werden dem Beginn des jeweils zur Diskussion stehenden Zeitabschnitts dazugerechnet. Zum Beispiel in der Zeitperiode vom 14-21 Altersjahr wäre das 14 plus 6 gleich 20. Der Mond wird also mit 20 Jahren ausgelöst. Sind andere Häuser je nach Altersabschnitt in der Grösse verschieden, so ändert sich dieser Wert. Für die übrigen Planeten gilt das analoge Vorgehen. Diese Berechnung wird zu Glück von einigen Astrosoftwareprogrammen geleistet.

Es macht Sinn eine Skala anzufertigen, wo auf der Strecke von null bis sieben Jahre festgehalten wird, welcher Planet zu welchem Zeitpunkt auf dieser Linie zu stehen kommt.

Wird ein Planet alle sieben Jahre ausgelöst, so setzt er sein eigenes Zeichen im Uhrzeichensinn in Schwingung. Er aktiviert es. Der Herrscher des 1. Hauses löst dabei das 12 .Haus aus. Der Herrscher des 12. Hauses aktiviert das 11. Haus und so weiter bis sich der Kreis schliesst.

Eine zusätzliche Auslösung geschieht über die Transportauslösung. Der betroffene Planet transportiert die Inhalte des eigenen Hauses, das heisst auch andere Planeten, in das ausgelöste Haus hinein.

Besonders deutlich wirken Planeten, wenn der Alterspunkt direkt über sie läuft.

Auslösungen haben einen Spielraum von circa vier Monaten vor und nach dem direkten Übergang des Alterspunkt über entsprechende Archetypen.

Dieser Siebener Rhythmus ausgehend vom Aszendenten im Uhrzeigersinn beschreibt, wie das Schicksal sich fügt. Der andere Siebener Rhythmus im Gegenuhrzeigersinn, auch Gegenrhythmus genannt, beschreibt die innere Entwicklung des Menschen mit individuellen Themen und durchwandert anfangs so sinngemäss den 1. Quadranten.

Auch im Gegenrhythmus kommen alle Planeten alle sieben Jahre zur Auslösung. Der ausgelöste Planet setzt sein eigens Zeichen in Schwingung. Durch das ausgelöste Zeichen wird das Haus in Schwingung versetzt, das in diesem Zeichen beginnt. Auch hier kann es zu Transportauslösungen kommen. Im inneren Rhythmus zeigen sich oft Ereignisse aus dem familiären Umfeld, Veränderungen in Liebesbeziehungen, Krankheiten oder berufliche Änderungen aus innerem Antrieb.

Die Geburtszeitkorrektur nach W. Döbereiner

Die Geburtszeitkorrektur ist ein wichtiger Faktor, um die Stimmigkeit von Horoskopen zu beurteilen. Sie ist mit verschiedenen Methoden zu bewerkstelligen, so mit dem Alterspunkt nach W. Döbereiner oder B. Huber oder anhand anderer Techniken wie beispielsweise der Direktionen. Prinzipiell geht es darum zu prüfen, welche Lebensereignisse zu einem bestimmten Zeitpunkunkt aktuell waren und ob zu diesem Zeitpunkt Auslösung im Horoskop wirksam sind, die den Lebensereignissen symbolisch entsprechen.

Nach der Auffassung der Geburtszeitkorrektur nach W. Döbereiner gibt es auffällige Parallelen von Ereignissen in jeder Siebenjahresperiode, weil alle sieben Jahre alle Planeten ausgelöst werden. Jede Uranus Auslösung beispielsweise wiederholt sich in einer nächsten Siebenjahresperiode und löst uranisch geprägte Lebensqualitäten aus. Dadurch ergibt sich ein Lebensrhythmus. Nach Keidel-Joura sind derartige Parallelen Gesetzmässigkeiten, die sich in jedem Horoskop wiederfinden. Sollten sich im Horoskop keine inhaltlichen oder zeitlichen Übereinstimmungen zeigen, stimme die angegebene Uhrzeit nicht. Sie kann dann einige Minuten vor oder zurückgedreht werden, um zu beurteilen, ob dies besser zu den Auslösungen passt. Bei der Erstellung des Geburtshoroskops spielt bis zu 10 Minuten Ungenauigkeit bezüglich Geburtszeit keine entscheidende Rolle. Das Radix bleibt fast das gleiche. Bezogen auf den Siebener Rhythmus bei der Alterskorrektur kann dies aber einen Planeten bis zu einem Jahr später auslösen, was nicht mehr stimmig ist. Das Vorgehen für eine Horoskopkorrektur liegt in folgenden Schritten:

Die zehn emotional wichtigsten und persönlichen Erlebnisse im Lebenslauf eines Menschen werden zeitlich datiert. Dazu können der Wegzug vom Elternhaus, ein Hausbau, die Geburt von eigenen Kindern oder Operationen gehören.

Bei diesen Lebensdaten wird das zugehörige Lebensalter ermittelt und gemäss dem Siebenerrhythmus aufgeschlüsselt. Wenn beispielsweise ein wichtiges Ereignis mit 36,5 Jahren stattfand, geschah dies nach der 5.Lebensphase von 7 Jahren (=35 Jahre) und 1,5 Jahren auf einer Siebenerskala. Die Auslösung wird mit 1,5 Jahren festgehalten.

Nun wird diese ermittelte Ereigniszeit auf einer Linie, die von 0 bis 7 Jahren reicht, unter der Linie markiert. C. Keidel-Joura setzt an dieser Stelle ein sinngemässes Symbol. Für Liebesangelegenheiten dient ein Herz, für eine Geburt ein Stern, bei Todesfällen ein Kreuz.

Oberhalb dieser Linie werden nun die Auslösungszeiten aller Planeten gemäss dem Siebenerrhythmus notiert, die vom Astroprogramm ausgerechnet wurden.

Jetzt wird geprüft, ob die Auslösungsdaten oberhalb der Linie mit denen der persönlichen Erfahrungsdaten unterhalb dieser Linie sowohl zeitlich wie inhaltlich übereinstimmen. Dazu muss man die symbolische Entsprechung erschliessen.

Wenn beide Kriterien übereinstimmen, ist das Horoskop stimmig. Wenn Auslösungen und die Daten der Lebenserfahrung gegeneinander verschoben sind, muss das Horoskop korrigiert werden. Natürlich können nur die Auslösungen, nicht aber die gegebenen Lebensdaten korrigiert werden

Müssen die Auslösungen der Planeten „später" das heisst in Richtung rechts auf der Linie von 0 bis 7 Jahren zu liegen kommen, muss die Geburtszeit ebenfalls später als ursprünglich angenommen erfolgt sein. Soll die Auslösung der Planeten früher, nach links verschoben erfolgen, so muss die Geburt früher erfolgt sein. Einige Auswertungsprogramme haben eine spezielle Funktion dazu, mit welcher die Geburtszeit schnell verändert werden kann. Wenn zum Beispiel die Geburtszeit um 5 Minuten verändert wird, ergibt sich schon eine Veränderung im Siebenerrhythmus von ca. 3 Monaten, eine Veränderung von 15 Minuten ergibt eine Veränderung des Rhythmus von ca. 8- 12 Monaten. Mit wenigen Versuchen sollte es so gelingen, die Geburtszeit stimmig festzulegen.

Wenn ein bedeutendes Ereignis im Gegensatz zu andern Ereignissen bei einem sonst stimmigen Horoskop aus dem Rahmen fällt und nicht eingeordnet werden kann, kann jetzt der innere Rhythmus im Gegenuhrzeigersinn angewendet werden. Das Vorgehen ist analog obiger Beschreibung.

Die Bestimmung der Zeitqualität mit dem Sechser-Rhythmus nach Bruno und Louise Huber

Dieser Alterspunkt wurde Ende der Fünfziger Jahre des vorherigen Jahrhunderts am Institut für Psychosynthese in Florenz bei Roberto Assagioli erforscht. Die Entdeckungen von Huber (1990) seien anhand von zahlreichen Fallstudien „atemberaubend" gewesen. Ein imaginärer Alterspunkt AP habe mit dem Häusersystem nach Koch ein Horoskop durch alle 12 Häuser im Uhrzeigersinn in 72 Jahren durchwandert. Das war neu, da die bisherigen Prognosemethoden sich nur auf einzelne Zeitabschnitte beschränkt hatten. Wichtig ist, dass der Alterspunkt keine Ereignisse anzeige, sondern die Art der psychischen Grundstimmung, die im Leben aktive oder passive Phasen aufweise. Die Altersprogression zeige damit eine Entwicklungslinie. Jedes Haus wird vom AP in sechs Jahren durchlaufen, unabhängig ob es gross oder klein ist. Beim Übergang des AP über einen Planeten im Radix wird die Energie dieses Archetyps ins Zentrum des Bewusstseins des Betreffenden gerückt. Laufe der AP durch ein Haus, wird die Qualität dieses Hauses aktiviert. Präzise Aussagen lassen sich mit dem AP laut Huber nur mit dem Häusersystem nach Koch machen. Der 6er Rhythmus habe für Huber im Gegensatz zu dem 7er Rhythmus bessere Ergebnisse gezeigt, nachdem beide Rhythmen ausprobiert worden seien. Es komme hinzu, dass die Zahl 6 mit der kosmischen Zahl 72 eng verbunden ist. Die Zahl 6 erlaube eine Zwei-, Drei-, Vier-, eine Sechs- und eine Zwölfteilung des Kreises. Der Kreis von 360 Grad könne dagegen nicht durch sieben geteilt werden. Die Zahl 7 lasse sich astronomisch nur von einem einzigen Planeten, nämlich von Uranusumlauf ableiten. Ein Siebener-Rhythmus weise keine raum- und zeiteinteilende Funktion für ein ganzes Menschenlebens auf. Betreffend der Zahl sechs führt Huber dagegen noch andere Entsprechungen im Kosmos und beim Menschen an. Beispielsweise schlägt ein gesundes Herz durchschnittlich zweiundsiebzigmal in der Minute. Oder der Frühlingspunkt schreitet in 72 Jahre um 1 Grad fort. Wird die Zahl 72 durch 4 geteilt erhält man die Grösse eines Quadranten, der 18 Jahre umfasst. Wird 72 durch 12 geteilt erhält man die 6 Jahre, die Huber einem Haus für den AP Durchlauf zuspricht.

Der AP durchwandert ein Zeichen in drei bis zwölf Jahren, in einem kleinen Haus langsamer, in einem grossen Haus schneller. Je langsamer der AP läuft, desto tiefer prägt sich seine Wirkung ein. Wenn der AP einen Zeichenwechsel durchquert, kommt es zu einer Sinnes- oder Temperamentsänderung, die auch unbewusst bleiben kann. Ebenfalls kommt es zu Veränderungen, wenn der AP von einem Temperament wie Feuer, Erde, Luft und Wasser ins andere Temperament wechselt. Das gleiche gilt von einem Kreuz sei es kardinal, fix oder veränderlich. Wenn beispielsweise der AP vom Krebs in den Löwen wandert, wird bildlich gesprochen Wasser ins Feuer gegossen, das heisst eine aktive Leistung wird herausgefordert. Läuft der AP durch die fixen Zeichen, verspürt der Betroffene eine Tendenz zur Beharrung und Festigung seiner Situation.

Der Alterspunkt hat den Vorteil, dass er sofort im Horoskop bestimmt werden kann. Es ist ersichtlich in welchem Quadranten, in welchem Zeichen und in welchem Haus er steht. Dabei wird klar, welche Entwicklungsaufgaben anstehen und wie mögliche Lösungen aussehen könnten. Neben der Konjunktion ist die Opposition ein wichtiger Aspekt. Oft haben beide Aspekte eine Wirkungsdauer von einem Jahr. Die Wirkung des AP beginnt schon beim Eintritt in das Zeichen. Die Wirkung verstärkt sich mit der Annäherung an den Radixplaneten und erreicht beim Überschreiten der Aspektstelle ihren Höhepunkt. Ein deutliches Abklingen ist spätestens nach zwei bis drei Monaten festzustellen. Gemäss Huber wird eine ganze Aspektfigur „angezündet", wenn der AP auf einen Planeten triff, der in eine Aspektfigur eingebunden ist.

Beim Alterspunkt wird nicht nur der direkte Übergang über die Radixplaneten beachtet, sondern auch Aspekte, die der Alterspunkt zu den Archetypen des Radix wirft. Auch hier gilt es zu beachten, dass nicht Ereignisse, sondern die subjektiven Erlebnisse des Menschen durch den AP angezeigt werden. Neben der Konjunktion ist die Opposition ein Primäraspekt, den der AP zu einem Radixplanet werfen kann. Bei der Deutung klärt Huber erst, in welchen Haus und Zeichen der AP ist und in welchem Bereich nämlich Anfang, Mitte oder Ende das der Fall ist. Ist der AP unter oder über der Horizontlinie und in welchem Quadranten steht er? Legt der AP eine Konjunktion, Opposition oder ein Quadrat zu einem Radixplaneten, ist das Ausdruck einer Dynamik und Vitalität. Sextile und Trigone aktivieren Potentiale, die bisher latent waren. Halbsextile und Quincunx machen sensitiv und aufnahmebereit für neue Gedanken.

Der AP aktiviert beim Durchlaufen eines Hauses von 6 Jahren drei Abschnitte. Die intensivste Phase reicht von der Häuserspitze bis zum sogenannten Invertpunkt. Der AP braucht dazu 2 Jahre, 3 Monate und 15 Tage. Dies entspricht der kardinalen Phase, wo Energien gut in der Aussenwelt umgesetzt werden können. Von der Häuserspitze bis zum sogenannten Talpunkt braucht der AP 3 Jahre, 8 Monate und 15 Tage. Am Invertpunkt werden die archetypischen Energien adäquat organisiert, sodass Projekte und Ziele jetzt verwirklicht werden können. Die Zeit vom Invertpunkt bis zum Talpunkt entspricht der fixen Phase, wo es zu einer Bremswirkung kommt. Vom Talpunkt bis zur nächsten Häuserspitze vergehen wieder 2 Jahre, 3 Monate und 15 Tage. Dies entspricht der veränderlichen Phase. Am Talpunkt sind die Energien nach innen gerichtet. Im veränderlichen Bereich kommt es oft zu einer Neuorientierung oder Änderung des betreffenden Menschen. Die Zahlenverhältnisse widerspiegeln den goldenen Schnitt.

Die Wirkung eines Talpunktdurchlaufes in einem Haus setzt nach Huber bis zu acht Monaten vorher ein und dauert bis zu vier Monaten nach passieren des Talpunkts. Wie gesagt, werde der AP vorwiegend durch psychische Entwicklungsprozesse und selten durch äussere Geschehnisse ausgelöst. Huber illustriert das Konzept des Alterspunkt am Beispiel des Lebenslaufs von C. G. Jung.

Die Aktivierung der Zeitqualität durch Transite

Neben den Alterspunkten sind die Transite eine weitere Möglichkeit, die Zeitqualität astrologisch zu bestimmen und dies auch zur Beurteilung der Stimmigkeit eines Horoskops zu benutzen. Die folgenden Ausführungen beziehen sich auf M. D. March und J. McEvers (1993), U. Janascheck (2000) und R. Hand (1993). Transite sind die real laufenden Planetenbewegungen, die zu einem aktuellen Zeitpunkt über die Planeten im Geburtshoroskop laufen und damit einen speziellen Winkelaspekt zwischen beiden Planeten bilden. In der astrologischen Arbeit interessiert dabei nicht jeder Winkel, sondern wie schon im Radix jene, die relevante Aspekte wie Konjunktion, Opposition, Trigon oder Sextil bilden. Wenn beispielsweise der reale Planet Saturn auf seiner Bahn um die Sonne an die Stelle gelangt, wo in einem Geburtshoroskop die Sonne eingezeichnet ist, bildet der Transitsaturn eine Konjunktion zur Radixsonne. Die Sonne wird bei diesem Zusammentreffen vom Saturn beeinflusst. Sie nimmt etwas an Qualität des Transitplaneten, in diesem Fall Verantwortung und Struktur in ihre eigene Qualität auf. Damit ergibt sich eine Dynamik des Lebens entsprechend den verschiedenen Planetenzyklen und der unterschiedlichen archetypischen inhaltlicher Grundbedeutung. Auch bei den Transiten bleibt offen, auf welcher Ebene das Geschehen ausgelöst wird. Das kann auf einer reifen, bewusstseinsnahen, unbewussten oder schicksalhaften Stufe geschehen. Grob gesprochen wird zwischen langsam und schnell laufenden Transitplaneten unterschieden. Je nach dem ist die Wirkungsdauer der Transite unterschiedlich. Bei den Transiten wird vom Standpunkt der Erde, das heisst von einem geozentrischen Standpunkt aus gemessen, wie lange der Planet braucht, um die Erde zu umkreisen. Die folgende Tabelle zeigt diese Übersicht mit der ungefähren Wirkungsdauer der Transite, was allerdings vom Orb abhängt, der hier zugrunde liegt. Der Orb meint die Weite des Winkels zwischen Transit- und Radixplanet, der für einen relevanten Aspekt beider Partner gelten soll.

Die folgende Tabelle bezieht sich auf B. Eichenberger (1999/2000) und M.D. March/J. McEvers (1993). Die ungefähre Wirkungsdauer (WD), die Aufenthaltsdauer in einem Zeichen (AZ), die Dauer für eine Tierkreisumrundung (TU) und die ungefähre Laufgeschwindigkeit im

Tierkreis (LT) pro Tag in Grad/Minuten sind dargestellt. Schwankungen sind möglich.

Zeichen	WD	AZ	TU	LT
Mond	10 Stunden	2,5 Tage	28 Tage	11-15 Grad
Sonne	5 Tage	30 Tage	1 Jahr	1 Grad
Merkur	3 Tage	15-60 Tage	1 Jahr	2 Grad
Venus	4 Tage	25-30 Tage	1 Jahr	1 Grad
Mars	6 Tage	51-60 Tage	2 Jahr	45 Min.
Jupiter	3 Wochen	1 Jahr	12 Jahre	14 Min.
Saturn	4 Wochen	2$\frac{1}{2}$ Jahre	29-30 Jahre	7 Min.
Uranus	6 Wochen	7 Jahre	84 Jahre	max. 1 Min.
Neptun	8 Wochen	14 Jahre	165 Jahre	max. 2 Min.
Pluto	12 Wochen	13-34 Jahre	248 Jahre	max. 2 Min.
Chiron	ca. 1 Monat bis 2 Jahre	2-8 Jahre		
Mondknoten	ca. 4 Mon.	1$\frac{1}{2}$ Jahre		
Lilith	ca. 1$\frac{1}{2}$ Mon.	9 Monate		

Bei den Übergängen von laufenden Planeten über Radixplaneten können drei Formen von Transiten beobachtet werden, nämlich die direktläufigen, die stationären und die rückläufigen Transite.

Aufgrund der ellyptischen Bahn der Planeten scheint es von der Erde aus betrachtet so, als ob sich ein Planet manchmal vorwärts durch den Tierkreis bewegt, dann wieder rückwärts, um dann wieder vorwärts zu laufen. Dabei kann es zu drei, selten sogar zu fünf Übergängen auf einen Radixplanet kommen. In der Annäherungsphase bis zum ersten Aspekt beider Planeten wird ein Thema aktiviert gemäss der Bedeutung beider Planeten. Bei der Rückläufigkeit wird dieses Thema beim Mensch innerlich verarbeitet. Beim dritten Kontakt der erneuten Rückläufigkeit wird das Thema verarbeitet, respektive kann es zu einer Lösung kommen.

Diese geozentrischen Umlaufzeiten um die Erde decken sich deshalb nicht mit den realen Umlaufzeiten der materiellen Planeten.

Die stationäre Stellung erscheint, wenn der Planet von der Vorwärtsbewegung zur Rückläufigkeit wechselt. Dieser Zeitraum kann sich als besonders energiegeladen manifestieren. Je bewusster dieser Prozess erfolgt, desto sanfter und akzeptabler erfolgt eine mögliche Wandlung in der menschlichen Psyche. Wenn sich der Mensch völlig dem Anspruch der archetypischen Planetenenergien verschliesst und diese nicht in das Leben integriert, ist die Chance gross, dass die Energie scheinbar schicksalhaft von aussen den Menschen wachrüttelt. Meistens werden bei den laufenden Transiten nur die langsam laufenden Transite berücksichtigt. Die schnell laufenden Planeten wie Sonne oder Mond machen aufgrund ihrer Schnellläufigkeit mit den Radixplaneten immer irgendwelche Aspekte in kurzer Zeit, sodass die Aussagen nicht spezifisch sind. Nur langsam laufende Planeten ab Jupiter geben im Voraus Aufschluss über eine Aktivierung im Horoskop.

Die Qualität eines bestimmten Zeitpunktes misst sich an der Art der Aspekte, die bei einem Transit vorzufinden ist. Bei einer Konjunktion vermischen oder ergänzen sich zwei unterschiedliche Energien. Dann ist zu fragen, ob sie sich unterstützen oder ob sie ein unpassendes Verhältnis zueinander haben. Sonne - Mars würde zum Beispiel passen, Mars - Saturn stellt dagegen eine grosse Herausforderung dar. Bei einem Sextil von 60 Grad inspirieren und unterstützen sich beide Energien, weil sie im gleichen Element stehen. Bei einem Quadrat von 90 Grad ist die Integration aufwendiger, da eine Spannung überwunden werden muss. Bei einer Opposition von 180 Grad müssen beide Energien ihren Standpunkt wechseln, bis sie ein gemeinsames Anliegen verwirklichen können. Bei einem Quincunx von 150 Grad müssen sich zwei wesensfremde Energien auf ungewöhnliche Weise arrangieren.

Die Bedeutung der Transite für eine psychotherapeutische Arbeit liegt darin zu verstehen, welche archetypische Thematik gegeben ist und wie lange sie im Vordergrund steht. Ebenfalls kann sich die Symptomatik je nach Transit in einem unterschiedlichen Licht ausdrücken.

M.D. March / J. McEvers ergänzen weiter, dass jedes bedeutsames Ereignis einige astrologische Aspekte aufweist. Umgekehrt wird aber nicht jeder astrologischer Aspekt ein wichtiges Ereignis ankündigen. Sie fassen die Arbeit mit Transiten folgendermassen zusammen: Transite beziehen sich auf die gegenwärtigen Positionen der Planeten und zeigen durch Aspekte im Radix wichtige Themen an. Bei der Interpretation spielen persönliche Einflüsse wie Einstellung gegenüber dem Leben eine Rolle. Der tatsächliche Transitaspekt ist weniger wichtig als die Eigenschaften aller beteiligten Planeten im Radix. Am stärksten wirkt die Konjunktion und wenn die Orbe nicht grösser sind als 5 Grad bei den langsam laufenden Planeten. Wegen der Rückläufigkeit kann ein Transitplanet bis zu drei Mal über die gleiche Stelle im Radix laufen. Sind mehrere Transite gleichzeitig wirksam, muss das berücksichtigt werden.

S. Jordan (1994) präzisiert zu den Transiten, dass sie wirksam seien vom Augenblick des ersten Kontaktes (applikativer Aspekt mit einem Orbis von 1 Grad) bis zum letzten Kontakt (seperativer Aspekt mit Orbis 1 Grad). Das heisst Neptun und Pluto Transite dauern bis zu 2 Jahren, Uranus Transite bis zu 1 ½ Jahren. Die Wirkung der Transitplaneten nimmt nicht nur zu, wenn sie sich den Radixplaneten nähern, sondern auch den Achsen AC/DC und MC/IC oder dem Mondknoten. Je länger der Transitplanet im Aspekt zu einem Punkt des Radix bleibt, desto wirksamer ist der Transit. Transite können helfen, das persönliche Wachstum zu definieren. Der Transitplanet sei mit einem Lehrer oder Agent der persönlichen Transformation zu vergleichen, der den Umgang mit diesen Energien lehren möchte. Ein Saturntransit sei beispielsweise ein Lehrer für Selbstdisziplin, Verantwortungsbewusstsein und Reifeprozesse. Ein Uranustransit sei Treibstoff für Befreiung und Einsicht. Er beschleunige Prozesse und stimuliere das menschliche Energiefeld. Ein Neptuntransit fördere die Phantasie und das Mitgefühl. Er verwirre den Menschen, damit etwas geklärt werden könne. Der Plutotransit sei ein Exorzist, der den Mensch mit dem inneren Dämon und Schatten konfrontiere.

Nach B. Eichenberger (2000) kann der Transitplanet nicht anders wirken, als es seine Stellung im Radixhoroskop anzeigt. Die Art der Erfahrung spiegelt sich also im Radix. Obwohl die langsam laufenden Transite normalerweise gut spürbar seien, sei dies bei Jupiter nicht immer der Fall. Der Transit eröffne Chancen und neue Möglichkeiten. Im andern Fall schiesse der Mensch über das Ziel hinaus oder verpasse aufgrund eigener Trägheit gegebene Möglichkeiten. So lasse er den Jupitertransit ungenutzt vorüberziehen. Saturntransite während der Dauer von zwei Monaten bis zu einem Jahr bei dreimaliger Rückläufigkeit konfrontiert den Mensch mit der Realität und überprüft die aktuelle Situation, um daraus Konsequenzen ziehen zu können. Uranustransite schwankt zwischen einer Dauer von wenigen Monaten bis circa zwei Jahren bei Rückläufigkeit. Die Wirkung sei meist anders als man sich das vorstellt. Es geht um Veränderung, Neuorientierung und Fortschritt. Neptuntransite dauern mehrere Monate bis etwa drei Jahre. Neptun bringt Auflösung, Durchlässigkeit, Empfindlichkeit, Feinfühligkeit, und Spiritualität. Er verlangt Vertrauen und Hingabe in das Geschehen. Ein Plutotransit dauert zwischen einem und drei Jahren. Dieser Transit symbolisiert Wandlung durch eine gewaltige Energieladung, die es möglich macht, einen grossen Entwicklungsschritt zu vollziehen. Wenn man sich dagegen wehrt, kann die Energie von Pluto destruktiv werden. Schwierig sei bei Pluto, dass einem etwas weggenommen werde, bevor man etwas Neues gewinnt. Das Gefühl ein neuer Mensch zu sein, stelle sich oft erst nach Beendigung des Transits ein. Mondknotentransite dauern etwa vier Monate. Sie sind noch wenig erforscht. Nur der aufsteigende Mondknoten wird im Horoskop eingezeichnet. Der absteigende Knoten liegt davon 180 Grad entfernt. Die Transitmondknotenachse zeigt eine Entwicklungsaufgabe an. Der absteigende Mondknoten symbolisiert in seinem Zeichen und Haus das vertraute Element, von dem man sich im Sinne der Entwicklung trennen sollte. Der aufsteigende Mondknoten zeigt dagegen das mögliche Ziel dieses Prozesses an. Steht der Radixplanet am aufsteigenden Mondknoten, liegt die Aufgabe nahe, die Qualitäten dieses Planeten zu fördern. Wird der Planet vom absteigenden Mondknoten transitiert, soll das Thema dieses Planeten abgeschlossen werden. Auch Lilith Transite sind noch nicht lange untersucht worden. Ein Lilith Transit dauert etwa 1½ Monate. Lilith kann als Initiatorin für Erlebnisse jeder Art wirken. Oder sie kann als Beginn einer intensiven Beziehung oder als Verkörperung des zyklischen Prinzips von Werden und Vergehen wirken. Schlussendlich kann Lilith Tabus brechen.

Das Solarhoroskop zeigt die Zeitqualität eines bestimmten Jahres

Das Solarhoroskop ist ebenfalls eine Methode die Zeitqualität für ein ausgewähltes Jahr näher zu bestimmen. Die Angaben stützen sich auf H. M. Zehl (2000). Dieses spezielle Horoskop berechnet den Stand der Sonne für ein beliebig ausgewähltes Jahr so, dass die Sonne an die genau gleiche Stelle wie im Geburtshoroskop zu liegen kommt. Die übrigen Planeten des Solars gelangen damit allerdings an eine andere Position als jene im Radix. Dieses Solar ist jeweils für ein Jahr gültig und wird auf den räumlichen Standort berechnet, wo der Klient aktuell lebt und nicht dort, wo er geboren wurde, falls er in der Zwischenzeit umgezogen ist. Das Solarhoroskop kann nur zusammen mit dem Radix gedeutet werden. Die Transite, die sich dadurch ergeben, werden sozusagen eingefroren und es wird geprüft, wie sich die Transite im Radix auswirken. Besondere Bedeutung haben die Solarachsen AC/ DC sowie MC/ IC. Diese Achsen fallen in bestimmte Häuser des Radix, die dadurch aktiviert werden und relevante Lebensthemen anzeigen. Wie beim Radix gilt die Deutungsregel, dass ein Planet im letzten Sechstel eines Hauses bereits dem nächsten Haus zugeordnet wird. Die Regeln nach H.M. Zehl lauten:

1. Der Solar Aszendent zeigt durch seine Position im Radix den Hausbereich an, der im gewählten Jahr speziell aktiviert wird und Beachtung finden will. Das Zeichen am Solar AC zeigt dabei die Art und Weise dieses Ausdrucks an.

2. Der Solar MC zeigt durch seine Position im Radix den Hausbereich an, der die berufliche und gesellschaftliche Situation wiederspiegelt. Der Solar MC zeigt das Ziel des aktuellen Jahres.

3. Die Hausstellung der Solarsonne zeigt, wo der Betreffende nach Selbstausdruck sucht und in welchem Lebensbereich diese Selbstverwirklichung stattfindet.

4. Der Solarmondknoten zeigt in seiner Hausstellung an, welcher Lebensbereich in diesem Jahr eine Lernaufgabe beinhaltet.

5. Die Häuser im Solahoroskop, in denen sich der Radix AC und der Radix MC befinden, stellen die Schlüsselhäuser mit entsprechenden Aktivitäten für das betreffende Jahr dar.

6. Planeten im Solar können Radixplaneten durch Konjunktionen, Quadrate und Oppositionen auslösen.

7. Der Orbis für Aspekte zwischen Radix und Solarplaneten sollte nicht grösser als 5 Grad sein.

Ein Solar kann nur zusammen mit dem Geburtshoroskop gedeutet werden. M.D. March/ J. McEvers (1993) ergänzen: Wichtig sind die Häuser, in denen sich ein Radix- oder Solarplanet an der Häuserspitze befindet. Sind im Solar mehr Planeten in der unteren oder oberen Hälfte, östlich oder westlich von der MC/IC Achse?

Beispiel eines Solars (ohne Horoskopzeichnung):
Eine Frau im mittleren Alter berichtete von Partnerschaftsproblemen. Ihr Freund sei kontrollierend, drohe mit Unannehmlichkeiten und habe sie einmal in der Wohnung eingeschlossen. Bei einem kürzlich stattgefundenem Treffen mit Bekannten habe die Situation eskaliert, sodass sie Angst vor ihrem Freund bekommen habe. Sie denke über eine Trennung vom Partner nach, habe aber Angst, dass er sich dann etwas antun könnte. Er habe diesbezügliche Andeutungen gemacht.

Was zeigt sich im Geburtshoroskop? Als erstes kann der Alterspunkt nach Döbereiner betrachtet werden. Er wanderte in diesem Beispiel über den Radixpluto. Die aktivierten Plutoenergien gehen einher mit der aktuellen Krise nach dem Motto: stirb und werde. Die Qualität dieser Krise mit Kontrolle, Macht, Angst und mögliche Trennung passt gut zur Plutosymbolik. Die Bekanntschaft mit diesem Mann dauerte circa zweieinhalb Jahre. Genau zu jenem Zeitpunkt lief der Alterspunkt über den Radixmars und aktivierte damit die entsprechende Marsenergie. Welches Suchbild im Marssymbol trägt die Frau in sich? Der Mars ist in eine Viereck- Aspektfigur eingebunden, nämlich eine Mars-Jupiter Opposition und ein Venus- Jupiter Quadrat. Venus ist zugleich konjugiert mit Neptun. Wird der Mars aktiviert, wird die ganze Figur aktiviert.

Gibt es zu dieser Konstellation eine frühkindliche Prägung? Als unsere Frau fünfjährig war, liessen sich ihre Eltern scheiden. Zu jenem Zeitpunkt lief der Alterspunkt genau über Chiron im Radix. Chiron symbolisiert die innere Verletzung. Zudem steht Chiron in einem Quadrat zur Häuserachse 4 / 10. Das vierte Haus symbolisiert das Seelische und die Familie, das 10. Haus jenes des Berufs. In diesem Haus stehen auch das Vatersymbol Sonne und das Muttersymbol Saturn. Die Auslösung von Chiron aktivierte diese Eltern- und Familienachse. Die Verletzung über Chiron drückte sich über die Scheidung der Eltern aus. Die Sonne steht in Opposition zum Mond. Der Mond entspricht der Gefühlswelt, die hier sehr weich und sensibel durch das anschneidende Fischzeichen charakterisiert ist. Interessant ist, dass der Mond zugleich ein Trigon zum Uranus in Krebs wirft. Uranus symbolisiert Wechsel und Erneuerung. Der feinfühlige Mond steht bei dieser Frau allerdings in Opposition zu ihrem bewussten Willen (Sonne) und den strukturgebenden Anteilen der Persönlichkeit (Saturn). Das heisst mit andern Worten: das was ich fühle, bin ich nicht ganz.

Was zeigt das Solar? Wir achten auf den Solaraszendenten, die Sonne, das Medium Coeli und auf spezifische Klickstellen, das heisst Aspekte zwischen Solar und Radix. Der Solaraszendent ist Skorpion, wie auch im Radix. Dies ist das Anlagepotential für das gegebene Jahr, nämlich die Fixierung von Bild-und Vorstellungsinhalten. Die Solarsonne ist in der Jungfrau, so wie im Radix. Soweit zeigt sich nichts Neues. Neu hingegen zeigt sich eine Konjunktion von Radixmond mit dem Solaruranus. Das heisst, es wird eine Änderung (Uranus) der Gefühlswelt (Mond) aktiviert. Neu ist ebenfalls eine Konjunktion des Radixjupiters mit dem Solarmond. Das heisst, die Gefühlswelt (Mond) wird gefördert durch Wachstum (Jupiter). Zusätzlich neu ist eine Konjunktion vom Radixmondknoten mit der Solarlilith.

Insgesamt heisst das: das Solar als Themenhoroskop für das aktuelle Jahr zeigt, dass es zu einer Änderung der Gefühlswelt mit einem Wachstumsschub kommen könnte, der in einem Zusammenhang von früheren Verletzungen durch Scheidung der Eltern steht.

Weitere psychotherapeutische Fallbeispiele zur astrologischen Struktur und zeitlichen Qualität

Neben der astrologischen Struktur soll hier zusätzlich die zeitliche Dimension der beobachteten Phänomene untersucht werden. Mit astrologischer Struktur ist das Zusammenspiel der beteiligten Archetypen im Horoskop gemeint und ihr Zusammenhang mit der Symptomatik und den lebensgeschichtlichen Ereignissen. Zur Erinnerung: auch hier hilft der didaktische Zugang mit der Frage 1. nach der Anlage des AC, 2. die Frage nach der Verwirklichung durch die Sonne und 3. die Finalität (MC) respektiv das Erwirkte ausgehend von der Anlage über das Verhalten.

Eine Machtproblematik als Ausdruck der astrologischen Struktur und deren zeitliche Auslösung durch den 6er und 7er Rhythmus

Eine Mutter meldete ihren gut 12 jährigen Sohn an. Er sei in der Familie schwer zu erziehen. Der Junge verwickle seinen Bruder in Machtkämpfe. Das gleiche passiere in der Schule mit seinen Klassenkameraden, sodass es zu einigen Reklamationen gekommen sei. Anlass zur Anmeldung war ein Streit des Jungen mit einem Kollegen, der sich dann aber unerwartet von ihm abgewendet habe. Zusätzlich war zu erfahren, dass die Eltern miteinander Spannungen hätten, auf die der Junge mit Verhaltensstörungen, unter anderem mit nächtlichem Einnässen reagieren würde. Nach relativ kurzer Zeit hatte sich der Konflikt der Eltern beruhigt. Eine eventuelle Trennung der Eltern war kein Thema mehr. Die Familie war sozial gut integriert. Der Vater konnte mit den Konflikten des Jungen auch gelassener umgehen als die Mutter.

Wird das geschilderte Problem in die Sprache der Astrologie übersetzt, können folgende Hypothesen formuliert werden: Machtkämpfe sind eine Entsprechung von Pluto. Die Mutter war davon stärker betroffen als der Vater. Der Junge reagierte gefühlsmässig (Mond) deutlich und er war schwierig im Kontaktverhalten (Spannung auf Haus 7).

Erstellt mit Astroplus, © 2000-2007 by Astrocontact, Linz

Das Horoskop zeigt folgendes: Der Aszendent des Jungen liegt im Skorpion, dem Territorium von Pluto. Der Herrscher Pluto ist ebenfalls in Skorpion zu finden und zwar im 1. Haus. Damit zeigt sich eine starke Plutobetonung mit dem Thema Macht und einer tiefschürfender Energie, die bis zum Kern eines Geschehens vordringt. Pluto ist nicht vom Skorpion in ein anderes Zeichen ausgewandert, sondern will sich genau im ersten Haus verwirklichen, wo es um Selbstdurchsetzung geht. Die geschilderten Verhaltensauffälligkeiten finden damit eine Sinnentsprechung. Sie können nicht allein als Reaktionsweisen auf äussere Situationen aufgefasst werden. Stattdessen zeigen sie ein eigenes hochgradig energetisches Persönlichkeitsmerkmal an. Ohne astrologische Einsicht ist es nicht sicher, dass man zu dieser Bewertung kommt.

Die Wassermann Sonne des Jungen steht im 3. veränderlichen Haus. Dabei geht es um eine Funktionalität der Selbstdarstellung im Rahmen der Ich - Durchsetzung. Das Ziel der Verwirklichung der Anlage am MC ist löwenhaft. Der Löwe will sich darstellen, aus der vollen Lebenskraft schöpfen und liebt Publikum. Damit sind die Anlagen recht stark und konsistent gestellt. Sie zeigen eine starke Affinität zur Symptomatik. Der Junge müsste also lernen, wie er seine Macht und seinen Einfluss positiv zur Darstellung bringen kann. Er müsste sozial kompatibel in der Umwelt so zur Geltung kommen, dass er als Löwe die Anerkennung bekommt, die ihm gebührt.

Zum Zeitpunkt der Abklärung war der Junge 12, 5 Jahre alt. Die Auslösung dieser Konstellation im 7er Rhythmus nach Döbereiner ergibt einen Alterspunkt von circa 22 Grad Waage. Der Alterspunkt läuft hier nicht direkt über einen Planeten. Er löst aber den Herrscher der Waage aus, nämlich die Venus. Weil Venus in eine Aspektfigur eingespannt ist, löst sich die Aspektfigur Venus- Uranus- Neptun aus, was zugleich eine Konjunktion mit Pluto und der Sonne auslöst. Saturn steht in einem Quadrat mit Mond. Das heisst, eine gefühlsmässige (Mond) Belastung oder Einengung (Saturn) steht im Radix genau am Deszendent. Das Problem realisiert sich über Begegnung. Und das passt nicht nur zu dem Beziehungsabbruch mit dem Kollegen unseres Jungen, sondern auch zu seinen Machtkämpfen und zu den Erziehungsschwierigkeiten. Eindrücklich ist ebenfalls, dass der 7er Alterspunkt auf 28 Grad Waage stand, weil er zugleich ein Quadrat bildet zum Aspekt zwischen Saturn- Mond und diesen aktiviert.

Eine Prüfung im 6er Rhythmus mit den Koch Häusern im Gegenuhrzeigersinn zeigt folgendes: Der Alterspunkt steht bei der Abklärung auf 29 Grad Schütze im 2. Haus. Er steht unmittelbar vor Eintritt ins Steinbockzeichen. Der Herrscher von Steinbock ist Saturn. Damit wird in analoger Weise wie beim 7er Rhythmus der Saturn-Mond Aspekt aktiviert.

Eindrücklich ist hier zusätzlich, dass der Alterspunkt im Begriff ist, ein Quadrat zur Sonne- Pluto Verbindung einzugehen und dass damit dieser Aspekt ebenso aktiviert wird.

Die ganze Konstellation kann folgendermassen zusammengefasst werden. Die Machtproblematik (Pluto) und deren Verwirklichung (Sonne) zum Ziel der Selbstdarstellung (MC in Löwe) sind hier gekoppelt an den Aspekt Mond - Saturn. Dieser Aspekt bedeutet eine gefühlsmässige (Mond) Einengung (Saturn), was wiederum auf einer andern Ebene assoziiert ist mit der mütterlichen (Saturn) Beziehung zum Kind (Mond). Auch hier ist daran zu denken, dass diese Signatur lebenslang wirksam bleibt. Sie kann sich je nach Transiten und veränderter Lebensform moduliert darstellen. Es wird darauf ankommen, dass für die Ausprägung im konkreten Alltag kompatible Formen gefunden werden, sodass nicht ein ausgelebtes Machtstreben im Vordergrund steht, sondern vielleicht als Vorgesetzter eine starke Durchsetzungskraft wirksam wird, um Konzepte im beruflichen Alltag zu verwirklichen. Ein Zusammenhang der astrologischen Struktur und zeitlicher Auslösung mit der aktuellen Symptomatik ist damit gegeben.

Die Bestimmung der Zeitqualität bei einer Lernproblematik anhand der Transite

Transite kommen zustande, wenn die aktuell laufenden realen Planeten bildlich gesprochen über ein Geburtshoroskop laufen und dabei Aspekte zu Planeten im Geburtsradix bilden. Die Aspekte wirken so, dass der Geburtsplanet beispielsweise Mars von dem Transit in dessen Qualität „angesteckt" wird. Läuft z. B. der reale Planet Uranus über den Mars im Radix, erhält die Durchsetzung (Mars) eine erneuernde (Uranus) Qualität. Läuft z. B: Transit-Mars über Radix-Mars, wird die Marsenergie zusätzlich verstärkt und angekurbelt. Wenn die Transitplaneten andere Aspekte zu den Radixarchetypen bilden, kann das in analoger Weise verstanden werden.

Ein 15 jähriger Junge wurde auf Anraten des Lehrers zu einer Abklärung angemeldet. Die Schulleistungen waren in allen Fächern schwach und der Schüler wurde aus diesem Grund in eine niedrigere Leistungsklasse zurückgestuft. Der Lehrer warf dem Schüler vor, im Unterricht zu wenig mitzuarbeiten. Er sei passiv und wenig motiviert. Die Eltern schlossen sich dieser Einschätzung an.

Beim Erstgespräch wirkte der Junge traurig, gehemmt, blockiert und wenig selbstbewusst. Er gab unter anderem an, dass sein Leben nicht immer schön sei, weil ihn sein Vater früher oft getadelt und kritisiert habe.

Werden diese Angaben in die Symbolsprache der Astrologie übersetzt, ist zu fragen, welche Hypothesen sind sinnvoll? Lernleistungen und mündlicher Ausdruck können Merkur zugeordnet werden. Das ist ein vordergründiges Problem. Laut Lehrer sollte das Ziel des Schülers sein, mehr Austausch und Kommunikation zu zeigen. Die Merkurqualitäten müssten sich entwickeln. Es wäre zu prüfen, ob Merkur im Horoskop gehemmt wird. Zudem erfahren wir, dass der Vater verletzend war oder vielleicht immer noch ist. Dem Vater kann der Sonnenarchetyp zugeordnet werden. Dieser ist verletzend. Die Frage ist, ob oder wie die Sonne mit der Aggressionsenergie Mars verbunden ist?

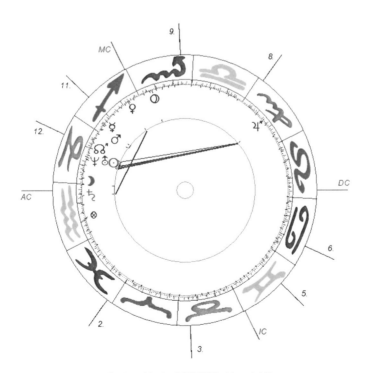

Erstellt mit Astroplus, © 2000-2007 by Astrocontact, Linz

Das Horoskop zeigt folgendes: Merkur steht im Schützen und ist konjugiert mit Mars. Das heisst, das Lernen (Merkur) und die Aggressionsenergie (Mars) durchdringen sich oder könnten sich im besten Fall als lernende Tatkraft manifestieren. Bezüglich der Sonne erfahren wir, dass sie in Konjunktion mit Neptun und Uranus steht. C. Weiss (1992) meint zur Sonne - Neptun Konjunktion, „dass sie sensibel mache und dass aggressive Menschen schlecht ertragen werden. Die äussere Welt mit den entsprechenden Anforderungen deckt sich nicht mit den inneren Wunschträumen". Zur Uranus Konjunktion Sonne meint C. Weiss, „dass diese unkonventionell, impulsiv und eigenwillig mache und dass man sich als Kind schwer der Autorität der Eltern unterwerfe. Ein rebellischer Zug der Persönlichkeit könne sich hier herausbilden". Zusätzlich ist die Sonne auch mit einem Trigon zu Jupiter verbunden, was eine Ressource darstellen könnte. Zur ersten Fragestellung bezüglich des Lernpotenzials zeigt sich, dass das Lernen nicht direkt gehemmt ist. Merkur ist aber nicht mit Aspekten in das Horoskop eingebunden und kann darum nicht gut gesteuert werden. Analoges gilt für Pluto, der im eigenen Territorium Skorpion steht. Auch er ist isoliert. Seine Energie der Macht, Gewalt, Tiefe oder der starken fixen Vorstellungen entspringen dem Skorpion und können den Jungen ungesteuert treffen.

Bei der zweiten Fragestellung bezüglich Sonne und Mars ist zu bedenken, dass die Sonne zwar den Vaterarchetyp wiederspiegelt. Die Sonne ist aber nicht nur der Vater, sondern wiederspiegelt auch das eigene Selbst. Beides muss in der nicht symbolischen Ausprägung, sondern in der konkreten Ausgestaltung nicht identisch sein. Der Vaterarchetyp wird durch die persönliche Entwicklung des Jungen zu einer eigenen Identität moduliert. Der reale Vater mag durch die Stellung im 12. Haus und seine Neptunqualität nicht ganz fassbar sein und durch hohe Ideale geprägt worden sein. Wenn der Sohn diese Ideale nicht ganz erfüllt, könnte es möglich sein, dass er vom Vater oft kritisiert wird. Sollte dies noch auf eine impulsive Art geschehen sein wie dies durch die Uranus / Sonne Konjunktion angezeigt ist, ist gut vorstellbar, dass das für den Jungen schwierig wird.

Dass es gerade jetzt zu einer Anmeldung für eine psychotherapeutische Behandlung gekommen ist, so die Hypothese, könnte mit einem Transit zusammenhängen. In der Tat zeigte der Transitpluto eine Konjunktion zum Radixmerkur. Dadurch wird das Lernen problematisiert. Zusätzlich bildete der Transit Neptun ein Halbsextil zur Radixsonne. Da die Radixsonne schon mit Neptun konjugiert ist, wird die Sonne mit dem Transitneptun noch feinfühliger oder schwammiger. Damit bestätigte sich, dass zum Zeitpunkt der Anmeldung das Merkur- und Sonnenprinzip sowohl auf der Ebene der Symptomatik als auch bezüglich der Transite eine Rolle gespielt haben. Anders ausgedrückt: es gibt bei diesem Problem einen Zusammenhang von der Schul- und Lernsituation (Merkur) mit dem Bild des Vaters und der eigenen Identität (Sonne) Zu diesem Neptun - Transit schreibt R. Hand: „Man könnte sich für eine Sache einsetzen, an die man glaubt. Es wäre keine schlechte Idee, sich zeitweise zurückzuziehen und über das Leben nachzudenken". Das tönt nach einer Art Therapieindikation. Eine psychotherapeutische Behandlung wurde auch eingeleitet.

Gesamthaft gesehen wiederspiegelt das astrologische Verständnis dieser Situation die realen gegebenen Tatsachen und liefert einige Hypothesen und entwirft einige Leitlinien. Dass man ohne astrologische Fragestellungen zu einem gleichen Verständnis kommen könnte und dass darum die Astrologie gar nicht nötig sei, tönt nicht sehr überzeugend. Im Zusammenhang mit dem psychologischen Wissen strukturiert das astrologische Wissen die Situation klarer. Astrologische Arbeit ist damit zu vergleichen, dass ein Fahrplan und eine Landkarte zu Hilfe genommen werden, um ein Ziel besser und schneller zu erreichen.

Die Auslösung eines Traumes durch einen Transit

An einem 13. Oktober erinnerte sich ein Mann an folgenden Traum: „ich bin in einem Kurslokal und unterrichte Erwachsene im Rahmen eines Weiterbildungskurses. Die Atmosphäre ist interessant und angenehm." Wie unschwer zu erkennen ist, ist das Geschehen geprägt durch eine aktive Tätigkeit (Mars) des Träumers im Rahmen der Wissensvermittlung (Merkur). Ein Blick auf eine mögliche Transitauslösung zeigt folgendes: Genau am 13. 10. transitierte der laufende Mars 1 Grad 54 Minuten im Fisch im Radix des Träumers. Auf 2, 0 Grad Fisch im Radix liegt der Merkur. Der transitierende Mars hat somit den Merkur aktiviert. Der Mars bewegte sich vom 9.10 bis 18.10 zwischen 1 Grad 15 Minuten und 2 Grad 51 Minuten. Die Wahrscheinlichkeit praktisch gradgenau auf den Merkur zu treffen, ist am 13.10 deutlich höher als 4 Tage vorher oder nachher. Tatsächlich hat der Träumer auch lange vorher oder nach diesem Datum keinen ähnlichen Traum geträumt, der ihm deshalb auch besonders im Gedächtnis geblieben ist. Ein Zusammenhang des Traumes mit der astrologischen Signatur ist gegeben.

Schicksalshafte Ereignisse und zeitliche Auslösung durch Archetypen

Astrologische Ereignisse sind oft deutlicher zu sehen, wenn sie schicksalhaft unerwartet und unter Beteiligung eines transpersonalen Archetyps wie Saturn, Uranus oder Neptun einbrechen. Je bewusster oder differenzierter ein Mensch seine Anlagen lebt, desto freier wird er. Aber selbst dann ist er nicht unabhängig von der Macht der transpersonalen Einflüsse. Bei diesen Planeten hat der Mensch nicht immer die Kontrolle über die archetypische Energie. Wenn die Zeitqualität dann noch über die Transite einen Vorgang ankurbeln, ist das im Volksmund bekannt unter dem Sprichwort: ein Unglück kommt selten allein. Im besseren Fall ergibt sich eine Glückssträhne.

Eine Frau, von Beruf Kunstmalerin, lebte in einem grossen alten Holzhaus, wo sie genügend Platz für alle ihre Bilder fand. Sie hatte seit Jahren an verschiedenen Ausstellungen teilgenommen und lebte für ihre Kunst. Eines Nachts erwachte sie aus einem Traum und verspürte fast panikartige Angstgefühle. Irgendetwas lag in der Luft und war nicht genau zu definieren. In der folgenden Nacht erwachte die Malerin um 3 Uhr und hatte wiederum ein ganz seltsames Gefühl. Sie fragte sich, ob dies alles wegen einem bösen Traum geschehen sei. Sie hatte aber keine diesbezügliche Erinnerung. Allerdings roch es jetzt nach Rauch. Als sie aufstand, bemerkte sie, dass es tatsächlich im Haus brannte. Geschockt lief die Malerin nach draussen und musste zusehen, wie ihr Haus innerhalb kurzer Zeit abbrannte. Froh mit dem Leben davongekommen zu sein, musste sie den Verlust all ihrer Bilder verkraften. Später stellte sich heraus, dass eine Brandstiftung vorgelegen hatte. Kurz vor diesem Vorfall waren zudem ein Sohn der Frau sowie ihre betagte Mutter gestorben.

Eine herkömmliche Betrachtungsweise mag diesen Vorfall als unglücklichen Schicksalsschlag verstehen. An einen speziellen Zusammenhang mit der betroffenen Person ist nicht zu denken. Aus astrologischer Sicht sind bei diesem Ereignis zwei spezifische Merkmale auffällig. Das eine ist die Vernichtung von den gemalten Bildern. Das andere ist der Brand, der unerwartet und plötzlich ausbrach, wenn auch vorher eine Ahnung davon in der Luft lag. Die Kunst, die Bilder, die Künstlerin sind Begriffe, die dem Venusprinzip zugeordnet werden können. Das plötzliche unerwartete Verbrennen ist ein Uranusprinzip. Diese beiden Zuordnungen sind eine Auswahl aus den auf Erfahrungen basierten möglichen Zuordnungen von Venus und Uranus. Aus den Analogieketten stechen sie jedem Astrologie Vertrauten ins Auge und in diesem Zusammenhang macht es

Horoskop der Künstlerin

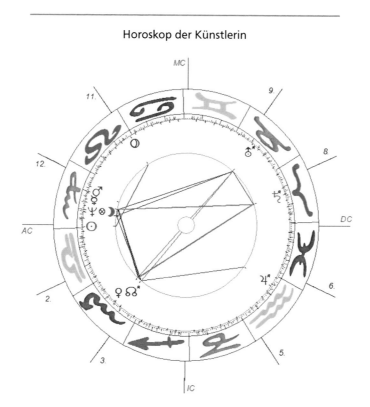

Sinn, diese Auswahl zu treffen. Allerdings heisst Venus auch Besitz oder Selbstwert, wenn mit dem Haus Stier gemeint ist, wo Venus herrscht. Wie unschwer bei diesem Beispiel zu erkennen ist, sind bei diesem Vorfall nicht nur der Besitz der Bilder und das Anwesen, sondern auch der Selbstwert der Frau in Frage gestellt.

Vergleichen wir diese Hypothesen mit dem Horoskop der Frau. Ihr Aszendent als Anlage liegt genau Anfangs Waage, in dem Zeichen, wo Venus herrscht. Die Sonne, das heisst die Verwirklichung dieser Anlage, liegt ebenfalls im Waagezeichen im ersten Haus. Venus, die Kunst und die Malerei sind also stark in Anlage und Verwirklichung miteinander verknüpft. Das Ziel der Verwirklichung, das MC, liegt am Anfang des Krebszeichens. Seelisches will sich über Kunst verwirklicht sehen. Wo stehen die vorher angesprochenen Archetypen von Venus und Uranus? Sie stehen tatsächlich in Verbindung und bilden eine spannungsbehaftete Opposition auf der Häuserachse 2 / 8 auf 15 Grad Skorpion (Venus) und 17 Grad Stier (Uranus). Uranus steht im 8. Haus. Diese Achse 2/8 wird auch Besitzachse genannt.

Als nächste interessiert die Frage, welche Transitplaneten beim Brandfall welche Radixplaneten berühren. Die Transitvenus traf zu diesem Zeitpunkt fast gradgenau den Radixuranus. Die Transitlilie lag auf dem Radixjupiter. Der nördliche Mondknoten traf mit 3 Grad Abstand den Radixchiron. Dass der nördliche Mondknoten mit unserem Thema zu tun hat, sieht man im Radix. Dort bildet er mit der Venus eine Konjunktion. Mit diesen Transiten lässt sich bestätigen, was vorher theoretisch postuliert werden konnte. Uranus und Venusenergie spielten bei diesem tragischen Vorfall eine Rolle und zwar sogar in doppelter Hinsicht. Die schon im Radix vorgegebene Achse Venus - Uranus wird durch Transite beim Brandfall genau durch dieselben Planetenarchetypen Venus und Uranus aktiviert und damit energetisch aufgeladen. Ist das Zufall oder steckt noch etwas anderes dahinter?

Um diese Frage näher zu untersuchen verfolgen wir die Alterspunkte gemäss der Huber- und der Döbereinerschule. Im Gegensatz zu den Horoskopen bei Kindern und Jugendlichen, bei denen der Entwicklungsprozess vom Alter her noch nicht eine grosse Zeitspanne umfasst, kann bei einer über 60 jährigen Frau eher ein Ergebnis erwartet werden. Wir betrachten den Radixuranus auf unserer Achse Uranus / Venus im Geburtshoroskop. Im Rhythmus nach Döbereiner wandert der imaginäre Alterspunkt im Uhrzeigersinn ausgehend vom Aszendenten in 7 Jahren durch jedes Haus. Uranus wird damit mit circa 31 Jahren ausgelöst. Was ist damals passiert? Erfahrungsgemäss führt eine direkte Auslösung eines Planeten zu spürbaren Erfahrungen. In diesem Fall, wenn es um Uranus geht, könnte man nach einer eventuellen Veränderung fragen. Da hier die Venus über die Achse mitbetroffen ist, könnte dies die Kunst betreffen. Da Venus im 2. Haus steht, könnte es sich auch um eine Veränderung im Selbstwert oder bezüglich materiellen Werten handeln Analog würde der Gegenpol der Achse zur Auslösung der Venus kommen und zwar im Alter von circa 73 Jahren.

Es stellte sich heraus, dass die Frau in jungen Jahren verheiratet war und zwei Kinder grossgezogen hatte. Ihr Mann war ein Charmeur, der Frauen um den Finger zu wickeln verstand. Offenbar nahm er es mit der Treue nicht so genau und der Ehefrau wurde mit 31 Jahren klar, dass sie mit dem fremdgehenden Mann nicht mehr klar kam. Wegen der Kinder, vielleicht auch aus wirtschaftlichen Gründen, aber auch aufgrund der bestehenden Bindung konnte sich die Frau nicht von ihrem Mann trennen. Sie entschloss sich wenig später für eine Psychotherapie, um sich dann zu einem späteren Zeitpunkt vom Mann zu trennen. Obwohl in diesem Fall die Trennung mit gutem Grund den Aussenbeziehungen des Mannes zugeschrieben werden konnte, ist doch eindrücklich, dass die Trennung und die äussere Realität auf den Boden einer eigenen archetypischen Struktur gefallen sind. Die starke Venus Betonung der Frau trat in Resonanz mit der Fähigkeit des Mannes, diese Betonung bei unserer Frau wahrzunehmen, sie zu umgarnen und ihre Venus Qualität zu spiegeln, was anfangs offenbar ihren Selbstwert gesteigert haben dürfte. Der Uranus Aspekt der Frau lockte die unstete, wechselhafte Seite des Mannes an und er wurde über die Trennung zum Gehilfen des Uranus seiner Frau. Diese Uranusauslösung löste also die emotionale Trennung der Frau von ihrem Mann aus.

Im 6er Rhythmus nach Huber im Gegenuhrzeigersinn löste sich die Venus direkt über den Alterspunkt der Künstlerin mit 9 Jahren aus, zusammen mit dem nördlichen Mondknoten. Der Jupiter löste sich mit ca. 28 Jahren aus, der Saturn mit 39 Jahren. Mit 38 Jahren kam es zur Scheidung, als die Frau schon unter dem Einfluss des Saturns stand. Besonders auffällig war das 63. Lebensjahr der Künstlerin. In diesem Jahr fand der Hausbrand statt, sie verlor einen Sohn aufgrund eines Unfalls und ihre Mutter verstarb ebenfalls.

Das Solar der Künstlerin zu diesem Zeitpunkt.

Erstellt mit Astroplus, © 2000-2007 by Astrocontact, Linz

Im äusseren Kranz ist das Radix nach Placidus dargestellt. Im inneren Kranz ist das Solar eingezeichnet.

Das Solar für das Jahr des Hausbrands zeigt nach dem weiter vorne dargestellten Schema von H. M. Zehl folgendes:

1. Der Solar AC zeigt im Haus den Bereich an, der in diesem Jahr Beachtung finden will. Das Solarzeichen zeigt die Weise des Ausdrucks. Der Solar AC ist im 3. Radix Haus. Kommunikation soll zum Thema des Jahres werden. Der AC ist auf 7 Grad im Zeichen Schütze, das heisst die Kommunikation ist erkenntnisorientiert und will Einsicht verschaffen. Gleichzeitig liegt der Solar-Mond auf 6 Grad 48 Min. und bildet eine Konjunktion. Dazu liegt der Solar-Pluto mit 12 Grad gefährlich nahe. Es geht damit nicht nur um Erkenntnisgewinnung und Kommunikation, sondern um die Psyche oder um den häuslichen Bereich (Mond) sowie um Transformation, die machtvoll (Pluto) die Gefühle beeinflusst.

2. Das Solar MC im Radix Haus zeigt, wo sich die berufliche und gesellschaftliche Situation spiegelt. Das MC fällt ins erste Radix Haus. Die berufliche Situation spiegelt sich in der Ich-Durchsetzung im realen Raum.

3. Die Solarsonne zeigt im Haus, wo die Betreffende nach Selbstausdruck oder Selbstverwirklichung sucht. Sie liegt im 10. Haus, dem Haus des Berufs oder des gesellschaftlichen Status.

4. Der Solarmondknoten zeigt durch das Radix Haus, wo Lernprozesse zu erwarten sind. Er liegt ebenfalls im 10 Radix Haus.

Die Solarsonne ist an ihrem MC und fällt in das Zeichen Waage. Sie verwirklicht sich über berufliche Tätigkeit (10. Haus) und hat zum Ziel, sich künstlerisch zu entwickeln (MC in Waage). Insgesamt scheint die erkenntnisorientierte Kommunikation in Zusammenhang mit der Ich-Durchsetzung und der Betonung der beruflichen oder gesellschaftlichen Situation nach obigem Auswertungsschema keinen klaren Bezug zu diesem Hausbrand mit all seinen Folgen zu haben. Ebenfalls findet sich kein Bezug zu Verlust ihres Sohnes. Das Solar zeigt im Gegensatz zu den Transiten keine klare Plausibilität ausser die Nähe von Pluto. Betrachtet man allerdings das Solar für sich, steht Pluto in Opposition zu Saturn.

Pluto symbolisiert auch machtvolle Zerstörung und Saturn harte Grenzsetzung. So gesehen wiederspiegelt das Solar auf der Begegnungsachse 1/7 die schwierige äussere Situation. Insgesamt zeigt diese Geschichte einen klaren Zusammenhang von Lebensschicksal, zeitlicher Auslösung über Transite und Alterspunkt sowie astrologischer Signatur.

Weitere astrologische Konzepte zur Beziehungs- und Zeitqualität

Die Synastrie: Der Horoskopvergleich

Die Synastrie ist eine Methode, um zwei Horoskope miteinander zu vergleichen, wie dies S. Arroyo (1988) und M. March/ J. McEvers (1995) gezeigt haben. Beide Horoskope werden mit dem Anfangspunkt Aszendent aufeinandergelegt. Wichtig werden die Aspekte, die daraus resultieren. Nach M. Rieger (1997) zeigt beispielsweise, dass die Kommunikation beider Partner schwierig ist, wenn der Saturn des einen Partners ein Quadrat zum Merkur des andern Partners wirft.

Was zeigt sich im Anschluss an obige Fallgeschichte, wenn das Geburtshoroskop der Künstlerin mit dem Horoskop des Hausbrandes zusammengelegt wird? Der Brand trat nachts um drei Uhr auf. Als Hypothese kann erwartet werden, dass das Feuersymbol Uranus bei der Synastrie eine Rolle spielt. In der Tat ergeben sich nur zwei enge Berührungsstellen von Archetypen in beiden Horoskopen. Im Brandhoroskop ist der AC gradgenau konjugiert mit Saturn. Es geht um Begrenzung. Neptun liegt gradgenau auf dem MC. Hier geht es um das Ziel der Verwirklichung, nämlich Auflösung. Die Sonne trifft Chiron im Brandhoroskop mit einem Orbis von 8 Grad. Bei der Verwirklichung des Brandes geht es damit um eine Verletzung. Noch klarer sind aber die beiden Klickstellen. Der „Brand" Uranus einerseits trifft fast gradgenau den Radix Jupiter. Expansion wird quasi verbrannt. Der Radix Uranus andererseits trifft die „Brand" Venus mit einem Grad Orbis. Mit andern Worten löst Feuer (Uranus) Kunst (Venus) auf (Neptun). Alle andern Planeten bilden keine Klickstellen. Das Synastriehoroskop scheint damit stimmig.

Das Compositohoroskop: das Potenzial der ersten Begegnung

In der therapeutischen Arbeit wurde von S. Freud ein spezielles Phänomen beschrieben. Patienten zeigten während der Behandlung ein Beziehungsmuster, das in ihrer Kindheit gelernt wurde und nun auf den Analytiker übertragen wurde. Das Verhalten ist bei Störungen über weite Strecken nicht adäquat und sollte in dieser neuen Beziehungssituation bearbeitet werden. Als Gegenübertragung wurden die Anteile des Analytikers bezeichnet, wenn er auf die Übertragung reagierte. Im Laufe der Jahre wurde dieses Konzeptes unterschiedlich interpretiert und es gab Fachartikel dazu, wo dies bis zur Unkenntlichkeit differenziert wurde. Einen Beitrag zu diesem Thema liefern die Beziehungshoroskope, die einen anderen Aspekt auf die Diskussion werfen. Der Anteil beider Beziehungspartner wird hier berücksichtigt. Allerdings wird ein einseitig auffälliges Beziehungsverhalten nicht eigens bedacht.

Nach M. Rieger (1997) hat das Composit einen Bezug zum siebten Haus und beleuchtet den Kontakt zweier Menschen zueinander. Diese Technik sei schon 1972 von Robert Hand vorgestellt worden. Das Composithoroskop entsteht dadurch, dass die Halbsumme zweier Radixpositionen der Planeten beider Partner ermittelt wird. Das Composit zeigt, wie sich ein Kontakt entwickelt und wie beide Kontaktpartner in dieser Situation reagieren, sodass sich ein gemeinsames Geschehen ergibt. Der Moment, wo sich zwei Menschen das erste Mal begegnen, beinhaltet das Potential, was aus dieser Beziehung noch werden kann. Diese Themen sind im Composit symbolisch verschlüsselt.

Gedeutet werden folgende Faktoren:

1) Der Composit Aszendent

2.) Planeten am AC und im 1. Haus

3.) Planeten am DC und im 7. Haus

4.) Die Sonne in Zeichen und Haus

5.) Der Mond in Zeichen und Haus

6.) Spannungsaspekte zu Sonne und Mond

7.) Spannungsaspekte der Langsamläufer Uranus, Pluto, Neptun zu Merkur, Venus und Mars

8.) Planeten an der MC / IC Achse

9.) Aspektvergleich zwischen Composit und Radix

Ein Beispiel zum Composit findet sich im Kapitel über den Gesamtverlauf einer Psychotherapie.

Das Combinhoroskop: das Potenzial einer Beziehung

Das Combin wurde erstmals 1972 vom Österreicher Heinrich Schiffmann vorgestellt. Im Combin spiegeln sich nach Rieger (1997) die Themen, die zwei Menschen in einer verbindlichen Beziehung wie lange Freundschaften mit einer seelischen Nähe oder in langjähriger Liebesbeziehung gemeinsam erfahren. Damit sei ein Bezug zu den 8. Haus Themen gegeben. Das Composit beschreibt so die Phase des Findens, das Combin die Phase des Haltens einer Beziehung. Mit dem Radixhoroskop der Beteiligten hat das Combin oft wenig gemeinsam. Das Combin wird auf den Zeitpunkt berechnet, der exakt zwischen den Geburten zweier Menschen liegt sowie auf den geografischen Mittelpunkt der beiden Geburtsorte. Es beschreibt die Zeitqualität der ersten Begegnung beider Partner. Symbolisch muss dabei der ältere Partner ein Stück des Lebensweges zurückgehen und der jüngere Partner geht ein Stück voraus. Das Combin beschreibt das Motiv und das Hauptthema beider Partner und zeigt an, auf welchen Lebensbereichen sich ihr Handeln konzentriert.

Zum Combin werden folgende Punkte werden gedeutet:

1. Der Combin Aszendent:
   Er beschreibt das Thema, das die Partner auf einer seelischen Ebene zusammenführt und die Anteile, die beide Partner entwickeln möchten. Ist der AC beispielsweis ein Löwe, geht es um den Ausdruck der Persönlichkeit.

2. Der Zeichenherrscher des Combin Aszendenten:
   Der Lebensbereich des Hauses, wo der AC Herrscher ist, symbolisiert

das spezifischere Thema des Beziehungsgeschehens. Ist beispielsweise die Sonne als Herrscher im 2. Haus, geht es darum, den Lebensunterhalt zu sichern.

3. Die Combin Planeten in Zeichen und Haus:
   Die Stellung aller andern Planeten beschreiben weitere Themen, mit denen sich beide Partner beschäftigen möchten. Die Art der gegebenen Beziehung definiert den jeweiligen Schwerpunkt auf der damit fokussierten Achse. Sind beispielsweise Achsen 3/9 betont geht es um Austausch und Kommunikation.

4. Spannungsaspekte der langsam laufenden Planeten zu Sonne, Mond, Merkur, Venus und Mars:
   Diese Aspekte zeigen an, wo noch Lernprozesse zu leisten sin. Hier ist der Energiefluss der beteiligten Planeten noch erschwert. Allerdings bleiben Spannungsaspekte nach M. Rieger auch bei eigener Entwicklung immer Spannungsaspekte. Aber sie bringen Schwung und Energie in eine Beziehung.

Zusätzlich wird das Potential und das Entwicklungsziel der Beziehungspartner gedeutet:

5. Zum älteren Partner:
   Der Ältere wird durch den Zeichenherrscher des Aszendenten und durch Planeten im 1. Haus symbolisiert Diese Planeten nennt M. Rieger Signifikatoren. Die Stellung des AC Herrscher in Zeichen und Haus und seine Aspekte beschreiben, was der ältere Partner in die Beziehung einbringt. Die Erfahrung von M. Rieger habe gezeigt, dass die Verwendung des alten Herrschers und der Einbezug des neuen Herrschers als Mit-Signifikator bessere Deutungen ergeben. Beispielsweise beschreibt die Sonne im 2. Haus bei einem Löweaszendenten, dass der ältere Partner seinen Selbstwert definiert, indem er kreativ eine sichere Existenzgrundlage schafft und dies in die Beziehung einbringt.
   M. Rieger definiert nicht näher, warum die Unterschiede beide Partner nur durch das Alter definiert werden und dass beispielsweise Erfahrung, Sozialisation oder Ausbildung hier keine Rolle spielen sollen.

6. Zum jüngeren Partner:

   Der Jüngere wird durch den Zeichenherrscher des Deszendenten und durch Planeten im 7. Haus symbolisiert. Die Signifikatoren beschreiben Themen, die der jüngere Partner in die Beziehung einbringt.

7. Die Verbindung der Partner untereinander:

   Aspekte zwischen den Signifikatoren beider Partner symbolisieren Ausgewogenheit bei harmonischen Winkeln und Unvereinbarkeiten bei disharmonischen Aspekten. Steht der Herrscher des 1. Hauses im 7. Haus des andern Partners oder umgekehrt, beeinflussen sich beide Partner stark.

8. Spannungsaspekte zu den Signifikatoren:

   Dies zeigt an, ob die Partner mit besonderen Schwierigkeiten rechnen müssen. Die Stellung in Zeichen und Haus zeigt an, wie sich die Partner in die Beziehung einbringen.

9. Planeten in den Häusern:

   Erstens werden die Planeten in den Häusern für die Partnerschaft insgesamt gedeutet. Zweitens werden die Planeten in Bezug auf den älteren Partner gedeutet und zwar von Haus 1 bis Haus 6. Diese Häuser 1 bis 6 betreffen den älteren Partners. Dann wird das 7. Haus des Combins als das 1. Haus des jüngeren Partners gedeutet, das 8. Haus als das 2. Haus des jüngeren Partners und so weiter bis zum 12. Haus des Combins als das 6. Haus des jüngeren Partners. Saturn im 9. Combin Haus würde beispielsweise also im 3. Haus des jüngeren Partners gedeutet werden.

10. Planeten in Konjunktion zu den Achsen:

    Planeten in Konjunktion zum Aszendenten, Deszendenten, zum IC oder MC lassen ein bestimmtes Thema stark hervortreten. Beispielsweise will die Sonne am IC Licht ins Dunkle bringen oder Bewusstes mit dem instinktiven Bereich in Einklang bringen. Ein Fallbeispiel zum Combin findet sich ebenfalls im Gesamtverlauf einer Therapie.
    Nach L. Livaldi Laun (2012) hat das Combin den Vorteil, dass mit diesem Horoskop die Entwicklung einer Beziehung verfolgt werden kann. Damit können alle prognostischen Verfahren angewendet werden. Es

lassen sich leicht kritischen Perioden feststellen, wenn Transite, Progressionen oder Solare entsprechende Signale liefern.

**Die sekundäre Progressionen:
die Zeitqualität für ein Jahr** (1 Tag = 1 Jahr)

Diese Methode ist einfach in der Anwendung und erlaubt einen raschen zeitlichen Überblick. Die kurze Erwähnung zusammen mit der Sonnenbogendirektion dient lediglich der Vollständigkeit. Die sekundäre Progression ist eine Methode, um die Qualität einer bestimmten Zeit zu bestimmen. Genauere Angaben machen M. D. March, J. McEvers (1993). Gemäss beiden Autorinnen kann die Progression für jedes beliebige Datum eines Menschen errechnet werden. Sie zeigt die Lebensstrukturen, Muster an Erfahrungen und aktuelle Themen für jedes Jahr an, das gewählt wurde. Bei der Progression wird postuliert, dass eine kurze Zeitspanne symbolisch einer langen Zeitspanne entspricht. Die sekundäre Progression beruht auf der Entsprechung, wonach ein Tag symbolisch einem Jahr entspricht. Zwischen den Rhythmen des Tages und des Jahres gibt es Parallelen. In der einen Phase wird etwas widergespiegelt, was sich in der anderen Phase zeitigt. Wenn jemand zum Beispiel 1980 geboren wurde und für 1995 eine Progression erstellen will, ist zum Geburtstag 15 Tage dazu zu zählen. War der 1. Januar 1980 der Geburtstag, wird das Progressionshoroskop auf den 15. Januar 1980 erstellt. Mit anderen Worten wird berechnet, wo sich alle Planeten im Progressionshoroskop befinden, wenn das Grundhoroskop in diesem Beispiel für 15 Tage später als zum Geburtstermin berechnet wird. Dieses Progressionshoroskop wird zum Abbild der Gefühls- und Gedankenwelt von 1995.

Weil das Geburtshoroskop wesentlich zur Interpretation bleibt, wird es im inneren Kreis des Horoskops dargestellt. Das Progressionshoroskop für ein bestimmtes Datum wird im äusseren Kreis um das Radix gezeichnet. Jetzt zeigt sich, wo sich die Geburtsplaneten im Vergleich zu den progressiven Planeten befinden. Oder ob sich die Häuser in der Grösse verändert haben. Aufgrund der täglichen Bewegung der Planeten kann sich auch bei einer sehr langen Lebensdauer eines Menschen Neptun und Pluto nicht mehr als 2-3 Grad im Tierkreis weiterbewegen. Aus diesem

Grund können nur der Mond und die andern persönlichen Planeten im progressiven Horoskop neue Aspekte bilden. Die Laufgeschwindigkeit der langsam laufenden Planeten ist zu gering, als dass sie für die Progression von Bedeutung sind. Zur Information die ungefähre Laufgeschwindigkeit der laufenden Planeten im Tierkreis pro Tag in Grad und Minuten:

Die Sonne bewegt sich pro Tag ca. 1 Grad im Tierkreis.

Der Mond bewegt sich zwischen 11 Grad 47 Minuten und
15 Grad 12 Minuten.

Merkur bewegt sich um 2 Grad, Venus um 1 Grad.

Mars bewegt sich um 45 Minuten, Jupiter um 14 Minuten.

Saturn bewegt sich um 7 Minuten, Neptun und Pluto unter
2 Minuten pro Tag.

Nach M. March und J. McEvers finden wichtige Ereignisse statt, wenn im Progressionshoroskop der Mond und die andern persönlichen Planeten neue Aspekte bilden. Bei progressiven Aspekten sollte bei den persönlichen Planeten ein Orbis von höchstens einem Grad in beide Richtungen definiert werden. Im Durchschnitt wandert der progressive Mond in 27 ½ Jahren um den Tierkreis und somit während eines Menschenlebens zwei bis dreimal durch das Horoskop. Dabei aktiviert er viele Planeten und unterschiedliche Lebensbereiche. In 27 Jahre werden etwa 130 Hauptaspekte gebildet. Wenn der Mond Aspekte zu progressiven Planeten bildet, werden emotionale Befindlichkeiten offengelegt, was oft ein reales Ereignis in der Aussenwelt ankündigt. Entscheidend für die sekundäre Progression ist der Mond. Der Mond zeigt zeitlich an, wie ein Ereignis zu bewerten ist. Er zeigt auch an, worauf sich das Bewusstsein des Menschen am stärksten aufgrund der Häuser- und Zeichenqualität richtet.

Für die sekundäre Progression stellen die beiden Autorinnen folgendes Deutungsschema vor:

1. Zu Anfang soll das Geburtshoroskop verstanden werden.

2. Was ist ein oder zwei Jahre vor dem zu untersuchenden Datum passiert? Das lässt besser nachvollziehen, was die jetzige Situation beeinflusst.

3. Aspekte zwischen progressiven Planeten und Geburtsplaneten haben grösseres Gewicht als Aspekte von progressiven Planeten untereinander.

4. Progressive Aspekte untereinander sind wichtig, wenn sie in nahe den Hauptachsen stehen oder wenn der Aszendentherrscher oder die Sonne betroffen sind.

5. Berühren progressive Planeten Aspektfiguren im Radix?

6. Wie ist die Verteilung der progressiven Planeten in den Quadranten?

7. Wechselt ein Planet oder eine Achse das Zeichen oder Haus?

8. Wie zeigt sich das Progressionshoroskop im Gesamten? Verändern sich eventuell eingeschlossene Zeichen?

Noch einmal zusammengefasst lässt sich sagen:

Bei der sekundären Progression wird nur mit den persönlichen Planeten Sonne, Mond, Merkur, Venus und Mars gearbeitet, weil es bei den langsam laufenden Planeten zu keinen nennenswerten Bewegungsveränderungen kommt.

Wenn ein progressiver schneller Planet einen Aspekt zu einem Planeten oder zu einer Achse des Radixhoroskops bildet, bedeutet das eine Aktivierung und ein Austausch der damit verbundenen Kräfte.

Einzelne Planeten werden von der Erde aus gesehen auch rückläufig. Das ist ein Grund für die variierenden Umlaufgeschwindigkeiten der Planeten. Jedes Mal, wenn ein Planet im Horoskop seine Richtung ändert, scheint im Leben des Betreffenden etwas von Bedeutung stattzufinden.

Die Sonnenbogendirektion: Eine zusätzliche Methode zur Zeitqualität eines Jahr (1 Grad im Tierkreis = 1 Lebensjahr.)

Diese Direktionsmethode beruht ebenfalls auf der durchschnittlichen Bewegung der Sonne in einem Tag um die Erde. Sie beträgt knapp ein Grad pro Tag. Dabei wird postuliert, dass 1 Grad im Tierkreis symbolisch einem Lebensjahr entspricht. Mit der Sonnenbogendirektion ist es einfach, ein Horoskop zeitlich vorzuschieben. Will man das 30. Lebensjahr eines Menschen betrachten, wird die Sonne um 30 Grad vorgerückt.

Ebenso werden 30 Grad allen andern Planeten in Horoskop zugefügt. Die ursprüngliche Beziehung der Planeten zueinander im Radix wird so beibehalten. M. March/ J. McEvers meinen, dass jeder Mensch auf eine individuelle Methode reagiere, so dass die Autoren sowohl die sekundäre Progression als auch die Sonnenbogendirektion verwenden. Wenn sich Aspekte von progressiven oder dirigierten Planeten zum Radix ergeben, kann das analog einem Geburtshoroskop gedeutet werden.

Bei der Sonnenbogendirektion werden einzig die neu entstandenen Aspekte zwischen dem Sonnenbogenhoroskop und dem Geburtshoroskop gedeutet. Die Zeit, während denen eine solche Konstellation aktiv ist, sind wichtige Lebensmomente eines Menschen. Wenn Planeten oder Achsen ein Haus oder ein Zeichen wechseln, ist dies oft ein Hinweis auf eine andere Einstellung in der Zukunft.

Mit dieser Sonnenbogendirektion kann schnell abgeschätzt werden, wie sich die ungefähre Bewegung der Planeten auswirken werden. Mit diesem Vorteil ist es möglich, die Gültigkeit des Radix und wichtige Jahre im Radix zu identifizieren. Der Orbis bei den Aspekten in jeder Richtung sollte nicht grösser als ein Grad sein.

Der Unterschied zwischen sekundärer Progression und Sonnenbogendirektion ist folgender:

Bei der sekundären Progression wird ein späteres Lebensjahr eines Menschen zur Beurteilung ausgesucht. Wenn das beispielsweise 17 Jahre später als bei der Geburt ist, wird ein Progressionshoroskop 17 Tage nach der Geburt errechnet. In diesen 17 Tagen laufen die Planeten unterschiedlich schnell. Als Folge bilden sich andere Aspekte der Planeten im Horoskopbild. Eine Verschiebung von 1 Tag im Radix symbolisiert 1 Jahr Zeitverschiebung.

Bei der Sonnenbogendirektion werden in diesem Beispiel alle Planeten des Radix um 17 Grade vorgerückt. Das gleichmässige Vorrücken führt dazu, dass die Aspekte der beteiligten Planeten gleichbleiben. Eine Verschiebung von 1 Grad im Radix symbolisiert eine Verschiebung von 1 Jahr. Auch hier beruht das Grundprinzip auf der Entsprechung 1 Tag = 1 Jahr.

Analyse der strukturellen und zeitlichen Dimension der Persönlichkeit und der Gewinn für die Psychotherapie

Hier wird das Grundhoroskop oder Radix nach der Methode von H.P. Hadry respektive G. Brown systematisch gedeutet, die sich beide auf die Schule nach Döbereiner berufen. Das Schema geht

A. von der Anlage eines Horoskops im Häusersystem nach Placidus aus. Dazu gehört 1: In welchem Zeichen steht der Aszendent? 2: In welchem Haus steht der Herrscher des Aszendenten? 3: Gibt es Archetypen im 1. Haus?

B. vom Verhalten aus, das die Anlage umsetzt. Dazu gehört 4: In welchem Haus steht die Sonne? 5: In welchem Zeichen steht die Sonne? 6: Welches Haus schneidet das Löwezeichen an? 7: Welche Aspekte bildet die Sonne? 8: Welcher Archetyp ist Herrscher des Hauses, wo die Sonne steht?

C. von der Finalität des damit Erwirktem aus. Dazu gehört 9: In welchem Zeichen steht das MC? 10: In welchem Haus steht der Herrscher des MC Zeichens. 11: Welche Aspekte bildet dieser Herrscherplanet? 12. Gibt es Archetypen im 10. Haus?

Im Gegensatz zu der Döbereinerschule werden die Aspekte im Horoskop wie schon bei den früheren Beispielen nicht weggelassen, sondern sind eingezeichnet, um die Orientierung für ungeübte Leser zu erleichtern.

Der Gewinn durch den Einbezug einer differenzierten Diagnostik

Vor Jahren las ich in einer Fachzeitschrift, dass eine Psychotherapeutin astrologische Gesichtspunkte bei einer Behandlung eines Patienten eingebracht hatte. Es ergab sich eine Kontroverse darüber mit dem Ergebnis, dass ein solches Vorgehen dem Ansehen der Therapeuten schade und die herkömmliche Diagnostik genug gut sei, um damit eine vernünftige Diagnose und Behandlung einzuleiten. Damit war gemeint, dass die übliche Verwendung der diagnostischen Klassifikationssysteme nach ICD- 10 oder DSM-3 eine ausreichende Grundlage für die therapeutische Arbeit bilden würden.

Ebenfalls kann ich mich gut an eine Falldarstellung im Rahmen meiner Ausbildung erinnern, als ein Therapeut davon sprach, dass sich ein Analysand in seiner Phantasie alle möglichen Beziehungswünsche ausgemalt habe. Es sei aber in dessen Alltagsrealität nicht zu einer realen Beziehung mit einer Frau gekommen war. Spürbar war bei dieser Falldarstellung, dass der Therapeut von einem Idealbild einer realen Beziehung ausging und die Phantasiebeziehung als privatives Phänomen aufgrund eines mangelnden Offenseins für eine reale Beziehung interpretierte. Auf dem Hintergrund des astrologischen Denkens gibt es bei dieser Geschichte aber auch eine andere mögliche Hypothese, die mit Neptun zu tun haben könnte.

S. Heidelck (1998) illustriert diese Problematik mit der Überschrift: Neptun und die Sucht nach Sehnsucht- Wie glücklich macht die unglückliche Liebe? Sehnsüchtig Liebende würden nach Heidelck oft beim Therapeuten erscheinen, weil sie sich der Realität verweigern. Die Problematik tauche auf, wenn Im Horoskop Neptun einen Aspekt zur Sonne, Mond, Venus oder zu den Hauptachsen bilden. Solchen Menschen sei die Anwesenheit des verehrten Liebespartners auf die Dauer oft lästig. Der Mensch wird hier mit einem Partner oder Partnerin konfrontiert, der im Lichte neptunischer Liebesideale blass wirken muss. Gegen alle andersartigen Beteuerungen strebt der Neptun- Venus betonte Mensch keine Liebesbeziehung mit dem Partner an, sondern wünscht sich eine Verschmelzung mit ihm. Problematisch darin ist, dass sich ein solcher Mensch weigern kann, die Grenzen auflösenden Paradiesvorstellungen der romantischen Liebe zugunsten einer tatsächlich gelebten und vielleicht schmerzhaften Beziehung aufzugeben. Der Wunsch nach Verschmelzung sitzt hier tiefer als der Wunsch nach einer eigenen Identität. Der Betroffene fürchtet sich davor, im Gegenüber ein verlorenes Du zu finden, das aus sich selbst heraus keine Form besitzt. Das entspricht dem Prinzip Neptuns, wo es um Auflösung und Aufhebung jeder Trennung zwischen Ich und Du geht. Der Klient kommt in die Rolle des trübseligen Märtyrers, der sich scheinbare selbst aufopfert. Nun kann man einwenden, dass die herkömmliche Psychologie solche idealisierte Beziehungs- oder Verschmelzungswünsche durchaus berücksichtigt und dass damit eine astrologische Betrachtungsweise unnötig ist. Doch immerhin liefert die Astrologie die entsprechende Signatur dazu und es wäre zu erklären, warum man auf astrologischem Weg auf ein Phänomen aufmerksam wurde, das es scheinbar gibt. In beiden angeführten Beispielen würde eine Diagnostik der astrologischen Struktur neue Informationen liefern, um eine Situation besser einschätzen zu können. Die oben angeführten Beispiele haben dieses Vorgehen gezeigt.

Der Gewinn durch den Einbezug des Denkens in polaren Achsen

Ein Jugendlicher mit früh aufgetretener Symptomatik

Anmeldegrund: Ein junger Mann meldete sich für eine psychotherapeutische Behandlung an. Er leide unter Panikattacken und depressiven Verstimmungen. Die Symptomatik habe zwar in letzter Zeit gebessert, er wolle jetzt die Problematik endgültig angehen. Erstmalig sei die Symptomatik in ganz frühen Jahren ausgetreten.

Anamnese: Von der Mutter des Mannes war zu erfahren, dass sie vor der Geburt des Patienten bereits zwei Föten während der Schwangerschaft verloren habe. Auch habe es medizinische Komplikationen während der Schwangerschaft mit ihrem Sohns gegeben. Nach der Geburt habe sie unter einer zweiwöchigen postnatalen Depression gelitten. Der Vater des Kindes sei ein schwieriger Mensch gewesen. Es sei zur Scheidung gekommen, als der Sohn vor der Pubertät gestanden habe. Der Sohn rede negativ vom Vater und wolle nicht viel mit ihm zu tun haben. Er sehe ihn alle zwei Monate. Laut Mutter habe der Sohn schon im Alter von zwei Jahren geäussert, dass er sterben wolle. Damals sei der Grund dafür unklar gewesen.

Der Patient selber gab an, dass er mit dem Vater gut auskomme. Er habe unter der Trennung der Eltern nicht sehr gelitten. Er sei auch nicht suizidal. Gründe für die depressiven Verstimmungen könne er keine angeben. An seinem Arbeitsort rede er nicht allzu viel, ebenso reagiere er scheu bei unbekannten Leuten. Er könne sich vorstellen, eine berufliche Zweitausbildung zu machen. In der Freizeit mache er Musik und komponiere Songs.

Symptomatik: Die depressiven Verstimmungen hätten phasenweise vor circa zwei Jahren begonnen. Manchmal sei er auf der Suche nach dem Sinn des Lebens. An seinem Arbeitsort sei er nicht ganz zufrieden. Er werde von Kollegen so eingeschätzt, dass er geeigneter für einen sozialen Beruf wäre.

Hypothesen: Aufgrund der Angaben interessiert der Mond (postnatale Depression der Mutter), die Saturn – Mond (Depression) Konstellation und Jupiter - Schütze (Lebenssinn). Das Horoskop zeigt, dass keine Mond – Saturn Konstellation vorliegt, aber eine Sonne - Saturn Konjunktion. Damit ist das Vatersymbol sehr strukturiert bis einengend. Der Mond ist in einem Trigon verbunden mit der Sonne. Dies ist eher stimmig mit der Aussage des Patienten, dass das Verhältnis zum Vater nicht schlecht sei. Was aber vorliegt, ist ein Quadrat vom Mond zum schwarzen Mond, der Lilith.

Deutung des Horoskops

1. In welchem Zeichen steht der AC? Der AC ist im Wassermann. Die Anlage betrifft die fixierende Sicherung des Individuellen, der Freiheit und der eigenen Wahrheit. Die Sonne steht auf dem AC, Saturn und Merkur stehen im 1. Haus. Saturn setzt bei der Ich- Durchsetzung Struktur und Grenzen. Der Wassermann will Neues entdecken. Das harmoniert nicht optimal und kann zu Spannung führen.

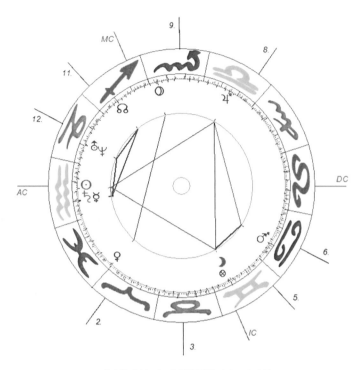

Erstellt mit Astroplus, © 2000-2007 by Astrocontact, Linz

2. In welchem Haus steht der Zeichenherrscher des Aszendenten und welche Aspekte hat er? Uranus als Zeichenherrscher ist ausgewandert ins 12. Haus. Erneuerung soll auf den Boden der funktionellen Belange des Fischprinzips gebracht werden beispielsweise in einer helfenden Tätigkeit. Als Aspekt von Uranus liegt eine Konjunktion mit Neptun vor. Dies ist ein zusätzlicher Hinweis, einfühlend im Fischprinzip zu agieren.

3. Welche Archetypen stehen in Haus 1? Sonne, Saturn und Merkur stehen im 1. Haus. Die Ich-Durchsetzung wird damit strukturiert bis eingeengt, ebenso die Kommunikation auf der Achse 1/7.

4. In welchem Haus steht die Sonne? Sie ist im 1. Haus und dient dazu, die Anlage über die Ich-Durchsetzung zu verwirklichen. Hier liegt ein Spezialfall vor, indem Anlage und Art der Verwirklichung identisch sind. Die energetische Ladung der Sonne ist hier hoch.

5. In welchem Zeichen ist die Sonne? Im Wassermann. Hier geht es um Kontakt mit Gleichgesinnten darum, originell einen Weg oder Werte eigenwillig, aber weniger emotional zu vertreten.

6. Welches Haus beherrscht der Löwe? Es ist das 7. Haus, das mit den Begegnungsmöglichkeiten mit hilft, die Anlage zu verwirklichen. Kontakte könne damit affektiv und charmant gestaltet werden. Symbolisch eröffnet sich im Löwe Kontakt ein Herz für Menschen.

7. Welche Aspekte bildet die Sonne? Ihr helfen bei der Verwirklichung der Anlage die Gefühle mit einem Trigon zum Mond, die Kommunikation mit einer Konjunktion von Merkur, die Tatkraft mit einem anspruchsvollen Quintil von Mars, die Erkenntnisgewinnung mit einem Trigon von Jupiter und das Sicherungsbedürfnis mit einem Halbquadrat von Venus. Bei der Sonne liegt eine Opposition mit Chiron vor, dem verletzten Heiler. Die Sonne ist damit gut vernetzt.

8. Welcher Archetyp ist Herrscher des Hauses, wo die Sonne steht? Uranus hilft bei der Verwirklichung der Sonne durch Erneuerung.

9. Welches Zeichen steht am MC? Das MC Zeichen ist Schütze und steht für das Ziel der Verwirklichung der Anlage. Es geht um die Entwicklung einer Lebensanschauung, um Erkenntnis und Sinnfindung.

10. Wo steht der zugehörige Herrscherplanet? Der Herrscherplanet Jupiter steht im 8. Haus, wo es um fixe Konzepte und Überzeugungen geht. Jupiter will die fixen Konzepte der geistigen Bilder erweitern.

11. Welche Aspekte hat Jupiter? Er wird unterstützt von der spannungsbringenden Kraft des Mars und von harmonischen Gefühlen des Mondes und er wird harmonisch von der Sonne unterstützt, die am Aszendent sehr viel Energie hat.

12. Gibt es Planeten im 10. Haus? Nein.

Ein bemerkenswertes Phänomen zeigte sich, als wir versuchten, mit Imaginationen eine tiefere Schicht der Persönlichkeit anzusprechen, um eventuelle Konflikte zu bearbeiten. Wie immer in vergleichbaren Situationen versuchen die Patienten anfangs, einfache Gegenstände zu visualisieren, um ein Gefühl für echte Vorstellungsbilder zu entwickeln. Bei diesem Patienten gelang dies nicht. Er konnte den vor sich liegenden Bleistift nicht vor dem geistigen Auge entstehen lassen. Stattdessen fing der Bleistift an sich zu drehen und damit seine Form sehr schnell zu wechseln. Der Patient gab an, auch sonst immer fast zu viele Gedanken im Kopf zu haben, was anfangs Schulzeit manchmal zum Problem geworden sei. Erst in den letzten Jahren habe er gelernt die Flut von neuen Gedanken unter Kontrolle zu bringen und gute Schulnoten zu schreiben. Nach der Bitte, den drehenden Bleistift noch genauer zu beschreiben, war zu erfahren, dass dieser beim Drehen einen farbigen Schweif hinterlasse, rot, blau glitzernd und farbenprächtig. Es komme dem Patienten vor wie der Ring von einem Planeten zum Beispiel von Saturn, wo sich die Scheiben schnell drehen würden. Es sei wie ein Karussell, sodass der Patient die Augenbewegungen schnell mitmachen müsse. Das Ganze sei aber entspannend. Auf die Frage, was ihm sonst noch Entspannung bringe, meinte er sein Hobby als Schlagzeuger, aber sicher kein Teamsport. Schnelle Drehung, Formwechsel, ein Gedanke nach dem andern und ein Planet sind Phantasien, die spontan entstanden sind und die man astrologische mit Wassermann assoziieren kann und die den AC repräsentieren. Dazu würde passen, dass das Individuelle dem Team vorgezogen wird.

Der Patient wirkte im Kontakt zwar zugänglich. Es war aber nicht einfach, den Kontakt immer fliessend herzustellen. Der junge Mann berichtete oft nur das Nötigste und sprach wenig von sich aus. Die Merkur Saturn Konjunktion zeigte sich damit deutlich. Ohne astrologisches Wissen wäre das so nicht einschätzbar gewesen.

Ressourcen: Die Merkur Ausdruckshemmung liegt auf 8 Grad Wassermann. Die Lösung eines Konflikts nach B. Huber liegt nicht am Ort des Konflikts, sondern auf der Achse, die davon 90 Grad weg liegt. Das heisst auf der Achse 3/9 im Stier/Skorpion. Das ist die Kommunikationsachse. Hier liegt ein Spezialfall vor, indem ein Problem mit der Achsenbedeutung zusammenfällt.

Der Mond ist 5 Grad vom IC entfernt. Folgen wir der gleichen Logik für eine Stabilisierung der Stimmungslage, geht es um die Achse 1 / 7 in Wassermann / Löwe, das heisst um eine individuelle Ich- Durchsetzung im Kontakt.

Will man das Hobby des Singens von selber komponierten Liedern mit Venus als Kunst symbolisieren, ist damit zu rechnen, dass gleichzeitig mit der Stellung in Haus 2 der eigene Selbstwert wesentlich gesteigert werden kann. Mit der gradgenauen Position zwischen Fisch und Widder ist die energetische Lage aber nicht optimal.

Die Mond- Saturn Hypothese hat sich hier nicht bestätigt. Auffallend ist, dass beide Archetypen an energetisch stark besetzten Stellen liegen. Möglicherweise ist hier das Mond – Lilith Quadrat relevanter und weibliche Anteile sind schwer zu integrieren.

Transite: Vor und nach der Anmeldung zur Psychotherapie waren insgesamt folgende Transite wirksam: Eine Transit – Pluto Opposition Radix-Mars, ein Transit-Neptun Eineinhalbquadrat Radix-Neptun und ein Transit-Neptun Eineinhalbquadrat- Radix-Uranus. Damit spielt neben der transformierenden Plutoenergie auch die einfühlende Neptunenergie eine heilende Rolle

Alterspunkt im 7er Rhythmus nach W. Döbereiner: Hier sind keine relevanten Auslösungen ersichtlich.

Alterspunkt nach B. Huber im 6er Rhythmus im Gegenuhrzeigersinn: Gemäss Anamnese mit der Mutter habe der Patient mit zwei Jahren berichtet, dass er nicht mehr leben wolle. Mit genau 2 Jahren hat sich ein Alterspunkt Quadrat Pluto ausgelöst und damit eine transformatorische Kraft in Bewegung gebracht.

Verlauf: Wir arbeiteten mit Gesprächen unter anderem, um Ressourcen zu stärken. Ein weiteres Thema war eine Scheu des Patienten gegenüber Frauen. Daneben arbeiteten wir unter anderem mit dem energetischen Verfahren EFT, um schwierige Erinnerungen zu transformieren (H. Benesch 2011). Der Patient fand nach sechs Monaten, dass er die Therapie beenden könne. Die depressiven Stimmungen und Anflüge von Panikattacken sind nicht mehr aufgetreten.

Hier zeigte sich insgesamt ein besseres diagnostisches Verständnis mit der Sonne/Saturn/Merkur Verbindung, die zu einem scheuen und wortkargen Auftritt führt und eine stimmige zeitliche Auslösung über den Alterspunkt.

Der Gewinn durch den Einbezug der polaren Achsen: Das Horoskop kann mit den 6 Grundachsen dargestellt werden. Die beiden Pole einer Achse stehen in Beziehung zueinander. Die Art des Verhältnisses wird klar, wenn die Besetzung der Häuser darin reflektiert wird. Der Vorteil dieser Betrachtung liegt darin, dass es Fragen zum Zusammenhang von Hausthemen aufwirft, die man ohne Achsenpolarität weniger reflektieren kann. Die Achsen nach H.P. Hadry (2005) sind:

Die 1. Achse mit den Häusern 1/7 beschreibt die Selbstdurchsetzung im realen Bereich (Widder) versus Durchsetzung im geistigen Bereich durch Selbstergänzung (Waage).

Die 2. Achse mit den Häusern 2/8 beschreibt die Sicherung und Verfestigung der materiellen Welt (Stier) versus fixierende Sicherung der geistigen Welt (Skorpion).

Die 3. Achse mit den Häusern 3/9 beschreibt die Selbstdarstellung und Funktion im realen Raum (Zwilling) versus Funktion des Geistigen durch Selbsterkenntnis (Schütze).

Die 4. Achse mit den Häusern 4/10 beschreibt die Durchsetzung des Seelischen (Krebs) versus Durchsetzung der Wirklichkeit und des Transpersonalen (Steinbock).

Die 5. Achse mit Häusern 5/11 beschreibt die Verfestigung des Seelischen durch Selbstausdruck (Löwe) versus fixierende Sicherung der transpersonalen Wirklichkeit (Wassermann).

6. Achse mit Häusern 6/12 beschreibt die funktionelle Aussteuerung des Seelischen mit (Jungfrau) versus Funktion des definitiv Wahren (Fisch).

Wie ersichtlich wird, sind die Achsen polar. Beide Pole bilden ein ganzes und der eine Pol kann den andern Pol nicht unberücksichtigt lassen.

Die 1. Achse beschreibt die Durchsetzung im realen Raum versus Durchsetzung im geistigen Bereich. Die Achse 1/7 ist in unserem Beispiel betont. Die Sonne liegt auf dem Aszendenten. Im ersten Haus ist zudem Merkur und Saturn. Die Sonne will Freiheit, Ungebundenheit oder Aktivität in Gruppen verwirklichen und wird von Saturn, der strukturierend wirkt, zugleich gehemmt oder mindestens in klare Bahnen gelenkt. Prinzipiell vertragen sich die beiden Archetypen nicht optimal und damit ist ein Konfliktpotential auf der Achse gegeben, die Ich-Durchsetzung versus Selbstergänzung anstrebt. Die energetische Besetzung im 1. Haus ist stärker als jene im 7. Haus. Ausser Chiron, dem verletzten Heiler, gibt es keine Planeten im 7. Haus. Der Pol Selbstergänzung ist deshalb schwieriger zu leben. Wo liegt die Lösung? Möglicherweise werden Verletzungen über die Begegnung erfahren und der junge Mann könnte sich darum kümmern. Insofern macht es Sinn, wenn er sich Gedanken zu einem Berufswechsel in einem sozialen Umfeld macht.

Die 2. Achse 2/8 beschreibt Sicherung und Verfestigung in der materiellen Welt versus fixierende Sicherung der geistigen Welt. Wenn der Selbstwert, die Reviersicherung oder materieller Besitz dem 2. Haus zugeordnet wird, ist damit das je Eigene gemeint. Im 8. Haus wird Besitz als das verdichtete Materielle über den Begegnungsquadranten erfahren. In der klassischen Astrologie wurden als Analogie auch Erbschaften, Kredite oder Steuern angeführt. Das 2. Haus wird durch Fisch angeschnitten und das Zeichen Widder bleibt anschliessend eingeschlossen. Venus liegt genau zwischen den beiden Zeichen. Der fischbetonte Selbstwert wird schwammig, nebulös, unklar löst sich auf oder findet seinen Ausdruck in der Ausrichtung auf das Jenseitige. Die widderbetonte Selbstwert bleibt quasi eingeschlossen und findet wenig direkte Äusserungsformen. Venus will ausgleichen, assimilieren, Beziehungen oder Kunst ermöglichen. Energetisch hat Venus hier nicht die beste Stellung dazu. Der Gegenpol der Achse wir durch Jungfrau im 8. Haus angeschnitten Anschliessend folgt das eingeschlossene Waagezeichen, wo sich Jupiter aufhält.

Die 3. Achse 3/9 beschreibt Funktionen im realen Raum wie Selbstdarstellung versus Funktionen im geistigen Raum wie Selbsterkenntnis. Damit verbunden ist im 3. Haus, vom Stier angeschnitten, Kommunikation und Austausch. Im 9. Haus, von Skorpion angeschnitten, gehören auch expansive Erfahrungen, welche die engen eigenen Grenzen überschreiten. Stier und Skorpion sind beides fixes Zeichen und wollen damit Kommunikation konzentrieren oder auf das wesentliche beschränken. Als einziger Archetyp auf dieser Achse ist Pluto, der sehr stark auf eigenen Territorium im Skorpion steht. Selbsterkenntnis durch expansive Erfahrung wird durch das machtvolle Potential von Pluto und durch die dabei verbundenen Grenzerfahrungen herbeigezwungen. Panik wird in der Literatur als Analogieäusserung von Pluto angeführt. Die aktuelle Symptomatik des Patienten findet hier möglicherweise eine Wiederspiegelung. Weil seine Kommunikation in der Begegnung auf den Achsen 1/7 und 3/9 erschwert ist, braucht es panikartige Grenzerfahrungen, um das zu überwinden.

Die 4. Achse 4/10 beschreibt Durchsetzung im seelischen Raum wie Selbstbesinnung versus Durchsetzung der transpersonalen Wirklichkeit wie beispielsweise Selbstbeschränkung. Es ist die Zwilling/Schütze Achse. Die Selbstbesinnung auf das eigene seelische Wesen wird vom Mond unterstützt, der hier im Zwilling steht. Zwilling ist seinem Wesen nach allerdings eher neutral, seelisch unverbindlich und will primär nur Informationen verarbeiten. Die gefühlsmässige Unterstützung bleibt hier relativ beschränkt. Der andere Pol der Selbstbeschränkung, das Schützezeichen, will seinem Wesen nach eigentlich geistige Expansion, aber keine Selbstbeschränkung. In seinem Territorium steht der nördlichen Mondknoten. Der Mondknoten zeigt den Ort an, wo optimale Reifungsprozesse möglich sind. Hier ist es der berufliche oder gesellschaftliche Bereich, wo über Bildung und Selbsterkenntnis Entwicklung möglich wird. Seelischen Boden finden heisst bei diesem Patientenmöglicherweise Expansion und verlassen der vertrauten Umgebung. Dies wirft ein anderes Licht auf die Frage des Patienten, ob er zum Vater ziehen soll, der in einer andern Landesteil wohnt und wo er eine weitere Ausbildung beginnen könnte.

Die 5. Achse 5/11 beschreibt die Verfestigung und Konzentrierung des Seelischen wie beispielsweise Selbstausdruck versus fixierende Sicherung der transpersonalen Wirklichkeit. Auch diese Achse wird von Zwilling und Schütze angeschnitten. Der Ausdruck des eigenen Selbst wäre hier geprägt von Kommunikation und Lernen. Die Selbstbefreiung als Weg zur eigenen Wahrheit seines Wesens und Mars zur individuellen Lebensgestaltung wäre geprägt durch expansives Überschreiten von engen Grenzen und von der Entwicklung einer eigenen Lebensanschauung. Mars als Tatkraft hilft dabei im 5 Haus, wenn dessen Energie im Krebs auch etwas vermindert ist.

Die 6. Achse 6/12 beschreibt die funktionelle Selbststeuerung versus Funktionen der transpersonalen Wahrheiten. Die Achse wird durch Krebs und Steinbock angeschnitten. Die Selbststeuerung ermöglicht sich dabei in einer gefühlsorientierten Art und Weise und bleibt dabei eher unbewusst. Die Selbstauflösung ist steinbockartig, das heisst auf einem kargen Boden, wo Grenzen gesetzt werden. Archetypen im 12. Haus sind Uranus und Neptun. Neptun steht sogar in seinem Stammhaus. Steinbock und Neptun sind allerdings wieder Antagonisten, die nicht das gleiche wollen.

Insgesamt wird deutlich dass es einige spezifische Spannungen in diesem Horoskop gibt. Bei polaren Spannungen ist oft zu beobachten, dass nur der eine Pol gelebt wird. Der andere bleibt verdrängt und wird beispielsweise in der Projektion gelebt. Eine andere Ausdrucksform kann sein, dass die Pole zeitlich nacheinander und abwechslungsweise, aber nicht gleichzeitig gelebt werden.

Der Gewinn durch den Einbezug der energetischen Betrachtung der Persönlichkeitsstruktur

Ein Jugendlicher braucht eine Institution

Anmeldung: Ein Jugendlicher wurde nach einem stationären Klinikaufenthalt zur psychotherapeutischen ambulanten Betreuung angemeldet. Er wurde in der Schule vor der stationären Behandlung von Mitschülern gemobbt. Dadurch wurde er zum Aussenseiter, kam in eine Opferrolle und verlor den Anschluss an die öffentliche Schule.

Anamnese: De Jugendliche wuchs unter erschwerten Bedingungen auf. Die Eltern verstanden sich nicht allzu gut miteinander. Der Vater verlor gegenüber dem Sohn nach Auseinandersetzungen über längere Zeit die Nerven und es kam dabei zu Schlägen des Vaters, die der Sohn einstecken musste. Die Folge war eine weitgehende Ablehnung des Vaters, ein Rückzug von ihm und auch von der Mutter, Zum Glück konnte der Vater seine Tätlichkeiten stoppen, was aber an der negativen Einstellung des Sohnes nichts mehr ändern konnte, obwohl es zu einer formalen Versöhnung kam. Nach dem Klinikaufenthalt ging es darum, den Jungen nicht mehr in seiner Familie zu belassen, weil die ganze Familie damit überfordert gewesen wäre. Der Junge wurde in einem Schulheim platziert. Der

Preis für den Jugendlichen war hoch. Er hatte Heimweh, fühlte sich im Internat isoliert und konnte nicht verstehen, dass er schulisch weniger gefördert wurde, als dies mit dem Schulstoff der öffentlichen Schule der Fall gewesen wäre. Die Lehrer und Betreuer des Internats schätzten die Situation aber anders ein und fanden das Niveau der Beschulung angemessen. Der Jugendliche wäre in der öffentlichen Schule überfordert worden. Die Konflikte spitzen sich zu. Es kam zu schulischen Absenzen und der Jugendliche rückte am Sonntagabend nicht rechtzeitig ins Internat ein. Eine grosse Liebe des Jugendlichen war die Literatur. Er stöberte in Buchhandlungen und las oft Romane. Bezüglich seiner Schullaufbahn wollte er freiwillig Zusatzlektionen lernen, konnte dies aber nicht sinnvoll umsetzen. Ein anderes Hobby waren Ausflüge mit Kollegen, wo er neue Städte im Ausland kennenlernte. An der therapeutischen Beziehung war der Jugendliche interessiert und es gelang ihm, sein Verhältnis zu seinem Vater zu verbessern.

Symptomatik: Während des Klinikaufenthalts wurde beim Jugendlichen eine einfache Aktivitäts- und Aufmerksamkeitsstörung diagnostiziert. Daneben fielen starke Stimmungsschwankungen auf. Während der Schulzeit konnte sich der Jugendliche nicht über längere Zeit konzentrieren und schrieb schlechte Noten. Trotz seines Interesses am Schulstoff und besonders an Literatur drückten diese Misserfolge auf seine Stimmung und auf sein Selbstwertgefühl. Eine medikamentöse Behandlung des ADHS brachte anfangs eine gewisse Verbesserung der Lernleistung. Nach einer gewissen Zeit flachte dies ab. Der Patient wurde müde und es war unklar, ob das Medikament überhaupt noch eine Wirkung zeigte. Die Müdigkeit und das überreizte Gefühl im Kopf konnte trotz ärztlicher Kontrollen und Wechsel des Medikament nicht unter Kontrolle gebracht werden. Im Internat brachte der gerne schwarz gekleidete Jugendliche mit pechschwarzen Haaren die Betreuer manchmal an den Rand der Belastbarkeit. Er lehnte den Vorschlag ab, eine berufliche Ausbildung in einem institutionellen Rahmen anzunehmen und träumte von einem Ausbildungsplatz in einem anspruchsvolleren Beruf in der freien Wirtschaft, obwohl ihm dazu wegen seiner Labilität von den Lehrpersonen abgeraten wurde. Damit ging der Patient seinen eigenen Weg. Bildung wäre ihm wichtig gewesen, mit der Realität haperte er. Meistens klappte es mit der Umsetzung der eigenen Ideen des Patienten wenig und er liess gemäss der Einschätzung seiner Mutter ein adäquates Urteils- und Realitätsverständnis vermissen. Auffallend war auch, dass der Patient seine eigenen Vorstellungen recht konsequent verfolgte. Er liess sich von der Umwelt nicht beeinflussen und wollte sich unabhängig von den Folgen von niemanden dreinreden lassen.

Hypothesen: Die Eltern des Jugendlichen standen in einer latenten Spannung. Gemäss dem Familienmodell nach B. Huber wiederspiegelt dies eine Spannung zwischen Sonne (Vater) und Saturn (Mutter). Der Bildungsdrang und das Reisen sind typische Jupiterentsprechungen. Die Opferrolle des Aussenseiters bei einer gleichzeitigen grossen Sensibilität entspricht Neptun, der stark gestellt ist. Die Lernschwierigkeiten, die exekutiven Schwächen und die Tendenz zur Selbstsabotage könnten mit Merkur und Saturn in Spannung zu tun haben. Die Stimmungsschwankungen könnten mit einer labilen Mondstellung im Zusammenhang sein.

Deutung des Horoskops

1. In welchem Zeichen steht der Aszendent? Er steht im Skorpion. Es geht um eine fixierende Sicherung der geistigen Welt durch die eigene Vorstellung.

2. In welchem Haus steht der Herrscher des Skorpions und welche Aspekte bildet er? Der Herrscher des Skorpions ist der Pluto. Er steht bis auf 2 Grad genau am AC und bildet ein Quadrat zu Mond und Mars sowie eine Konjunktion zu Jupiter. Damit haben wir eine hohe energetische Stellung des Pluto mit entsprechenden fixen Vorstellungen des Patienten über seine Zukunft identifiziert, was gekoppelt ist mit dem Bildungsdrang über den Jupiter. Gleichzeitig zeigt sich die Mondstellung wie vermutet in Spannung, aber auch in Zusammenhang mit der Ausgangsqualität des Aszendenten. Ebenso ist damit in Einklang, dass die Tatkraft, das heisst die praktische Umsetzung von Zielen über den Mars nicht leicht fällt.

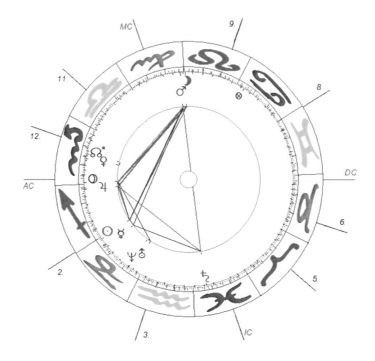

Erstellt mit Astroplus, © 2000-2007 by Astrocontact, Linz

3. Gibt es Planeten im Haus 1? Jupiter und Pluto in Haus 1 dienen der Ich - Durchsetzung. Mit andern Worten stehen Bildung und Machtbedürfnisse im Dienste der Durchsetzung im realen Lebensraum.

4. In welchem Haus steht die Sonne? Sie steht im 2. Haus .Über die Sicherung der materiellen Welt wird das Potenzial des Aszendenten umgesetzt.

5. In welchem Zeichen steht die Sonne? Sie ist im Steinbock und dieses Zeichen beeinflusst die Sonne steinbockartig. Das heisst, die Sonne reagiert losgelöst von subjektiven Bedürfnissen einer Sache zuliebe.

6. Welches Haus beherrscht das Löwezeichen? Es ist das 9. Haus, das Territorium, der Expansion und der Erkenntnis.

7. Welche Aspekte bildet die Sonne? Eine Konjunktion zu Merkur, ein Trigon zu Mars und Mond. Die Konjunktion Sonne / Merkur

tritt prinzipiell aufgrund ihrer Umlaufbahnen oft auf und wird auch als verbrannter Merkur bezeichnet in der Meinung, dass Merkur hier nicht optimal zu Zug kommt. Das Trigon Sonne – Mars – Mond würde erwarten lassen, dass sich die beteiligten Archetypen unterstützen. In diesem Fall wird das relativiert durch das eingeschlossen Löwezeichen, wo sich die Archetypen energetisch nicht optimal abstützen können. Die aggressive Tatkraft und die Gefühle werden dadurch gehemmt. Noch verblüffender ist diese Konjunktion, wenn sie so gedeutet wird, dass die Aggression (Mars) auf die Gefühlswelt trifft (Mond) und dies auf dem Hintergrund der Schläge des gewalttätigen Vaters gegenüber dem Sohn gesehen wird. Für den Patienten hatte diese Erfahrung traumatische Qualitäten erreicht. Dies umso mehr, als der Mars mit dem Pluto in einem Spannungsverhältnis steht.

8. Welcher Archetyp beherrscht das Haus, indem die Sonne steht? Die Sonne im 2. Haus wird vom Schützen angeschnitten und deshalb ist der Jupiter der Herrscher. Der Jupiter steht am Aszendenten, hat deshalb viel Energie und kooperiert mit Pluto. Die Sonne verwirklicht deshalb die Anlage am Aszendenten jupiterhaft, das heisst über geistige Erkenntnis und Expansion.

9. Welches Zeichen steht am MC? Es ist die Jungfrau. Das Ziel der Anlageverwirklichung ist nach Art der Jungfrau. Das heisst, es geht um die funktionelle Aussteuerung des Seelischen.

10. Welcher Herrscherplanet gehört dazu und wo steht er? Es ist der Merkur und er steht im 2. Haus. Das Entwicklungsziel verwirklicht sich merkurhaft, das heisst über Bildung und Lernen auf dem Hintergrund der Sicherung der materiellen Welt.

11. Welche Aspekte hat dieser Herrscherplanet Merkur? Wie schon gesagt ist er verbunden mit der steuernden Sonne mit Mond und Mars.

12. Gibt es Planeten im 10. Haus? Nur Chiron. Er zeigt eine Verletzung des Berufshauses an.

Die ausufernde (Jupiter) Gewalt (Pluto) am AC führt zur Spannung (Quadrat) mit der Gefühlswelt (Mond), die aggressiv (Mars) kontaminiert wird (Konjunktion). Der Vater wurde zum Erfüllungsgehilfen des Schicksals. Auch hier gilt das nur retrospektiv. Der Umkehrschluss ist nicht gültig. Die astrologische Konstellation muss nicht zwangsläufig zu diesem Ergebnis führen. Eine unangenehme Seite der Archetypen bleibt. Sie sind unerbittlich und dienen auch einem schwierigen Schicksal.

Ein Blick auf die restlichen Planeten zeigt, dass Saturn im Fisch steht. Struktur und Auflösung vertragen sich schlecht, sodass der strukturbildende Faktor klein bleibt. Immerhin hat Saturn einen guten Draht zur Sonne. Neptun und Uranus sind an der Spitze des 3. Hauses stark gestellt. Die Häuser sechs und zehn, die in der astrologischen Tradition mit dem Beruf in Verbindung gebracht werden, weisen keine Planeten auf, was in Einklang steht mit den Schwierigkeiten einen Ausbildungsplatz zu suchen.

Ressourcen: Die Suche nach Ressourcen heisst nicht nur die Freilegung von bisher ungenutzten Kapazitäten, sondern in unserem Zusammenhang auch die Respektierung der gegebenen astrologischen Struktur. Es wäre aufgrund einer idealen Vorstellung denkbar, bei einem Pluto am Aszendenten das machtbetonte, sture, nach fixen Vorstellungen geprägte Verhalten zu ändern in Richtung von mehr Rücksicht, Nachsicht, oder Einfühlung. Diese Qualitäten wären aber Eigenschaften des Neptunprinzips, nicht aber jene des Plutoprinzips. Sozial verträglichere Varianten des Pluto wären das Zeigen einer starken Beharrlichkeit bezüglich bevorstehender Aufgaben, das Bedürfnis zum Kern eines Problems vorzudringen oder mit Charisma eine starke Persönlichkeit zu entwickeln. Damit wird die Plutoenergie transformiert und sie findet mehr soziale Resonanz.

Transite: Der längste Transit von dreieinhalb Monaten in dieser Umbruchphase der Rückkehr nach Hause war erwartungsgemäss ein Uranustransit und zwar über den AC.

Alterspunkt: Im 7er Rhythmus sind keine spezifischen Auslösungen. Im 6er Rhythmus sind erste Auslösungen von Pluto mit 7 Jahren, dann mit 12 ½ Jahren und 15 Jahren. Das trifft sich in etwa mit den Gewalttätigkeiten des Vaters.

Die energetische Besetzung der Persönlichkeitsstruktur

Um die Energie der einzelnen Archetypen zu beurteilen können die Kriterien dazu im Anhang beigezogen werden. Liegen Planeten auf den Hauptachsen oder in den Eckhäusern? Wie ist die Stellung von Archetypen in Haus und in den Zeichen? Planeten vor Häuserachsen sind laut B. und L. Huber im Stress, weil sie beiden Häusern, die damit angeschnitten sind, dienen sollen. Wie sind die Aspekte von energetisch besetzen Planeten und wie sind sie durch die Sonne zu steuern?

Bei diesem Jugendlichen liegt die Pluto/Jupiter Konjunktion auf einer Hauptachse am AC. Die Beziehungsachse 1/7 ist damit direkt betroffen. Beide Archetypen stehen in Opposition zu der weiblichen Kraft von Lilith am DC. Als Anlage zeigt sich damit eine hohe Besetzung von expandierender, jupiterhaften Energie, die mit stark verdichteter plutonischer Energie gemischt ist. Beide Energien stehen zudem noch in Opposition zu der weiblichen Energie von Lilith, die am DC steht. Die beiden Anlagekomponenten sind nicht nur wegen ihrer AC Stellung stark gestellt. Es kommt dazu, dass beide Energien in ihrem angestammten Territorium sind und dadurch zusätzlich Energie gewinnen. Pluto steht im Skorpion und Jupiter im Schützen. Wenn zwei starke Energien konjugiert sind, können sie mehr oder weniger zusammenpassen oder im Widerstreit miteinander sein. Hier will Pluto konzentrieren und Energie speichern, um gegebenenfalls mit Macht Strukturen sprengen. Jupiter will expandieren und sich nicht eingrenzen. Beides zusammen geht schwer. Die Anlage am AC ist damit hoch energetisch und hoch konflikthaft.

Die Sonne ist die Kraft, um die Energie des AC zu steuern. Wie ist ihre energetische Ausstattung? Sie steht im 2. Haus an energetisch guter Stelle, weder direkt an der Häuserspitze noch am Talpunkt. Von der Verwirklichung her will sie grundsätzlich im 2. Haus verfestigen. Gemäss Stellung im 1. Quadrant will sie den Ich- Ausdruck, das Materielle oder den körperlichen Ausdruck in klare Bahnen lenken. Ihr Zeichen ist der Steinbock, der prinzipiell ebenfalls klare Strukturen setzen will. Die Sonne hat Potential durch ihre Aspekte. Sie steuert mit Hilfe von Gefühlen (Mond) und Tatkraft (Mars). Beide Archetypen sind harmonisch mit der Sonne verbunden und bilden eine Konjunktion. Auch hat die Sonne hat eine

Verbindung über ein Halbsextil zum AC. Insgesamt zeigt die Sonne damit ihr Mass an energetischen Möglichkeiten an. Sie stellt sogar ein gewisses Regulativ zum AC dar. Im Vergleich zum AC ist sie aber energetisch weniger stark besetzt. Sie steht weder an einer Hauptachse, noch in ihrem eigenen Zeichen noch ist sie mit einer andern Kraft konjugiert.

Verlauf: Nach Beendigung der obligatorischen Schulzeit kam es zu einem Wohnortwechsel des Jugendlichen. Er zog vom Internat wieder zurück zu seinen Eltern mit der Idee, in der Gegend eine eigene Wohn- und Ausbildungsmöglichkeit zu suchen. Ebenfalls aus diesem Grund kam es zu einem Therapeutenwechsel. Obwohl die Eltern und die Betreuer in seinem Schulheim die weitere notwendige Betreuung in einer Institution sahen, konnte sich der Jugendliche dieser Meinung nicht anschliessen. Er wollte frei sein von Anpassungszwängen. Seine Sonne im Steinbock würde aber eher Struktur brauchen. Sein 4. Haus und damit seine Herkunftsfamilie werden vom auflösenden Fischzeichen angeschnitten und vermittelt so nicht unbedingt Stabilität. Die beiden Häuser 6 und 10, die mit beruflicher Tätigkeit zu tun haben, sind mit erdigen und damit Stabilität suchenden Zeichen belegt, so wie es Steinbock auch ist. Insgesamt scheint die astrologische Struktur stimmig und es gibt Transit- und Alterspunkt Auslösungen, die passen.

Der Gewinn durch den Einbezug astrologischer Elemente während einer Psychotherapie

Eine junge Frau auf der Suche nach sich selbst

Anmeldung: Eine junge Frau meldete sich wegen depressiven Verstimmungen für eine psychotherapeutische Behandlung an. Sie leide unter Konzentrationsstörungen und fühle sich an der Arbeit überfordert.

Anamnese: Die Patientin sei im Kindergarten gehänselt worden, weil sie sich damals sehr angepasst gegeben habe. Später sei sie aus diesem Grund einer dominanten Kollegin ausgeliefert gewesen. Wegen einer Schwäche in Mathematik sei eine Repetition der dritten Klasse nötig geworden. Ihre Leistungsnoten seien von da an immer besser geworden. Als die Patientin zehn Jahre alt war, hatten sich ihre Eltern getrennt. Von vorangegangenen Streitereien habe sie nicht viel mitgekommen. Aktuell machte die Patientin eine Ausbildung im Gesundheitswesen. Vom Wesen her beschrieb sie sich als freiheitsliebend und perfektionistisch. Die Kindsmutter ergänzte, dass sie selber während der Schwangerschaft gesundheitliche Probleme mit ihrer Nierenfunktion gehabt hätte. Abgesehen von einer Schlüsselbeinfraktur sei das Neugeborene gesund gewesen. Das Baby habe das erste halbe Jahr wegen „Koliken" viel geweint. Das Kleinkind sei mit einem eiserenen Willen und sturen Kopf ausgestattet gewesen. Erst später habe sich eine grössere Anpassungsbereitschaft ausgebildet. Das Mädchen habe es seiner Umgebung recht machen wollen, suchte aber viel Abwechslung. Im Kindergarten sei eine gewisse Rastlosigkeit des Mädchens aufgefallen. Ansonsten sei es nicht impulsiv oder aggressiv gewesen. Während der Schulzeit habe die Tochter mit Zaghaftigkeit, manchmal fast mit Ängstlichkeit in neuen Situationen reagiert. Die Rechenschwäche habe ihr Selbstwertgefühl vorübergehend Beeinträchtigt. Während gewisser Zeiten sei ihre Konzentrationsfähigkeit vermindert und die Arbeitsweise langsam gewesen. Auch sei eine Vergesslichkeit aufgefallen.

Symptomatik: Im Vordergrund standen die depressiven Verstimmungen, die seit circa einem Jahr aufgetreten sind. Die Patientin sei antriebslos, unmotiviert in ihrer Ausbildung und sie habe viele Ängste und Selbstzweifel. Im Kopf habe sie zu viele Gedanken, leide an Existenzängsten und einem Verlust an Lebensfreude. Sie habe Mühe ihren eigenen Weg zu finden und habe auch religiöse Zweifel. Zunehmend wurde deutlich, dass auch ein Lernproblem bestand mit einer Schwierigkeit den Lernstoff zu speichern. Suizidale Ideen traten keine auf. Die Schilderungen der Patientin wurden aber oft von Tränen begleitet. Ihr Denken und Handeln waren von starken inneren Konflikten begleitet. Sie konnte ihre Gedanken schwer in Handlungen umsetzen und ihre Handlungen waren für ihr Denken unbefriedigend. Sie konnte sich während ihrer Arbeitszeit freuen, dass sie demnächst ein paar Tage frei haben werde. War der freie Tag da, konnte sie ihn nicht geniessen oder das machen, was sie sie gewünscht hatte. Zurück blieb ein Gefühl von Stress und von Überforderung. Die Patientin stand in einer Beziehung mit einem jungen Mann, der sie betont idealisierte und davon schwärmte, mit ihr später einmal Kinder haben zu wollen. Obwohl der Freund hilfsbereit und zuverlässig sei, fühlte sich die Frau von diesen Ansprüchen überfordert. So löste die junge Frau diese Beziehung auf, obwohl sie sonst nichts an ihrem Freund zu kritisieren hatte. Aufgrund ihrer depressiven Symptomatik und der Aufmerksamkeitsstörung wurde von einem Arzt eine medikamentöse Therapie eingeleitet.

Hypothesen: Astrologisch könnte man an einen Spannungsaspekt zwischen Mond (Gefühle) und Saturn (Grenzsetzung, Existenzängste) denken. Ebenso bei Neptun (Religion) und der Sonne (Identität und der eigene Weg sind verunsichert). Denken (Merkur) und Fühlen (Mond) stehen in Konflikt. Der Mars als Suchbild des Mannes steht in Spannung.

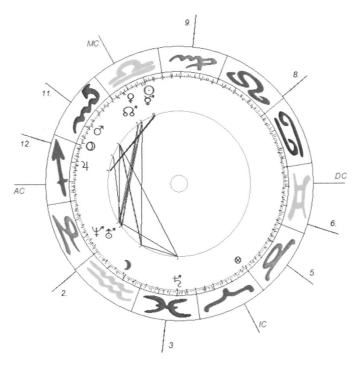

Erstellt mit Astroplus, © 2000-2007 by Astrocontact, Linz

Deutung des Horoskops:

1. Welches Zeichen steht am Aszendent? Der Schütze. Damit geht es um die Entwicklung einer eigenen Lebensphilosophie und um den Gewinn von geistiger Erkenntnis.

2. In welchem Haus steht der Herrscher des Schützen und welche Aspekte bildet er? Der Herrscher ist Jupiter und er steht gradgenau auf dem Aszendent. Der Jupiter ist die Kraft, die Erkenntnis schaffen kann und er ging mit dem Aszendent eine Konjunktion ein. Beide verbünden sich, um ihre Aufgabe der Suche nach Erkenntnis als Funktion des Geistigen mit doppelter Kraft anzugehen. Jupiter hat einen erschwerenden Aspekt eines Halbquadrates von Uranus. Damit ist die Erneuerung (Uranus) der Erkenntnis (Schütze) eine Herausforderung, die nicht immer leicht fällt.

3. Gibt es Planeten in Haus 1? Ausser Jupiter nein.

4. In welchem Haus steht die Sonne? Im 10. Haus, dem Haus des Berufs, wo es um Angelegenheiten geht, die nicht subjektiv verzerrt sind. Es sind Angelegenheiten von allgemeiner oder gesellschaftlicher Bedeutung, in deren Dienst sich die Betroffene zu stellen hat.

5. In welchem Zeichen steht die Sonne? In der Waage. Die Art, wie die Sonne die Anlage am Aszendent umsetzt, ist ausgleichend und sie will in Harmonie und Ausgleich übergeordnete Aufgaben angehen.

6. Das Löwezeichen schneidet welches Haus an? Es ist das 8. Haus wo Stirb- und Werde prozesse stattfinden können.

7. Welche Aspekte hat die Sonne? Sie ist konjugiert mit Merkur. Die Verwirklichung der Anlage geschieht in Zusammenarbeit mit Denken und Kommunikation. Das Halbsextil des Jupiters unterstützt die Sonne durch expansiven Erkenntnisdrang. Die Sonne und damit die eigene Identität sind gleichzeitig in einer Konjunktion durch Chiron verletzt.

8. Welcher Planet beherrscht das Haus, in dem die Sonne steht? Die Sonne steht in Waage. Ihr Herrscher ist Venus. Hier finden wir zum zweiten Mal, dass ein Herrscher in seinem angestammten Territorium steht. Die Kräfte können sich hier optimal entfalten. Die Venus kann hier ausgleichende Assimilisationsprozesse in den Dienst einer Sache stellen, allerdings wird die Venusfunktion gehemmt durch zwei Quadrate von Uranus und Neptun.

9. Welches Zeichen steht am MC? Es ist die Waage. Das Ziel der Entwicklung ausgehend vom Aszendent Schütze über die Umsetzung der Sonne, ist dasselbe, was die Sonne ohnehin will nach dem Motto, dass der Weg das Ziel ist. Nämlich ausgehend vom Schützeaszendenten eine eigene Welt- und Lebensanschauung zu entwickeln, um sie im 10 Haus des Berufs immer lernend, ausgleichend und vermittelnd im Dienst einer Aufgabe zu verwirklichen.

10. Welches ist der Herrscherplanet der Waage und wo steht er? Es ist wiederum die Venus und sie steht in der Waage. Auch hier werden die Kräfte gebündelt und fokussiert ausgerichtet auf ein ausgleichendes Ziel.

11. Welche Aspekte zeigt die Venus? Ein Halbquadrat zu Jupiter, ein Quadrat zu Uranus und ein Quadrat zu Neptun. Venus als Ausdruck des Stierprinzips will speichern, soziale Einordnung, einen Sinn für Werte entwickeln oder sich absichern. Venus als Ausdruck des Waageprinzips will Ausgleich durch Kunst oder durch geistige Vorstellungsbilder über eine Begegnung schaffen. Hier im 10. Haus verwirklicht sich Venus nicht über körperliche, seelische oder geistige Bedürfnisse. Die transpersonalen Archetypen Uranus und Neptun zeigen, dass diese Aspekte anspruchsvoll und nicht leicht umzusetzen sind. An ihnen muss wahrscheinlich gearbeitet werden. Sie stellen eine Herausforderung im Entwicklungsprozess dar. Sie können im besten Fall erfolgen über Expansion und Fülle, Veränderung und Einfühlung.

12. Gibt es Planeten im 10. Haus? Ausser Venus und Merkur der nördliche Mondknoten.

Zusätzlich zeigt sich, dass der 4. Quadrant mit sechs Archetypen und dem nördlichen Mondknoten sehr stark besetzt ist. Dies könnte heissen, dass der Beruf zentral werden könnte und dass bei der Tätigkeit nicht nur das Eigeninteresse von Wichtigkeit ist, sondern übergeordnete oder gesellschaftliche Interessen.

Zu den vorgängig gestellten Hypothesen: Erstaunlicherweise zeigt sich keine Mond- Saturn Spannung. Im Gegenteil liegt ein Halbsextil vor. Die Sonne ist ebenfalls nicht stark angegriffen, ausser von einem Halbquadrat mit Pluto. Neptun zeigt wie vermutet einen Spannungsaspekt, nämlich ein Quadrat mit Venus. In Bezug auf die eigene Identität könnte man vermuten: Die eigene Weiblichkeit will sich unklar oder aus einem transzendenten Bereich her zeigen. Merkur ist nicht verletzt und wird mit einem Halbsextil von Jupiter unterstützt. Der Mond ist angegriffen und zwar von Mars, wird allerdings gleichzeitig von Venus unterstützt. Die verletzte Identität zeigt sich hier aber in einem andern Archetyp, nämlich durch Chiron, der eine Konjunktion mit der Sonne, dem Kern der Persönlichkeit eingegangen ist. Die weiblichen Venus Funktionen sind ebenfalls verletzt. Gleichzeitig werden die Archetypen aber auch unterstützt und zeigen so ihre ambivalenten Seiten.

Ressourcen: Die meisten Talente liegen vom Potenzial im beruflichen Bereich. Die Entwicklung einer eigenen Lebensanschauung könnte wichtiger werden als seelische Inhalte oder Erlebnisse auf der Beziehungsebene. Die eigene Verletzlichkeit, hier strukturell angelegt, sollte geschützt werden. Der Selbstwert, aufgelöst durch Neptun in Haus 2, könnte stabilisiert werden durch die Entwicklung des Waagezeichens, das hier neben beruflichen Möglichkeiten auch eine künstlerischen Potenzial nahelegt.

Transite: Die Anmeldung der Frau erfolgte an einem 20. August. Es waren folgende Transite wirksam:

15.4. bis 22.9. Transit-Uranus Opposition Radix-Merkur

1.6. bis 13.8 Transit- Saturn Eineinhalbquadrat Radix-Saturn

5.8. bis 4.9 Transit- Saturn Halbquadrat Radix-AC

Damit soll die Kommunikation oder das Lernen (Merkur) verändert (Uranus) werden. Der Druck (Saturn) verstärkt den Leidensdruck (Saturn). Die Signatur für einen Therapiebeginn ist stimmig.

Der Alterspunkt nach B. Huber zeigte ein Halbsextil auf Saturn. Der Alterspunkt nach W. Döbereiner zeigte keine Aktivierung.

Verlauf der Psychotherapie: Da die Patientin offen gegenüber alternativen Ansätzen war, schien es sinnvoll bei passender Gelegenheit astrologische Impulse ins Spiel zu bringen. Sie zeigte sich interessiert an einer Besprechung des Horoskops, wenn wir auch abgemacht haben, dass dies ausserhalb einer regulären Therapiestunde zu machen sei. Wir besprachen die drei Faktoren Aszendent, Sonne und MC. Danach seien geistige Erkenntnisse, Bildung und neue Erfahrungen wichtig. Ebenfalls spiele die berufliche Arbeit wahrscheinlich eine grosse Rolle. Darüber hinaus war die Stellung der Venus am MC Thema, was ein künstlerisches Potential darstellen könnte. Die Patientin berichtete, dass diese Einschätzung genau zutreffe. Sie war kürzlich im Ausland an einem Weiterbildungskurs, was ihr sehr gut getan habe. Auf die Ausbildung lege sie viel Wert. Sie habe auch überlegt, ob sie eine Maltherapieausbildung machen wolle. Sie verwarf es aber, weil sie die Tätigkeit für sich als zu passiv empfand. Sie wolle sich bewusst beruflich einsetzen für den Dienst am Nächsten. Malen als Hobby würde sie interessieren und sie habe es schon probiert. Aufgrund ihrer Antriebshemmung sei es dazu aber nicht gekommen. Es war für die Patientin hilfreich, das Potential ihrer Persönlichkeit thematisiert zu hören, auch wenn es im Kontrast stand zu ihrer aktuellen Verfassung. Besonders wichtig schien, dass sie sich mit dem Schützeaszendenten nicht einigeln müsse, was sie aber aufgrund ihrer Energielosigkeit oft am liebsten machte. Vielmehr biete die Offenheit der Welt sinnvolle Lebensmöglichkeiten.

In der Psychotherapie waren die Verstimmungen und der mangelnde Antrieb immer wieder ein Thema. Die medikamentöse Therapie musste angepasst werden. Die Patientin fand ihre Lebensanschauung und die Religiosität in ihrer Familie nicht mehr befriedigend. Sie kam dazu, eine eigene Wahrheit zu suchen und dazu zu stehen. Ebenfalls machte sie sich Gedanken wegen ihrer Ausbildung und sie sah ihren Sinn in der Arbeit mit Kranken oder Hilfsbedürftigen. Wegen eines Fussleidens werde sie voraussichtlich den Beruf ändern müssen, sodass sie im Sitzen berufstätig sein könne. Wir achteten auf ihre inneren Konflikte und Ambivalenzen, die von einem hohen Leidensdruck waren. Die Patientin wolle es allen Leuten recht machen und zu allen freundlich sein. Sie ertrug es schlecht, Interessen von jungen Männern abzuwehren, obwohl sie ihr Verhalten richtig fand. Ein Beispiel für einen inneren Konflikt zeigt ein Traum: „Ich bin draussen. In dieser Welt hat es nur Jugendliche. Drei Jungen kommen näher. Einer hat rote Haare und kommt mir ganz nahe. Das stört mich und ich sage ihm, er soll weggehen. Ich bin zufrieden, dass ich das so sagen kann. Nebenan sind zwei junge Frauen, die eine habe ich im Wachen schon gesehen. Eine Frau hat einen komischen Umhang an. Darunter erkenne ich ausserhalb ihres Körpers ihr Herz und ihre Niere, die von einer dünnen Haut überwachsen sind. Ihre Beine sind oben zusammengewachsen". Wir besprachen die Einengung ihrer Welt, die sich darin zeigt dass keine Erwachsene hier Platz haben und dass für die Entwicklung zu Erwachsenen hier keine Zeit gegeben war. Über die Frau wird sichtbar, dass das Herz (Sonne) und die Niere (Venus) keinen ihnen zuständigen Platz gefunden haben. Zudem hat „das Unbewusste" den Jungen ihr sehr nahe kommen lassen, was sie aber abgewehrt hat.

Die Träume der Patientin waren im Ganzen sehr aufschlussreich. Am Anfang der Therapie und in der vorangehenden Zeit fand sie sich oft in einer Landschaft, wobei vom Himmel eine diffuse Bedrohung kam, die Angst machte und eine Verwüstung zurückliess. Ein anderer Traum lautete: Ich treffe Kolleginnen von früher. Sie wandeln sich und werden zu Tussis. Ich fühle mich allein. Wir treffen einen Kollegen. Er behandelt Alpakos auf einer Wiese mit Giften. Die Tiere sterben. Etwas später sah die Patientin im Traum ein Ufo. Sie versteckte sich. „Umliegende Häuser sind Ruinen. Auf einem Laufband sind kleine Kücken. Hinter einem Gitter liegen tote Pferde. Es tauchen Ausserirdische auf mit grossen Köpfen. Ich habe das Gefühl, dass alles gut werde. Ich frage sie, ob ich ihnen helfen kann. Nein. Ich reite mit einem Pferd weiter. Dort sind meine Eltern". In einem weiteren Traum ist die Patientin in einem Legoland. „Ein Bär taucht auf und will mich angreifen. Ich klettere auf seinen Rücken. Wir gehen ein Stück weiter. Plötzlich verwandelt sich der Bär und er liegt wie ein Teddybär am Boden." Diese Träume zeigten die Bedrohung, die Konflikte aber auch eine aufkeimende Vitalität und die Bindung der Patientin an die Eltern.

Drei Wochen nach diesem Traum trat erstmals ein Traum auf, wo die Patientin nicht direkt in einen Konflikt verwickelt war. „ Ich fahre auf meinem Velo durch mein Dorf. Es ist schönes Wetter. Ich habe Lust, eine Reise ins Ausland zu unternehmen. Auf dem Weg kommt ein Hund daher, der reden kann. Er fragt mich, ob er ein Stück weit mitkommen dürfe. Etwas weiter taucht eine Katze auf. Eine Frau kommt und will sie in einen Käfig sperren. Die Katze wehrt sich und will frei bleiben. Ich gehe zu der Frau und sage, das könne sie nicht machen. Sie solle die Katze frei lassen. In einem anschliessenden Traum in der gleichen Nacht war ich am Meer. Das Wasser war schön türkisblau und die Landschaft schön. Ich fühle mich wohl. Meine Mutter ist ein Stück weit neben mir." Wir betonten den positiven Ausgang des Traumes und dass sich die Patientin für die Freiheit der Katze eingesetzt habe. Zudem besprachen wir, dass sich ein Konflikt nicht über sie selber gezeigt habe, sondern über die Frau mit der Katze. Es geht um Freiheit versus Kontrolle und Einengung. Die Patientin sollte in ihrem Alltag auf diesen Punkt achten und sich für ihre Freiheit einsetzen. Im Hintergrund stellte sich natürlich auch das Zulassen von instinktivem Verhalten über Katze und Maus und um die Frage nach der Ablösung von ihrer Mutter. Es schein jedoch nicht die Zeit, dies im Moment anzusprechen. Der Zusammenhang mit der astrologischen Struktur zeigt sich in diesem Traum im Wunsch, frei ins Ausland reisen zu können. Das entspricht ihrem Schützeaszendenten. Die Patientin wollte an diesem Wochenende zu ihrem Vater gehen. Sie sei gerne dort. Er sei verständnisvoll, auch lustig. Dies ist kompatibel mit einer Sonne in der Waage und einer harmonischen Verbindung zu Jupiter. Da das 9. Schütze Haus vom Löwen angeschnitten wird, kann angenommen werden, dass bei Auslandaufenthalten nicht etwa Arbeit oder Lernen wichtig ist, sondern das spielerische Geniessen und aus dem Vollen schöpfen des Löwen.

In der folgenden Sitzung erzählte die Patientin wieder einen Traum. Sie begegnete ihrem Exfreund, der mit einer Kollegin von ihr zusammen war. Sie wunderte sich im Moment, dass beide hier waren. Die Begegnung war aber nicht unangenehm. Die Szene änderte sich. Ein steiler Weg führte zu ihrer Schule und sie spürte die Anstrengung, die nötig wäre, dorthin zu laufen. Sie liess es bleiben. Wiederum änderte sich die Szene. Sie war in einem Urwald und kam sich wie Jane im Film vor. Eine Anzahl von Affen tauchte auf und gemeinsam mit ihnen verspeiste die Patientin kleine Törtchen. Das war der angenehmste Teil des Traumes. Anschliessen fand sich die Patientin bei gefrorenen Eisblöcken. Diese umhüllten die Patientin, um sie gleich wieder frei zu geben. Dabei merkte die Patientin, dass sie ein neues Kleid trug, das ihr gefiel. Auch hier zeigt sich die Offenheit der Patientin gegenüber einer Mann-Frau Beziehung, wenn auch nicht für sich selber, sondern über ihre Bekannten. Die Belastung durch ihre Schule in der Ausbildung war auch in unseren Gesprächen thematisiert worden und zeigt sich hier ebenfalls. Der Ortswechsel in die ursprüngliche Natur lässt die Vitalität der Affen freiwerden und die Patientin nimmt daran teil. Selbst das kalte Gefangensein, hier in einem Eisblock, entwickelt andere Aspekte und führt zu einer überraschenden Freude. Auch hier besprachen wir die sich zeigenden Lebensmöglichkeiten, aber auch die inneren Konflikte und Hemmungen, die sich ansatzweise noch zeigten.

In Gesprächen thematisierte die junge Frau die Angst, ohne den christlichen Glauben an Gott, den Halt und den richtigen Weg zu verlieren. Trotz allem ging die Patientin ging gerne zur Arbeit. Sie bekam viele gute Rückmeldungen von Kollegen und freute sich auf den Ausgang mit alten Schulkolleginnen. Hier haben sich nicht alle Hypothesen bestätigt, wenn auch einzelne Element wie die Verletzung des Ichs oder die Transite stimmig sind. Insbesonders zeigt der sinnsuchende Schützeaszendent, dass es ein Entwicklungsziel ist, eine eigene Lebensanschauung und eine eigene Philosophie in religiöser Hinsicht zu erarbeiten. Mit ihren eigenen Worten drückte sie aus, wie dieses Thema im Vordergrund stand.

Der Gewinn durch den Einbezug von Anlage und Umwelteinflüssen

Ein Junge und seine Eltern mit der Angst vor einer genetischen Belastung

Anmeldung: Ein Junge wurde von seinen Eltern wegen depressiven Verstimmungen vorgestellt. Er leide wegen Misserfolgserlebnissen aufgrund einer legasthenischen Schwäche. In der Verwandtschaft beider Eltern seien depressive Erkrankungen aufgetreten. Die Frage war, ob der Junge ebenfalls ein erhöhtes Risiko einer depressiven Erkrankung habe.

Anamnese: Die Schwangerschaft verlief unproblematisch. Die Geburt war lange und schwierig gewesen. Die frühkindliche Entwicklung war unauffällig. Nach der Einschulung litt der Junge oft unter Bauchweh und er konnte nicht gut einschlafen. Der Hausarzt behandelte den Jungen deshalb während eines Jahres medikamentös. Anschliessend brachte eine homöopathische Behandlung eine Besserung der Beschwerden. Die erste Lehrerin habe die legasthenische Schwäche lange ignoriert, so dass bis zum Zeitpunkt der Anmeldung keine Legastheinietherapie erfolgt war. Der Vater und Grossvater der Kindsmutter sei depressiv gewesen. Ein Sohn des Bruders des Kindsvaters habe aus nicht klaren Gründen Suizid begangen. Ein älterer Bruder des Patienten sei ab der fünften Klasse ebenfalls wegen depressiven Verstimmungen für zwei Jahre medikamentös behandelt worden. Nachher sei es diesem Bruder bis jetzt stimmungsmässig gut gegangen.

Symptomatik: Entgegen dem Vorurteil gemäss dem Anmeldegrund wirkte der Junge wach, präsent, intelligent und zeigte eine gute Laune. In letzter Zeit hätten sich die Verstimmungen schon gebessert. Früher sei er gereizt gewesen und habe nicht immer gut einschlafen können.

Hypothesen: Aus astrologischer Sicht interessiert eine mögliche Spannung von Mond und Saturn. Der Mondarchetyp umfasst das Kind, die Stimmung (launisch-luna-Mond), die Herkunft und der Ursprung. Der Saturnarchetyp meint Überwindung des seelisch-subjektiven Bereichs zugunsten einer Angelegenheit, die mehr verlangt als die Erfüllung des eigenen Wünschsch, was einer Grenzsetzung oder Einschränkung entspricht. Aus dem Horoskop ist natürlich nicht herauszulesen, ob eine genetische Disposition für depressive Erkrankungen vorliegt.

Deutung des Horoskops

Das Horoskop diese Jungen zeigt keinen direkten Aspekt zwischen Mond und Saturn, der bei eingeengter Stimmungslage oft zu beobachten ist. Auch die Verbindung Mond - Venus im 60 Grad Winkel ist unterstützend. Venus hat auch mit nähren und ausgleichen zu tun, was hier gut gelöst scheint. Das Sextil ist Hinweis für eine sichere Gefühlswelt. Die systematische Deutung zeigt folgendes:

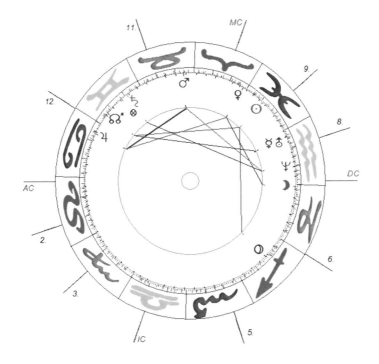

Erstellt mit Astroplus, © 2000-2007 by Astrocontact, Linz

1. Der Aszendent steht im Löwen. Im Tierkreis ist der Löwe im 2. seeli-schen Quadranten im fixen Stadium. Gegeben ist seelische Substanz, die aus dem Vollen schöpft und verarbeitet werden will.

2. In welchem Haus ist der Herrscher des Löwen und welche Aspekte hat er? Der Herrscher des Löwen ist die Sonne und sie steht im 9. Haus, wo Bildung und Erkenntnis gesucht werden. Die Sonne bildet Aspekte mit Pluto im Quadrat und mit Mars im Halbquadrat. Damit kann die Sonne viel Energie generieren, die Umsetzung dürfte nicht immer ein-fach sein und könnte mit Macht oder Transformationsprozessen und aggressiver Durchsetzung verbunden sein.

3. Gibt es Archetypen im 1. Haus? Nein

4. In welchem Haus steht die Sonne? Die Umsetzung der Anlage mittels der Sonne erfolgt im 9. Haus, dem Boden der Bildung.

5. In welchem Zeichen steht die Sonne? Sie ist im Fisch und arbeitet in ihrer Funktion neptunhaft. Sie will, dass die Anlage einfühlsam und allumfassend, vielleicht auch etwas schwammig in konkrete Phänomene umgesetzt wird.

6. Das Löwezeichen schneidet welches Haus an? Es ist das 1.Haus. Die Umsetzung der gegebenen Anlage soll auf Widderboden, das heisst energisch über den Körper oder über den realen materiellen Raum geschehen.

7. Welche Aspekte bildet die Sonne? Zu Pluto ein Quadrat, zu Mars ein Halbquadrat. Damit wird die Steuerung der Sonne spannungsreich.

8. Welcher Archetyp beherrscht das Haus, wo die Sonne steht? Das Haus, wo die Sonne steht, wird vom Wassermann angeschnitten. Sein Herrscher ist Uranus. Er beeinflusst die Sonne „uranisch" und wird ein Stück unkonventionell oder eigenwillig.

9. In welchem Zeichen ist das MC? Es ist im Widder. Das Ziel der Anlage erwirkt sich energisch und heftig über Widerstände.

10. Wer ist der Herrscherplanet des Widders und wo steht er? Der Herrscher ist Mars und er steht im 10. Haus. Die Tatkraft soll im Bereich einer Berufung oder des Berufs eingesetzt werden.

11. Welche Aspekte bildet der Mars? Mit einem Sextil Jupiter ergibt sich eine expansive Unterstützung des Mars. Mit Saturn, Neptun und Pluto ergeben sich nur schwach aspektierte Verbindungen.

12. Gibt es Planeten im 10. Haus? Nur der Mars.

Bei genauerer Analyse ergibt sich bezüglich der anfangs gestellten Frage von Mond – Saturn doch ein Zusammenhang, der mit obigem Schema nicht ersichtlich ist. Mond ist im Zeichen Steinbock, wenn auch im letzten Gradbereich. Der Herrscher des Steinbocks ist Saturn. Das heisst, Saturn als Herrscher dominiert den Mond. Wenn hier kein vernünftiges Verhältnis der kindlichen Bedürfnisse einerseits und einschränkender Struktur durch Saturns andererseits möglich wird, kann dies zu Verstimmungen führen.

Ressourcen: Die Fischsonne im 9. Haus ist interessiert an einer weichen, feinfühligen Entwicklung von geistigen Konzepten. Gleichzeitig scheint es möglich, die Ziele auch mit Durchsetzungskraft in einem späteren beruflichen Umfeld zu verfolgen. Allerdings ist Mars im eingeschlossenen Zeichen Stier.

Transite: Zum Zeitpunkt der Anmeldung war ein vier Wochen dauernder Saturn Transit auf den Radixsaturn wirksam. Damit wird das Thema der Fragestellung aufgenommen. Der transitierende Saturn verstärkt die einengende Energie das Saturn im Radix, der den Mond und damit die Gefühlswelt unter Druck setzt. Nach Ende der Abklärung fanden noch zwei Verlaufstermine statt. Die Familie fand anschliessend, dass es dem Jungen gut gehe, sodass die Behandlung abgeschlossen werden konnte. Auch die kurze Dauer dieses Transits findet eine Wiederspiegelung in der kurzen Dauer der verstärkten Symptomatik diese Jungen.

Der Gewinn durch den Einbezug von Anlage und Umwelteinflüssen: Gemäss der Huberschule repräsentieren die Zeichen die Anlagen, die einem Menschen mitgegeben sind. Die Häuser dagegen sind die Orte, wo sich eine Anlage in der Realität verwirklichen kann und die deshalb den Einflüssen der Umwelt ausgesetzt sind. Viele Astrosoftwareprogramme berechnen die Faktoren in Haus und Zeichen mit einem Punktesystem, wobei die Sonne stärker als die andern Archetypen bewertet wird. Je mehr Planeten in einem Zeichen und in einem Haus stehen, desto stärker wird dies gewichtet. Der innere Antrieb des Verhaltens wird mit der inneren Motivation gemäss der Dreiteilung kardinal, fix und veränderlich definiert.

In den Zeichen werden in unserem Beispiel 4 kardinale Punkte, 4 fixe und 7 veränderliche Punkte erreicht.

In den Häusern werden 2 kardinale Punkte, 5 fixe und 8 veränderliche Punkte erreicht. Die grösste Differenz zwischen Zeichen und Haus ergibt sich für den kardinalen Bereich. Er ist anlagemässig stärker gestellt, als was von der Umwelt gefordert wird. Mit andern Worten wird das Talent der kardinalen Verarbeitungsweise etwas brachgelassen. Die Talente fühlen sich bildlich gesprochen unterfordert. Kardinal heisst, etwas mit Initiative und Energie angehen, Neues anregen oder sich mit eigenen Zielen durchsetzen. Dagegen wird der fixe und veränderliche Bereich von der Umwelt leicht gefordert. Das fixe Prinzip will in Ruhe das Bewährte verarbeiten. Das veränderliche Prinzip will Gegebenheiten zur Funktion bringen. Bei der inneren Motivation der kardinalen Zeichen geht es um Widder, Krebs, Waage und Steinbockqualitäten, die nicht sehr gefördert werden.

Gemäss der Einteilung nach den Elemente Feuer, Erde Luft und Wasser, die das Temperament beschreiben, zeigt sich folgendes im Verhältnis Häuser/Zeichen:

Feuer 6/2 , Erde 3/3, Luft 3/5, Wasser 3/5

Die grösste Differenz liegt beim Feuer, nämlich 6 Punkte in den Häusern und 2 Punkte in den Zeichen. Damit wird die wenig ausgeprägte Anlage Feuer vom Umfeld in hohem Masse gefordert, sie ist aber anlagemässig weniger ausgeprägt. Das Erdelement erfährt die Förderung, die der Anlage genau adäquat ist. Luft und Wasser werden leicht unterfordert. Zum Feuer gehören die jeweils ersten Prinzipien in den vier Quadranten. Es geht um Initiative bei den Zeichen Widder, Löwe und Schütze. Das Potential dieser Zeichen wird damit vom Umfeld erwartet, ist aber nicht im erwarteten Ausmass vorhanden. Im Vergleich von Kreuzen und Elementen kann deshalb geschlossen werden, dass Widder Qualitäten in beiden Bereichen gelebt wird. Das brachliegende Potential ist jedoch Krebs, Waage und Steinbock. Löwe- und Schützequalitäten werden demgegenüber angefeuert. Wenn man die Betonung der Häuser und Zeichen im Einzelnen anschaut, ist das Zeichen Fisch, wo die Sonne steht und das 9. Haus am meisten betont. Das 9. Haus ist der Bereich der höheren Bildung. Die Sonne wird durch das Quadrat von Pluto im 5. Haus eher gehindert sich von spielerischen Aspekten das Leben zu erleichtern. Geht es darum, so die Quintessenz der Überlegungen, dass der Junge selbstbewusst und energisch eine höhere Bildung anstreben soll und hat er dazu die nötige Energie? Das ist die Frage, die zu einem späteren Zeitpunkt mit den Eltern diskutiert werden könnte. Insgesamt zeigt das Beispiel einen Faktor Mond/Steinbock bei gleichzeitigen Ressourcen und einen Transit, der stimmig ist.

Der Gewinn durch den Einbezug von Besonderheiten
beim Kinderhoroskop

Ein Junge mit einer sprachlichen Ausdruckshemmung

Anmeldung: Ein Kinderarzt meldete einen sechsjährigen Jungen mit der Frage an, ob ein Asperger Syndrom vorliege. Im Kindergarten fiel der fünfjähriger Junge auf, weil er nur mit ihm gut bekannten Kindern redete, mit fremden Kindern oder Erwachsenen sprach er jedoch kein Wort Eine frühere entwicklungspädiatrische Abklärung ergab den Befund von Wahrnehmungsstörungen. Für die Kindergärtnerin stellte sich auch die Frage, ob ein mögliches Asperger Syndrom vorliegen könnte. Die Mutter glaubte das nicht. Sie war aber beunruhigt, weil während ihrer Schwangerschaft der eigene Vater der Mutter in eine psychische Krise gefallen war und die Mutter davon belastet wurde. Die Frage der Mutter lautete: Ist ihr Kind wegen ihrer Belastung in der Schwangerschaft beeinträchtigt? Wenn hier Aspekte der astrologischen Struktur betrachtet werden, heisst dies nicht, dass die gestellte Frage astrologisch beantwortet werden kann. Vielmehr braucht es dazu genaue anamnestische und entwicklungspädiatrische Befunde.

Anamnese: Die Kindsmutter war beunruhigt, weil während ihrer Schwangerschaft ihr Vater nach geschäftlichen Problemen in eine psychische Krise gefallen war. Das habe die Mutter selber recht mitgenommen. Ihre konkrete Frage war: hat das Baby davon etwas mitbekommen? Wie schon bei der ähnlichen Fragestellung im Beispiel weiter oben gilt auch hier, dass diese Frage nicht mit rein astrologischen Argumenten beantwortet werden kann. Eine entwicklungspädiatrische Abklärung ergab keine Auffälligkeiten ausser einer leicht retardierten feinmotorischen Koordination. Eine Ergotherapie war bereits eingeleitet worden.

Hypothesen: Kommunikation hat mit Merkur zu tun, nicht sprechen mit Hemmung, was Saturn entsprechen würde.

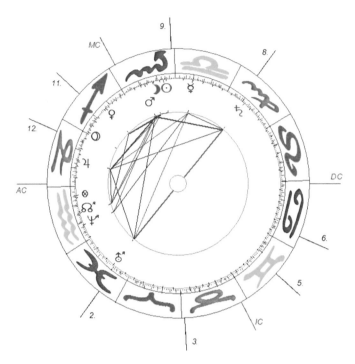

Deutung des Horoskops

1. In welchem Zeichen ist der Aszendent? Im Steinbock, es ist der Boden, wo Phänomene ernsthaft und anspruchsvoll wachsen können. Die impulshaft kardinale Qualität des 1.Hauses wird aber durch den kargen Boden des Steinbocks in strukturierte Bahnen gelenkt.

2. In welchem Haus ist der Herrscher von Steinbock und welche Aspekte hat er? Der Herrscher ist Saturn und er ist im 8. Haus. Die fixierende Sicherung der geistigen Welt als Bedeutung des 8. Hauses wird durch Saturn streng, strukturiert und grenzsetzend bewerkstelligt.

3. Gibt es Planeten im ersten Haus? Neben Neptun ist Chiron und der nördliche Mondknoten vertreten. Das Steinbockprinzip wird zusammen mit dem Neptunarchetyp als Anlagepotential bereitgestellt. Neptun in Haus 1 macht sehr sensibel, beeinflussbar und feinfühlend. Bei

Schwierigkeiten neigt man nach M. Boot (1988) dazu, sich zurückzuziehen. Die kardinale Qualität der Durchsetzung ist nebulös oder
will sich auflösen. Das ist ein Konflikt. Chiron ist der Ort der inneren
Verletzung.

4. In welchem Haus ist die Sonne? Sie ist im neunten Haus und setzt
   die Anlage des Aszendenten erkenntnisgewinnend als Funktion des
   Geistigen um.

5. In welchem Zeichen ist die Sonne? Sie ist im Skorpion. Damit verarbeitet sie die Sicherung der geistigen Welt mit fixierenden oder macht-
   orientierten Vorstellungen.

6. Das Löwezeichen schneidet welches Haus an? Keines, das Löwezeichen ist eingeschlossen.

7. Welche Aspekte bildet die Sonne? Eine Konjunktion mit dem Mond.
   Ein Halbquadrat mit Saturn. Ein Eineinhalbquadrat mit Uranus. Die
   Identität ist verschmolzen mit der Gefühlswelt, was sich in fixen Vorstellungsbildern und eigenen Anschauungen niederschlagen kann.
   Zielvorstellungen werden stur verfolgt. Die Sonne kann die struktu-
   rierende Energie des Saturns nicht leicht umsetzen. Der Einfluss von
   Uranus macht hier eigensinnig. Man besteht darauf, alles zu tun was
   man sich in den Kopf gesetzt hat und fordert von Andern Unterwer-
   fung (M. Boot 1988)

8. Welcher Archetyp beherrscht das Haus, wo die Sonne ist? Das Haus
   wird von der Waage angeschnitten. Der Herrscher ist die Venus. Sie
   ist zuständig für Assimilation von Kontaktmöglichkeiten.

9. In welchem Zeichen steht das MC? Im Skorpion. Das Ziel der Umsetzung der Anlage sind fixe Vorstellungsbilder zur Sicherung der geistigen Welt.

10. Welches ist der Herrscherplanet des Skorpions und wo steht er? Es ist
    der Pluto und er ist im 11. Haus. Zur Erreichung des Ziels hilft Pluto,
    um fixe Vorstellungsbilder zu bilden. Er agiert im Wassermann, dem
    fixen Stadium, wo es um Angelegenheiten des 4. Quadranten geht.

11. Welche Aspekte bildet Pluto? Einen unterstützenden Aspekt zur Sonne und ein Halbquadrat zum Mond und zum Mars. Letztere führen zu einer Tendenz, emotional und handlungsmässig extrem zu reagieren.

12. Gibt es Planeten im 10. Haus? Die Venus. Sie strebt nach Anerkennung und Kontakten mit Vertrautem.

Abgesehen von diesen Konstellationen fällt die Saturn - Uranus Opposition auf. Beide Planeten sind von je 6-8 Planeten aspektiert und sind dadurch sehr kooperationsfähig. Allerdings heisst die Opposition, dass sich die beiden Archetypen gegenüberstehen. Der eine will Struktur, der andere Veränderung. Das bedeutet eine Spannung. Merkur, der Archetyp der Kommunikation, ist gut und harmonisch vernetzt, steht allerdings wegen einem Quadrat zum expandierenden Jupiter in Spannung. Als Herrscher des Aszendenten steht Saturn eine dirigierende Rolle zu. Sonne, Mond und Mars stehen alle im Skorpion im Dienst der fixierten Vorstellung und wirken eingeengt. Der Mond bildet zusätzlich ein Quadrat zum verletzten Chiron. Der Körper ist symbolisiert im Saturn, steht also in Spannung und ist im 8. Haus, das traditionell mit Krisen assoziiert wird. Merkur ist harmonisch aspektiert und steht an der Spitze des 9. Hauses auf Waage Boden. Die enge Sonne Mond Verbindung symbolisiert eine enge Verbindung des Archetyps von Vater und Kind.

Insgesamt zeigt sich zur Hypothese der eingeschränkten Kommunikation, dass die Erweiterung (Jupiter) der Kommunikation (Merkur) durch das Quadrat erschwert ist. Saturn ist mit einem Halbsextil mit Merkur verbunden, wirkt also eher unterstützend als hemmend. Auch ist die Verbindung von Merkur zu Uranus von 150 Grad nicht leicht zu lösen.

Ressourcen: Die Konjunktion von Sonne, Mond und Mars verleiht der Persönlichkeit eine gut zu steuernde Tatkraft mit einer Integration der Gefühlswelt. Der Merkur an der Spitze des 9. Hauses hat viel Energie und ist bildungswillig. Möglicherweise ist die Ich- Durchsetzung im 1. Haus durch Neptun geschwächt, andererseits kann dies eine feinfühlige Art bedeuten. Dies auch, weil das Krebsterrain des 7. Hauses auf der

Begegnungsachse sensibel macht. Möglicherweise wird der Betroffene dadurch auch kritikempfindlich.

Transite: Während der Zeitspanne der Anmeldung und Abklärung war ein vier Monate langer Neptuntransit auf den Radixmerkur wirksam. Eine unklare, sich auflösende (Neptun) Kommunikation (Merkur) trifft den Anmeldegrund perfekt.

Verlauf: Im Rahmen einer Verlaufskontrolle berichtet die Mutter, dass der Junge im Kontaktverhalten Fortschritte mache und meinte, dass keine weiteren Termine notwendig seien. Ein Aspergersyndrom konnte ausgeschlossen werden. Bei einem Telefongespräch fünf Monate nach Abklärungsbeginn teilte die Mutter mit, dass der Junge weiterhin grosse Fortschritte mache und jetzt mehr auch im Kindergarten rede. Die Deutung dieses Horoskop betrifft ein Potential, das sich bei einem jungen Kind noch nicht im Leben verwirklicht hat, wenn auch einige Elemente schon sichtbar sind. Aus diesem Grund macht es Sinn, auf die Besonderheiten beim Kinderhoroskop ein zu gehen.

Der Gewinn durch den Einbezug von Besonderheiten beim Kinderhoroskop

Gemäss C. Oelmann (2012) kann ein Kinderhoroskop nicht wie ein Erwachsenenhoroskop gedeutet werden, weil ein Kind seine Archetypen noch unbewusst lebt und es seine Individualität erst noch entwickelt. Aus diesem Grund könne ein Kinderhoroskop nur im Zusammenhang mit den Eltern oder mindestens mit jenem der Mutter verstanden werden. C. Oelmann schlägt folgende Schritte vor: 1. Deutung des Eltern- oder Mutterhoroskops. 2. Deutung des Kinderhoroskops. 3. Deutung der Interaktionen zwischen Eltern und Kind mit einem Horoskopvergleich. 4. Deutung der Composit- und Combin-Horoskope, wobei hier eine Deutung erst ab dem Schulalter sinnvoll sei.

Bei der Deutung der Elternhoroskope sei eine erste Frage wichtig: Welche inneren Bilder tragen die Eltern von ihren eigenen Eltern in sich? Für das Vaterbild sind die Aspekte der Sonne dazu wichtig, für das Mutterbild jene des Mondes. Eine zweite Frage stellt sich: wie vermögen die Eltern zu kommunizieren? Hier wird gedeutet, in welchem Zeichen steht Merkur und welche Aspekte hat er bei beiden Eltern? Die dritte Frage ist: wie gehen die Eltern mit ihren eigenen Gefühlen um? Dazu wird der Mond in Zeichen und Haus mit seinen Aspekten hinzugezogen. Die vierte Frage bezieht sich auf den Umgang mit der Konflikten und dem Aggressionspotenzial: Hier wir Zeichen und Haus des Mars mit seinen Aspekten beigezogen. Fünftens wird gefragt, wie gut können Eltern Grenzen setzen? Dazu dient die Deutung von Saturn mit seinen Aspekten in Zeichen und Haus.

Beim Kinderhoroskop selber interessiert:

1. Welches vorherrschendes Element ist gegeben? Das Element Feuer, Wasser, Erde und Luft prägt stark das Temperament des Kindes.

2. Der Mond im Element zeigt an, welche elementaren Bedürfnisse das Kind hat und auf welche Weise es dies ausdrückt. Es zeigt an, was das Kind braucht, um sich ganz zu fühlen. Der Mond im Zeichen kann ab dem Kleinkindalter gedeutet werden, ab dem Schulalter auch im Haus mit seinen Aspekten.

3. Der Aszendent im Element zeigt an, auf welche Weise sich dem Kind seine Umgebung darstellt. Der AC eröffnet dem Kind den Zugang, wie es auf Neues zugeht. Ab dem Schulalter kann der Herrscher des Aszendenten im Zeichen, Haus und seinen Aspekten gedeutet werden.

4. Das Immun Coeli IC ist genauso wichtig wie der Mond. Das Zeichen, wo das MC steht zeigt an, was es braucht, um sich geborgen und verwurzelt zu fühlen. Neben dem Zeichen des IC ist der Zeichenherrscher in Haus mit seinen Aspekten wichtig.

5. Der absteigende Mondknoten im Element zeigt den Bereich an, der dem Kind vertraut ist.
   C. Oelmann führt ein Beispiel von einem Kind mit Mondknoten in Jungfrau an. Zu normalen Zeiten sei das Aufräumen von Speisachen eher ein Machtkampf zwischen Kind und Mutter. Wenn des Kind aber Sorgen habe oder ängstlich sei, räume das Kind seine Sachen immer akribisch auf. Damit kehrt das Kind auf seinen ihm vertrauten Jungfrauboden zurück. Bilden Planeten einen Aspekt zum absteigenden Mondknoten, kann dies zum Problem werden, weil dies zu intensiv gelebt wird. Hat zum Beispiel das Kind Mond in Konjunktion zum

Mondknoten, könne dieser Planet einem Fass ohne Boden gleichkommen. Das Kind werde dann lange von seinen Gefühlen und Bedürfnissen bestimmt werden und wolle diese mondhaften Bedürfnisse von seiner Umgebung einfordern. Je älter das Kind wird, desto besser kann der absteigende Mondknoten in Haus und Zeichen gedeutet werden, ab dem Schulalter auch mit seinen Aspekten.

6. Merkur zeigt das Kommunikationsverhalten des Säuglings und kann auch im Kleinkindalter nur im Element gedeutet werden. Venus symbolisiert das Essverhalten und kann im Zeichen gedeutet werden genauso wie Mars, der den Bewegungsdrang symbolisiert.

7. Die Sonne wird erst in der Vorpubertät im Rahmen der Ich-Entwicklung eine besondere Bedeutung erlangen. Ab dem Schulalter kann sie im Zeichen gedeutet werden, ab der Vorpubertät auch im Haus mit ihren Aspekten. Jupiter als Planet des Wachstums ist während der ganzen Lebensspanne wirksam und kann ebenfalls ab dem Schulalter in Zeichen, Haus und mit seinen Aspekten gedeutet werden.

8. Saturn kann ab dem Schulalter im Haus mit seinen Aspekten gedeutet werden. Phänomene des Uranus, Neptun und Pluto werden dem Kind von seiner Umgebung herangetragen und können erst im Verlaufe der Entwicklung von Kindern bewusst eingesetzt werden. Ab dem Schulalter können sie im Haus mit deren Aspekte gedeutet werden.

Bei unserem Beispiel des Jungen zeigt sich folgendes:

1. Das betonte Element in den Häusern bei diesem Horoskop ist das Feuer. Die Häuser spiegeln Anforderungen der Umwelt. Das Kind soll spontan, aktiv und interessiert an Neuem sein. Es hat sich lebensfreudig zu zeigen. Das Element in den Zeichen sind die eigenen Anlagen. Betont ist das Wasserelement. Das Kind ist hier von Natur aus eher passiv, einfühlsam und abhängig von seiner Stimmung. Es reagiert gefühlsbetont.

2. In welchen Zeichen ist der Mond? Im Skorpion, der zum Element Wasser gehört. Das kindliche Wesen ist passiv, einfühlsam, eher langsam, abhängig von Stimmungen mit einem tiefen Gefühlsleben. Dazu ist es leicht beeindruckbar und von grosser Sensibilität. In diesem

Beispiel liegt eine Sonne - Mond Konjunktion vor, sodass sich beide Archetypen mischen.

3. In welchem Element ist der Aszendent? Im Jungfrauzeichen, das erdig ist. Das Wesen des Kindes ist geduldig, abwartend, hingabefähig und bewahrend.

4. In welchem Zeichen ist das IC? Im Stier, damit braucht das Kind einen eigenen Raum, wo es sich sicher wohlfühlt.

5. Welches ist der Zeichenherrscher vom Stier? Die Venus. Sie bildet ein Quadrat zu Saturn. Damit werden die Beziehungen zu Menschen misstrauisch und vorsichtig.

5. In welchem Element ist der absteigende Mondknoten? Er ist im Wassermann und damit in einem Luftzeichen. Damit ist das Kind flexibel, sachlich, neutral und gerne in Interaktion mit der Umwelt.
Zusätzlich Ist hier Neptun im 1. Haus. In späterer Zeit könnte das heissen, dass die eigene Ich- Durchsetzung geschwächt ist zugunsten einer erhöhten Sensibilität. Dies umso mehr, als auch ein Quadrat Neptun – Mars vorliegt und damit die tatkräftige Durchsetzung eine Herausforderung ist.

6. In welchem Element ist der Merkur? In der Waage und damit in der Luft. Die Kommunikation ist geprägt analog der Mondknotenstellung. Das Trigon Neptun - Merkur könnte heissen, dass eher averbales Spüren als verbale Kommunikation möglich ist.

Der Gewinn durch den Einbezug der Problemlösungsachse, des Mondknotens und das Verständnis des Herrschersystems
Ein Junge mit Bauchschmerzen und Schulverweigerung

Anmeldegrund: Ein Junge in der Vorpubertät wurde von seiner Mutter angemeldet. Der Sohn leide unter Bauchschmerzen und sei deswegen seit fast drei Monaten nicht mehr zur Schule gegangen. Eine Abklärung bei der Kinderärztin und im Kinderspital ergab keinen auffälligen somatischen Befund. Die entsprechende Diagnose lautete: funktionelle Bauchschmerzen. Die Frage war, ob eine psychotherapeutische Behandlung helfen könne.

Anamnese: Die Eltern hatten sich vier Jahre zuvor getrennt. Damals kam es beim Jungen zu keinen besonderen Auffälligkeiten. Die Gespräche mit dem Patienten und der Lehrerein haben ebenfalls keine Anhaltspunkte für irgendwelche Konflikte ergeben. Die Schulleistungen waren im Rahmen, ebenfalls die Lernmotivation vor der Schulverweigerung. Belohnungsversuche der Mutter für den Schulbesuch hatten keine Erfolge gebracht. Eine eigentliche Anamnese wurde nicht gemacht, da es im Sinn einer Krisenintervention darum ging, schnell zu Entscheidungen über ein weiteres Prozedere zu kommen.

Symptomatik: Die Bauchschmerzen traten immer vor dem Schulbesuch so stark auf, dass der Junge zuhause blieb. Es gelang der Mutter nicht, ihn auf den Schulweg zu bringen. Währen der Schulzeiten hatte der Junge zu Hause auch gelegentlich Bauchweh. In den freien Schulzeiten wie am Wochenende aber nicht. Der Schmerz trat immer an der gleichen Stelle in der Bauchregion auf. Aktuelle oder frühere Konflikte mit Schulkollegen oder der Lehrerin verneinte der Junge. Es blieb die Hypothese, ob der Junge die Mutter vor möglichem Unbill schützen wolle. Sie war wie früher schon berufstätig und gab an, dass keine akuten Probleme ihrerseits vorliegen würden ausser, dass sie sich jetzt wegen ihrem Sohn Sorgen mache und sie unter Stress geraten würde.

Hypothesen: Astromedizinisch entspricht der Bauch dem Mond. Symbolisch geht es um das genährt werden, das aufnehmen, das satt sein, das gute Gefühl, etwas verdauen zu können. Die Schmerzen und Verweigerung können mit Saturn assoziiert werden. Die Schule, Lernen und Informationsverarbeitung sind Entsprechungen des Merkurs. Die Ablösung von der Mutter könnte eine Spannung im Zusammenhang mit Saturn sein. Die sich damit ergebende Machtproblematik bei dieser über Monate stur andauernden Schulverweigerung bei gegebener Hilflosigkeit tönt nach einem Plutokonflikt.

Deutung des Horoskops

1. In welchem Zeichen steht der Aszendent? Im Zwilling. Die Ich-Durchsetzung im realen Raum will hier zur Funktion kommen. Die Selbstdarstellung und die intellektuellen Funktionen dienen dieser

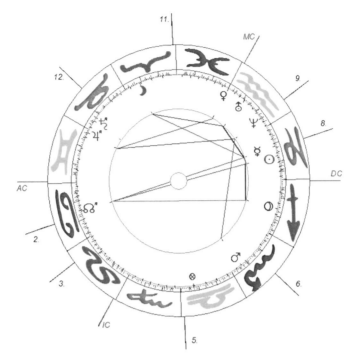

Erstellt mit Astroplus, © 2000-2007 by Astrocontact, Linz

Ich- Durchsetzung und sind traditionell ein typisches Potential des Zwillings.

2. In welchem Haus steht der Herrscher des Zwillings und welche Aspekte bildet er? Der Herrscher ist Merkur und er steht im 8. Haus. Dort geht es um die fixierende Sicherung der geistigen Vorstellungsinhalte über Lernen und Kommunikation. Welche Aspekte bildet Merkur? Er steht in Spannung mit einem Quadrat zum Mond. Lernen und Gefühle vertragen sich nicht.

3. Gibt es Archetypen in Haus 1? Nein.

4. In welchem Haus steht die Sonne? Sie tendiert zum 8. Haus. Die Sonne setzt die Anlage des Aszendenten auf dem Territorium um, wo fixierte Vorstellungsbilder oder Stirb- und Werdeprozesse möglich sind.

5. In welchem Zeichen steht die Sonne? Im Steinbock. Damit agiert die Sonne beeinflusst von Saturn, weil Saturn der Herrscher von Steinbock

ist. Die Sonne agiert karg, grenzsetzend, ehrgeizig, willensstark und berechnend.

6. Welches Haus schneidet das Löwezeichen an? Das 4. Haus. Es geht um die Entwicklung des Seelischen, das nach Art des Löwen gestaltet wird. Das heisst dominant, spielerisch oder charmant.

7. Welche Aspekte bildet die Sonne? Eine Konjunktion zu Merkur und ein Quadrat zum Mond. Lernen und Gefühl stehen so in Spannung. Das Halbsextil der Sonne zu Pluto spielt hier eine besondere Rolle, da Pluto fast gradgenau auf dem DC steht. Das Begegnende wird damit mit der Brille Pluto, das heisst unter dem Aspekt eines möglichen Machtkampfs angeschaut.

8. Welcher Archetyp beherrscht das Haus, wo die Sonne steht? Sonne ist im Steinbock, also herrscht die harte oder strukturgebende Haltung des Saturns.

9. In welchem Zeichen steht der MC? Im Wassermann. Das Ziel der Anlage ist es, über die eigene Wahrheit des 4. Quadranten den Entwicklungsprozess ausgehend vom Aszendenten zu verwirklichen. Im Wassermann agiert die Verwirklichung rebellisch und eigenwillig nach Massstab der eigenen Wahrheit.

10. In welchem Haus steht der Herrscherplanet des Wassermanns? Uranus tendiert zum 10. Haus. Die Verwirklichung wird vom eigenen Herrscher zusätzlich unterstützt.

11. Welche Aspekte bildet Uranus? Die Sonne kann Uranus zusätzlich unterstützen.

12. Gibt es Planeten im 10. Haus? Venus. Die Entfaltung oder Erweiterung durch Jupiter zur Assimilation über Venus ist eingeschränkt.

Zu den Hypothesen: Bei diesem Fallbeispiel fällt auf, dass es keine vordergründige Hypothese zur Symptomatik aufgrund anamnestischer Angaben gab. Aus psychologischer Sicht liess dies ein Misstrauen zurück, ob hier wirklich alle relevanten Daten erhoben werden konnten. Wie sind die Elternbeziehungen, wie ist die Lernmotivation und wie steht es um die realen sozialen Kontakte und vor allem um die familiäre

Kommunikation? Der Vaterarchetyp symbolisiert in der Sonne erscheint steinbockartig strukturiert bis streng und tendiert zum 8. Haus, dort wo fixierte Vorstellungsbilder wachsen. Die Sonne wird unterstützt von Pluto, der am DC für Machtkonflikte steht. Sie steht in Opposition zum nördlichen Mondknoten. Der Kindarchetyp Mond ist im 11. Haus im Widder. Die Gefühle können dadurch heftig und eigenwillig werden. Der Archetyp will mit dem Kopf durch die Wand. Der Mutterarchetyp im Saturn ist im 12. Haus im Stier, ist aber nicht aspektiert. Er kann dadurch machen, was er will. Saturn als Struktur und das 12.Haus des Fischs mit stierartig geprägter Boden unterstützen sich nicht fraglos. Merkur ist im 8. Haus in mit einem Quadrat in Spannung zum Mond. Das Lernen kann dadurch gehemmt werden. Dies widerspiegelt die Symptomatik, wonach Bauchgefühl und Lernen im Konflikt sind. Mars und Neptun bilden ebenso ein Quadrat. Übersetzt gesagt kann es sein, dass sich Aggression auflöst und zwar konflikthaft. In der psychologischen Sprache ausgedrückt: es scheint möglich, dass eine Aggressionshemmung vorliegt, deren Energie sich in den Bauchschmerzen zeigt. Anders ausgedrückt heisst dieses Quadrat, dass zwischen Antrieb nach Aktivität einerseits und Apathie andererseits gependelt wird. Gesamthaft wird klar, dass Lernen und Bauchgefühl, aber auch die Aggressionsenergie und ein Machtbedürfnis ihre spannungsgeladene astrologische Signatur haben.

Transite: Der Beginn der Symptomatik fiel in die Zeit, als ein achtwöchiger Neptuntransit über den Radixmerkur lief. Das Lernen (Merkur) wurde dadurch aufgelöst (Neptun). Die Hypothese wonach Merkur mit Lernen zu tun hat, bestätigt sich dadurch. Die Hemmung erfolgt aber nicht primär durch Saturn, sondern durch die Gefühlswelt (Mond), durch blockierten Erkenntnisdrang (Jupiter) und im Transit durch Neptun. Zusätzlich lief in dieser Zeitspanne der Transitpluto über die Radixsonne. Pluto verlieh damit der Sonne Macht. Da die Sonne hier schon in Haus 8 steht, stand sie seit jeher auf Plutos Boden und gewann jetzt umso mehr Energie, um den Machtkampf durch die Schulverweigerung durchzustehen. Die Symptomatik wird in diesem Fall durch die doppelte Transitkonstellation sinngemäss dargestellt.

Der Alterspunkt nach Huber löste eine Opposition zu Neptun aus mit Phänomenen von Auflösung, diffusem Zustand und Vernebelung. Der AP bildet zusätzlich ein Quadrat zu Mars (Aggressionsproblem) und ist damit stimmig.

Der Gewinn durch den Einbezug der Problemlösungsachse:

Wenn ein Fokus eines Konfliktes ausgehend von einem Archetyp oder eines bestimmten Aspektes ausgemacht werden kann, stellt sich die Frage, wie dieser Konflikt gelöst werden könnte. Nach der Huberschule liegt die Lösung nicht beim Ort dieser Archetypen, sondern 90 Grad davon entfernt. Die Lösungsachse 5/11 ist 90 Grad gedreht vom Problem des Merkurs und trifft dabei genau den Mond in Haus 11. Als Repräsentant des Krebs d.h. des kardinalen seelischen Sektors will der Mond ein Bedürfnis nach Bemutterung, Wärme oder Sicherheit bezüglich der eigenen Herkunft durchsetzen. Dies soll auf einem Territorium 11 geschehen, das unterstützende Netzwerke oder Rebellion gegen Konventionen oder grössere Zusammenhänge erlaubt. Da Merkur ausgerechnet der Herrscher des Aszendentenzeichens Zwilling ist, ist hier die Schulverweigerung auch eine Weigerung, das eigene Anlagepotenzial anzugehen. Auf der andern Seite der Begegnungsachse 1/7 steht Pluto, wo Kontakte durch die Brille von Machtproblemen gesehen werden. Wenn Pluto am DC steht, ist nach M. Boot (1988) zu rechnen, dass ein Drang gegeben sein kann, andere Menschen zu beherrschen und ihnen gegenüber keine Verpflichtungen eingehen zu wollen. Die Entwicklung des Gefühls und der Mondfunktionen insgesamt scheint aber für die Entwicklung ein zentraler Punkt für diesen Patienten zu sein.

Der Gewinn durch die Besonderheit der Mondknotenachse:

Nach J.C. Weiss (1994) kreuzt die Mondbahn die Sonnenbahn respektive die Ekliptik aufgrund ihrer Neigung von 5 Grad in zwei Punkten. Diese stehen einander gegenüber und werden als auf- und absteigender Mondknoten bezeichnet. Die Mondknoten brauchen 18 Jahre, 7 Monate und 9 Tage um den Tierkreis zu umrunden. Beide Punkte symbolisieren das Zusammenspiel vom Unbewussten mit dem Bewusstsein. Am absteigenden Mondknoten ist das Vertraute und gefühlsmässig Gewünschte zu finden, was man wiederholen möchte. Dieser Pol verkörpert mit den instinktiven Bedürfnissen die eigene innere Motivation. Es werden in dem Bereich aber auch Schutzmechanismen aufgebaut.

Der aufsteigende Mondknoten strebt dagegen nach Individuation. Über ihn wird das Neue gesucht und es werden Zukunftspläne entwickelt. Zur Vorgehensweise bei der Deutung mit den Kochhäusern schlägt J.C. Weiss folgendes vor: 1. In welchem Haus steht der aufsteigenden Mondknoten? Er zeigt an, was zu tun ist, um alte Mechanismen zu überwinden. 2. Welches Zeichen steht am aufsteigenden Mondknoten? Es zeigt, welche Qualitäten neu gefordert sind. 3. Planeten auf dieser Achse oder in Aspekt zu dieser Achse zeigen die Mitbeteiligung für diese Prozesse.

In unserem Beispiel liegt der aufsteigende Mondknoten im 2. Haus im Krebs. Das 2. Haus repräsentiert eine verstärkte Selbstdurchsetzung, mit andern Worten das Selbstwertgefühl. Es soll aufgebaut werden. Der absteigende Mondknoten liegt im 8. Haus im Steinbock. Das heisst, die instinktive Motivation und Sicherheit ist gegründet auf einem Territorium, wo es um verdichtete Vorstellungsbilder, fixe Konzepte oder Krisen geht. Diese Affekte sind zudem konjugiert mit der Sonne, das heisst mit dem Ich-Gefühl. Zudem prägt der Boden des Steinbocks eine eher karge Seelenlandschaft. A. Cortesi (1999) meint dazu, dass einem Kind mit absteigendem Mondknoten die dunklen Seiten des Lebens vertraut sind. Beim aufsteigenden Mondknoten im Krebs sei es ein Entwicklungsprozess, im ganzen späteren Leben Wärme und Geborgenheit in sich suchen und weiterzugeben.

Der Gewinn durch den Einbezug des Herrschersystems:

Nach H.P. Hadry (2005) ist das Herrschersystem ein Modell, um die Frage nach Ursachen eines bestimmten Verhaltens zu verstehen Die Wirkung eines Verhaltens tritt dort auf , wo der Herrscher im Horoskop steht und wohin er ausgewandert ist. Die Ursache eines Verhaltens dagegen ist dort, wo das Ursprungshaus eines Herrschers ist. Herrscher eines Hauses ist der Archetyp, der dem Tierkreis entspricht, welches das jeweilige Haus anschneidet. Zur Erinnerung ist die Zuordnung hier aufgeführt:

Widder/Mars, Stier/Venus des Morgens (minus gepolt), Zwilling/Merkur des Morgens (plus gepolt), Krebs/Mond, Löwe/Sonne, Jungfrau/Merkur des Abends (minus gepolt), Waage/Venus des Abends (plus gepolt),

Skorpion/Pluto, Schütze/Jupiter, Steinbock/Saturn, Wassermann/Uranus, Fisch/Neptun.

Über das Herrschersysten werden Häuser des Horoskops miteinander verknüpft. Dabei werden Probleme, die in einem Ursprunghaus bestehen, nicht nur in einem Zielhaus bewirkt, sondern auch noch negativ verstärkt. Im umgekehrten Fall kann das auch positiv verstärkt werden. Wenn ein Problem gelöst werden soll, ist es im Allgemeinen so, dass es im Ursprunghaus und nicht im Zielhaus gelöst werden kann. Dazu müssen die Fähigkeiten im Ursprunghaus entwickelt werden. Die Auswertungs- schritte nach H.P. Hadry werden hier der Übersichtlichkeit halber verkürzt:

1. Wo kommt ein Herrscher her? Welches ist sein Ursprungshaus? Wo liegt die Ursache eines Problems?

2. Welches Zeichen steht an der Spitze dieses Hauses?

3. Wer ist der Herrscher? Welcher Archetyp gehört zum Zeichen, was muss dort entwickelt werden?

4. In welches Zielhaus ist der Herrscher ausgewandert?

5. In welchem Zeichen steht der Herrscher?

In unserem Beispiel geht es um das Lernen (Merkur) in der Schule, das ein Hauptproblem ist. Die Antworten lauten deshalb:

1. Der Herrscher Merkur beherrscht das Zeichen Zwilling und kommt von dort her.

2. Zwilling schneidet das erste Haus an. Im ersten Haus geht es um die Selbstdurchsetzung im realen Raum. Dies ist damit eine Ursache der Problematik. Die gesunde Selbstdurchsetzung scheint unentwickelt.

3. Der Herrscher dieses Hauses ist Merkur. Lernen und Kommunikation muss gelernt werden.

4. Merkur ist in das 8. Haus als Zielhaus ausgewandert. Im 8. Haus geht es um die Verdichtung von geistigen Vorstellungsinhalten, um Konzepte, Ideologien oder fixierte sture Vorstellungen. Merkur steht im Zeichen des Steinbocks. Damit hat er hohe Ansprüche an die eigene Wahrheit und ist wenig flexibel.

Verlauf: Nachdem die Schulverweigerung schon vor der Kurzabklärung circa vier Monate andauert hatte, war klar, dass eine ambulante Behandlung hier nicht erfolgsversprechend sein würde. Die Mutter war mit einer stationären Behandlung des Jungen einverstanden. Bezeichnenderweise erfuhr ich vom Kollegen in der stationären Klinik, dass die Gründe für die Symptomatik nach wie vor unklar seien. Entgegen der ursprünglichen Absicht der Mutter hat sie sich nach der Entlassung des Sohnes aus der Klinik nicht mehr gemeldet.

Der Gesamtverlauf einer Psychotherapie und der Zusammenhang mit astrologischen Konzepten

Wie zeigen sich die besprochenen astrologischen Techniken anhand eines Gesamtverlaufs einer Psychotherapie? Ich wähle dazu als Beispiel meinen allerersten Patienten aus, der bei mir ab anfangs 1979 in psychotherapeutischer Behandlung stand. Das ergibt sich aus folgenden Überlegungen: Der erste Patient schien mir eine neutrale Auswahl zu sein. Zum damaligen Zeitpunkt habe ich nicht daran gedacht, diesen Therapieverlauf je einmal mit einem astrologischen Blick zu beurteilen. Ich wusste damals nicht viel mehr über Astrologie als jeder andere auch. Ich habe damit den Verlauf mit Sicherheit nicht astrologisch beeinflusst. Weil es mein erster Patient war, habe ich ausführliche Protokolle über jede Sitzung geschrieben. Als die vorgeschrieben Aufbewahrungspflicht der Akten vorüber war, habe ich alle Akten anderer Patienten vernichtet mit Ausnahme meines ersten Patienten. Auch damals habe ich nicht daran gedacht, diese Unterlagen je einmal zu verwenden. Es waren wohl eher emotionale Gründe, diese nicht einfach wegzugeben. Neben der ausführlichen Dokumentation in den Akten kommt jetzt dazu, dass beim ehemaligen Patienten auch eine längere Lebensspanne überblickt werden kann.

Anmeldung:

Der 11 jährige Junge wurde von seiner Mutter angemeldet, weil er sich immer mehr zurückgezogen hatte und unter Verstimmungen litt. Gelegentlich meinte er, das Leben sei nicht schön und er litt oft an Migräneanfällen.

Anamnese:

Die Kindsmutter litt selber an depressiven Verstimmungen und wurde vom Hausarzt behandelt. Hie und da wurde sie wegen eines tiefen

Blutdrucks ohnmächtig und litt oft unter Kopfschmerzen. Sie war teilzeitlich berufstätig. Die Eltern hatten sich getrennt, als der Junge 5 Jahre alt war. Der Vater hatte in der Zwischenzeit eine Freundin. Der Patient und sein jüngerer Bruder besuchten den Vater unregelmässig.

Die Mutter berichtete, dass nach der Geburt bei ihrer Rückkehr vom Spital nach Hause ihr Wohnblock saniert worden sei. Man habe einen Presslufthammer im Hause recht laut gehört und das Baby habe deswegen oft geweint. Der Junge habe im 1. Lebensjahr viel geschlafen und sei tagsüber trotzdem oft müde gewesen. Er habe auch nicht gerne gegessen. Als er zweijährig war, kam sein Bruder auf die Welt. Der Junge habe später unter der Trennung der Eltern gelitten und lebte wegen der Berufstätigkeit der Mutter vorübergehend bei der Grossmutter, wo er nervös, ängstlich und verschlossen gewesen sei. In der Schule zeige er nun Konzentrationsstörungen und Leistungsschwankungen.

Psychodiagnostik:

Die Testabklärungen ergaben eine durchschnittliche Intelligenz bei einem homogenen Subtestprofil. In den projektiven Fragen bei den Düssfabeln ergänzte der Junge, dass der kleine Vogel aus dem Nest fiel und wurde bewusstlos wurde. Der Vogel suchte die Mutter, fand sie aber nicht. Er lernte fliegen. Über dem Meer stürzte er ab. Ein Tintenfisch rettete den kleinen Vogel und brachte ihn auf eine Insel. Der Vogel suchte wieder vergeblich die Mutter. Nach ein paar Jahren dachte er wieder an die Mutter und flog nach Afrika, um sie dort zu suchen. Er fand sie auch, aber sie war tot.

In einer zweiten Geschichte feierten die Eltern ihren Heiratstag. Es ging dem Jungen aber schlecht. Es wurde ihm übel und er musste zum Arzt. Dann schlief er ein und er träumte von einem Mörder, der seine Eltern umbringen wollte.

In einer dritten Geschichte sollte sich ein Schäfchen von der Mutter trennen. Es wurde von Wölfen gefesselt. Sie wollten das Schäfchen über dem Feuer rösten, um es zu fressen. Zum Glück befreite ein Riese das Schäfchen und brachte es der Mutter zurück.

Einen imaginierten Traumanfang führte der Junge so weiter, dass er weit ins Weltall flog und dort eine Meerjungfrau sah. Daneben war eine silberne Meerjungfrau. Bei ihrem Anblick stürzte der Junge ins Meer. Ein Engel half ihm, an Land zu kommen.

Allein schon diese Geschichten zeigen die Art der internalisierten Elternbilder und die Art, was von der Welt erfahren werden kann.

Ein eigener Traum des Jungen lautete folgendermassen: Ich war im Meer und sah einen Walfisch. Ich schloss Freundschaft mit ihm. Er sagte, ich dürfe in seinem grossen Maul bleiben. Ich ging aber weiter bis in seinem Bauch. Dort sah ich ein Schloss. In der Nähe war ein Fisch als Taxifahrer tätig. Ich konnte reden mit ihm. Dann ging ich in das Schloss. Dort war Neptun. Er hatte einen langen Bart, eine Krone und einen langen Stab mit drei Zacken. Er sagte nichts. Ich hatte ein wenig Angst und erwachte.

Dieser Traum trat anfangs Februar 1979 auf. Er zeigt eine Regression an und der Junge geht zurück in den Bauch, wo Angst auftaucht. Es mag ein Zufall sein, dass hier schon mit Neptun eine archetypische Figur auftritt. Natürlich stellt sich jetzt die Frage, ob hier ein Neptuntransit am Werk war.

Ein Transit-Neptun Trigon Radix-Saturn dauerte vom 10.1.1979 - 9.6.1979. Dieser Transit mit Neptun passt zeitlich und symbolisch zum Traum. Der Traum ist nicht primär konflikthaft, was zum Trigon auch passt.

Symptomatik:
Seit der Trennung der Eltern traten beim Jungen immer weder Migräneanfälle auf. Er wurde auch immer wieder krank. Schon zwei Jahre vor der Anmeldung zur Abklärung habe sich der Junge aggressiv gegenüber Mutter und speziell gegenüber dem Bruder benommen. Er litt unter Erbrechen und biss sich in die Fingernägel. Allgemein sei der Junge reizbar, nicht belastbar und schlucke seine Frustrationen hinunter. Die Mutter dürfe von Ihm nichts erwarten. Insgesamt war an eine narzisstische Problematik des Jungen zu denken.

Hypothesen:
In den projektiven Antworten bei den Düssfabeln zeigt sich, dass eine stabile Elternbeziehung weder zu mütterlichen noch zu väterlichen Figuren gegeben ist. Es bleibt eine Leere und mangelnde Geborgenheit. Die

mütterliche Reaktion mit den Ohnmachtsanfällen wurde sogar übernommen. Es ist nötig auf die Suche nach Beziehungen übers Meer bis nach Afrika und sogar ins Weltall zu gehen. Auf elterliche Hilfe ist nicht zu hoffen. Stattdessen wird Tod und Unbill erwartet. Die erste menschenähnliche Figur ist die Meerjungfrau. Eine Entsprechung findet sich bei Neptun, der in einem nächtlichen Traum erscheint. In diesem Traum wird auch die Regression sichtbar, wo sich eine Welt in einem Bauch des Fisches eröffnet. Immerhin wird hier ein Geschlechtergegensatz ersichtlich, wenn auch auf einer mythologischen Ebene. Astrologisch könnte man von einer Spannung bei Sonne, Saturn und Mond ausgehen. Jupiter erscheint expansiv und Merkur labil.

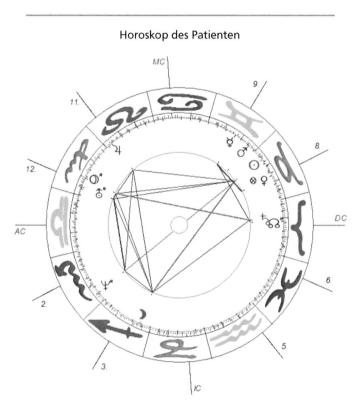

Horoskop des Patienten

Deutung des Horoskops:

Sie folgt dem Schema Anlage mit den Punkten 1 bis 3, dem Verhalten mit den Punkten 4 bis 8 und der Finalität mit den Punkten 9 bis 12. Das Grundgerüst wird mit Deutungen von J. C. Weiss (1992) ergänzt.

1. Wo steht der Aszendent? In der Waage. Damit geht es darum, dass geistige Vorstellungsbilder als Ausgangspunkt für einen Entwicklungsprozess dienen. Waage wird als eine entgegenkommende Art beschrieben, wobei es mehr um Form als Inhalt geht. Man vermeidet Kontraste und Konflikte. Gesucht wird eine Wirkung im persönlichen Lebensstil, indem man sich entsprechend pflegt und kleidet.

2. In welchem Haus steht der Herrscher von Waage und welche Aspekte bildet er? Herrscher ist Venus. Sie steht im 8. Haus und verwirklicht in ausgleichender Art Phänomene, die zum Skorpionboden passen. Dazu gehören fixe Überzeugungen im geistigen Bereich oder eine Konzentration auf den Sinn für Werte oder eigene Bereiche. Venus ist in einem Halbsextil mit Merkur verbunden und macht die Kommunikation weich und freundlich.

3. Gibt es Planeten im 1. Haus? Nein, damit sind keine Archetypen bei der Ich-Durchsetzung beteiligt.

4. In welchen Haus steht die Sonne? Im 8. Haus ermöglicht sie die Verfestigung von geistigen Vorstellungen oder Konzepten verbunden mit einem Gefühl von Macht oder Rechthaben. Man fühlt sich hier behindert durch äussere Umstände und geht an die Grenzen der eigenen Möglichkeiten.

5. In welchem Zeichen steht die Sonne? Im Stier, damit ist sie in der Durchführung impulsverdichtend. Sie will eine stabile Struktur verwirklichen und orientiert sich an traditionellen Überlieferungen. Materielle Risiken werden vermieden. Man hat eine Vorliebe für Kunst und Musik und ästhetisches Ambiente.

6. Das Löwezeichen schneidet welches Haus an? Das 11. Haus. Das heisst, das Individuelle und Einzigartige will sich darstellen.

7. Welche Aspekte bildet die Sonne? Eine Opposition zu Neptun. Die Sonne will steuern und zur Geltung kommen. Neptun will Einheit und Auflösung der Einzelheit. Beide Archetypen ergänzen sich schwer oder gar nicht. Das Selbstbewusstsein ist dadurch verletzt. Ein Sonne Trigon Uranus, führt zu einer lockeren Einstellung zu Verpflichtungen und Bindungen. Ein Sonne Trigon Pluto kann Mut und Kraft mobilisieren und will damit Andere beeinflussen. Die Frage bleibt, ob damit persönliche Machtansprüche verfolgt werden oder ob auch die Umgebung zu ihrem Recht kommen kann. Das Sonne Quadrat Jupiter zeigt an, dass die realen Möglichkeiten im Widerstreit stehen mit den eigenen Vorstellungen. Es entsteht eine Unzufriedenheit bei ehrgeizigen Wünschen.

8. Welcher Archetyp beherrscht das Haus, wo die Sonne steht? Im 8. Haus ist Venus Herrscher. Sie beeinflusst die Sonne ausgleichend

9. In welchem Zeichen steht das MC? Im Krebs. Das Ziel der Entwicklung ist das Seelische, das sich formiert. Die Schaffung von Geborgenheit in der Familie ist ein grosses Anliegen. Man sucht gefühlsbetonten Einklang mit Andern.

10. Wer ist der Herrscherplanet und wo steht er? Herrscher des Krebses ist der Mond. Er steht im 3. Haus. Der Mond repräsentiert das Seelische und Gefühlshafte und agiert im 3. Haus, wo die Ich-Durchsetzung zur Funktion kommt zum Beispiel über Kommunikation.

11. Welche Aspekte bildet der Mond? Ein Trigon Mond Jupiter spricht nach C. Weiss eher für positive Kindheitserfahrungen. Man könne gut auf andere eingehen. Ein Trigon Mond zu Saturn mache, dass der Gefühlsausdruck zurückhaltend sei und man habe Schwierigkeiten, der Welt unbefangen entgegenzutreten. Das führe oft zu Gefühlen der Einsamkeit. Ein Mond Quadrat Uranus sei ein Zeichen für mangelnde Geborgenheit in der Kindheit, was dazu führe, dass man sich gefühlsmässig wenig engagieren oder binden könne. Mond Quadrat Pluto führe zu gefühlsmässigen Blockierungen. Die Erziehung habe das gefühlsmässige Gleichgewicht gestört und das Kind sei unter einem Einfluss von Macht oder Kontrolle gestanden.

12. Gibt es Planeten im 10. Haus? Nein.

Zusätzlich mit vier Planeten im 8. Haus liegt ein Stellenium vor. Hier ist die Energie von unterschiedlichen Archetypen stark gebündelt.

Kurz zusammengefasst: der Sinn in diesem Horoskop besteht darin, dass geistige Vorstellungsbilder im AC verfestigt vorgegeben sind. Es gilt, sie mit der Sonne über Leitlinien und fixe Konzepte zu fixieren (Stier, 8. Haus) sodass als Ziel im MC seelische Empfindung erwirkt werden kann (Krebs). Da der Herrscherplanet vom Krebs der Mond ist und er im 3. Haus steht und dies schützebetont ist, kann ergänzt werden, dass die seelische Empfindung über Erkenntnis (Schütze) in einem Bereich von Kommunikation und Austausch (3. Haus) erfolgen soll. Gesamthaft ist das Zeichen Stier betont und das 8. Haus betont. Von der Anlage her geht es um Reviersicherung, von der Umwelt wird das Krisenterritorium des 8. Hauses ebenfalls von Stierqualitäten beeinflusst.

Transite bei der Anmeldung:

Transit Pluto Halbquadrat Radix Mars 23.11. 1978 - 25.3.1979

Saturn Quadrat Merkur 25.11.1978 - 2.2.1979

Uranus Quinqunx Saturn 20.12.1978 - 6.5.1979

Neptun Trigon Saturn 10.1.1979 - 9.6.1979

Neptun Quadrat Pluto 12.1.1979 - 6.6.1979

Uranus Sextil Pluto 22.12.1978 - 4.5.1979

Der Transit Pluto Quadrat Radix Mars kurbelte eine Spannung bezüglich Transformation an. Gemäss R. Hand (1987) kann dieser Transit recht gefährlich werden. Problematisch sei daran, dass beim Betreffenden erhebliche Egokräfte frei werden. Wenn diese frustriert werden, bereite dies grosse Schwierigkeiten. Der Betroffene mag sich in einer Kampfsituation befinden.

Ebenfalls bildete Transit Uranus über den Radix Saturn ein Quincunx und kurbelte eine Spannung bezüglich Veränderung der gegebenen Struktur im Radix an. R. Hand (1987) gibt zum Quincunx keine Deutung, aber das Quadrat ist damit am ehesten zu vergleichen. Hier sei der betreffende Mensch einer beträchtlichen Prüfung ausgesetzt. Man sehe sich vor die Frage gestellt, ob man wirklich versteht, was um einen herum vor sich geht. Einengungen, die das innere Wachstum hemmen, können unerträglich werden. Jetzt sollte man sich einem Menschen anvertrauen, um die Spannung abzubauen. Vorhandene Leiden könnten sich verschlimmern.

Bei Neptun Quadrat Pluto meint R. Hand, dass sich der betreffende Mensch erheblichen Spannungen und einem bisher nicht gekannten Druck ausgesetzt fühlt. Es ist möglich dass ein Drang entsteht, alles zu zerstören, was bisher Frustrationen brachte. Man sollte eine psychotherapeutische Behandlung in Betracht ziehen.

Diese Transitbeschreibung tönt wie eine Therapieindikation. Die Transite sind im Ganzen spannungsgeladen und scheinen hier stimmig.

Zusammengefasst litt der Junge unter Migräne, er hatte Suizidphantasien, fand es nicht schön auf der Welt und war nach der Trennung seiner Eltern enttäuscht vom Vater. Unschwer kann man einen Zusammenhang dieser Probleme mit der hohen Energie des 8. Hauses sehen, das Krisen ermöglicht. Der Vater (Sonne) und die Täuschung (Neptun) führten zur Enttäuschung, was in der Sonne - Neptun Opposition symbolisiert ist. Erstaunlich ist, dass diese Signatur, wie allgemein in der Astrologie, im Horoskop gegeben ist, bevor die Lebenswirklichkeit sie in Erscheinung bringt. Die Plutotransite zu Beginn der Behandlung bringen die Energie, die Transformation möglich macht.

Der Verlauf der Psychotherapie

Die erste Therapiestunde fand mit dem Jungen am 19.1.1979 um 16.30 statt. Wir hatten damals am Kinderpsychiatrischen Dienst ein Spielzimmer. Der Junge sah dort Lehm zum Modellieren und wollte damit etwas gestalten. Ein Gespräch über seine Situation kam kaum zustande. Zu entsprechenden Fragen meinte er, er wisse es auch nicht genau. Da es noch eine Feuerstelle gab, brannte bald ein Feuer. Der Junge wollte wissen, ob er jetzt ein Jahr lang hierher kommen müsse. Ich fragte, ob er das gerne tun würde. Ja, lieber zwei Jahre, war die Antwort. Es entstand eine angenehme Atmosphäre. Der Junge schlug vor, das nächste Mal eine Wurst mitzubringen. In der nächsten Stunde brachte er zwei Würste mit, um sie zu braten und zu essen. Dabei meinte er, es würde ihm nichts ausmachen, zweimal die Woche zu kommen. Er könne auch ein Huhn zum grillen mitbringen oder ob er mit Ton etwas machen könne? Zweimal die Woche kommen geht nicht gut, aber das mit dem Lehm wäre in Ordnung. In der nächsten Stunde malte der Junge ein grünes Ungeheuer, das Feuer spuckte. Ein See und ein Vulkan ergänzten die Szene. Dazu kam eine Stadt, wo Familien wohnten. Der Vulkan spuckte ebenfalls Feuer. Ein zweites Ungeheuer kam aus dem See und spuckte zusätzlich Feuer. Neben dieser bedrohlichen magischen Welt zeigte sich, dass der Patient nicht weiter bereit war, mehr dazu zu sagen. Der Junge meinte stattdessen, dass er das nächste Mal einen Totenkopf aus Ton formen wolle. Es stellte sich für mich die Frage, ob nach dem schnellen Auftauchen von den gefährlichen Szenen irgendwelcher Schutz nötig sein müsste.

In der nächsten Stunde stellte sich heraus, dass der Lehm im Spielzimmer unerwartet hart war und wir erst eine neue Packung kaufen mussten. Stattdessen schlug der Junge vor, eine Kasperligeschichte zu machen. Ich sollte damit beginnen. Kaum hatte ich angefangen, dass ein König im Garten spazieren würde und der Königin eine Geschichte erzählen wolle, übernahm der Junge den weiteren Verlauf:

Die Tochter des Königs wurde durch den Zauberer in einen Frosch verwandelt. Der König fragte den Kaspar, ob er die Königstochter suchen würde. Der Diener des Königs habe sie schon im Garten vergeblich gesucht. Der Kasper war einverstanden und machte sich auf den Weg und traf eine alte Frau. Diese wusste durch ihre Zauberkugel, wo die Prinzessin zu finden sei. Gemeinsam schauten sie in die Zauberkugel, die aus reinem Kristall gefertigt war. Die alte Frau sagte dem Kasper, er müsse den Weg über den Hügel nehmen. Dort hinten sei ein Ungeheuer, das müsse er erledigen. Wenn er weiter laufe, würde er einen Raben treffen. Den müsse er auch erledigen. Ganz zum Schluss sei eine Hexe zu treffen und ebenfalls zu erledigen. Dann würde er die Prinzessin erlösen können. Der Kasper machte sich auf den Weg und traf das Ungeheuer. Es sagte dem Kasper, er müsse bis zum Abend warten, dann würde es ihn auffressen. Als es Abend war, warf der Kasper Steine und tötete das Ungeheuer. Dann traf er den Raben. Dieser sagte, er wolle Gold vom Kasper, dann dürfe er weiter. Der Kasper gab ihm Steine, die wie Gold aussahen. In den Steinen war eine Zeitbombe versteckt. Der Rabe nahm das vermeintliche

Gold und wurde so erledigt. Dann traf der Kasper die Hexe. Sie sagte, er müsse ihr einen Lebkuchen backen, dann dürfe er weiter. Der Kasper machte das und mischte Giftbeeren in den Kuchen und erledigte so die Hexe. Dann traf der Kasper tatsächlich einen Frosch, mischte Kräuter und sagte einen Zauberspruch: hocuspocus simsalabim, du wirst Königin. Der Kasper und die Prinzessin gingen heim. König und Königin waren froh. Der Kasper bekam zur Belohnung eine Perle von der Prinzessin. Der Zauberer wurde verhaftet und bekam 56 Jahre Gefängnis.

Diese Geschichte kam überraschend und war erstaunlich. Ich hatte das Motiv bisher nicht gekannt und wusste nicht, ob der Junge von einer anderen Geschichte beeinflusst war. Die gezeigte Phantasie und Spontaneität passte nicht recht mit dem zusammen, was ich bisher von ihm wusste. Der Inhalt erinnert an die Struktur von vielen Märchen oder Mythen (J. Campbell 1999). Es gibt ein Problem. Der Held muss es lösen und drei Aufgaben übernehmen, die mit Tod und Erweckung zu tun haben. Der Held muss sich mit dem Bösen konfrontieren und Angst überwinden.

Eine Woche später war von der Mutter zu erfahren, dass der Junge fast kein Kopfweh mehr gehabt habe und fröhlicher geworden sei. Er hätte aber auch gesagt, dass ich ihm in der Sitzung unnötige Fragen gestellt hätte. Der Sohn habe einige Kontakte mit andern Kindern, nach einer Weile werde es ihm aber zu viel und er ziehe sich wieder zurück.

In der darauffolgenden Stunde formte der Junge aus Ton ein kleines Gefäss. In der 7. Sitzung nahm der Junge einen früheren Gedanken auf und formte aus Ton einen Totenkopf. Er setzte ihm Zähne ein und wollte ihn später mit einer Taschenlampe im Inneren beleuchten. Gleichzeitig hatte er schon eine Idee, was er das nächste Mal machen könnte. Es war ein Denkmal und auf dem Sockel würde er stehen. In der folgenden Stunde nahm der Junge die Idee des Denkmals nicht auf. Das könne er später machen. Er wollte stattdessen einen Teller aus Ton formen, wo man Essen darauf legen könnte. Parallel erzählte er, dass er diese Woche zur Grossmutter gehen würde. Sie habe einen Hund, der sich immer freuen würde, wenn er käme. Auch ein Kanarienvogel freue sich. Diese Tiere hätten ihn lieber als seinen Bruder. Sein Bruder rege ihn meistens auf. Er singe immer blöde Lieder. Obwohl er jünger sei, meine der Bruder, dass er stärker sei, was nicht stimme. Unvermittelt fragte der Junge, ob das, was ich mache, ein Beruf sei und wie viel ich verdiene und ob ich zur Grossmutter mitkommen wolle. Zum ersten Mal fand während fast der ganzen Stunde eine Kommunikation statt. Der Junge zeigte ein Interesse an den Sitzungen. Er liess er kein gutes Haar an seinem Bruder und zeigte sich recht eifersüchtig. Ebenso war sein starkes Bedürfnis nach Bindung zu spüren.

In der nächsten Stunde gemeinsam mit der Mutter und dem Jungen ging es darum, dass der Junge seinen Vater nicht mehr sehen wollte, weil dieser eine Freundin habe. Weder Mutter noch der Sohn wollten dem Vater dies sagen, weil beide sich davor fürchteten. Schlussendlich konnte sich die Mutter dazu durchringen, mit einem entsprechenden Telefonanruf den Vater zu informieren und dessen Reaktion abzuwarten.

In der 9. Therapiesitzung wollte der Junge den Totenkopf schwarz und weiss bemalen und meinte, so sehe das furchterregend aus. Ich sprach den Jungen nochmals auf die Besuchsregelung mit dem Vater an. Er hatte kein Gehör, lenkte ab und fragte, ob wir auch einmal ins Museum gehen könnten. Dort habe es auch einen Totenschädel. Der Junge überlegte ob er zum Schädel ein Skelett formen sollte, entschied sich aber, auf einem Blatt Papier ein Skelett zu zeichnen und dies zum Totenkopf zu legen. Was das für eine Person gewesen sein könnte? Der Junge antwortete, dass es ein Lehrer sei, der nicht nett gewesen wäre.

Danach sah ich die Mutter noch einmal. Trotzdem ihre Kinder nicht begeistert waren, fuhr der Vater mit den Kindern in seine Wohnung, wo seine Freundin anwesend war. Alle hätten miteinander gespielt und die Kinder hätten viel getrunken und Eis gegessen, sodass am Schluss beide Kinder eine Magenverstimmung davongetragen hätten. Das machte die Mutter wiederum wütend. Unser Junge behauptete anschliessend am Abend, dass er vom Vater entführt worden sei. Er habe sich aber nicht getraut etwas zu sagen und meine jetzt, der Vater habe ihn hereingelegt. In der 10. Sitzung bestätigte der Junge, dass er nicht gerne zum Vater gegangen sei. Dessen Freundin hätte böse geschaut, blöd geschwätzt und so getan, als wäre er ein kleines Kind. Auf die Frage, was genau Vater und Freundin getan hätten, meinte der Junge, sie hätten mit ihm gespielt und beide seien schon nett gewesen. Der Junge wollte jetzt ein Denkmal aus Ton formen. Das war nicht einfach, darum konzentrierte er sich auf den Kopf, der ihn darstellen sollte. Das war auch nicht einfach, sodass er auf die Idee kam, den Kopf von Mozart zu formen. Dann meinte der Junge zu mir blickend, eigentlich sähe ich dem Kopf ähnlich. Dann änderte er wieder seine Meinung und wollte doch einen Kopf wie von Mozart formen. Gegen Schluss der Stunde fand er es schade, dass er nicht zwei Stunden da sein könne. Das nächste Mal wollte er ein Ungeheuer aus Lehm machen.

Diese ersten 10 Sitzungen der Therapie waren geprägt durch den Kontakt- und Beziehungsaufbau. Der Junge entwickelte einen starken Beziehungswunsch. Er fokussierte den Konflikt mit seinem Vater und die Eifersucht auf seinen Bruder. Es zeigte sich, dass sein Organismus im Ungleichgewicht war. Sein Kopf war durch sein Kopfweh belastet, seine emotionale Bedürftigkeit war gut spürbar und er stellte in der Therapie beide Seiten dar. Der Kopf ist allerdings kein lebendiger Kopf, sondern ein Totenkopf, der Angst einflössen sollte.

Wenn wir den Konflikt mit dem Vater in die astrologische Sprache übersetzen, wird der Vater zum Sonnensymbol und die Abwesenheit nach der Trennung der Eltern wird zum Neptunsymbol als Analogie von Auflösung, Konturverlust, Vernebelung oder Enttäuschung. Weil dies ein Konflikt ist könnte man annehmen, dass hier ein Quadrat oder eine Opposition wirkt. Wie oben zu sehen war, liegt tatsächlich eine Sonne-Neptun Opposition vor und zwar ausgerechnet auf der Häuserachse 2/8. Neptun löst in Haus 2 den Selbstwert auf, die Sonne im 8. Haus ist anfällig für Stirb und Werde Prozesse und ist durch die Opposition geschwächt. Das wichtige Thema Totenkopf nimmt dies als Analogie zur Sonne im 8. Haus auf. Wenn wir für Saturn das Muttersymbol setzen und für den Mond das Kindsymbol, ergibt sich eine Mond - Saturn Verbindung, die hier im Trigon vorliegt. Während der ersten Therapiephase war auch kein Konflikt mit der Mutter spürbar. Allerdings zeigt sich ein Mond- Uranus Quadrat, das für eine wechselhafte Geborgenheit spricht.

Die therapeutische Beziehung im Spiegel einer Kurzdeutung des Combins und des Composits:

Das Combin Horoskop widerspiegelt eine eher verbindlichere und tiefere Beziehung zwischen zwei Menschen. Die Auswertung (MR) stützt sich auf M. Rieger (1997) und folgt dem Schema, das in einem vorherigen Kapitel vorgestellt wurde.

1. In welchem Zeichen ist der Aszendent? Aszendent ist Zwilling. Hier geht es um Austausch und Kommunikation als Ausdruck einer Funktion (3. Phase) der Ich - Darstellung (1.Quadrant). Gemäss M. Rieger finden sich Partner im Combin mit Aszendent Zwilling, wenn sie sich über vieles austauschen möchten. Dies biete eine Basis, um räumliche oder emotionale Barrieren zu überwinden und Informationen und unterschiedliches Wissen auszutauschen.

2. Wo ist der Herrscher des Aszendentenzeichens? Der Herrscher des Zwillings ist Merkur. Er ist ins 11. Haus ausgewandert und findet dort seine Verwirklichung auf dem Boden von Widder. Das Gespräch mit Gleichgesinnten wird heftig. MR: Es kann sein, dass das, was wirklich interessiert, erst später spruchreif wird. Der Kontakt kann zwischendurch abbrechen.

3. In welchen Zeichen und Haus ist die Sonne? Die Sonne ist ebenfalls im Widder im 11. Haus. Die Verwirklichung der Anlage der Kommunikation erfolgt mit Partnern über heftige Widerstände, die überwunden werden wollen. MR: Ähnliche Interessen werden in dieser Verbindung eine grosse Rolle spielen, beide Partner sind möglicherweise in unterschiedlichen Gruppen engagiert. Dem Kind fällt in dieser Verbindung eine dominante Rolle zu. Eltern sind eher Weggefährten.

4. In welchem Zeichen ist das MC und wo ist der Zeichenherrscher? Das MC ist im Wassermann. Das Ziel der Beziehung ist analog dem 11. Haus Prinzips, wo es um individuelle Wahrheiten geht. Der Herrscher Uranus ist ins 3. Haus ausgewandert und wird in der Kommunikation tätig. Chiron ist ebenfalls am MC als Symbol des verletzten Heilers, der als Erwirktes erscheint.

MR: Zusätzlich symbolisieren Planeten am DC oder im 7. Haus Energien in der Umwelt des Paares. Hier steht der Saturn im 7. Haus. Das bedeutet, dass der Umgang auf das Wesentliche beschränkt ist. Für den älteren Partner geht es darum, Ernsthaftigkeit im Kontakt zu zeigen. Er soll als Vorbild verlässlich sein.

Die Beschreibung des Combins als Auseinandersetzung und Kommunikationsprozess mit dem Ziel, die eigene Wahrheit zu finden, beschreibt eine Therapiesituation nicht schlecht.

Wie sieht die Kurzdeutung des Composithoroskop aus?

Das Composit beschreibt nach M. Rieger die Anfangsenergien einer Partnerschaft.

1. In welchem Zeichen ist der AC? Der AC ist im Skorpion. Es geht um geistige Vorstellungsbilder und um mögliche Transformationsprozesse. Neptun ist in Konjunktion zum AC in einem Spannungsdreieck von Neptun, Mond und Saturn. Gegeben sind Entwicklungsthemen von Einfühlung bis Enttäuschung (Neptun), von Emotionen bis früher Kindheit (Mond) und von Grenzsetzung bis Strukturbildung (Saturn). Neptun am AC könnte auch als Symbol der Therapie interpretiert werden, die hier zum Ausgangspunkt wird. Neben dem Traumneptun und den Transitneptun zu Beginn der Psychotherapie ist es das dritte Mal, dass Neptun zu Beginn eines Prozesse auftaucht.

2. In welchem Zeichen und Haus ist die Sonne und welche Aspekte hat sie? Die Sonne liegt an der Spitze zum 6. Haus im Widder. Hier geht es um energische funktionale Anpassungsprozesse auf Jungfrauboden im seelischen Quadranten. Die Sonne hat folgende Aspekte: ein Trigon zu Uranus und ein Quadrat zu Mars. Veränderungen sind möglich, die Umsetzung ist nicht einfach. MR: Beide Partner nutzen die Beziehung am besten, wenn sie sich einer gemeinsamen Arbeit oder einem Projekt widmen, bei dem sie ihre unterschiedlichen Fähigkeiten gleichberechtigt zu Gunsten eines grösseren Ganzen einbringen.

3. In welchem Zeichen ist das MC? Das MC liegt im Löwen. Das Erwirkte soll seelische Substanz konzentrieren und zur Darstellung bringen.

Wie zeigt sich die therapeutische Übertragung in astrologischer Sicht? Dazu könnte die Frage dienlich sein:

Welche Strukturen der Sonne des Patienten werden vom Geburtshoroskop auf das Combin übertragen? Mit andern Worten, wie wird die individuelle Struktur im gemeinsamen Prozess der Therapie moduliert. Im das Ganze nicht unübersichtlich zu gestalten, kann versucht werden, ob ein einzelner wichtiger Archetyp, nämlich jener der Sonne, etwas wesentliche zeigt.

Sonne-Pluto sind im Radix durch 116 Grad verbunden (Trigon), im Combin durch 138 Grad (Eineinhalbquadrat)

Sonne-Uranus ist im Radix mit 121 Grad verbunden, im Combin mit 116 Grad

Sonne-Mond ist im Radix mit 150 Grad verbunden, im Combin mit 154 Grad (Quincunx)

Sonne-Mars sind im Radix ohne Aspekte, im Combin mit 60 Grad verbunden (Sextil)

Sonne –Venus ist im Radix durch 9 Grad verbunden, im Combin mit 45 Grad (Halbquadrat)

Sonne–Neptun sind im Radix durch 179 Grad verbunden (Opposition), im Combin durch 158 Grad

Am deutlichsten ergeben sich Unterschiede in der Interaktion der Sonne mit Mars und Venus. Aktivität und zielgerichtete Energie können neu besser gestaltet werden. Ebenfalls Austausch und Ausgleich, wenn dieser Punkt auch konfliktbetont ist. Die übrigen Sonnenaspekte bleiben relativ konstant.

Das Potential des gemeinsamen Kontaktes im Combin zeigt an, dass familiäre Angelegenheiten symbolisiert mit den Archetypen von Mond und Pluto im 4. Haus vorliegen. Sie betreffen von der Symbolik her mit dem Mond das Kindsein, aber auch Macht und Ohnmacht durch Pluto. Aktive Impulse durch Erkenntnisgewinnung wird über Mars im 9. Haus möglich.

Zusätzlich kann geprüft werden wie sich Unterschiede zwischen Composit und Combin zeigen:

Im Combin mit AC Zwilling ist die Kommunikation eher emotional neutral. Im Composit mit AC Skorpion sind fixierte Vorstellungsbilder

Ausgangspunkt des Beziehungsgeschehens. Die Art der Verwirklichung über die Sonne verlagert sich nicht und bleibt in beiden Fällen energisch im Widderzeichen. Der Ort der Verwirklichung beim Combin durch die Sonne findet im 11. Haus statt, wo gemeinsame Interessen eine Rolle spielen. Der Ort der Verwirklichung beim Composit findet auf den Boden des 6. Hauses statt, wo es um die Aussteuerung des Seelischen geht. Das MC im Composit fällt auf 21 Grad Löwe. Beim Combin fällt 20 Grad Löwe auf das IC. Das ist auffallend. M. Rocher (2005) misst jedem Grad im Tierkreis eine Bedeutung zu und nennt dies kritische Grade. Er bietet auch eine Begründung zur Herleitung an. Zu Löwe 20/21 Grad meint er: dass manchmal eine depressive oder ängstliche Neigung vorliege. Es sei eine Märchenerzählerkonstellation, man habe Probleme den Alltag zu bewältigen, man sei oft passiv, suche die grosse Liebe mit unrealistischem Anspruch und finde deshalb oft spät im Leben den passenden Partner. Die Treffsicherheit erstaunt hier.

Der weitere Behandlungsverlauf:

Der Verlauf der weiteren Psychotherapie war geprägt durch Gespräche über den Vater und die Besuchszeiten. Der Vater nahm in der Folge Rücksicht auf die Empfindlichkeiten der Kinder und traf sie ohne seine Freundin. Er berichtete, dass der Junge schon vier Jahre zuvor nach einer Auseinandersetzung gesagt habe, er wolle nicht mehr leben. Später meinte der Junge einmal, er wolle gar keinen Vater. Nach wie vor lehnten der Patient und sein Bruder die Freundin ab, weil sie bei Besuchstagen ihre Beine auf den Salontisch gelegt habe. Die Kindsmutter berichtet von ihrer Belastung und den Blutdruckschwankungen und den gelegentlichen Ohnmachtsanfällen. Sie spüre ein Druck von der Brust her, dann bekomme sie ganz heiss und es fahre ihr in den Kopf. Sie sei einmal bei einem Psychologen gewesen und der habe erwartet, dass sie immer rede. Das sei ihr zu viel geworden. Vom Hausarzt wurde sie mit Medikamenten versorgt. Vom Kinderarzt wurde die Mutter als depressiv beschrieben. Sie selber gab an, dass auch ihre Mutter an Verstimmungen leide, besonders seitdem ihr Vater gestorben war.

Zuhause waren die Eifersucht des Bruders und die Bedürftigkeit des Jungen beträchtlich. Als der Bruder vom Vater zum Geburtstag ein Geschenk bekommen habe, habe der Patient geweint. Wenn der Bruder von der Mutter oder der Grossmutter gelobt werde, passiere das Gleiche. Wenn der Junge bei einem Spiel verliere, fange er an zu weinen, ebenso als er sich vorgestellt habe, die Grossmutter könnte einmal sterben. Ein paar Mal berichtete die Mutter von Suizidgedanken des Jungen. Ebenso beklagte sie sich, dass der Junge beim Kleiderkaufen instinktiv nur immer die schönsten und teuersten Stücke auswähle.

Der Patient kam immer regelmässig und motiviert zu den Sitzungen. Er verbrachte die Stunden mit dem Formen einer Burg, eines Piratenschiffs und mehrere Male mit dem Formen eines Krokodils. Er hatte Freude, dazu provokative Fragen zu stellen: was würden wir machen, wenn ein Krokodil zur Türe hereinkommen würde, was würden Sie dann machen? Zwischendurch formte er Einrichtungen für einen Schmied und einen Bäcker. Nach wie vor ging es darum, Totenkopfe zu formen und sie anzumalen. Die Stimmung des Jungen wechselte zwischen Offenheit und Verschlossenheit. Verbale Gespräche waren nur punktuell möglich, über Konflikte noch weniger. Spürbar waren die enormen Ängste, die Kränkbarkeit, die Eifersucht auf den Bruder und die unverarbeitete Trennung der Eltern. Den jüngeren Bruder hat der Patient einmal in Abwesenheit der Mutter auf den Balkon gesperrt und ist dann weggegangen. Der Junge freundete sich mit einem Mädchen in der Nachbarschaft an und die Eltern beschlossen gemeinsam die Ferien zu verbringen. Der Junge erzählte, sie würden eine Villa in Italien mieten. Er würde darin wohnen und die Mutter soll im Nebengebäude schlafen. Auch wurde Amerika in den Phantasien des Jungen ein Traumziel, besonders Kalifornien oder Florida. Er würde in einem schönen Haus mit einem Swimming Pool und einem Garten mit schönen Blumen leben. Er hätte einen Diener, der das Essen serviere und eine Köchin, die gut koche. Mit seinem Porsche würde er alle Andern überholen. Ein anderes Thema wurde das Zaubern, wo der Junge in Fahrt kam. Begeistert erzählte er davon und zeigte in der Sitzung verschiedene Tricks. Einmal hatte der Junge eine Erinnerung. Als er circa drei Jahre alt gewesen sei, sei die Mutter mit den Kindern einkaufen gegangen. Sein Bruder sei damals im Kinderwagen gewesen. Seine Mutter habe die ganze Zeit nur den Bruder beachtet und er selber habe sich auf die Seite gestellt gefühlt. Er habe den Bruder noch nie gemocht.

Nach gut zwei Jahren Therapie kam das Gespräch auf das Fischen und ich bemerkte in meinen Aufzeichnungen, dass der Junge dabei ins Schwärmen kam und dabei so emotional wirkte wie noch nie zuvor. Bei diesem auffallenden Punkt interessiert natürlich, welche astrologische Signatur gegeben ist. Nachträglich fällt auf, dass gerade beim Thema Fisch die Emotionen besonders spürbar waren. Im Horoskop finden wir die Sonne - Neptun Opposition. Neptun ist der Herrscher des Fischzeichens. Bei Oppositionen ist es vielfach so, dass im Moment nur ein Pol gelebt wird und der andere nicht zum Zug kommt. Gerade bei der Sonne, die das bewusste Ich repräsentiert, kann es sein, dass der Neptunpartner entschwindet, schon deshalb, weil das Wesen von Neptun das Verschwommene selber ist. Offenbar hat das Fischen im Wasser diese Neptunqualität in den Vordergrund gerückt und Emotionen freigesetzt. Wie war das möglich? Emotionen würde man mit Mond assoziieren. Das Thema Fischen wurde am 27.6.1981 erzählt.

Ein Blick auf die Transite zeigt, dass der Transit Neptun vom 22.4.1981 bis zum 16.7.1981 mit dem Radixmond eine Konjunktion einging. R. Hand (1987) meint zur Neptun - Mond Konjunktion, dass eine verstärkte Sensitivität und Intuition auftreten kann und die Stimmungen schnell wechseln. Dadurch könne die eigene Emotion verwirrt werden, so wie das bei Verliebten in dieser typischen Neptun Auslösung der Fall sei. Von einer Idee oder einem Ideal sei man begeistert und es bestehe die Gefahr, dass man sich der Auseinandersetzung mit der Realität entziehe.

In einer späteren Phase wollten wir mit Imaginationen weiter arbeiten. Zum Einstieg in die Bilderwelt, meinte der Junge, er sehe nur einen Nebel. Mehr konnte er nicht wahrnehmen. Der Junge wollte diese Imagination wieder abbrechen, er mache das nicht gerne. Als Begründung führte er auch an, dass es ihm etwas besser gehe und dass er dazu keine Lust habe. Er würde dies lieber machen, wenn es ihm schlechter gehe. Nebel ist astrologisch eine Neptunentsprechung und in diesem Fall ein Pol der Sonne-Neptun Opposition.

Am 2.7.1982 berichtet der Junge von einem Traum. Er sei im Dunkeln gestanden. Über ihm habe er eine Telefonkabine gesehen, die an einem Seil herabgefahren sei. Er sei hineingegangen und ein Mann sei darin gestanden, der unheimlich gewesen sei. Er habe eine Brille und einen Bart gehabt und sei wie tot gewesen und er habe kein Wort gesagt. Unter der Kabine habe ein Fluss geschwebt, der in ein Loch abfloss. Im Wasser habe es Haifische gegeben, die die Zähne gewetzt hätten. Der Mann war plötzlich verschwunden. Der Junge bekam Angst und wollte lieber in den Fluss springen. Die Haifische waren verschwunden. Er zwirbelte im Fluss und wurde in die Röhre gespült. Erst nachträglich sagte der Junge, dies sei ein Traum gewesen, der sich oft wiederholt habe als er im Vorkindergartenalter gewesen sei. Dieser Traum zeigt die existenziellen Ängste, die mangelnde Identifikationsmöglichkeit mit dem Männlichen und der fehlende tragende Boden.

Der Lehrer berichtete in jener Zeit, dass der Junge psychisch nicht belastbar sei. Der Junge erbringe knapp durchschnittliche Leistungen, er sei akzeptiert von den Schulkameraden, habe aber keinen engen Freund. Er habe früher auch Todesgedanken gehabt, in letzter Zeit nicht mehr.

Als ein mögliches Ende der Psychotherapie besprochen wurde, meinte der Junge, dass er weitermachen wolle. So ergab sich eine längere mehrjährige stützende Therapie. Der Neuropädiater schlug eine vorübergehende Medikation zur Stabilisierung der Stimmung vor. Später ging es auch um mögliche Berufe, die den Jungen interessieren würden. Er meinte, dass Drogist eine Idee wäre. Er bemühte sich um eine Schnupperwoche und war davon begeistert. Später verlor er allerdings das Interesse daran. Der Berufsberater empfahl etwas „Künstlerisches" und hat wohl intuitiv den Waage Aszendent gespürt. Die Als es dem Jungen soweit gut ging und die Psychotherapie beendet wurde, waren folgende Transite wirksam:

Jupiter Quadrat Merkur 16.4.- 26.4:

Deutungen nach R. Hand (1987): In der Regel denkt man jetzt optimistisch und positiv. Man ist innerlich eins mit seinen Vorstellungen. Es liegt eine erhöhte geistige Aktivität vor mit dem Bedürfnis, mit andern Menschen zu kommunizieren.

Jupiter Sextil Venus 18.4. - 28.4:

> Man fühlt sich hingezogen zu andern Menschen. Der angenehme Transit ist nicht immer spürbar. Man handelt aufrichtig.

Pluto Halbquadrat Pluto 16.4. - 4.10:

> R. Hand gibt keine Deutung für das Halbquadrat. Für das Quadrat meint er: Der Transit befreit den Menschen von seinen Elementen der Vergangenheit, die ihm nicht gut getan haben. Der Grundstein für die Gegenwart ist in der Vergangenheit gelegt worden.

Damit ist prinzipiell eine optimistisch positive Signatur gegeben, so wie es bei einer Beendigung einer Therapie sein soll.

Erneute psychotherapeutische Behandlung

Ungefähr ein Jahre später meldete sich der Patient wieder. Er war ein junger Erwachsener geworden. Er gab an, ein schweres Gefühl zu haben. Die Depression war in letzter Zeit wieder spürbarer geworden. In der Therapie ging es um Abgrenzungs -, Autonomie -, Aggressions - und Angstproblematik. Nach wie vor war eine allgemeine Abwehr deutlich spürbar. Wir arbeiteten mit Imaginationen, wo archaische Untergangs- und Überwältigungsphantasien überwunden werden mussten. Obwohl die Übertragung positiv, aber auch idealisierend war, stand der Patient immer wieder vor auswegs- und hoffnungslosen Situationen. In der Alltagsrealität hatte der Patient eine Ausbildung abgeschlossen und stand in einer längeren Beziehung mit einer Freundin.

Die erste Imagination begann folgendermassen: Ich bin in einem Wald. Überall sind dicke uralte Bäume mit grossen Wurzeln, die aus dem Boden kommen. Ich versuche mich durchzukämpfen. Alles ist ruhig. Der Wald ist wie tot. Es hat keine jungen Bäume. Am Boden sind keine Blätter. Ich probiere an den Wurzeln vorbei weiterzukommen. Es kratzt mich und es gibt mir einen Schlag auf den Kopf. Ich spüre es an den Ohren. Es pulsiert im Kopf und er wird heiss. Hier werden Affekte aus der Wurzel der Vergangenheit thematisiert, wo man sich durchkämpfen muss und Schläge auf den Kopf und die Ohren pulsierend erfolgen. Ob das mit dem Lärm des Presslufthammers bei der Hausrenovation nach der Geburt zu tun hat?

Die Imagination in der letzten Therapiesitzung lautete: Ich laufe mit dem Wolf. Vor uns sind Hügel. Die Landschaft ist öde, der Boden hart. Wir laufen den Hügel hoch. Der Nebel wird dünner. Oben wartet der Wolf. Er schaut mich streng an. Er meint, ich soll hier warten. Ich soll keinen Schritt weitergehen bis er wieder da sei. Er läuft weg. Ich rufe, er soll warten. Er regiert nicht und rennt weiter. Er verschwindet im Nebel. Ich bin alleine, habe aber das Gefühl, dass der Wolf wieder kommt. Es wird wärmer. Trotz öder Landschaft, lichtet sich der neptunische Nebel und es gibt Hinweis, dass trotz Trennungserlebnis eine innere Repräsentanz des Begegnungspartners zurückbleibt und sich die Energie nicht nur halten kann, sondern es wärmer wird.

Bei Therapiebeginn dieser 2. Phase waren folgende Transite gegeben. Die Deutungen sind von R. Hand (1987).

Transit Pluto Halbquadrat Radix Uranus: Dies steht für Veränderungen, um sich der Umwelt anzupassen und zwar nur dort, wo es wirklich angepasst ist.

Transit Saturn Trigon Radix Saturn: Man kann die Grundzüge des eigenen Lebens erkennen. Leitmotiv ist, dass man sein eigenes Leben überschauen kann. Es ist keine Zeit von strengen Prüfungen. Man sollte nicht aufhören, sich gegenüber kritisch zu sein um festzustellen, was man noch besser machen kann.

Transit Saturn Quadrat Radix Pluto: könnte schwierige Zeiten anzeigen. Die Umstände und die Mitmenschen erschweren eine gewisse Umstellung. Arbeitspläne können durchkreuzt werden. Vorgesetzte können angestrebte Leistungen verhindern.

Transit Uranus Quadrat Radix Uranus: Dieser Transit kommt nur einmal in den frühen Lebensjahren nach zwanzig und dann einmal nach dem sechzigsten Lebensjahr vor. Es geht um die Rebellion gegen Normen. Man tritt in die Welt hinaus ohne die Sicherung der Eltern.

Bei Therapieende waren folgende Transite nach R. Hand wirksam:

Transit Jupiter Halbquadrat Radix Pluto: Dieser Transit kann Ehrgeiz mobilisieren. Man meint, die eigenen Kräfte könnten einen weiter als sonst tragen. Der Transit kann Erfolg und soziale Anerkennung bringen.

Man erstrebt eine Verbesserung, man könnte aber auch auf Widerstand stossen.

Transit Jupiter Sextil Radix Mars: ist eine Zeit grosser Kraft und unabhängiger Initiative. Das Selbstvertrauen ist stark. Man wird mit jeder Arbeit innerhalb vernünftiger Grenzen fertig. Die allermeisten jetzt begonnenen Aktivitäten werden glücklich beendet. Der Wille ist stark, die Ziele sind bestimmt. Dieser Transit zeigt meistens eine gute physische Gesundheit an.

Vergleicht man die Transite bei Beginn und bei Ende der Therapie, ist es plausibel, dass die Zuordnung der Bedeutung zur realen Situation passend ist. Der Therapiebeginn wird mit schwierigen Zeiten umschrieben, das Therapieende mit grösserem Selbstvertrauen, Erfolg und glücklichem Ende.

Die Auslösungen im Lebenslauf im 7er Rhythmus:

Als sich die Eltern des Jungen trennten, war er ziemlich genau 5 Jahre alt. Hier kam es nicht zu einer Auslösung. Sie erfolgte erst, als der Junge 6 Jahre und 4 Monate alt war. In diesem Alter wurden mit dem Alterspunkt folgende Konstellationen ausgelöst:

Die Uranus/Pluto Konjunktion . Der Alterspunkt lief im Uhrzeigersinn mit den Placidus Häusern direkt im Radix über Uranus. Da Uranus aspektiert ist, wird zu diesem Zeitpunkt die ganze Aspektfigur von Uranus ausgelöst. Im Detail heisst das:

Uranus/Pluto Quincunx Saturn

Uranus/Pluto Quadrat Mond

Uranus/Pluto Sextil Neptun

Uranus/Pluto Trigon Sonne

Die Trennung der Eltern als Veränderung der Situation (Uranus) war machtvoll und aufwühlend (Pluto). Die astrologische Signatur und Symbolik sowie reales Ereignis decken sich. Das Ganze betraf die haltgebende Struktur (Saturn). Sie betraf den familiären Boden, die Gefühlswelt und das Kind (Mond). Sie betraf den Vater (Sonne) und sie betraf eine Auflösung (Neptun). Damit sind alle Signaturen angezeigt, die hier betroffen sind. Es gibt einen kleinen Schönheitsfehler bei diese Berechnungen. Die

Uranusauslösung, die vom Alterspunkt im 7er Rhythmus ausgelöst wird, erfolgt im Alter von 6 Jahren und 4 Monaten. Das heisst im Jahr 1974. Der Vater ist aber 1973 ausgezogen. Nun könnte man meinen, dass die Trennung vom Vater, was wir hier mit Uranus assoziieren, im subjektiven Erleben des Kindes erst etwas später wirksam geworden. Eine zweite Hypothese wollen wir hier prüfen. Möglicherweise stimmt die Geburtszeit nicht ganz.

Die Geburtszeitkorrektur

Wird die Geburtszeit auf 16.05 anstatt auf die offiziell angegebenen Zeit von 16.20 vorverschoben, hat das grossen Einfluss auf die Zeitverschiebung des Rhythmus des Alterspunkts durch den Tierkreis. Die direkte Auslösung von Uranus im Radix erfolgt dann mit 5 Jahren und 5 Monaten. Eine Viertelstunde scheint relativ viel zu sein, ist aber nicht ausgeschlossen. Rechnet man zum Geburtstag die 5 Jahre und 5 Monate hinzu, gelangen wir zum theoretischen Trennungserlebnis mit dem Vater am 15. September 1973. Damit kommen wir in die Nähe des geschilderten Zeitpunkts. Diese Angabe kann entweder durch eine Angabe der Mutter überprüft werden oder durch die Geburtszeitkorrektur nach W. Döbereiner, wo mehrere Lebensdaten verifiziert werden müssen. Die Transitberechnungen, die für die Uhrzeit um 16.20 berechnet wurden, behalten auch ihre Gültigkeit für die neue Uhrzeit. Die Umlaufzeiten der dort geprüften Planeten sind viel zu langsam, als dass sich dies in den Transiten auswirken würde.

Die Auslösungen im Lebenslauf im 6er Rhythmus:

Der Alterspunkt mit den Kochhäusern im Gegenuhrzeigersinn berührt die Sonne – Neptunachse im Alter von 8 Jahren und 8 Monaten bei Annahme einer Geburtszeit um 16.05. Seit der Trennung der Eltern sind 3 Jahre verflossen. Der Zeitpunkt ergibt keine spezifischen emotionalen Erlebnisse. Allerdings fällt die Sonne - Neptun Opposition zu diesem Zeitpunkt in das Skorpionzeichen, dessen Herrscher der Pluto ist. Die Mondauslösung erfolgte mit 14,1 Jahren, die Saturnauslösung mit 37,5 Jahren, Venus mit 42 5 Jahren, die Sonne mit 44 Jahren.

Die katamnestische Befragung und Überprüfung der astrologischen Stimmigkeit:

Um die Frage nach dem Zeitpunkt des Auszugs des Vaters bei der damaligen Trennung der Eltern und den weiteren Lebensereignissen zu klären, wollte ich mit dem damaligen Patienten in Kontakt treten. Ich hatte ihn seit der psychotherapeutischen Behandlung vor über 30 Jahren nicht mehr gesehen. Nachdem ich vergeblich versucht hatte, ihn telefonisch zu erreichen, meldete ich mich schriftlich mit meinem Anliegen. Kurze Zeit später meldete sich der ehemalige Patient. Meine Fragen betrafen die direkten Auslösungen der Archetypen im 7er Rhythmus im Uhrzeigersinn, die durch den entsprechenden Alterspunkt in einer Siebenjahresperiode ausgelöst werden. So ergaben sich im Erwachsenenalter folgende Konstellationen:

Im 26.Lebensjar löste der 7er Alterspunkt ein Quadrat zu Pluto aus.

Im 31. Lebensjahr löste der AP ein Quadrat zu Jupiter und eine Opposition zu Neptun aus.

Im 33. Jahr löste der AP eine Konjunktion mit Venus aus.

Im 40. Jahr löste der AP eine Konjunktion mit Saturn aus.

Das kritische 8. Haus wurde im Gegenuhrzeigersinn zwischen dem 28. Und 35. Lebensjahr durchlaufen. In dieser Zeit wurde das dort liegende Stellatium aktiviert und direkt ausgelöst. Dazu gehört Merkur, Mars mit Auslösung mit 29,06 Jahren, die Sonne mit Auslösung mit 31.09 Jahren und Venus mit 33,12 Jahren. Merkur interessiert in diesem Zusammenhang weniger. Als Hypothese war zu erwarten, dass die Zeit um 26 Jahren eher schwierig gewesen sein könnte, ebenfalls die Zeit mit 31 Jahren im Zusammenhang mit Neptun, dass aber 2 Jahre später Venus eine angenehmere Qualität gebracht haben könnte. Die spätere Saturnauslösung mit 4o Jahren könnte wiederum Einengung oder im besten Fall mehr Struktur gebracht haben.

Folgende Geschichte war zu erfahren: In den angefragten Jahren sei nichts Spezielles passiert. Nach der Ausbildung im grafischen Gewerbe habe Herr T. nach einer Zeit seinen Job verloren. Er habe dann einen

Aushilfejob angenommen. Bei der Nachfrage zum 26. Altersjahr meinte Herr T. er habe damals eine Freundin gehabt, die psychisch krank gewesen sei. Beide hätten aus verschiedenen Gründen nicht mehr zusammengefunden und so hätten sie sich getrennt. Mit 31 Jahren habe er eine Weiterbildung gemacht, einen guten Abschluss erreicht, aber keine Arbeit gefunden. Gleichzeitig sei seine Mutter ernsthaft krank geworden. Herr T. habe Verlust- und Existenzängste um seine Mutter entwickelt. Zum Glück habe sie sich wieder erholt. Dazu kam, dass der Freund der Grossmutter gestorben sei. In dieser Zeit sei es ihm nicht gut gegangen. Er habe kein Geld gehabt und habe sich lange um eine Arbeits- oder Weiterbildungsmöglichkeit bemüht. Zwischendurch habe er die Möglichkeit gehabt im Geschäft eines Kollegen mitzuarbeiten. Er sei von seiner Grossmutter bis zum 31. Lebensjahr finanziell unterstützt worden. Mit 33 Jahren sei Herr T. auf offener Strasse von einem Mann mit einem Messer überfallen worden. Er habe dabei das Nasenbein gebrochen. Das habe wiederum Ängste und Unsicherheiten ausgelöst. Mit 40 Jahren habe Herr T. wieder vorübergehend eine Freundin gefunden, was ihm gut getan habe. Er habe über sie auch neue Leute kennengelernt. Gleichzeitig sei seine Grossmutter gestorben, die ihn lange unterstützt hatte. Die Beziehung zur Freundin sei wieder beendet worden und Herr T. stand wieder mit finanziellen Problemen alleine da. Wie bei seiner Mutter sei dazugekommen, dass sich die Netzhaut bei einem Auge abgelöst habe. Auf einem Auge sei er jetzt trotz Operation fast blind, was ihn wieder in ein Loch geworfen habe. Aktuell lebe er von Beiträgen des Sozialamts. Zu seinem Vater habe er keinen Kontakt, zum Bruder ebenfalls nicht. Herr T. Habe sich das Leben anders vorgestellt.

Das Datum des damaligen Auszugs des Vaters wollte Herr T. bei seiner Mutter nachfragen. Es war im April 1974. Allerdings sei dieses Datum nicht sehr aussagekräftig, da der Vater schon vorher zwei- bis dreimal vorübergehend ausgezogen, dann aber wieder eingezogen sei. Wenn für dieses Hin- und Herpendeln des Vaters einen Zeitraum von Mitte September 1973 bis April 1974 veranschlagt wird, ist die Vorverlegung der Geburtszeit auf 16.05 recht plausibel. Wird jedoch die direkte Uranusauslösung mit dem Auszug des Vaters auf April 1974 berechnet, war Herr T.

zu diesem Zeitpunkt 5 Jahre und 9 Monate alt. Dieser Zeitpunkt auf die Korrektur der Geburtszeit berechnet, ergibt eine definitive Geburtszeit von genau 16.10 Uhr. Damit wird die erstmals korrigierte Zeit der offiziellen Geburtszeit von 16.20 angenähert. Schlussendlich wird die Geburtszeit um lediglich 10 Minuten vorverlegt, was plausibel erscheint. Diese Präzision erstaunt, auch wenn eine Trennung von einem Vater in sich schon einen Prozess bedeutet, der kaum auf einen bestimmten Zeitpunkt eingeengt werden kann.

Zu den Hypothesen: Eine Krisenzeit mit 26 Jahren mit einer kranken Freundin kann mit einem Pluto Quadrat Alterspunkt gut zusammengedacht werden. Die Einengung der Lebensmöglichkeiten mit 31 Jahren durch Arbeitslosigkeit und die Krebserkrankung ist vereinbar mit einem Jupiter- Quadrat-AP, wo Expansion erschwert ist. Existenzängste wie auch der Verlust durch den Tod des Freundes der Grossmutter sind gut mit einer Neptun-Opposition-AP beschreibbar. Die Venuskonstellation ist allerdings schwerer mit einem Überfall zu beschreiben. Obwohl es bei einem Überfall um Besitz geht und Venus Besitz symbolisieren kann, bleibt die Frage, ob es in diesem Jahr nicht noch andere Vorfälle gab. Die Saturn Konjunktion-AP kann jedoch wieder gut mit dem Verlust der Freundin, dem Tod der Grossmutter und der Einengung des Augenlichts beschrieben werden. Im Gesamten war aber der Bericht von Herrn T. bedrückender als erwartet. Ich hatte viele Kinder in meiner beruflichen Laufbahn mit einer ganz ähnlichen Symptomatik gesehen, die sich gut entwickelt haben. Auch gibt es Beispiele von Jugendlichen oder Erwachsenen, die sich trotz Beziehungsabbruch zu ihren Eltern, mindestens äusserlich gesehen, gut entwickeln. Was ist bei diesem Beispiel anders? Vier Archetypen auf dem Boden des 8. Hauses haben Krisen gebracht. Der alte Ausdruck des Stirb- und Werde Prozess gewinnt hier eine plastische Anschauung.

Die empirische Überprüfung des astrologischen Konzepts

In dieser Arbeit wurden 17 Fallgeschichten von Kindern und Jugendlichen, dazu ein Gesamtverlauf einer Psychotherapie dargestellt. Die Patient-innen wurden nicht zuvor geprüft, ob sie in ein astrologisches Konzept passen würden. Ebenso wurden die möglichen Hypothesen dazu spontan formuliert, ohne dass die Beurteilung anhand des Horoskops schon vorlag. In einer ersten Gruppe von sieben Fallgeschichten ging es darum, einen Zusammenhang der Symptomatik mit der astrologischen Struktur zu prüfen. Hier ist ein deutlicher Zusammenhang der Symptomatik mit der astrologischen Signatur in mindestens sechs Fällen gegeben, in einem Fall teilweise gegeben. In der zweiten Gruppe von vier Fallgeschichten unter Berücksichtigung der zeitlichen Auslösungen mittels Transiten oder Alterspunkt ist bei allen Beispielen ein klarer Zusammenhang von Ereignis und Signatur gegeben. In der dritten Gruppe von sechs Fallgeschichten ging es um die astrologische Struktur und um zeitliche Auslösungen. Hier sind in fünf Fällen Zusammenhänge von Symptomatik, astrologischer Struktur und Transiten gegeben. In einem Beispiel ist das teilweise der Fall. Will man in der Symbolsprache bleiben und vergibt man einen Punkt für mögliche positive Ergebnisse betreffend der astrologischen Stimmigkeit pro Fallgeschichte, werden damit symbolisch 16 von 17 möglichen Punkten erreicht. Beim Gesamtverlauf einer Psychotherapie wurden ebenfalls stimmige Transite und relevante Strukturen wie beispielsweise die Ballung von Archetypen im 8. Haus beobachtet. Ebenso hat das Beispiel eines Fragehoroskops im folgenden Kapitel über die Vorteile der Astrologie nicht nur eine stimmige Signatur, sondern auch einen stimmigen Transit ergeben. Will man für diesen Sachverhalt und für das Beispiel des Gesamtverlaufs einer Psychotherapie noch je einen Punkt vergeben, sind wir bei 18 von 19 Punkten.

Zusätzlich zeigte der Vergleich der Horoskope von zitierten Autoren eine gewisse bis wahrscheinliche Plausibilität, dass die gegebene Signatur ihren Sinn hat. Damit wäre man bei 19 von 20 Punkten. Dieses Ergebnis wurde mit ganz unterschiedlichen astrologischen Arbeitsmethoden erreicht, liegt mit Sicherheit weit über einer blossen Zufälligkeit und legt den Schluss nahe, dass Astrologie imstande ist, Wahrheiten symbolisch verschlüsselt abzubilden.

Aufgrund dieses Ergebnisses interessierte natürlich die Frage, ob trotz allem die vertiefte Beschäftigung mit der Persönlichkeit von Patienten den neutralen Blick trüben könnte und astrologische Zusammenhänge gesehen werden, auch wenn gar keine da sind. Aus diesem Grund haben auf meine Bitte sieben Personen aus meinem Bekanntenkreis eine Anzahl von Lebensereignissen nach freier Wahl aufgeschrieben, die für sie eine emotionale Bedeutung gehabt haben. Die Frage war, ob diese Ereignisse zeitlich im 7er Rhythmus nach Döbereiner ausgelöst worden sind, so wie es in einem früheren Kapitel nach der Methode von C. Keidel-Joura (2005) dargestellt worden ist. Um es vorwegzunehmen, bei zwei Personen hat die Methode nicht funktioniert, mit Ausnahme von zwei einzelnen Ereignissen. Stattdessen wurden bei diesen Personen mit dem 6er Rhythmus nach B. Huber Ergebnisse erzielt.

Bei der ersten Gruppe von den fünf Personen, die zusammen 39 Erlebnisse beschrieben haben, wurden 33 Treffer erzielt. Dabei musste die symbolische Entsprechung der Ereignisse mit der Bedeutung der jeweiligen Archetypen gegeben sein und die Auslösung in einem bestimmten Lebensalter der Personen musste mit der zeitlichen Auslösungen im 7er Rhythmus nach W. Döbereiner eng korrespondieren. Folgende Auslösungen wurden gefunden:

Die Auslösung der Sonne ging mit der Geburt eines Sohnes (1 Ereignis) und mit neuen engen Bekanntschaften (1 Ereignis) einher.

Die Auslösung des Mondes korrespondiert mit der Geburt eines Mädchen (1) und mit einer Heirat (1).

Auslösung von Merkur: Hier wurde nichts geschildert.

Die Auslösung der Venus korrespondiert mit Heirat (1), mit der Geburt eines Mädchen (1), mit der Rückkehr einer Mutter nach längerem

Auslandaufenthalt (1) , mit der Geburt eines Enkels (1) und einer neuern Liebe eines Mannes zu einer Frau (1).

Die Auslösung von Mars korrespondiert mit der Geburt einer Tochter (1) und Söhnen (2), mit der Trennung einer Beziehung (1), mit Scheidung (2) und mit der Bekanntschaft bei einem Mann mit seiner neuen Frau (1)

Die Auslösung von Jupiter korrespondiert mit Heirat (2), mit einer Auswanderung nach Brasilien (1) und einer Bekanntschaft einer Frau mit dem zukünftigen Mann (1).

Die Auslösung von Saturn führte zu einer längeren Trennung einer Frau von ihrer Mutter wegen deren Wegzug (1).

Die Auslösung von Uranus führte zu einem Wechsel eines Jugendlichen in ein Auslandinternat (1), zu Scheidung (2), zum Tod des Vaters einer Frau (1), zu Heirat mit späterer Scheidung (1), zur Geburt eines Sohnes (1), dessen spätere Ehe wieder geschieden wurde.

Die Auslösung von Neptun führte zu einer Gesichtslähmung (1), einem Umzug in neue Stadt (1) und zu einem Klinikaufenthalt (1).

Die Auslösung von Pluto ging mit dem Tod eines Vaters einher(1), mit einer schmerzhaften Trennung einer Beziehung(1) und mit einem Studienabschluss (1).

Bei den zwei Personen der zweiten Gruppe, bei denen dieser 7er Rhythmus keine Ergebnisse brachte, wurden nur zwei Ereignisse gefunden. Bei der Mondauslösung war das der Bau eines neuen Hauses und bei der Merkurauslösung eine Heirat eines Paares, das vorher schon längere Zeit zusammengelebt hatte. Diese zwei Personen haben 12 Ereignisse beschrieben, von denen mit der 6er Auslösung nach der Hubermethode 10 Treffer erreicht wurden. Hier ging es wie bei der ersten Gruppe vor allem um Scheidungen, Trennungen oder Geburten.

Insgesamt sind damit von 7 Personen 51 emotional wichtige Ereignisse beschrieben worden, von denen 41 Treffer waren. Es bleibt dabei unklar, warum es bei den einen Personen im 7er Rhythmus und bei den andern im 6er Rhythmus zu Ergebnissen kam. Es bestätigt aber, dass offenbar beide Argumentationen von B. Huber und W. Döbereiner etwas für sich haben, wenn die Stichprobe hierzu auch extrem klein ist.

Werden die Ergebnisse inhaltlich auf ihre symbolische Stimmigkeit geprüft, ist die Symbolik mit jener der klassischen Astrologie erstaunlich kongruent. Am meisten wurden Uranusauslösungen genannt. Das ist nachvollziehbar, weil plötzliche Wechsel im Leben für eine Person gut spürbar sind. Am wenigsten wurden Merkurauslösungen genannt. Ach dies ist gut nachvollziehbar, weil Merkur eher den Intellekt anspricht und weniger die Emotion. Die Aufgabe hat ja darin bestanden, Ereignisse von emotionaler Bedeutung zu formulieren. Bei den Uranusereignissen ist eindrücklich, dass nicht nur die bekannten Änderungen im Leben provoziert wurden. Auch bei der Heirat und bei einer Geburt, die keine Uranusqualitäten haben, wurde das spätere Lebensschicksal schon vorweggenommen, indem erst die Kraft des Uranus mit der späteren Trennung wirksam wurde.

Bei der Sonne und Mond Auslösung sind trotz gleichem Ergebnis, nämlich der Geburt eines Kindes, die Geschlechtsunterschiede stimmig. Die Sonne verkörpert das männliche Prinzip, der Mond das weibliche. Der Venusarchetyp beschäftigt sich mit Beziehung und Liebe, Ausgleich und Harmonie. Wenn auch hier die Geburt eines Kindes mit Venus verbunden ist, bleibt offen, ob bei diesem Kind die Venusqualität im Vergleich zu einem andern Kind möglicherweise anders ist. Das könnte nur mit einer Langzeituntersuchung geklärt werden. Der Jupiterarchetyp ist wie bekannt verbunden mit einem Wachstum von Lebensmöglichkeiten. Er galt seit jeher als Glücksplanet und wurde mit Reisen in fremde Länder in Verbindung gebracht. Die Grenzsetzung des Saturnarchetyps ist ebenfalls seit jeher bekannt. Neptun schliesslich kann Strukturen auflösen, irritieren oder Leid verursachen. Dass hier eine Gesichtslähmung auftaucht, ist deshalb eine gesundheitliche stimmige analoge Entsprechung. Dass zudem, und dies von einer anderen Person, ein Klinikaufenthalt genannt wird, passt gut ins Bild. Der genannte Umzug in eine neue Stadt ist offenbar nicht ein plötzlicher Entschluss oder von aussen unerwartet gefordert, sonst wäre dies eine Uranusqualität. Stattdessen wird die alte Lebenssituation eines bekannten Ortes aufgelöst, einschliesslich der Beziehungen, die dort gelebt wurden. Das dürfte den Betreffenden auch irritiert haben. Die Krisenzeiten, die bei der Auslösung von Pluto ausbrechen können, sind bekannt. Einzig der Studienabschluss passt auf den ersten Blick nicht ganz ins Konzept. Der Einstieg ins Berufsleben kann unter Umständen aber alles andere als angenehm werden und mit Ängsten und Krisen verbunden sein. Pluto kann aber auch heissen, dass machtvolle Konzepte bei einem Studienabschluss erarbeitet worden sind.

Auch diese Analyse beruht auf der Idee, dass jeder Herrscherplanet einmal in jedem 7er Jahreszyklus ausgelöst wird gemäss der Position, die der Herrscherplanet in seinem Haus im Radix hat. Damit ist aber noch nicht gesagt, in welcher 7er Periode die Auslösung eines planetarischen Archetypen mit einem speziellen Ereignis wirksam wird. Bei dem Beispiel der Gesichtslähmung fiel diese Auslösung in den 5. Zyklus, das heisst, sie wurde mit 33 Jahren ausgelöst (4 mal 7 Jahre plus 5 Jahre). Warum geschah dies nicht in einem andern Zyklus? Auch hier ist sichtbar, dass eine breite Variabilität von Ereignissen, aber keine monodeterministische Kausalität vorliegt. Dass die Gesichtslähmung in diesem Zyklus aber wahrscheinlich Sinn macht, sieht man darin, dass bei den Angaben dieser befragten Person von 12 Ereignissen 11 Treffer waren. Das heisst, die übrigen Ereignisse mussten ihre Stimmigkeit durch den genauen Auslösungszeitpunkt ebenfalls ausweisen. Allerdings war dazu eine Vorverlegung der Geburtszeit mittels einer Korrektur um 5 Minuten nötig.

Die diskutierte Stichprobe von Ereignisdaten ist auf der symbolischen Ebene und in Bezug auf die zeitliche Auslösung erstaunlich stimmig und sie ist kongruent mit dem astrologischen Konzept. Wenn 41 Treffer von 51 Ereignisdaten gefunden wurden, schliesst dies eine Zufälligkeit weitgehend aus. Wenn wir weiter vorne von einer symbolischen Wertigkeit gesprochen haben und diesem Ergebnis noch einen Punkt dazugeben, erhöht sich die Validität des astrologischen Konzepts auf 20 von möglichen 21 Punkten.

Vorteile der Verbindung von Astrologie und Psychotherapie

Die Verbindung von Astrologie mit Psychotherapie eröffnet grössere Perspektiven für die praktische Arbeit, die präziser wird und viele Arbeitshypothesen liefert. Die wichtigsten Punkte dabei sind:

Die Diagnostik umfasst mit dem herkömmlichen Vorgehen die Beschreibung der Symptomatik auf dem Hintergrund der Anamnese zu bestimmten Symptomkomplexen, die einer bestimmten Störung zugeordnet wird. Neben der rein kategorialen Diagnostik mit der Frage, ob eine bestimmte Symptomatik genügt, damit sie einem Störungsbild zugeordnet werden kann, gibt es auch Versuche, jenseits einer rein ja/nein Beurteilung bestimmte Verhaltensspektren zu beschreiben, wie dies beispielsweise bei einer Autismusspektrumsstörung der Fall ist. Neben dieser psychiatrischen Vorgehensweise versucht zum Beispiel eine psychoanalytische Diagnostik die Struktur der Persönlichkeit gemäss der psychoanalytischen Persönlichkeitstheorie zu fassen. Dazu kann die Ich- Stärke, die Art des Überichs, die Abwehrmechanismen, die innere Kohärenz oder mehr gehören. Die astrologische Sicht geht noch einen Schritt weiter. Ausgehend von der astrologischen Persönlichkeitsstruktur, die im Horoskop ersichtlich ist, stehen zusätzliche Dimensionen zur Verfügung, um die Persönlichkeit zu beschreiben. Es ist dies die Struktur der archetypischen Kräfte, welche die bisherige Diagnostik weiter differenzieren. Sie erlaubt einen Blick auf Ressourcen oder Konflikte. Neben einer gründlichen astrologischen Diagnostik genügt manchmal in einzelnen Situationen ein kurzer Blick auf das Horoskop, um Informationen besser einzuordnen.

Ein Junge wurde angemeldet, weil er in der Schule oft Streitereien anfing. Er steigerte sich anschliessend in ungute Gefühle und war dann kaum zu beruhigen. Der Grund für diese Streitereien blieb unklar. Er stammte aus einer intakten Familie. Für die Mutter war es nicht nachvollziehbar, dass ihr Junge auch angab, dass er einen Kollegen zum Fenster hinausgeworfen habe. Sie wusste zwar, dass dies nicht wahr war, trotzdem hatte sie den Eindruck, dass ihr Sohn bezüglich Kontakten unglücklich war. Der Blick ins Horoskop zeigte einen Stieraszendent, dem es um Reviersicherung geht. Die Sonne im 10. Haus geht ihren Weg, ohne auf Kontakte zu achten. Ebenfalls war das MC wie die Sonne im Steinbock. Der Mond sucht Rückzug im Fisch im 12. Haus. Der Mond steht im Quadrat zu Venus. Das Gefühl und der Archetyp des ausgleichenden Kontakts stehen in Spannung. Das 7. Haus der Begegnung ist vom Skorpion angeschnitten. Damit ist in wenigen Worten die Symptomatik vorläufig als Hypothese eingeordnet. Die astrologische Signatur dazu ist stimmig als Revierabgrenzung, als unbefriedigendes (Mond) Kontaktgefühl (Venus) und als die Brille des Skorpions mit seinem Stachel, der Kontaktmöglichkeiten auslotet.

Die therapeutische Arbeit wurde in den letzten Jahren immer differenzierter. Mit dem Aufkommen der ersten Psychotherapiemethoden, sei das die psychoanalytische Methode mit der freien Assoziation oder die systemische Therapie, war der Glaube verbunden, habe man die richtige Methode gefunden, um alle Störungen zu behandeln. Das hat sich als Irrtum erwiesen. Es zeigte sich, dass einzelne Störungsbilder ein gesondertes Vorgehen verlangten. Die störungsspezifische Behandlung nimmt aktuell deshalb einen breiteren Raum ein. Auch hier geht der astrologische Ansatz einen Schritt weiter. Es ist nicht nur ein spezifisches Störungsbild zu behandeln, sondern ein Mensch mit einer spezifischen Persönlichkeitsstruktur. Man könnte sagen, mit Einbezug der Astrologie ist eine personalisierte störungsspezifische Behandlung möglich.

In der bisherigen therapeutischen Arbeit spielt die Zeit eine Rolle, um beurteilen zu können, was in der Lebenszeit an biografischen Begebenheiten, an kindlichen Prägungen oder an Entwicklungschancen gegeben war. Ebenso wird beurteilt, was aktuell möglich ist und was in Hinblick auf zukünftige Verhaltensmöglichkeiten möglich sein wird. Die Zeit räumt zwar die Möglichkeit von Verhalten ein, hat darüber hinaus in dieser Sicht aber keine weitere Qualität an sich. In der astrologischen Sicht gewinnt die Zeit eine andere zusätzliche Dimension. Die Zeit selber ist verbunden mit einer archetypischen Qualität von Phänomenen. Die verschiedenen Archetypen verwirklichen sich über den Ausdruck der Zeit in den verschiedensten Nuancen. Diese Auslösung ist rhythmischer Natur und kann mit den Methoden von W. Döbereiner oder B. Huber beschrieben werden. Transite oder Solare ermöglichen ebenfalls eine Bestimmung der Zeitqualität. Es lässt sich oft, vielleicht nicht immer abschätzen, wie lange ein aktuelles psychisches Problem andauern wird. Ebenfalls ist damit zu rechnen, dass Konflikte 90 oder 180 Grad später im Tierkreis wieder aktuell werden könnten, wenn auch in modifizierter Form. Dann nämlich ist eine gegeben Konstellation wieder im Quadrat oder in der Opposition. Das rhythmische Pulsieren der Persönlichkeitsstruktur in der Zeit mit ihren konkreten Erscheinungen in der Welt ist jedes Mal verbunden mit Entwicklungsprozessen und aktiviert die Struktur des Radix immer wieder neu. Insofern ist die therapeutische Bearbeitung einer Symptomatik ein entscheidender Schritt, dass zeitlich nachfolgende Konstellationen gut gelebt werden können.

Das astrologische Potential birgt Möglichkeiten, die sehr gross sind. Vieles an realen Lebensbedingungen oder konstitutionellen Faktoren können dies beschränken. Für die Ressourcenentwicklung bietet aber das Radix Leitlinien an, was der eigentlichen Natur der Betreffenden entspricht und was nicht. Irgendwelche Vorschläge für die Verhaltensgestaltung nützen nichts, wenn dies nicht in die offenen Möglichkeiten eines Archetyps fällt. Ein weltoffener Jupiter wird gerne eine Reise machen, ein Stier sichert sein Territorium. Allerdings sollte in einer Psychotherapie auch Raum für andere unerwartete Möglichkeiten liegen.

Ein grosser Gewinn beim Einbezug von astrologischen Konzepten liegt in der Erweiterung des Bewusstseins des Therapeuten und damit in den Möglichkeiten des Patienten. Oft ist es auch eine Vielzahl von kleinen Elemente, die in einem andern Licht erscheinen. Beispielsweise schaute ich eines Tages nochmals das Horoskop eines Patienten an und sah in einer gegebenen Interpretation dazu, dass dessen Mond-Mars Quadrat eine aggressive Seite bedeuten könne. Der Patient wirkte alles andere als aggressiv. Noch am gleichen Tag berichtete der Patient unerwartet, dass er an einem Schützenkurs teilgenommen habe. Er habe bei diesem Sport ein sehr gutes Gefühl gehabt, die Scheibe gut getroffen und freue sich auf den nächsten Kurstag. Das gute Gefühl (Mond) beim Schiessen (Mars) kann perfekt mit der astrologischen Signatur beschrieben werden und dieser Sport ist eine ebenso perfekte Lösung für diese Signatur. Ohne astrologische Wissen kann man zur Kenntnis nehmen, dass der Schiesssport positiv besetzt wurde. Die direkte Einsicht in die Verbindung zur Signatur und damit deren Wichtigkeit als Ventil für ein Aggressionspotential ist jedoch nicht gegeben. Zusätzlich ist dieses Detail ein Beispiel für eine zeitliche Synchronizität.

Astrologisches Denken bewährt sich in der Supervision, auch wenn dieser Ansatz in der jeweiligen Arbeit vom betreffenden Therapeuten nicht verwendet wird. Ein Kollege berichtete von einem 11 jährigen Jungen, der eine Störung des Sozialverhaltens zeigte und deswegen in einem Schulheim platziert war. Neben einer mangelhaften Empathie war der Junge immer wieder aggressiv. Seine Eltern waren geschieden. Der Vater kümmerte sich wenig und die Mutter hatte selber eine schwierige Kindheit erlebt und war nachts oft alleine weil ihre eigene Mutter arbeiten ging. In der Sitzung dominierte der Junge, liess sich wenig sagen und lief auch schon aus der Sitzung weg, als der Therapeut ihn mit seinem Verhalten konfrontierte. In den Sitzungen spielte der Junge Szenen, wo Angreifer und Verteidiger um eine Burg kämpften. Dabei wollte ein junger Kämpfer der stärkere sein.

Wie zu erwarten war, zeigte das Horoskop folgende Signaturen, die miteinander In Konflikt sind: Sonne = Vater, Saturn = Mutter, Mars = Kampf und Pluto = Macht. Die Sonne steht in Opposition zu Saturn, die Sonne ist zusätzlich zu Mars im Quadrat und Saturn ebenfalls zusätzlich im Quadrat zu Mars. Die archetypischen Elternbilder liegen im Kampf. Der Mond = Kind, Gefühl und Pluto = Macht sind ebenfalls in Opposition. Gefühl und Gewalt bekriegen sich. Beide Archetypen sind im Quadrat zu Jupiter, das heisst, sie können sich nicht frei entfalten. Wo liegen Interventionsmöglichkeiten? Vielleicht beim Jupiter. Er steht für Expansion und Erkenntnis. Es war eine Idee, ob im Spiel ein Vorschlag gemacht werden könnte, neben den Kämpfen eine Expedition in ein neues Gebiet anzuregen, um dort neues zu erfahren.

Der Gewinn durch die Astrologie in der Selbsterfahrung für Therapeutinnen ist gross. War es früher noch üblich, in einer psychoanalytischen oder ähnlichen Ausbildung eine Lehranalyse zu machen, bedeutete das einen enormen Aufwand. Die Erkenntnisse, die man durch das eigene Horoskop gewinnt, sind mit weniger Aufwand zu realisieren. Die eigene Struktur schwarz auf weiss, in diesem Fall farbig, vor sich zu sehen, kann viele Augen öffnen. Damit ist nicht gesagt, dass neben dieser diagnostischen Funktion in der Selbsterfahrung nicht auch andere Prozesse wichtig bleiben.

Zum Schluss immer wieder die Frage: bildet Astrologie Wahrheit ab und gibt es schlüssige Beispiele dazu? Je tiefer man sich mit astrologischem Denken beschäftigt, je klarer wird diese Frage mit ja zu beantworten sein. Je mehr man sich dem klassischem objektivierenden naturwissenschaftlichem Welt- und Methodenverständnis verpflichtet fühlt, desto stärker die Überzeugung, dass Astrologie ein blosses Konstrukt ist. Oder sie könnte ein Aberglauben sein, mit dem alles zu erklären ist, wenn man daran glaubt. Zu diesen Argumenten lässt sich ein Gegenbeispiel anführen. Ein Freund war eine Zeitlang in einer Lebenssituation, die schwierig war und zu veränderten Lebensumständen führte. Er bat mich in Abständen zwei Mal sein Horoskop anzuschauen, ob „man da was sehen würde“. Zwei Mal war die Antwort nein. Als ich einige Zeit später noch einmal die gleiche Anfrage erhielt und mein Programm startete, stellte ich fest, dass das Geburtsdatum für dieses Horoskop im Programmarchiv falsch eingetragen worden war. Mit den richtigen Angaben war zu sehen, dass die zeitliche Auslösung im 7er Rhythmus im Horoskop über die Stellung von Pluto lief. Das machte schon Sinn. Pluto rührt an den Kern von fixen Strukturen und kann tiefgreifende Wandlungsprozesse initiieren, wo wieder Neues und hier Gutes entstanden ist.

Zur schlüssigen Erfahrung von Archetypen ein persönliches Beispiel: Als ich mit diesem Manuskript in den grossen Zügen fast fertig war, schrieb ich am 22.5.2015 wie gewohnt an meinem Laptop, um die Texte weiter zu vervollständigen. Ohne Absicht berührte mein Handrücken ein paar Tasten und augenblicklich verschwand mein Manuskripttext. Ich konnte mir nicht erklären, wie das möglich war. Sämtliche Versuche, den Text wieder auf den Bildschirm zu bringen, scheiterten. Schon am Abend zuvor musste mich eine Klientin wegen einem Termin zu Hause anrufen, weil mein Bürohandy nicht richtig funktionierte. Jetzt war ich verwirrt und hatte Angst, da ich es versäumt hatte, den Text der letzten drei Wochen auf einen Stick zu speichern. Da ich in einer Bibliothek war und nicht weiter wusste, musste ich an das Buch über Stundenastrologie denken, welches ich in dieser Woche las. Dabei hatte ich anfangs überlegt, ob ich dieses Buch im Text erwähnen sollte, da es mit den vielen Beispielen eine gute Plausibilität für die Astrologie zeigte. Ich verwarf diesen Gedanken allerdings, weil es ein Spezialgebiet der Astrologie ist, ich keine Erfahrungen damit habe und ich das Denken in astrologischen Kategorien nicht auf die Spitze treiben wollte. Mit der Aussicht auf einen unfreiwillig freien Nachmittag wollte ich aber in Anbetracht der speziellen Situation ausprobieren, was die Stundenastrologie zu diesem Vorfall sagen könnte. Der Absturz im Word war um circa 9 Uhr 30. Um

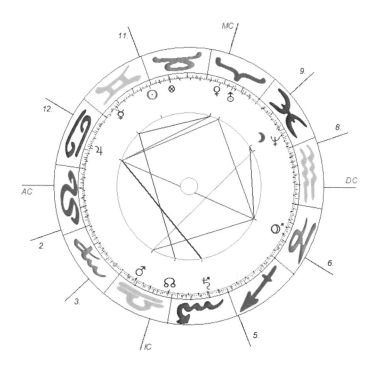

Erstellt mit Astroplus, © 2000-2007 by Astrocontact, Linz

circa 13 Uhr stellte ich mir die Frage: wird es gelingen, meinen Text wieder auf den Bildschirm zu bringen?

Das erste Horoskop auf den Zeitpunkt des Absturzes zeigte einen Aszendent auf 4 Grad Löwe. Die Sonne stand auf 1 Grad Zwilling und das MC auf 15 Grad Widder. Mars war im 3. Haus in Waage, Pluto im 6. Haus, Merkur im 11. Haus im Zwilling und Uranus stand fast gradgenau am MC. Übersetzt könnte das heissen: Es ging um die konzentrierte Darstellung und den „Auftritt" des seelischen Bereichs (Löwe). Die Umsetzung über die Sonne erfolgt auf Zwillingsboden, dem Bereich der Kommunikation. Die Verwirklichung ergibt sich am MC auf Widderboden. Sie wird mit Energie und Zielstrebigkeit verfolgt. Widder heisst auch, dass Widerstände gebraucht werden, um sich durchsetzen zu können. Der Zwillingsboden, auf dem die Umsetzung erfolgt, findet seinen Signifikator, wie der Herrscher in der Stundenastrologie heisst, im Archetyp des Merkurs. Merkur steht in diesem Horoskop ebenfalls im Zwilling. Er ist damit energetisch optimal gestellt und ist in den Worten dieser Arbeitstechnik in seinem Domizil. Er zeigte ein Sextil zu Venus, was ich intuitiv positiv empfand und mit Besitz zu assoziieren hoffte. Eine Darstellung von Funktionen wird dem 3. Haus zugeordnet. Hier ist es eine Form der schriftlichen Darstellung. Der Archetyp Mars steht dazu im 3. Haus und will mithelfen, eine ausgewogene Arbeit auf Waageterritorium ausführen. Pluto dagegen, der mit Macht oder Gewalt eine hohe Energie in sich trägt, steht im 6. Haus. Dieses Haus wird von der Tradition mit dem Haus der Arbeit assoziiert. Pluto bringt Probleme im Bereich der Arbeit. Die Erweiterung mit Jupiter wird durch die Opposition Jupiter-Pluto gehemmt. Pluto und Jupiter berühren Uranus in einem Quadrat und bringen Spannung. Saturn als Symbol von Struktur wird jedoch mit einem Trigon von Jupiter unterstützt. Eindrücklich ist jedoch Uranus, der gradgenau auf dem MC lag. Das Ziel dieses Augenblicks lag darin, dass eine plötzliche Veränderung, etwas Sprunghaftes, etwas Technische, sich unerwartet (Uranus) verwirklicht, was auf Widderboden eigentlich ohne Uranus seinen direkten Weg einschlagen wollte. Ohne dass ich damit gerechnet habe, beschreibt dieses Horoskop recht gut die Qualität dieses Zeitpunktes.

Die Grafik zeigt den Zustand, als erste Gedanken zu einem Fragehoroskop nach M. Rieger (2009) auftauchten. Die Deutung dazu bezieht sich hingegen auf 45 Minuten später, als dieser Gedanke konkret wurde.

Der Aszendenten ist Jungfrau. Der Signifikator dieses Zeichens, aber auch der Fragestellung, ist Merkur. Er steht gradgenau am MC in Zwil

Erstellt mit Astroplus, © 2000-2007 by Astrocontact, Linz

ling. Er steht damit stark in seinem Domizil und ist bereit, sich über kommunikative Zielsetzungen im 10. Haus zu verwirklichen. In der Nähe vom MC steht ebenfalls Jupiter im 10. Haus. Die Umsetzung des Jungfrauaszendenten durch die Sonne geschieht ebenfalls im Zwilling. Sie ist aber nicht aspektiert. Merkur hat auch hier ein Sextil zu Venus. Der Mond steht als Signifikator für die Gefühlslage des Fragenden im 6. Haus im Fischzeichen, wo auch Neptun als Herrscher steht. Saturn steht an der Spitze zum dritten Haus. Ohne auf die Feinheiten dieser Methode einzugehen, ist die Signatur dieses Horoskops beeindruckend. Ausgangspunkt des Problems ist Jungfrauboden, der Bereich der Arbeit mit seinen Funktionen. Die Verwirklichung über Merkur, hier über das Schreiben, ist als Ziel gradgenau angegeben. Die Umsetzung mit der Sonne in Zwilling ist ungesteuert. Die Fragestellung ist damit im Horoskop enthalten, was eine Voraussetzung für diese Fragetechnik ist. Die gefühlsmässige Verfassung des Fragenden mit dem Mond und Neptun im 6.Haus der Arbeit beschreibt ihn verwirrt, nebulös oder allein auf sich gestellt. Wegen der starken Stellung von Merkur und der Nähe zu Jupiter hegte ich intuitiv eine leise Hoffnung, dass es gelingen sollte, den Text wieder herzustellen. Ebenfalls dachte ich an das grosse Trigon mit Saturn, Jupiter und Mond und hoffte, dass sich die Stimmungslage damit wieder bessern könnte. Der zeitliche Verlauf der Signifikatoren im gleichen Tierkreiszeichen, der nach Rieger für den Ausgang eines Geschehens wichtig ist, zeigte keine Veränderung im Aspektbild. Nun könnte man einwenden, dieses Horoskop sei reiner Zufall. Stellt man jedoch das Horoskop nur eine Stunde später, liegt ein Waageaszendent mit Mars im 1. Haus vor. Das MC liegt dann im Krebs und wenig später läuft Jupiter über das MC. Bei dieser Konstellation wäre es nicht stimmig, den Wordabsturz zu identifizieren.

Als ich später mit dem Zug nach Hause fahren wollte, wurde durch den Lautsprecher bekanntgegeben, dass der Zug ausfalle. Gründe wurden keine genannt. Als Verkehrsmittel ist er eine Merkurentsprechung. Aufgrund der aussergewöhnlichen Situation mit dem defekten Telefon, dem Vorfall mit dem Laptop und dem Ausfall des Zuges konnte ich es nicht lassen, am Abend die Transite zu meinem Horoskop anzuschauen. Ich hatte schon den Verdacht, dass Uranus im Spiel sein könnte. Ich war nicht überrascht, dass genau an diesem Tag, dem 22. 5. um 2 Uhr 53 ein Transit Uranus ein Halbquadrat zu meinem Radix Merkur gebildet hat, das bis zum 10.9. wirksam sein werde. Auch dieser Transit brachte eine plötzliche Veränderung (Uranus) des Schreibens (Merkur). Nach diesem Erlebnis von fast mathematischen Präzision war es keine Frage, dass in Zukunft mein Manuskript optimal geschützt sein sollte und ich sicher nicht vor Mitte September einen Verlag wegen der Publikation anfragen wollte. Natürlich hängt der Beginn eines Transits aber auch dessen Ende mit der Definition des Orbis zusammen und doch war das genaue Zusammenspiel von Signatur und Zeitpunkt eindrücklich. Mein Sohn, Informatiker, konnte später entgegen seiner ersten Einschätzung das Manuskript wieder auf den Bildschirm holen. Es sind diese persönlichen Erfahrungen, die eine Evidenz über die Wirksamkeit von Astrologie hervorrufen. Dazu ist es allerdings nötig, sich mit der Materie länger zu beschäftigen und den anfänglichen Abwehrreflex zu überwinden. Die Stundenastrologie ist damit nun doch erwähnt worden.

Ein Quiz zur Lernkontrolle

Hier sind drei Horoskope abgebildet, die den entsprechenden Menschen zugeordnet werden sollen. Sie eignen sich
zu einem Horoskopvergleich, weil sie sich voneinander stark und damit
sichtbar unterscheiden.

Die bekannten Musiker Paul McCartney und Mick Jagger wurden
mit ihrer Band als Beatles respektive Rolling Stones weltbekannt und
mindestens die Älteren unter uns haben schon viel aus dem Lebenslauf
beider Persönlichkeiten gehört. Die Musik verkörperte in den sechziger
Jahren ebenfalls den Zeitgeist, als es zur Rebellion gegen die bestehenden
gesellschaftlichen Strukturen kam. Allerdings traten damals die Rolling
Stones frecher und provokativer als die Beatles auf. Besonders Jagger
dominierte mit seinem machtvollen Auftritt die Bühne. McCartney wirkte
dagegen brav und sensibel. Ich erinnere mich an ein Interview, wo er
erzählte, dass er beim Anblick der Schafe vor seinem Landhaus seiner
Tochter klarmachte, dass es doch besser sei, sich vegetarisch zu ernäh-
ren. Sein feinfühliger Zugang zur Welt zeigt sich auch in der Geschichte,
die zu seinem Song Yesterday erzählt wird. Danach habe er in einem
Nachttraum an einem Klavier diese Melodie erstmals gespielt. Nach dem
morgendlichen Aufwachen habe McCartney dieses Lied nachgespielt und
es sei quasi fertig vorgelegen.

Demgegenüber hat sich Anna Freud (1895 - 1982), die Tochter von
Sigmund Freud, einen Namen als Kindertherapeutin und Autorin über
Abwehrmechanismen einen Namen gemacht. Sie war das Jüngste von den
sechs Kindern Freuds. Noch vor dem Krieg änderte sie ihr Lebens- und
Arbeitsumfeld und emigrierte 1938 nach London. Sie führte kontroverse
Diskussionen mit ihrer Fachkollegin Melanie Klein, was fast zu einer Spal-
tung der britischen Psychoanalytischen Gesellschaft führte.

Wenn die drei Horoskope nach dem hier vorgestellten Schema
gedeutet werden, wenn dann die Horoskope verglichen werden und die

Unterschiede benannt werden und dies schliesslich mit den bekannten Eigenheiten der Personen abgeglichen wird, sollte es möglich sein, alle drei Horoskope, abgebildet nach Koch, richtig zuzuordnen. Falls das nicht der Fall sein sollte, weiss man, was zu tun wäre. Die Lösung kann auf der www. Astroschmid Datenbank nachgeschaut werden.

Horoskop 1

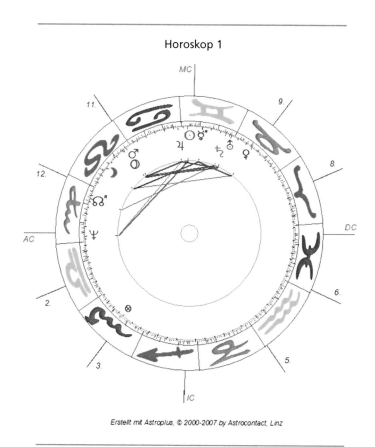

Erstellt mit Astroplus, © 2000-2007 by Astrocontact, Linz

Horoskop 2

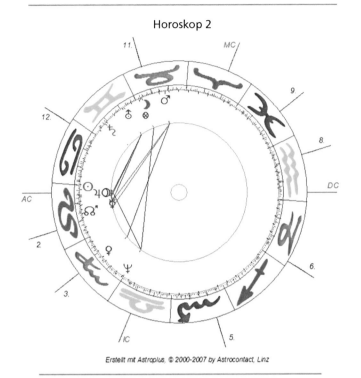

Erstellt mit Astroplus, © 2000-2007 by Astrocontact, Linz

Horoskop 3

Erstellt mit Astroplus, © 2000-2007 by Astrocontact, Linz

Astrologie und Quantenphysik

Die bisherigen Ausführungen und die entsprechenden Fallbeispiele haben gezeigt, dass Astrologie überprüfbare Wahrheiten über Erlebnisse des Menschen, aber auch Vorgänge in der Natur abbildet. Die Frage stellt sich nach wie vor, wie das möglich ist und wie dieser Vorgang überhaupt funktionieren kann. Auf den ersten Blick scheint dies dem gesunden Menschenverstand zu wiedersprechen. Wenn man allerdings an die Entwicklung der modernen Physik denkt, gibt es dort viele Ergebnisse und Konzepte, die dem alltäglichen Menschenverstand zu widersprechen scheinen. Dazu gehört die Relativitätstheorie von Albert Einstein, der beispielsweise von einer gekrümmten Raum-Zeit gesprochen hat, welche durch die Schwerkraft verursacht wird. Ebenfalls gehört die Quantenphysik dazu, wo sich kleinste Elementarteilchen nicht so verhalten, wie man das erwartet hat. Neue Theorien über den Urknall beschreiben, dass aus einem winzigen Punkt alle Sternensysteme entstanden sind. Noch abenteuerlicher scheinen dem alltäglichen Menschenverstand ernst gemeinte Theorien von einer Erweiterung der vertrauten dreidimensionalen Raumerfahrung und unserem Zeitempfinden in der Stringtheorie. Diese Theorie (D. Lüst 2014), vom italienischen Physiker Gabriele Veneziano entwickelt, will die bekannten vier Wechselwirkungskräfte der Physik, nämlich die schwache, die elektromagnetische, die starke Wechselwirkung und die Gravitation miteinander vereinen und beinhaltet elf Raum-Zeit Dimensionen und die Idee von Abermilliarden von Universen.

Vor einigen Jahren war die Astrologin Agnes Hidveghy an eine Veranstaltung an der Volkshochschule Wil geladen. Sie stellte dabei die mir bis dahin nicht bekannte Frage, ob Astrologie etwas mit der Quantenphysik zu tun haben könnte. Sie ging allerdings nicht weiter auf dieses Thema ein. Selber wusste ich sehr wenig über Quantenphysik. Ich schwankte zwischen dem Wunsch nach mehr Erkenntnis und der Meinung, dass ein Laie wie ich dieses Sachgebiet nicht verstehen würde oder dass es leicht zu falschen Bewertungen und Schlussfolgerungen von einzelnen Fakten kommen könnte. Im Laufe der Zeit stellte ich fest, dass einige Bücher auf den Markt kamen, die Quantenprozesse ansprachen und die eine Verbindung zu psychologischen Themen thematisierten. So ist es bei aller Vorsicht doch naheliegend, nach möglichen Berührungspunkten von Astrologie und Quantenphysik zu suchen. Mögliche Fragen sind:

Wie ist der Zusammenhang von menschlichen Bewusstsein, aber auch von nicht menschlichen Vorgängen in der Welt und der Konstellation von Sonne, Mond und Planeten in unserem Sonnensystem? Wir wissen, das Eine ist synchron mit dem Andern, steht aber nicht in einem kausalen Wirkmechanismus. Gibt es einen andern oder gar keinen Mechanismus?

Wer oder welche Instanz weiss, was ein Mensch in einem späteren Leben mit einer unbestimmten Wahrscheinlichkeit in einer Bandbreite von bestimmten archetypischen Möglichkeiten des Verhaltens tun wird, obwohl das Horoskop zu einem früheren Zeitpunkt, nämlich bei der Geburt, gestellt wird? Umgekehrt formuliert: Wenn der Mensch in seiner Entwicklung seinem Horoskop auf eine Weise wie auch immer folgt, woher weiss seine Umwelt, wie sie sein muss, dass das Horoskop stimmig wird?

Was ist Quantenphysik und welche Elemente davon interessieren in unserem Kontext? Der Physiker Max Blanck (1858- 1947) hat einige Grundlagen dazu entwickelt. Dabei ging es ihm um den atomaren und subatomaren Aufbau der Materie und um die Wechselwirkungen ihrer Bestandteile. Blanck bekam 1918 den Nobelpreis für seine Arbeit, indem er die Grundlagen für die heutige Technik wie zum Beispiel der der Informationsverarbeitung lieferte. Wichtige Beiträge zur Quantenphysik leisteten auch Werner Heisenberg (1901-1976) und Erwin Schrödinger (1897-1961). Später hat beispielsweise Niels Bohr 1927 mit Werner Heisenberg das Prinzip des Welle- Teilchen Dualismus vorgestellt. Danach hat jede Strahlung den komplementären Charakter der Wellen- oder auch des Teilchens. Je nach Experiment tritt der eine oder andere Effekt auf.

Für unseren Kontext sind drei Begriffe wichtig.

Erstens geht es um das Nullpunkt-, Quanten- oder Vakuumfeld. Es hat sich herausgestellt, dass ein absolutes Vakuum entgegen der üblichen Anschauung nicht leer ist, sondern dass es zu Quantenfluktuationen kommt. Kleinste Energiepakete erscheinen und verschwinden wieder im scheinbaren Nichts. Diese Prozesse können mathematisch beschrieben werden. Da man den Inhalt des Vakuumfeldes nicht direkt messen kann, redet man von virtueller Energie, die eine gewisse Wahrscheinlichkeit hat, in unserer materieller Welt zu erscheinen. Oft wird der Ausdruck verwendet, dass das Vakuum einem Meer von virtuellen Möglichkeiten entspricht. Einzelne Wahrscheinlichkeiten eines realen Ereignisses realisieren sich dann, wenn die mathematische Wahrscheinlichkeitswelle „kollabiert". Aus einer virtuellen Möglichkeit entsteht ein reales Faktum. Zweitens braucht es für die Verwandlung von virtueller Wahrscheinlichkeit in reale Wirklichkeit einen Menschen, der mit seinem Bewusstsein diesen Prozess beobachtet oder mit seinem Messgerät misst. Auch das Lesen der Resultate eines Messvorgangs bedarf des Bewusstseins eines Menschen. Je nach Versuchsanordnung zeigt sich zum Beispiel das Licht als Teilchen oder als Welle. Dies ist ein bemerkenswertes Resultat der Quantenphysik. Dies zeigt, dass es eine Abhängigkeit eines physikalischen Resultats von einem Bewusstsein gibt. In der herkömmlichen Wissenschaft wurde immer andersherum argumentiert. Danach soll ein Experiment unabhängig von Untersucher stets wiederholbar einen objektiven Befund liefern. Nur dann sei die Realität wirklich.

Drittens gibt es den Begriff der Verschränkung. Sind beispielsweise zwei Photonen eines Systems miteinander in Wechselwirkung, bleiben sie in Wechselwirkung, auch von sie räumlich getrennt wurden und wenn kein Informationsaustausch zwischen beiden möglich war. Der Physiker Alain Aspect hat zwei Lichtteilchen auseinanderfliegen lassen. Nach der Trennung reagierten beide Teilchen in Korrelation zueinander, obwohl die Bedingung für ein Teilchen geändert worden war. Die Bedeutung dieses Experiments liegt darin, dass Teile dieses Systems nicht unabhängig voneinander in der Welt als isoliertes Faktum vorkommen. Dieses Phänomen wurde auch Nicht-Lokalität genannt.

Amit Goswami (2007) ist ein Physikprofessor am Institute of Theoretical Sciences an der Universität von Oregon und hat zum Thema Quantenmechanik promoviert. Er interessiert sich für die Frage des Bewusstseins und dessen Verbindung zur Quantenphysik. Gleichzeitig sucht Goswami einen philosophischen Boden, auf welchem die Ergebnisse seiner Suche zu interpretieren sind. Ich fasse einige Punkte seiner Überlegungen kurz zusammen.

Goswami habe fast 15 Jahre in alle Richtungen geforscht und dabei lange gebraucht, um seine bisherige Haltung gegenüber herkömmlichen fachlichen Vorstellungen abzulegen. In der traditionellen Physik habe anfangs die Philosophie eines materialistischen Realismus geherrscht. Ausgangspunkt sei Aristoteles gewesen, der leblose Dinge getrennt und unabhängig vom menschlichen Geist aufgefasst habe. Mit der Entwicklung der Naturwissenschaft habe Descartes die Welt in eine objektive und eine subjektive Sphäre eingeteilt und die Prinzipien von Objektivität und kausaler Determiniertheit formuliert. Danach seien alle Dinge letztlich aus Materie, Energie oder Kraftfelder aufgebaut. Die Phänomene des Geistes seien als sekundäre Folgen oder Epiphänome der Materie aufgefasst worden. Diese Grundannahmen können als materialistischer Realismus zusammengefasst werden. Erst später seien zum Beispiel mit der Quantenphysik Anomalien zutage getreten, die nicht erklärt werden konnten und neue Überlegungen notwendig machten.

Die Metaebene oder anders gesagt, die philosophischen Grundannahmen des materialistischen Realismus beruhe auf fünf Prinzipien. 1) Objekte bestehen für sich unabhängig und vom Geist getrennt. 2) Mit der kausalen Determiniertheit habe eine Ursache eine klare berechenbare Wirkung. 3) Die Wirkung zwischen Materie und Objekten sei lokal begrenzt. 4) Gemäss dem materialistischen Monismus bestehen alle Dinge aus Materie, Energie oder Kraftfelder. 5.) Gemäss dem Epiphänomenalismus sei der Geist ein Sekundärphänomen der Materie.

Mit der Entwicklung der Quantenphysik zeigten sich Phänomene, die mit dem herkömmlichen Verständnis nicht mehr zu erklären waren. Zum Beispiel entdeckte Max Blanck, dass Elementarteilchen Energie nur in bestimmten Mengen und nicht kontinuierlich aufnehmen oder abgeben.

Diese bestimmte Menge nannte Blanck Quanten. Albert Einstein zeigte, dass Licht ebenfalls als Quant, auch Photon genannt, auftrat. Der Physiker Niels Bohr postulierte, dass das gesamte Atom voller Quantensprünge sei. Bei höherer Ordnung der Atome stellte man sich verschiedene Hüllen vor, auf der Elektronen um den Kern kreisen. Es stellte sich aber heraus, dass die Elektronen bei einem Bahnwechsel nicht einen Sprung von einer Umlaufbahn in eine andere machen, sondern sie lösen sich bei einem Wechsel von einer Bahn im Nichts auf und tauchen in einer anderen Bahn wieder auf. Lois-Victor de Broglie entdeckte, dass die Elektronen nicht nur winzige Partikel waren, sondern als Wellen aufgefasst werden konnten. Erwin Schrödinger entwickelte eine mathematische Wellengleichung, die an die Stelle der Newtonschen Gesetze trat. Mit dieser Differenzialgleichung konnten die Eigenschaften submikroskopischer Objekte vorhergesagt werden. Zusammen mit der Arbeit von Heisenberg entstand der mathematische Formalismus, der unter dem Begriff Quantenmechanik bekannt wurde. Der Physiker Max Born beschrieb die Elektronenwellen als Wahrscheinlichkeitswellen. Der Physiker Niels Bohr kam zum Schluss, dass die Wellennatur und die Teilchennatur nicht einfach entgegengesetzte Polaritäten sind, sondern sich ergänzende, komplementäre Eigenschaften aufweisen. Sie sind weder das eine noch das andere, da ihre Natur über die Beschreibung des einen oder anderen Teils hinausgeht. Da man in der Natur einzelne Formen wie Teilchen oder Wellen sieht, diese Qualitäten aber einem Ding entsprechen, spricht man auch von einer Korrespondenz. Goswami erwähnt in diesem Zusammenhang den indischen Philosophen Nagajuna, der die Abhängigkeit einer Substanz von zwei Komponenten untersuchte.

Wenn mathematische Quantenwellenfunktionen kohärent überlagert seien, könne gemäss einer Gleichung nach Schrödinger, zwei oder mehrere Aspekte von Lösungen erwartet werden. Bei einem quantenphysikalischen Experiment, respektive bei einer Beobachtung werde eine mathematische Wahrscheinlichkeitswelle zu einer Realität. Das heisse, ein Experiment zeige ein reales Ergebnis. Dabei spreche man vom Kollabieren oder vom Zusammenbruch der Wahrscheinlichkeitswelle. Vor einem Experiment bestehe eine in der Theorie virtuelle Möglichkeit in einem

Bereich transzendenter Ordnung, das heisst jenseits einer Realität von Zeit und Raum. Nach oder beim Experiment zeige sich ein reales von mehreren möglichen Ergebnissen in unserer Realität. Das Prinzip der Kausalität ist hier nicht gegeben.

Daneben gibt es ein weiteres Phänomen, das mit dem Kausalitätsprinzip nicht zu verstehen ist. Es gibt das scheinbar unverständliche Interagieren von subatomaren Objekten. In Frankreich hat der Experimentalphysiker Alain Aspect 1982 an der Universität Paris-Sud ein bahnbrechendes quantenphysikalisches Experiment gezeigt. Dazu waren Quantenobjekte vorgegeben, die miteinander in Wechselwirkung standen. Dann wurden die Objekte getrennt und der Zustand des einen Objekts gemessen. Seine vorbestehende virtuelle Wellenfunktion brach dadurch zusammen und das Objekt zeigte eine bestimmte Eigenschaft. Im selben Augenblick brach auch die Wellenfunktion des andern Objekts zusammen und seine Eigenschaft trat korreliert zum andern Objekt auf. Zwischen beiden Objekten gab es allerdings kein Signal, das eine gegenseitige Verbindung oder Mitteilung hätte ermöglichen können.

Wie ist diese unmittelbare zeitlose Fernwirkung nichtlokaler Art zwischen korrelierten Quantenobjekten möglich? Quantenmessungen seien laut Goswami Interventionen unseres Bewusstseins. Dies würde nicht mehr dem bisherigen materialistischen Realismus entsprechen, wo physikalische Objekte real, voneinander in der Existenz unabhängig und auch unabhängig von einem Beobachter sind. In der Quantenphysik lasse sich die Auffassung von Objekten, die von einem Beobachter unabhängig sind, kaum mehr halten. Eine Trennung von Quantenobjekten untereinander sei auch nicht mehr möglich. Sie hätten eine ontologische Verbindung miteinander und würden sich ohne Signalübertragung nichtlokal beeinflussen. Sie könnten als Objekte in Potentia aufgefasst werden die auf einen Wirklichkeitsbereich hinweisen, der über die lokale Raumzeit hinausgehe und in einem traszendenten Bereich liege. Es liege in der Natur eines korrelierten Quantensystems, eine ungeteilte nichtlokale und transzendente Ganzheit zu sein, die von einem Bewusstsein beobachtet werde.

Goswami meint, dass die platonischen Archetypen einem Bereich transzendenter Ordnung entstammen. Das gelte auch für den Bereich der

Quantenphysik, wo kohärente Überlagerungen von Wahrscheinlichkeits-wellen in einem Bereich transzendenter Ordnung in Potentia existieren. Goswami meint deshalb, dass eine idealistische Philosophie, auch monistischer Idealismus genannt, ein Boden ist, der mit den Ergebnissen der Quantenphysik kompatibel ist. Man könnte davon ausgehen, dass Objekte bereits im Bewusstsein als vorbestehende, transzendente, archetypische Möglichkeiten ausgeformt seien. Die Rolle des Beobachters sei derart, dass er nicht einem einzelnen „Ich" zugeordnet werden könne, sondern dass es nur ein Bewusstsein gibt, so wie es der sprachliche Singular diese Worten auch ausdrückt. Hauptpunkt in der idealistischen Philosophie sei die Nichtlokalität des Bewusstseins.

Diese Nichtlokalität passe auch gut zur Beschreibung der Synchronizität von C. G. Jung. Hier würde eine sinngemässe Gleichartigkeit in Vorgängen des kollektiven Unbewussten auftreten, die nicht kausal miteinander verbunden seien. Die Rolle des Menschen sei derart, dass er in einem gewissen Sinn zum Mittelpunkt des Universums werde, weil er dessen Bedeutung und Sinn verstehe. Dem gegen über habe das heliozentrische Weltbild von den transzendenten Möglichkeiten des Menschen abgelenkt. Zu Bedeutung und Sinn komme es über das Universum, wenn wahrnehmungsfähige Wesen es beobachten und dadurch aus den unzähligen transzendenten Möglichkeiten spezielle Wege auswählen. Die Wirklichkeit bestehe aus Sicht der Monoidealismus darin, dass Ideen durch das Bewusstsein manifest würden. Geist bestehe aus den Archetypen mentaler Objekte, die Plato Ideen genannt habe. Diese Archetypen würden der Quantenphysik gehorchen. Die Hypothese wäre berechtigt, dass die Verbindung Gehirn - Geist als Quantensystem aufgefasst werden könnte. Dafür gebe es viele experimentelle Anhaltspunkte. Dabei wäre zu beachten, dass der Kollaps der Wellenfunktion in Gegenwart eines wachen Verstandes erfolgen müsste. Das menschliche Bewusstsein sei auch kein Phänomen neben andern. Stattdessen würden alle Phänomene erst im Bewusstsein erscheinen. In der Sprache das Buddhismus formuliert das Goswami so: Bewusstsein ist der Urgrund allem Seins, ist Braham. Das Braham Bewusstsein zeigt sich über das Subjekt Atman. Es tritt in gemeinsamer Abhängigkeit mit Objekten auf. Doch weder Subjekt noch Objekt haben ein eigenständiges Sein. Die Grundlage allen Seins manifestiert sich als sat-chit-ananda, das heisst als Existenz- Bewusstsein- Seligkeit. Alles, was in der Raumzeit manifest ist wie beispielsweise materielle Dinge, ist sat. Daneben braucht es das Gehirn-Geist System, um das Sein manifest und bewusst werden zu lassen (chit). Das Selbst erfährt dann die Erfahrung von etwas viel Grösserem. Dies macht selig (ananda) vor Freude, wenn erkannt wird, wer wir wirklich sind.

Aus quantenphysikalischer Sicht gemäss A. Goswami lässt sich damit festhalten, dass es Aspekte der Realität gibt, die mindestens für heute eine geheimnisvolle Zusammengehörigkeit von Quanten oder anders gesagt eine Abhängigkeit des Einem vom Anderm gibt und dass sich dies erst im Lichte des menschlichen Bewusstseins zeigt, es daher auch von ihm abhängt. Neben dem Nicht-lokalen Bewusstsein spricht Goswami von einem Bereich in Potentia. In diesem virtuellen Raum der Wahrscheinlichkeiten könnten die platonischen Archetypen beheimatet sein, die auch Synchronizitätserlebnisse bewirken können.

Pim van Lommel (2012) beurteilt aus klinischer Sicht quantenphysikalische Phänomene, die ich ebenfalls zusammenfasse. Er machte die Beobachtung, dass bei Nahtoderfahrungen im Bewusstsein der betroffenen Menschen Alles mit Allem verbunden ist. Alle Erlebnisse sind zeitlich gegenwärtig und nicht an einen Ort fix gebunden. Erlebnisse in der Zukunft und in der Vergangenheit können gleichzeitig gesehen werden. Diese Qualität des Erlebens erinnert van Lommel an die Quantenphysik.

In der Quantenphysik wird unter anderem das physikalische Vakuum untersucht. Dieses Vakuum scheint für die alltägliche Erfahrung leer. Es konnte aber gezeigt werden, dass in dieser Leere eine Fluktuation von Quanten erscheint. Das heisst, Energie taucht in Abständen auf und verschwindet wieder. In diesem Vakuumfeld würden die Raum- und Zeitkoordinaten keine Rolle spielen Gemäss van Lommel sei es denkbar, dass das Bewusstsein diesem Raum entstammt, der alle potentiellen Informationen enthält. Dies wäre ein metaphysischer Raum. In einer Nahtoderfahrung könnten Menschen so ihr Bewusstsein als Übergang in einen höherdimensionalen Raum erfahren. In diesem Vakuumfeld, gebe es nur Wahrscheinlichkeitswellen virtueller Art. So wäre das Bewusstsein als nicht-lokales Phänomen zu interpretieren, das sich immer und überall manifestieren könnte. Das Bewusstsein würde keine Zeit brauchen, um sich an die Vergangenheit zu erinnern oder sich einen weit entfernten Ort vorzustellen. Diese Verbundenheit oder Verschränkung des Bewusstseins mit der Welt als Analogie zur Verbundenheit von physikalischen Teilchen bei Quantenprozessen sei eine Hypothese, die weiter geprüft werden könne.

Auch van Lommel zitiert in seinen Worten die quantenphysikalische Verschränkung, die von Alain Aspect experimentell beschrieben wurde. Bei der Messung des Eigendrehimpulses von zwei physikalischen Teilchen, die aus der gleichen Quelle stammten, ist bei einer bestimmten Versuchsanordnung vorhersehbar, wie sich ein zweites Teilchen verhält, wenn das erste Teilchen einen bekannten Zustand eingenommen hat. Dies geschieht, obwohl es dafür keine lokale Ursache gibt.

Van Lommel stellt anschliessend die Frage, ob solche Verschränkungen nicht nur in physikalischen Systemen geschehen, sondern auch in lebenden Systemen. Dazu gebe es Wissenschaftler wie Herbert Fröhlich oder der Neurobiologe Herms Romijn, die das für möglich halten. Der Physiker Niels Bohr habe aber zu bedenken gegeben, dass Quantenprozesse für kohärente, das heisst rhythmisch verknüpfte geschlossene Systeme, gelten würden. Jedenfalls sei Quantenkohärenz bei der Photosynthese in einem lebenden System schon nachgewiesen worden. Nach dem Mathematiker und Physiker Roger Penrose könnten bestimmte Strukturen in Neuronen durch sich selbst regulierende Muster kohärente Zustände erzeugen, die Informationsprozesse in Gang setzten. Auch die Quantenphysikerin Donah Zohar gehe von einer biologischen Quantenkohärenz als ordnendes Prinzip aus und denke an eine Erklärung für eine Quantenbeziehung zwischen dem Bewusstsein und dem Körper. Der Quantenphysiker Henry Stapp beschreibe neuronale Vorgänge, die im Prinzip holistischen Quantenprozesse entsprechen. Die meisten Quantenphysiker würden aber nicht die Meinung vertreten, dass das Bewusstsein bestimme, wie wir die Realität wahrnehmen oder dass sich die Quantenphysik auf lebende Systeme anwenden lasse.

Gibt es Verschränkung beim menschlichen Bewusstsein? Interagiert ein Mensch mit einem zweiten Mensch, der aber vom ersten Mensch räumlich isoliert ist und nicht weiss, was dem ersten Menschen passiert? Diese Phänomene wurden verschiedentlich wissenschaftlich nachgewiesen. Bekannt sind die Experimente, wo einer Versuchsperson in einem elektromagnetisch abgeschirmten Raum mittels Lichtblitzen die aktivierten Gehirnreaktionen gemessen wurden. Es konnte gezeigt werden, dass die gleichen Muster in der Gehirnaktivität auch bei einer zweiten isolierten Person auftraten.

Pim van Lommel selber bezeichnet seine Gedanken zum menschlichen Bewusstsein als spekulative Überlegungen. Das Bewusstsein habe nach ihm keine materielle Grundlage und es sei beheimatet in einem metaphysischen Raum. Dort bleibe das endlose Bewusstsein in Form von Wellenfunktionen „ewig" erhalten. Es sei Ursprung und die Grundlage von allem. Es sei nicht klar, wie der Übergang von einem nicht-lokalen Raum in die physische Welt ablaufe. Teile des nicht-lokale Bewusstseins in Form von Wahrscheinlichkeitswellen könnten ebenfalls den gesamten Raum einnehme, denn jeder Teil des Unendlichen sei ebenfalls Unendlich. Seine Theorie sei im Gesamten schwer beweisbar, aber auch schwer falsifizierbar. Klar sei aber, dass menschliches Bewusstsein einen Kollaps der Wellenfunktion auslösen könne. Henry Stabs, dessen Theorie Pim van Lommel einleuchtet, neigt allerdings dazu, dass das Bewusstsein nur auf Quantenprozesse des Gehirns, nicht aber auf die physische Welt einwirken könne.

P. van Lommel kommt zu Schluss, dass sich seine Auffassung mit Aspekten der Arbeiten von Stanislav Grof deckt. Ebenfalls gebe es Berührungspunkte mit der holistischen Philosophie von Ken Wilber, der ein endloses Bewusstsein versteht als einen Bereich, wo es weder Vergangenheit noch Zukunft noch Anfang oder Ende gibt. Schlussendlich verweist van Lommel auf den Systemphilosophen Erwin Laszlo. Auch dieser Autor geht davon aus, dass alles Wissen in einem potentiell in einem höher dimensionierten Raum vorhanden sei. Laszlo nennt dies das Akasha Feld.

Ausgehend von Nahtoderfahrungen stellt van Lommel zusammenfassend fest, dass das Bewusstsein dort nichtlokal erscheint. Eine Nahtoderfahrung könnte ein Übergang von der Realität in diesen metaphysischen

Raum sein. Es gibt Hinweise für die Verschränkung des Bewusstseins mit der Welt und unterschiedliche Meinungen, ob Verschränkung in lebenden Systemen vorkommen könnte.

Erwin Laszlo (2005) in Budapest geboren, verdiente anfänglich sein Geld als Pianist. Später wurde er Professor für Philosophie und Systemwissenschaften an den Universitäten Yale und Princeton. Er war Mitglied des Club of Rome und Mitbegründer des Club of Budapest. 2004 wurde er für den Friedensnobelpreis nominiert. Ken Wilber bezeichnete Laszlo als Genie des Systemdenkens, Stanislav Grof als Weltklasse-Wissenschaftler.

Aus Sicht des Systemwissenschaftlers E. Laszlo zeigt sich folgendes: Auch er beruft sich auf das Vakuum- oder Nullpunkt-, respektive Quantenfeld als die Basis, aus der alle Dinge erzeugt werden. Es habe sich ergeben, dass ein absolutes Vakuum Energie enthalten müsse, obwohl die bekannten Energieformen nicht nachweisbar waren. Stattdessen zeigte sich eine Wechselwirkung zwischen dem Vakuumfeld und Atomen. Eine frühere Hypothese, wonach im Vakuum eine Art Äther vorhanden sein könnte, hatte sich nicht bestätigt. Laut Laszlo könnte das Vakuum aber fluid sein. Der superflüssige Raum würde damit bei Bewegung eines Körpers keine Reibung und damit keinen Wiederstand verursachen.

Mit den Worten von Laszlo ist in diesem Vakuumfeldfeld gemäss der Quantenphysik ein unermessliches Potential von virtueller Energie. Aus diesem Feld würden Energiequanten in unseren realen Raum auftauchen und ebenso wieder verschwinden. Man nennt dies die Quantenfluktuationen aus dem Vakuum. Diese kleinsten Einheiten von Masse, Kraft und Energie können in unserem realen Raum als Welle oder als Teilchen/ Antiteilchenpaare auftreten. Jeder dieser Quanten trete örtlich und zeitlich unbestimmbar auf. Sie würden in mehreren Zuständen existieren, die aber nicht real, sondern virtuell seien. Sie seien mathematisch in Form einer Wellenfunktion beschreibbar. Werde anschliessend eine physikalische Messung bei einem entsprechen Experiment gemacht, werde der ursprünglich virtueller Zustand der Quanten real. Beispielsweise könne der Wellencharakter oder der Partikelcharakter des Lichts gemessen werden. Ausgehend von einer Wellenfunktion würden Quantensprünge keinem bekannten Gesetz der Physik folgen. Ein weiteres Ergebnis sei wichtig. Befinden sich mehrere Quanten anfänglich bei einem Experiment im gleichen Zustand und werden sie dann räumlich getrennt, bleiben sie miteinander verschränkt. Wird ein Quant gemessen, sucht es sich seinen eigenen Zustand aus und sein Zwillingsquant wechselt dazu in einen komplementären Zustand. Diese Experimente würden eine neue Qualität des menschlichen Bewusstseins zeigen. Es könne den Ausgang eines Experiments beeinflussen und sogar Messgeräte, würden dies tun, noch bevor sie eingeschaltet seien.

Nach Laszlo seien Quanten nicht nur in physikalischen Systemen, sondern auch in lebenden Systemen kohärent möglich. In einem Organismus würden seine Teile augenblicklich mit andern Teilen in Beziehung stehen und diese Kohärenz entspreche in gewisser Weise der Kohärenz eines Quantensystems.

Das Anliegen von Laszlo ist die Theorie der In-formation, ein Begriff, der auf den Physiker David Blohm zurückgeht. Damit sind nicht die üblichen Theorien über Information gemeint. In-formation meint vielmehr, dass ein Empfänger in-formiert wird und sich dadurch Dinge und Ereignisse im ganzen Universum verbinden. Sowohl in der Physik als auch über das menschliche Bewusstsein verbindet das Feld der In-formation alle Phänomene miteinander. Der gesamte Kosmos basiere nicht nur auf Materie und Energie, sondern in-formiere alles auf der Quantenebene. Dabei würden netzartige Verbindungen unabhängig von Zeit und Raum eine sofortige und energielose Verbindung zu verschiedenen Dingen an verschiedenen Orten schaffen. Dieser Prozess laufe in der Physik als nicht-lokales Phänomen ab. In der Bewusstseinsforschung werde dies als transpersonales Phänomen bezeichnet. Alle Ereignisse in der Realität würden Spuren im Vakuum hinterlassen und es in-formieren. Andererseits in-formiere das Vakuum seinerseits Dinge und Ereignisse in unserer Realität. Das Quantenvakuum sei in dem Sinn ein Plenum und reagiere auf Ereignisse in Raum und Zeit.

Zusätzlich stellt Laszlo die Hypothese auf, dass das Quantenvakuum ein holographisches Feld sein könnte. Es stelle das verbindende Medium zwischen Subsystemen her und könne dadurch das Gedächtnis des Universums darstellen. Dieses Vakuumfeld nennt Laszlo auch Akasha Feld.

Neben der In-formation werde auch Korrelation und Kohärenz zwischen Kosmos und Bewusstsein hergestellt. Das Akashafeld vermittle aber nicht uniforme In-formation, sondern Information zwischen Dingen, die einander ähnlich, isomorph seien. Es vermittle In-formation zwischen prinzipiell gleichen Dingen, weil hier In-formation in überlagerten Interferenzmustern von virtuellen Wellenfunktion des Vakuums enthalten ist, die Hologrammen entsprechen. In einem Hologramm würden Elemente mit gleichförmigen oder ähnlichen Elementen konjugieren, das heisst, in einander greifen. So seien in jeder beliebig grosser Menge holografischer Muster die ähnlichen Muster miteinander konjugiert. Das konjugierte Muster wirke als „Schlüssel", um Information zu identifizieren. Man brauche nur ein gegebenes Wellenmuster in ein Durcheinander von verschiedenen Hologrammen zu geben und es erschliesse sich das Muster, das mit ihm konjugiert sei. Sobald das Konjugationsprinzip auf die Interferenzmuster im Akashafeld angewendet werde, erschliesse sich deren Logik. Über Hologramme, die durch das Akashafeld erzeugt werden, würden bestimmte Dinge von ähnlichen Dingen in-formiert. Die Wellenfunktionen im Vakuum, so glaubt E. Laszlo, würden mit ihren Interferenzmustern Hologramme von kosmischer Grössenordnung erzeugen, seien es Sterne oder Sternsysteme. Diese Hologramme würden sich über das ganze Universum ausbreiten und würden Beziehungen zwischen seinen einzelnen Teilen schaffen. Dabei sei das Hologramm des Universums konjugiert mit dem Hologramm der Galaxien und erzeuge Kohärenz im Bereich des Lebens. Einzelne Hologramme seien mit Molekülen und Zellen vernetzt und konjugieren mit dem umfassenden Hologramm des Gesamtorganismus. In diesem in-formierten Universum sei nichts lokal und auf den Ort beschränkt, wo sich ein Ereignis zutrage. Die Erinnerung aller Dinge erstrecke sich auf jeden Ort und alle Zeiten.

Die Wellen des Akashafelds tragen nur In-formation, aber keine Energie. Deshalb könne man die Wellen nicht spüren. Da Feld sei in Wechselwirkung mit der Materie und beeinflusse alles von den Atomen bis zu den Menschen und selbst bis zum Universum. Das Feld erfülle so den Raum und die Zeit. Die materielle Welt in Raum und Zeit von den Molekülen bis zu den Galaxien würden aus einem virtuellen Meer von Energie und Information aus dem Quantenvakuum entstehen. Alle Dinge seien durch dieses Feld in Wechselwirkung. Die In-formation würde gespeichert und alle Dinge von der gleichen Art würden wieder in-formiert. Dasselbe gelte für Körper und Gehirn. Alle Gefühle und Denkprozesse des Menschen würden sich im Gehirn in Wellenformen widerspiegeln. Diese Wellen könnten sich durch das Vakuum fortpflanzen und sich mit den Wellen von Gehirnen und Körpern von andern Menschen überlagern, wobei komplexe Hologramme entstehen würden.

E. Laszlo verweist im Zusammenhang mit dem Akashafeld auf den indischen Begriff des Braham. Dieser Bereich sei dynamisch und kreativ. Aus seinem Sein komme es zum Werden in der manifestierten Welt. Es sei das Spiel der unablässigen Schöpfung und Auflösung. Mit einen Verweis auf Stanislav Grof zitiert er dessen tiefe Erfahrung aus der Bewusstseins-forschung. Auch dort wird ein unermessliches Bewusstseinsfeld voller Intelligenz und Schöpfungskraft thematisiert. Es wird erfahren als kosmische Leere, die paradoxerweise eine essentielle Fülle ist. Obwohl die Leere nichts konkret Manifestiertes enthält, ist alles Dasein in ihr potentiell enthalten. Das Vakuum ist ein Plenum, voller Möglichkeiten für alles, was es geben kann.

Aus Sicht des Systemwissenschaftlers E. Laszlo kann zusammenfassend gesagt werden, dass das Vakuum ein Plenum von virtuellen Möglichkeiten ist. Es ergibt sich ein Austausch von In-formation zwischen dem Akasha Feld und unserer Realität. Zusätzlich wird die Theorie entworfen, dass das Akasha Feld holographisch aufgebaut ist und holographisch sowohl mit dem Bewusstsein als auch mit dem Kosmos korreliert. Dazu wird In-formation von ähnlichen Dingen als konjugierte Muster vermittelt. Diese konjugierten Muster würden als Schlüssel dazu dienen, dass Hologramme vom Organismus, vom Kosmos und dem Akasha Feld in-formiert werden. In diesem in-formierten Universum sei jedes Wissen nicht-lokal vorhanden.

Tara Assmann (2011) präzisiert zu dem Thema Information, dass entgegen dem alltäglichen Verständnis codierte Information nicht auf einen menschlichen Sender und Empfänger angewiesen sei. In der Natur liegt codierte Information vor, die nicht an eine bestimmte Bedeutung gebunden sei. In der Eizelle zum Beispiel gibt es genetische Information, die für neues Leben notwendig ist. Bei einer unbefruchteten Eizelle stirbt diese Zelle ab, wenn sie nicht gebraucht wird. Kein Sender und Empfänger sei hier zu nennen. T. Assma zitiert T. und B. Görnitz (2007), die in ihrem Buch „Der kreative Kosmos" eine abstrakte Information bezeichnen, die sie Protyposis nennen. Auf Griechisch heisst das: ich präge ein. Diese bedeutungsfreie Quanteninformation sei etwas, dem sich eine Form, eine Gestalt und schliesslich eine Bedeutung einprägen können. Die abstrakte Information sei zu Energie und Masse äquivalent und könne mit dem intelligenten Geist als Urgrund der Materie bezeichnet werden.

Nachdem wir Aspekte von Funktionen bei den kleinsten Objekten in den Quantenprozessen beleuchtet haben, lohnt sich ein Blick auf einen Aspekt bei dem grössten Ereignis im Kosmos.

Igor und Grichka Bogdanov (2011) sind zusammen Inhaber des Lehrstuhls für Kosmologie an der Universität Belgrad. Sie interessieren sich für die Frage, was vor dem Urknall gewesen sei. Sie zitieren Davidson Smoot, der 2006 zusammen mit John Matter den Nobelpreis für Physik erhalten hat, nachdem sie mittels eines Satelliten die ältesten bekannten Stern Strukturen, 380 000 Jahre nach dem Urknall, aufnehmen konnten. Smoot habe gesagt, dass wir immer mehr erkennen, dass der Mikrokosmos und der Makrokosmos ein und dasselbe sind. Für die Photonen, die vom Urknall zur Erde gelangt seien, gebe es keine Entfernung und keine Zeitdauer. Photonen sind mit Licht verbundene masselose Teilchen / Wellen, die die elektromagnetische Wechselwirkung zwischen elektrisch geladenen Teilchen vermitteln. Das Universum sei geordnet, strukturiert und hierarchisiert auf eine Weise, die unser Verständnis übersteige. Bogdanov`s zitieren den Physiker Paul Dirac, der 1945 an einem Vortrag in Paris gesagt habe, dass alle Zahlen in der Welt der Physik eine Beziehung zwischen der Welt des unendlich Kleinen, der Elementarteilchen und der Welt des unendlich Grossen, dem Makrokosmos repräsentieren.

Boganov`s interessieren sich, ob es vor dem Urknall des Universums schon etwas gab. Sie sind mit dem bekannten Physiker Stephan Hawking der Meinung, dass die imaginäre Zeit die grundlegende Form der Zeit sein könnte. Boganov`s glauben, dass der Big Bang keine feste Grösse ist, sondern dass er zwischen einer reellen und einer imaginärer Zeitachse oszilliere. Diese Theorie sei plausibel, so glauben sie, weil damit die Kosmologische Konstante erklärbar sei. Diese Konstante wurde von Einstein in seine Gravitationsgleichung eingeführt, um ein statische Universum vorhersagen zu können. In der Zwischenzeit weiss man aber, dass sich das Universum ständig ausbreitet. Boganov`s denken, dass es drei Formen der Zeit gebe. Die erste Form sei diejenige, die wir kennen. Sie sei untrennbar verknüpft mit Energie, die es ohne Zeit nicht geben könne. Die zweite Form sei die imaginäre Zeit. Diese Zeit kenne keinen Verlauf, sie sei sozusagen eingefroren. Dieser Zustand sei ohne Energie. Er sei aber kompatibel mit Information. Information sei dasselbe wie Energie, aber auf der Ebene der imaginären Zeit. Die Objekte können beschrieben werden, mit der Menge an Information oder Bits, die sie enthalten. Diese imaginäre Zeit finde sich vor dem Big Bang im Bereich der komplexen Zeit. Die dritte Form der Zeit bestehe mathematisch betrachtet aus der Addition von reeller und imaginärer Zeit. Zum genauen Zeitpunkt des Big Bang habe das Universum nur in der imaginären Zeit existiert. Das was man in unserer Welt als Energie bezeichnet, habe noch nicht existiert. Stattdessen war es die imaginäre Energie oder mit andern Worten die Information. Vor dem Zeitpunkt Null habe es nichts als Information, ein numerisches Etwas, gegeben. Diese Information habe alle Eigenschaften des Universums, die nach dem Big Bang entstehen werden, codiert in sich getragen. Als die imaginäre Energie des Nullpunktes zur reellen Zeit geworden sei, sei die imaginäre Energie, das heisst die ursprüngliche Information beim Big Bang, zur realen Energie geworden. So sei es vorstellbar, dass die gewaltige Energie, die aus dem Nichts entstand, in der Welt der Information bereits angelegt war. Dies sei eine Art mathematische Code, der dem genetischen Code von Lebewesen vergleichbar sei. Die letztendliche Frage, wo die Informationen herkommen, sei unklar. Zweifelsohne ist die Nachricht so verfasst, dass eben diese Frage keine Antwort zulasse.

Aus Sicht der beiden Kosmologen wird für unser Anliegen die Idee formuliert, dass die Information über alle Eigenschaften des Universums auf einer imaginären Zeitachse vor dem Big bang codiert vorgegeben sein können.

Ein anderer Physiker Fred Alan Wolf (1998) entwarf eine physikalische Theorie von parallelen Welten. In dieser neuen Physik sei die Grundlage das Prinzip der Widerspruchsfreiheit und nicht dasjenige der Kausalität. Zudem scheine es nötig, neben unserer Raumzeit einen Superraum einzuführen. Dies meint eine imaginäre mathematische Struktur, die helfen soll, Situationen zu veranschaulichen, die mehr als drei Raum-Dimensionen umfassen. Das quantenphysikalische System könne als Quantenwellenfunktion dargestellt werden. Diese Funktion könne als Wahrscheinlichkeitswelle dargestellt werden. Alle Punkte auf der Oberfläche einer Welle würden Orte darstellen, wo ein Ereignis mit einiger Wahrscheinlichkeit auftreten werde. Bei einer Beobachtung eines Experiments durch einen Menschen kollabiere die Welle wie ein geplatzter Ballon. Dabei entstehe aus virtuellen Möglichkeiten nur gerade ein Faktum. Für die Wahrscheinlichkeit des Ereignisses müsse die Welle mit einer anderen Welle multipliziert werden, die nach Form und Inhalt der ursprünglichen Welle ähnlich sei. Diese Welle nenne man mathematisch die konjugierte Welle. Wenn eine Quantenwelle eine wirkliche Welle repräsentiere, sei auch die konjugierte Welle eine wirkliche physikalische Welle, aber mit umgekehrten Zeitverlauf. Gemäss dem Physiker John Cramer könne man sich vorstellen, dass jede Beobachtung und bewusste Handlung des Menschen sowohl in die Zukunft als auch in die Vergangenheit eine Welle schicke. Sowohl der Beginn als auch das Ende der Welle scheine im menschlichen Geist zu sein. Daraus folge, dass die Vergangenheit, die Zukunft und die Gegenwart Seite an Seite miteinander existieren würden. Information könne in beide Richtungen fliessen. Information, die aus der Zukunft komme, beeinflusse die Gegenwart ebenso wie die Gegenwart, die von der Vergangenheit informiert werde. Die Zeit sei dabei in Wolfs Theorie in widerspruchsfreier Weise mit parallelen Universen verbunden. Ein Experiment von den drei Physikern Carroll Alley, Oleg Jakubowiez und Wiliam Wickers von der Universität von Maryland in College Park mit einem Photon habe 1985 gezeigt, dass eine Zeitrückreise möglich gewesen sei und die Wirkung vor der Ursache eingetreten sei.

Verallgemeinernd gedacht würden sich alle Atome in unseren Gehirnen und im Nervensystem in Übereinstimmung mit den Quantenregeln verhalten. Die beiden Quantenwellen, die sich von einem Anfangspunkt Alpha und von einem Punkt Omega in der Zukunft ausbreiten, würden manchmal zufällig zusammenfallen. Sie seien in Phase und dort würden Ereignisse auftreten. Dies würde auf das menschliche Bewusstsein mit seinem Verstand und Ordnung treffen. Bewusstsein trete dort auf, wo eine Ansammlung von gleichzeitig vorhandenen Quantenwellen in Resonanz sei. Die Vergangenheit könne so nicht allein die Gegenwart definieren. Die Wirklichkeit bestehe aus einem gigantischen Superraum, dem mathematischen Raum aller Möglichkeiten, dem Geist Gottes. In diesem Raum ströme etwas, was Geist genannt werde. Aus Sicht von F. A. Wolf könne es das Sein ohne diese höhere Form der Quantenwirklichkeit nicht geben. Der Mensch könne mit seinem Bewusstsein Teilmengen der virtuellen Wirklichkeit ins Sein bringen. Auch Wolf kann sich ein holographischer Aufbau des Universums vorstellen. Ein menschliches Bewusstsein würde Hologramme erleuchten und dadurch Wahrscheinlichkeiten der Realität ermöglichen. Dazu müsse es einen bewussten Beobachter geben und das seien die Menschen.

Aus der Sicht von F.A. Wolf kann zusammenfassend gesagt werden, dass auch dieser Autor von einem Superraum als mathematische Struktur ausgeht, der die zugrundeliegende Wirklichkeit von Allem sei. Dort herrsche keine Kausalität, aber eine Widerspruchsfreiheit. Der Mensch könne mit seinem Bewusstsein und seiner bewussten Handlung eine Wahrscheinlichkeitswelle mit einer Welle, die der ersten ähnlich ist, eine neue konjugierte Welle aktivieren. Dadurch könne auch die Vergangenheit und die Zukunft im menschlichen Geist repräsentiert werden. Darüber hinaus könnten über holographische Strukturen im Bewusstsein und im Universum Teilmengen der virtuellen Wirklichkeit ins Sein gebracht werden.

Wir haben in diesem Abschnitt Aspekte der Quantenphysik, der Kosmologie und der In-Formation von einigen Autoren sicher verkürzt und vereinfacht dargestellt. Möglicherweise sind sie für das gesamte Fachgebiet nicht allein repräsentativ, was für einen physikalischen Laien auch gar nicht möglich ist. Es ging nur darum, einige Ideen bezüglich eines möglichen Zusammenhangs von Quantenphysik und Astrologie entstehen zu lassen. A. Goswami hat in seiner Arbeit beiläufig den altindischen

Philosophen Nagarjuna erwähnt. In der Wissenschaftsgeschichte ist es ein bekanntes Phänomen, dass Entdeckungen gemäss dem herrschenden Weltbild interpretiert worden sind. Es könnte deshalb interessieren, wie sich die Quantenphysik mit einer philosophischen Reflexion verträgt. Diese Arbeit hat C.T. Kohl geleistet.

Christian Thomas Kohl (2013) hat Wissenschaftsgeschichte mit Schwerpunkten Geschichte der Physik und Geschichte des frühen Buddhismus studiert. Sein Thema ist die Philosoph Nagarjunas und die metaphysischen Voraussetzungen der Quantenphysik. Ich fasse die Ausführungen von C. T. Kohl kurz zusammen. Nagarjuna war der bedeutenste Philosoph Indiens. Sein Denken strahlte in Schulen und Traditionen auch des tibetischen Buddhismus aus. Er lebte wahrscheinlich im 2. Jahrhundert. Über seine Person gibt es wenig gesicherte Erkenntnis. Die Echtheit vieler seiner Werke sei aber gesichert. Er gilt als Begründer der philosophischen Schule des mittleren Weges Madhyamaka. Nagarjuna möchte objektivistische und subjektivistische ebenso wie extreme metaphysische Denkkonzepte überwinden. Für Europäer sei schwer verständlich, dass er Begriffe einer für sich bestehenden Substanz ablehnt. Für Kohl sei aber genau diese Philosophie zum Verständnis der Quantenphysik sinnvoll. Logik setze immer eine Metaphysik voraus, wenn die Wirklichkeit beschrieben werden soll. Die Metaphysik der modernen Wissenschaft des Westens beruht nach Kohl auf vier extremen Ansätzen der Wirklichkeit.

Erstens werde im Substanzialismus in der europäischen Metaphysik eine unabhängige Substanz vorausgesetzt, die durch sich selbst existiere. In diesem Konzept seien Atome, Energie, Kraftfelder, Naturgesetze oder mathematische Symmetrien Daseinsgrund für alles andere.

Zweitens werde im Subjektivismus davon ausgegangen, dass das Bewusstsein als primäres Prinzip gegeben sei. Alles andere sei Inhalt, Form oder Schöpfung des Bewusstseins. Seit Descartes sei das Primat des Subjektivismus der Drehpunkt des Denkens geworden. Ein Ergebnis dieses Denkens habe zur Trennung von Philosophie und Naturwissenschaft geführt.

Drittens würden im Holismus zwei Komponenten oder Konzepte zu einem Ganzen fusioniert, verabsolutiert und mystifiziert. Es sei alles eins, wodurch eine Einheit unabhängig von ihren Teilen entstehe. Diese Philosophie, zum Beispiel von Parmenides oder Spinoza, hebe die Differenz von Denken und Sein, von Geist und Natur oder von Subjekt und Objekt auf.

Viertens bestehe im Instrumentalismus die Auffassung, die Existenz von Polaritäten wie Subjekt- respektive Objekt- Begriffe zurückzuweisen oder zu ignorieren. Anstatt das eine oder das andere Konzept zu bevorzugen, würden beide Konzepte zurückgewiesen. Fragen nach der Wirklichkeit scheinen belang- oder sinnlos. Konzepte würden nicht als realistische Wiedergabe von Strukturen der Wirklichkeit, sondern als Resultat menschlicher Interaktion mit der Natur zum Zweck erfolgreicher Intervention angesehen. So habe etwa der Physiker Niels Bor gesagt, dass die Natur immer eine geistige Konstruktion sei.

Kohl will nun die Hauptanliegen von Nagarjunas Philosophie auf die heutige Quantenphysik anwenden und misst deren Ergebnisse an diesen vier metaphysischen Grundlagen. Um das Ergebnis vorweg zu nehmen: Die extremen metaphysischen Denkansätze seien laut Kohl eine Flucht vor der Wirklichkeit und er kommt zum Schluss, dass diese extremen Ansätze nicht gehalten werden könnten. Argumente dazu würden Erkenntnisse der Quantenphysik liefern.

Die Ansicht, wonach Objekten oder Gegebenheiten ein substanzielles, unabhängiges oder ein dauerhaftes Sein zukomme, treffe in der Quantenphysik nicht zu. Eher zeige sich Wirklichkeit als Systeme mit ständig wechselwirkenden Komponenten. Kohl sieht in der Theorie der Quantenphysik aber Denkfiguren des wissenschaftlichen Reduktionismus. Mikrophysikalische Prozesse würden nach wie vor mit den oben erwähnten metaphysischen Erklärungen interpretiert. Die Erwartung der Quantenphysiker sei anfangs noch durch die Modelle der klassischen Mechanik geprägt gewesen. Niels Bohr habe dann herausgefunden, dass es eine Wechselwirkung der Objekte gegeben habe, was als ein untrennbarer Bestandteil der Objekte selbst aufzufassen sei. Ebenfalls habe sich herausgestellt, dass das Quantenobjekt nicht vom Messgerät getrennt werden könne. Bohr habe laut Kohl aber daraus nicht die Schlussfolgerung gezogen, dass es gar kein für sich isoliertes Quantenobjekte gebe.

Der quantenphysikalische Wirklichkeitsbegriff von Niels Bohr und anderen Physikern könne durch drei Schlüsselbegriffe dargestellt werden, nämlich der Wechselwirkung, der Komplementarität und der Verschränkung. Folgende Beschreibungen würden zutreffen: Die Wechselwirkung ist ein Bestandteil der Quantenobjekte und dient dem Energieaustausch zwischen zwei oder mehreren Objekten. Die Bestandteile von Quantenobjekte existieren nicht unabhängig voneinander und sind durch Wechselwirkung mit dem Messgerät gekennzeichnet. Die Bestandteile für sich sind weder identisch noch fallen sie, in der Sprache Kohls, auseinander, sie haben miteinander zu tun. Den Komponenten für sich allein kann kein eigener Zustand zugeschrieben werden. Der Physiker Erwin Schrödinger hat für solche Korrelationen den Begriff der Verschränkung formuliert. Wechselwirkung bleibe laut Kohl nun metaphysisch rätselhaft, wenn man erwarte, dass sie mit den vier angeführten metaphysischen Punkten des Reduktionismus, des Subjektivismus, des Holismus oder des Instrumentalismus kompatibel sein soll. Die Verschränkung kann laut Kohl auch bildlich veranschaulicht werden. Zwei Quantenobjekte würden sich verschränkt so verhalten wie zwei Würfel, die gleichzeitig gewürfelt werden und deren Summe immer zum Beispiel 7 ergeben. Ist auf einem Würfel eine 6, muss auf dem andern Würfel eine 1 stehen. Ist die erste Zahl 3, muss die zweite eine 4 sein.

Der wissenschaftliche Reduktionismus sei beispielsweise vom Physiker Richard P. Feynmann vertreten worden. Er habe die Auffassung vertreten, dass sich sämtliche gewöhnliche Erscheinungen durch Wirkung und Bewegung von Teilchen erklären. Ein anderer Physiker, Carl Friedrich von Weizäcker, habe seine mathematische Metaphysik folgendermassen formuliert: Wenn man frägt, warum gelten mathematische Gesetze in der Natur, dann sei die Antwort, weil diese ihr Wesen seien, weil die Mathematik das Wesen der Natur zum Ausdruck bringe.

Bei der Interpretation durch den Subjektivismus sei die Wirklichkeit nicht mehr in der Aussenwelt zu finden, sondern im menschlichen Bewusstsein, in der Wahrnehmung, in der Beobachtung oder Messung. Den Quantenobjekten werde jede Existenz abgesprochen. So sage der Physiker Paul C. W. Davis, dass die elementaren Partikel nicht existierten.

Eine instrumentalistische Interpretation sei von Kritikern der Sichtweise von Niels Bohr zugeschrieben worden. Dieser habe gemeint, es würde keine Quantenwelt geben, sondern nur eine abstrakte quantenmechanische Beschreibung.

Ein holistischer Ansatz sieht Kohl beim Quantenphysiker David Bohm, der von einer ungeteilten Ganzheit rede, die vom „Holomovement" als ganzheitliche Bewegung getragen werde. Im Allgemeinen würden alle Formen des „Holomovement" miteinander verschmelzen und seien unteilbar.

Im Gegensatz dazu meint C. T. Kohl, dass Atommodelle und Naturgesetze Abstraktionen sind. Sie seien eine verdünnte, abgeleitete Wirklichkeit, aber keine höhere oder eigentliche Wirklichkeit. Auch lasse sich die Wirklichkeit nicht auf Informationen reduzieren.

Worin besteht der Unterschied zwischen dem quantenphysikalischen Modell und jenem von Nagarjuna? Das Modell von Nagarjuna beziehe sich auf die makrophysikalische Welt. Es kennt keine Bindekräfte zwischen mindestens zwei oder mehreren Gegebenheiten. Der Fokus richte sich auf den Umwandlungsprozess in einem Geschehen. Die Quantenphysik fokussiere die mikrophysikalische Welt und kennt Bindungskräfte zwischen zwei Komponenten, deren Felder sich überlagern. In der Quantenphysik würden grundlegende Komponenten genannt, seien es Elementarteilchen, Quarks, Strings, Kraftfelder, mathematische Naturgesetzte oder Symmetrien, Denkmodelle oder Information. Keine dieser Komponenten sei unabhängig. Hier sei die fundamentale Wirklichkeit ein Prozess von innerhalb abhängiger Systeme. Alle Elemente wechselwirken mit andern Komponenten. Damit kann gezeigt werden, dass der substanzielle, der subjektivistische, der holistische und der instrumentalistische Ansatz nicht den Kern der Sache trifft. Auch das Informationsmodell mit seinem Wirklichkeitsbegriff sei so nicht haltbar. Die Wirklichkeit lasse sich nicht auf Informationen reduzieren.

Beim Ansatz Nagarjunas zur Beschreibung der Welt geht es um mindestens zwei Komponenten, die voneinander abhängig sind. Bei den grundlegenden zwei Komponentensystemen sind die einzelnen Komponenten für sich allein nicht existenzfähig. Sie haben kein eigenes Sein, keine unabhängige Objektivität oder Subjektivität. Sie entstehen nur in der Dualität in komplexen Zusammenhängen wie beispielsweise im Ding und seine Bedingung, in Ursache und seine Wirkung oder im Gehirn und Bewusstsein. Auch bezüglich des Gehirns lasse sich ein biologisches zwei Komponentensystem formulieren, dessen Komponenten nicht selbstständig funktionieren würden. Die eine Komponente übernehme eine Teilfunktion und müsse durch eine andere Komponente ergänzt werden. Der eine Bestandteil könne nicht auf den andern Bestandteil reduziert werden. Die Bestandteile seien nicht identisch, aber sie würden auch nicht auseinanderfallen. Sie würden auch keine strukturlose Einheit darstellen. Wirklichkeit bestehe als System von ständig wechselwirkenden Komponenten.

Modelle seien gemäss C. T. Kohl keine Abbilder der physikalischen Aussenwelt, sondern Erfindungen des menschlichen Geistes. Beim Denken würden Denkmodelle wirken und nicht Gegebenheiten. Es gebe daher nicht eine einzige Wirklichkeit, sondern verschiedene Formen. Wirklichkeit sei nichts Eigenständiges und Festes, sondern sie bestehe aus Systemen abhängiger Bestandteile.

Will man die Beiträge obiger Wissenschaftler mit diesen Überlegungen konfrontieren, müsste man prüfen, ob dies wirklich angemessen ist. Wenn ja, wäre zu überlegen, ob die verwendeten Begriffe der Quantenphysik wie absolutes Vakuum, metaphysischer Raum, Archetyp, virtuelle Energie, Wahrscheinlichkeitswelle, Wissen, Information, oder virtuelle Wirklichkeit im Sinne der metaphysischen Voraussetzungen wie der für sich bestehenden Substanz, der Subjektivität, des Holismus oder des Instrumentalismus verstanden sind. Wenn beispielsweise von einem metaphysischen Raum gesprochen wird, wo alle Information in Form von Wellenfunktionen enthalten sein könnte, bietet allein dieser Satz viele Ansätze zur Überlegungen. Gibt es einen solchen Raum für sich alleine bestehend? Sind Informationen nicht schon diejenigen, die wir aus unserer Welt kennen und die wir als Möglichkeiten in diesen Raum projizieren. Gibt es „alle Information" als Begriff einer feststehenden Menge? Gibt es Wellenfunktionen in einem metaphysischen Raum oder ist es der Wissenschaftler, der solche mathematische Funktionen erfand? Trotz allem scheint für unser Anliegen der Begriff der Information zentral zu sein.

Aus den alten vedischen Schriften berichtet dazu Shri Balaji També (2014), der aus seiner indischen Philosophie einen Beitrag zu Fragen des Energiefelds und der Quantenmedizin formuliert. Er ist unter anderem Ayurveda-Arzt, Künstler, Kosmologe, Astrologe, gründete Ayurveda Kurzentren in Indien, Deutschland und der Schweiz und hat ein tiefes Verständnis der alten Schriften Indiens. In diesen Veden seien alle Informationen um das gesamte Universum gesammelt. Es gebe ein Höchstes Bewusstsein, das die gesamte Information der Welt enthalte und das sei in allen Menschen vorhanden. Zudem enthalte jeder Teil des Universums alle Informationen über das gesamte Universum. Das Höchste Bewusstsein manifestiere sich in unserer Welt und zeige den weisen Rishis und Meditierenden ihre Informationen. Diese Erkenntnisse seien in den Veden gesammelt worden.

Die Erkenntnisse von Balaji També würden ebenfalls dieser Erfahrung entstammen. Ihm sei in jungen Jahren ein kleiner Lichtpunkt erschienen, der immer grösser und heller geworden sei. Daraus sei ein Kopf eines spirituellen Meisters erschienen, der ihn unterrichtet habe. Der Autor sei dabei selber zu diesem Licht geworden. Auch später habe Balaji També viele ausserkörperliche Erfahrungen gehabt.

Laut den Veden gebe es viele Universen und in all diesen Universen gebe es verschiedene Ebenen. Jede Ebene sei ein Fraktal, eine Spiegelung des Originals. Der menschliche Körper sei ein Miniaturuniversum. Der Mensch sei das sichtbar gewordene Fraktal der Welt und reflektiere, was das gesamte Universum abbilde. Die Energie des Lebens komme als äussere Kraft mit dem Allerhöchsten Bewusstsein im Körper des Menschen zusammen. Beides bilde ein Programm für das gesamte Universum ab. Die in den Veden erwähnten Götter seien Wesen, die im Kosmos ebenso wie in den Naturkräften existieren und sich als Fraktale im menschlichen Körper finden. Götter würden die verschiedenen Energiezentren im Gehirn repräsentieren. Diese Zentren wie Thalamus oder Hypothalamus seien Fraktale der Götter im Universum und vom höchsten Bewusstsein. Die Energiezentren, die diese Funktion ausführen, seien die Götter. Die Funktionen des sichtbaren Universums und die des Menschen würden auf denselben Prinzipien basieren. Der Mensch unterstehe denselben Gesetzen wie das äussere Universum. Sogar die strukturellen Bausteine des Universums würden denen des menschlichen Körpers entsprechen. Wenn man zum Beispiel als Arzt am menschlichen Nervensystem arbeite, dann schwinge man sich auf dessen kosmischen Aspekt ein, von dem das Nervensystem ein Fraktal sei. Die gesamte Welt sei aus dem Höchsten Bewusstsein entstanden. Das bedeute, dass alle Menschen miteinander verbunden seien und sie alle Zugang zu denselben Informationen hätten. Balaji També kommt zum Schluss, dass die Veden nichts anderes seien als die Darstellung des biologischen Universums innerhalb des Körpers. Zusammengefasst kann gesagt werden, dass der Mensch das sichtbar gewordene Fraktal der Welt ist und das Universum reflektiert.

Setzt man diesen Satz neben jenem des Physikers D. Lüst (2014), fällt die Analogie auf. Im Vakuum sei der gesamte Raum mit virtuellen Elektronen und Photonen ausgefüllt. Raum und Zeit sei ständigen Quantenfluktuationen ausgesetzt. Dieser Schaum mit winzigen Raum-Zeit Blasen würde ständig aus dem Nichts entstehen und wieder verschwindet. Dieser Schaum besitze sogar fraktale, das heisst nicht ganzzahlige Dimensionen. Ähnliche Gedanken formuliert der niederländische Nobelpreisträger Gerard`t Hooft. Er vermutet, dass das ganze Universum auf einem holographischen Prinzip beruhen könnte.

Wenn ein Mensch mit ungewöhnlichen Ideen konfrontiert wird, spielen nicht nur rationale Überlegungen zur Akzeptanz dieser Ideen eine Rolle. Oft versetzt sich der Mensch in eine Abwehrhaltung, wenn seine Weltanschauung und eigene Erfahrungen in Frage gestellt werden. Dies geschieht weniger, wenn eigene ungewöhnliche Erfahrungen den Zugang zu einer ungewöhnlichen Weltanschauung öffnen.

Eine eigene Erfahrung persönlicher Art zum nicht lokalen Bewusstsein betraf meinem Cousin. In jungen Jahren nahm er mit seiner Fussballmannschaft an einer Reise nach Rom teil. Dort wusste er plötzlich intuitiv, dass sein Vater gestorben war. Aus dieser Gewissheit rief er seine Mutter nicht an, sondern machte sich sofort auf den Weg nach Hause. Dort angekommen, sah er im Hauseingang einen Kranz für das Grab.

Es gibt wahrscheinlich nicht wenige Menschen, die einer vertrauten Person telefonieren wollten und die andere Person das gleiche vorhatte.

Irritiert und dann verblüfft war ich selber, als ich in den 80er Jahren an einem Seminar mit dem Psychiater Milan Ryzel teilnahm. Er zeigte der Gruppe eine Serie von Bildern, die in einem Umschlag nicht einsehbar präsentiert wurden. Es ging darum, die unsichtbaren Bilder nachzuzeichnen. Bei der Konzentration auf die Bilder, lief eine schnelle Serie von möglichen Lösungen vor dem geistigen Auge ab. Bei einem Bild ergab sich ein minimaler Unterschied in der Qualität, ohne dass dies genauer zu beschreiben war. Ich sah eine Sonnenblume, allerdings war ihr Stiel völlig gebogen, sodass ich dem Bild nicht traute. Es schien unnatürlich. Trotzdem zeichnete ich genau diese Bild. Die Lösung war allerdings ein Tischglobus. Das Bild zeigte einen runden Kreis, den ich als Sonnenblume interpretierte. Die gebogene Metallstange war ungefähr so gebogen wie der Stiel der Blume. Das Ergebnis folgt dem Muster bei aussersinnlichen Erfahrungen, dass nicht immer ein Sachverhalt präzise erfasst wird, dass aber ein zugrunde liegendes Muster erkennbar ist. Die Ergebnisse in dieser Seminargruppe waren im Gesamten nicht mit dem üblich genannten Zufall zu erklären.

Ein anderes Erlebnis eines nicht-lokalen Bewusstseins war eindrücklich Ein Freund schenkte mir zu meinem Geburtstag eine Sitzung bei einem Mann, der als Medium zwischen der realen und der geistigen Welt bekannt war. Der Freund war schon bei ihm gewesen und wurde von dessen Fähigkeit überzeugt. Ebenso hörte ich von Bekannten, die das gleich einschätzten. Der Mann wirkte bei unserer Begegnung seriös, rational, bodenständig und sympathisch. Obgleich er keine Informationen über Grund der Konsultation oder irgendwelche Angaben über die persönliche Situation verlangte, beschrieb er anschliessend während einer knappen Stunde die reale Lebenssituation erstaunlich präzise und realistisch. Die Angaben gingen weit über zufällige allgemeine Banalitäten hinaus. Der mediale Mann gab an, mit meiner Grossmutter in Kontakt zu stehen, die vor fast 5o Jahren gestorben war. Unter anderem ermunterte er mich, mein neues Projekt anzugehen, das einen guten Verlauf nehmen werde. Ich war damals gerade dabei, meine psychologische Praxis zu erweitern und begann, aus meinen gesammelten Unterlagen ein Manuskript für dieses Buch zu verfassen. Es gab nur einen Punkt, wo ich dem Medium widersprechen musste. Der Mann erfuhr von der Grossmutter, dass sie fünf Kinder gehabt habe. Ich wusste allerdings nur von drei. Bei einer Intervention bei der Grossmutter beharrte sie aber auf fünf Kinder. Nach der Konsultation erfuhr ich allerdings über die amtliche Bescheinigung, dass zwei Kinder kurz nach der Geburt gestorben waren. Die Grossmutter hatte uns Kindern nie davon etwas erzählt. Allerdings hörte ich von ihr zu Lebzeiten eine andere Geschichte.

Eines Tages ging sie mit ihrer erwachsenen Tochter, die in ihrer Nähe wohnte, mit einem Wäschekorb voll frisch gewaschenen Sachen auf den Estrich, um die Wäsche aufzuhängen. Drei Tage zuvor sei eine Nachbarin der Grossmutter gestorben. Plötzlich hätte man diese Nachbarin gehört, wie sie Namen der Grossmutter gerufen habe. Der Schreck beider Frauen war so gross, sodass sie die Geschichte ihrem Pfarrer erzählt haben. Dieser gab zur Antwort, dass er schon oft solche Geschichten gehört habe. Einen Tag später erzählte die Grossmutter ihr Erlebnis einer Nachbarin auf der andern Strassenseite. Sie staunte nicht schlecht, als diese Frau angab, denselben Ruf gehört zu haben.

Ein Erlebnis eigener Art, ebenfalls verbunden mit akustischem Empfinden, teilte ich mit zwei Verwandten an einem Weihnachtstag vor vielen Jahren. Wir sassen im Wohnzimmer, als jemand im oberen Stock über uns von einem Ende des Zimmers zum anderen Ende ging. Durch den Holzboden waren eindeutige Schritte zu hören, obwohl wir wussten, dass niemand oben sein konnte. Auch hier war der Schrecken spürbar. Die besten Nerven bewies mein Bruder, der nach einer kurzen Zeit nach oben ging, aber nichts feststellte. Ein anderer Teil unserer Gäste hielten sich in der nebenan liegenden Küche auf. Sie hatten nichts gehört und wollten uns weismachen, wir hätten nur das Knarren des Holzbodens falsch interpretiert. Allerdings kannten wir die knarrenden Geräusche des Holzbodens bei Sturm oder Temperaturschwankungen. Wir bleiben bis zu heutigen Tag der Meinung, dass das nichts mit den Schritten zu tun gehabt habe.

Andere persönliche Erlebnisse, die mit den herkömmlichen Erklärungskonzepten nicht vereinbar sind, betreffen Synchronizitäten. Ich habe einige davon erlebt und sie lösten Erstaunen aus. Ein Beispiel hat mich besonders erstaunt. Es gab eine Zeit, als ich einige Bücher eines indischen

Gurus las, der in Südindien lebte. Ich kannte einige Leute, die von ihm sprachen. Eine Kollegin brachte mir von einem Besuch bei ihm eine Kerze mit. Andere hatten Zweifel an seiner Integrität, weil im Internet beunruhigende Vorwürfe auftauchten. Ich hatte damals eine diesbezügliche Anfrage an das entsprechende Center und den Buchverlag gerichtet, aber keine befriedigende Antwort erhalten. Als ich in jener Zeit meine Ferien in Ligurien verbrachte, war in einem Schaufenster eines Kleidergeschäfts eine Fotografie des Gurus ausgestellt. Ich weiss nicht mehr, ob vor oder nach diesen Ferien, kam ich eines Tages von der Arbeit nach Hause. Wie gewohnt, leerte ich den Briefkasten und blickte direkt auf ein Foto dieses Gurus. Der erste Gedanke war verwirrend, wie war das möglich? Ich hatte nur sehr wenigen Kollegen erzählt, dass ich mich mit den entsprechenden Büchern befasst hatte. Das Bild war eine Postkarte aus Südindien aus dem Ashram des Gurus. Eine mir unbekannte Kollegin meiner Frau hatte eine Reise nach Indien unternommen, bereiste auch den Süden und kam mehr oder weniger zufällig zum Ashram und schichte eine Karte, was sie weder vorher noch nachher je getan hat.

Nachdem ich diesen Abschnitt geschrieben hatte, ging ich am Abend nach Hause und hatte dort den flüchtigen Gedanken, ob es sinnvoll wäre, den Begriff der Synchronizität noch besser zu erklären. Ich liess die Frage im Moment offen. Zu späterer Stunde nahm ich das Buch von Stanislav Grof zur Hand, um ein paar Seiten über die Abenteuer der Bewusstseinserfahrung zu lesen. Am vorherigen Tag hatte ich ein Kapitel begonnen zu lesen und wollte dies jetzt beenden. Wohl schon etwas müde, wollte ich das Buch wieder zur Seite legen. Aus Neugierde über das nächste Kapitel, blätterte ich schnell um. Mein Blick fiel auf den Titel des neuen Kapitels. Er hiess: Kanal sein für den Avatar, Meine Mutter, Sai Baba und das holotrope Atmen Ich hatte mit Sicherheit diese Überschrift im Inhaltsverzeichnis nicht gesehen. Sai Baba war in der Tat genau der Guru, von dem ich nachmittags geschrieben hatte und von dem Grof hier schrieb. Er ist mir genau an diesem Tag „zufällig" wieder begegnet, als ich das Thema Synchronizität thematisiert habe. Die Frage, ob ich den Begriff noch besser erklären soll, hat sich mit diesem Beispiel erledigt.

Grof schrieb in diesem Kapitel, dass seine Mutter ihn in Kalifornien besucht habe. Sie sei dort in Kontakt mit einer Pflanze gekommen, die Gifteiche heisst. Es sei zu zahlreichen Allergien, starken Hausausschlägen und Pusteln gekommen. In körperlich kritischen Zustand habe sie Kortison bekommen und eine Visionen von einem indischen Heiligen namens Sai Baba entwickelt. Dieser habe in ihren Körper gegriffen und eine Wunderheilung vollbracht. In Indien galt der Guru als Inkarnation von Sai Baba aus Shirdi in Marashtra, der für seine Wundertaten bekannt gewesen sei. Die Mutter von Grof habe das Wissen über den Guru von Al Drucker bekommen, der zu jener Zeit in Esalem gearbeitet habe und später Sai Baba in Indien besucht hat. Grof habe 1980 anlässlich einer Indienreise ebenfalls den Guru in seinem Ashram besucht und miterlebt, wie er auf wundersame Art und Weise Süssigkeiten und heilige Asche produziert habe.

Zum Schluss bleibt die Frage offen, ob Astrologie etwas mit Quantenphysik zu tun haben könnte. Folgt man der Logik der Autoren dieses Kapitels und will man daraus mögliche falsche Schlussfolgerungen vermeiden, entsteht mindestens eine Idee. Immerhin sind die vorgängigen Beiträge von Wissenschaftlern und scharfsinnigen Philosophen formuliert worden, die eine fachliche Autorität beanspruchen können. Es ist bemerkenswert, dass diese Überlegungen nicht von Astrologen formuliert wurden, um ihre Theorie möglichst gut erklären zu können. Werden die Ausführungen der angeführten Autoren nebeneinander gesetzt, ergibt sich eine gewisse Konsistenz der Anschauung.

Ein nicht-lokales Bewusstsein scheint es zu geben und aufgrund persönlicher Erfahrung glaube ich daran. Neben unserer Welt wird ein möglicher Bereich eines metaphysischen Raumes erwähnt, der ein Bereich in Potentia oder anders gesagt ein Plenum sein könnte. In philosophischen Worten der Philosophie ist es die buddhistische Leere, in physikalischen Worten das Vakuum. In diesem Bereich könnten die platonischen Archetypen beheimatet sein. Das nicht-lokale menschliche Bewusstsein ist mit diesem metaphysischen Raum verschränkt, genauso wie mit der Welt. Der Bereich des Vakuums oder des 0-Punkt Feldes ist ein Phänomen, das in quantenphysikalischer Sicht mit der Formulierung von virtuellen

Wahrscheinlichkeitswellen kompatibel ist. Aus einer Vielzahl von theoretischen Wahrscheinlichkeiten kann über die Beobachtung eines menschlichen Bewusstseins bei einem Experiment ein reales Faktum entstehen. Das in-formierte Universum steht in einem Austausch mit dem 0-Punkt-, respektive mit dem Akasha Feld und dem Bewusstsein. Information über alle Möglichkeiten eines Universums könnte vor dem Big Bang codiert vorgelegen haben. Der Superraum funktioniere ohne das Prinzip der Kausalität. Vergangenheit und Zukunft könnten im menschlichen Geist repräsentiert sein. Der Mensch versammle als fraktaler Teil des Kosmos auf nicht-lokale Weise Wissen in sich und könne mehr davon unter gewissen Umständen in aussergewöhnlichen Bewusstseinszuständen oder in Nah-Todeserfahrung abrufen. In-formation werde konjugiert verarbeitet. In der Konjunktion würden wesensähnliche holographische Muster verarbeitet. Die konjugierten Hologramme seien der Schlüssel für bestimmte Informationen. Das Akasha Feld sei holographisch mit dem Bewusstsein und dem Kosmos korreliert.

Werden diese Gedankengänge mit jenen im Kapitel zum Menschenbild verglichen, findet sich eine abermalige Konsistenz. In Anlehnung an S. Grof zeigt sich der Mensch als zugehörig zum Kosmos. Die Realität unserer Welt ist nur eine Weise des Seins. In holotropen Bewusstseinszuständen hat der Mensch beispielsweise eine andere Empfindung von Zeit und Raum und kann ein grosses Wissen erwerben, das er allerdings wieder verliert, weil er davon überfordert wäre. Der Mensch erfährt, dass er mehr ist als sein Körper und er ein Teil des grossen Ganzen ist. Sein Wesen wurde als Sat, ein Sein, Chit, ein Bewusstsein und Ananda, ein Seligsein beschrieben. In der buddhistischen Philosophie ist Athman als menschliches Sein ein Aufgehen in Braham, dem göttlichen Sein. In der Sprache der Physik gibt es dazu die Analogie des Vakuum, das leer scheint, das aber alles enthält. Durch das menschliche Bewusstsein wird es möglich, dass virtuellen Möglichkeiten in Form von Wahrscheinlichkeitswellen sich wandeln und als Realität erscheinen.

Eine Idee zur möglichen Funktionsweise der Astrologie ist nun nicht mehr weit. Auf dem Hintergrund der angeführten Gedanken braucht es nur noch einen kleinen Schritt, um einen möglichen Bezug zur Astrologie zu finden. Die ursprüngliche Frage war, was hat ein Horoskop mit dem Mensch zu tun? Das Geburtshoroskop ist eine Information über den augenblicklichen Zustand unseres Sonnensystems. Es ist dazu synchron. Zugleich sind möglicherweise archetypische Kräfte wirksam, welche die realen Planeten strukturieren und die Kräfte im Horoskop ebenfalls in Raum und Zeit aktivieren. Allerdings haben wir den Begriff der archetypischen Kraft als vorläufigen Begriff definiert. Dass Archetypen erscheinen, ist augenscheinlich. Wie sie erscheinen können, ist hier die Frage. In Anlehnung an die Überlegungen unserer Autoren könnte Information holografisch konjugiert sein sowohl mit dem Vakuum oder dem Akasha-Feld als auch mit dem Horoskop und der Stellung der Planeten im Sonnensystem. Das Horoskop könnte damit als Schlüssel wirken, dass aus dem Akasha- Feld entsprechende Informationen zum sich entwickelten Menschen gelangen. Da nur wesensähnliche Informationen konjugiert verarbeitet werden, könnten über die Archetypen entsprechend ihrer Bandbreite diese Ähnlichkeiten ausgelesen werden. Archetypische Information wird aber nicht kausal in Raum und Zeit verwirklicht. Der Mensch als Athman ist zugleich Teil des Braham, des allumfassenden Wissens und mit seinem Bewusstsein nichtlokal damit verbunden. Der Mensch sei ein Fraktal des Universums. Wie A. Goswami ausgeführt hat, kann nur der Mensch den Sinn des Lebens finden, weil er das Zentrum seiner Welt ist. Aus diesem Grund macht es Sinn, dass das Horoskop geozentrisch und nicht heliozentrisch berechnet wird. So gesehen, ist dies nicht unwissenschaftlich, wie dies beim Aufkommen des heliozentrischen Weltbildes angenommen wurde.

Das persönliche Horoskop könnte ein holographischer Schlüssel, mit dem Informationen aus dem allumfassenden Bewusstsein ausgeblendet werden. Stattdessen werden virtuelle Möglichkeiten aus dem metaphysischen Raum entsprechend der archetypischen Struktur des Menschen in seine Existenz hereingelassen. Je nach dem Bewusstseinsstand des Menschen werden diese Möglichkeiten Realität in Zeit und Raum. Archetypische Wahrscheinlichkeiten werden nicht kausal verwirklicht, sondern werden gemäss der Wesensgleichheit der Archetypen real. Das Bewusstsein des Menschen wirkt nicht so, dass jede virtuelle Wahrscheinlichkeitswelle des Vakuums gebrochen wird. Das Bewusstsein hat keine fixe Grösse in Raum und Zeit. Es gleicht eher einem flackernden Licht, in dessen Helligkeit je nach Offenheit und Lebensumständen des Menschen das eine oder andere Phänomen erscheinen kann. Das Horoskop ist einer Brille ähnlich. Aspekte der Welt können mit ihr entweder scharf gesehen oder ausgeblendet werden.

Diese Idee zur Astrologie kann auf diesem Abstraktionsniveau mehr oder weniger widerspruchsfrei zu den angeführten Theorien formuliert werden. Wie der ganze Prozess im Detail verlaufen könnte, bleibt ziemlich offen. Klar ist, dass in Wirklichkeit alles viel komplizierter sein dürfte. Es mag zum Beispiel nicht sehr elegant sein, Sachverhalte mit einem metaphysischen Raum erklären zu wollen, weil dadurch die Erklärung nur einen Schritt nach hinten geschoben wird. Andererseits scheint es nicht sehr ermutigend, dass es in einem metaphysischen Raum nur mathematischen Strukturen geben könnte. Ein Plenum könnte anders aussehen. Auch hier gilt die Frage, was ist wirklich und was wurde aufgrund einer vorbestehenden Metaposition davon reduziert. Auch gibt es Physiker, die den vorgestellten Konzepten nicht zustimmen. Leo Smolin (2015) ist ein Professor für theoretische Physik in Kanada. Er meint, dass die Wirklichkeit nur aus dem besteht, was zu jedem Zeitpunkt wirklich ist. Beispielsweise seien die Argumente für eine vorbestimmte Zukunft naturwissenschaftlich falsch, ebenso die Argumente für ein Multiversum. Wenn er seinen Freund Jim Brown zum Mittagessen einlade, dieser eine Dosis Platonismus verbreite und von der Existenz eines zeitlosen Reiches mathematischer Objekte erzähle, habe Smolin keine Möglichkeit gefunden, den Glauben seines Freundes in Frage zu stellen.

So oder so bleibt eine Idee, dass Astrologie von einem wissenschaftlichen und philosophischen Standpunkt aus nicht zum Vornhinein unmöglich sein könnte. Astrologie ist ein Phänomen der Synchronizität und verbindet den Menschen mit seiner Existenz, die weit mehr über seinen Körper und sein Alltagsbewusstsein hinausreicht. Das Horoskop ist ein Kompass für das Leben und zeigt Wege auf, wann und wohin die Reise gehen könnte.

Therapie und Quantenphysik

Während es möglich scheint, dass Quantenprozesse das Bewusstsein von Menschen miteinander verschränkt und so Heilungsprozesse unterstützt werden können, gibt es eine Reihe von Autoren, die einen Schritt weitergehen und behaupten, dass das Bewusstsein auch auf materielle Strukturen einwirken könne. Ich habe damit keine Erfahrungen und kann diese Behauptungen nicht beurteilen. Oft wird gesagt, dass diese geschilderten Fähigkeiten nach spontan aufgetretenen veränderten Bewusstseinszuständen in Erscheinung treten. Matrix wird bei einigen Autoren verwendet als Synonym für das 0-Punktfeld.

Richard Bartlett (2010) ist ein amerikanischer Naturheilpraktiker und Chiropraktiker. Er berichtet von persönlichen veränderten Bewusstseinszuständen und ihren Einwirkungen auf materielle Strukturen. Bartlett beruft sich auf die Energie des 0-Punktfeldes und auf das morphogenetische Feld, das von Rupert Sheldrake beschrieben wurde. Bartlett entwickelte die Zwei-Punkt-Methode, die er Matrix Energetics nennt. Zwei Punkte des Klienten werden dabei berührt und der Therapeut fokussiert in seinem Bewusstsein eine verbesserte Verfassung betreffend dem Zustand des Patienten. Der Therapeut interagiere innerhalb komplexer Muster und holographischer Repräsentationen von Energie, die vom heilenden Bewusstsein geordnet würden. Verschiedene körperliche Beschwerden würden sich damit bessern.

Ähnliche Erfahrungen berichtet Frank Kinslow (2010), ein Chiropraktiker aus Florida. Er verwendet ebenfalls die zwei Punkt Methode und nennt sie Quantum-Entrainment. Auch er berichtet von einem veränderten Bewusstseinszustand, der nach jahrelanger Meditation aufgetreten sei. Bei einer Anwendung fliesse aus dem reinen Bewusstsein Energie und Ordnung, die eine Heilung oder Besserung möglich mache. Ein Wohlgefühl fliesse ebenfalls aus dem Bewusstsein, das man anschliessend mit den zwei Berührungspunkten triangulieren könne. Der Klient oder Therapeut müsse bei der Behandlung nichts weiter selber machen, ausser eine Absicht betreffend dem gewünschten verbesserten Gesundheitszustand zu formulieren. Dabei müsse der Therapeut präsent und präzise sein und die Erkrankung soll bereits als geheilt betrachtet werden. Das Verfahren sei wissenschaftlich reproduzierbar. Kinslow geht aber nicht weiter darauf ein.

William F. Bengston (2011) ist ein Professor für Soziologie in New York. Zusammen mit Silvia Fraser hat er ein Buch über die Bengstone Energy Healing Method herausgegeben. Bengston wurde erstmals in jungen Jahren im Schwimmbad von seinem Kollegen Ben darauf aufmerksam gemacht, dass Realität auch anders sein kann. Ben hatte die Fähigkeit, Wolken am Himmel verschwinden zu lassen. Bei der Anwendung taucht der Anwender mit seinem Bewusstsein ins Nichts ein, frei von jeder Intension. Die Wirksamkeit dieser Methode ist in 10 kontrollierten Laborversuchen wissenschaftlich betätigt worden. Sie sei auch bei schweren Erkrankungen wie, Diabetes Parkinson oder Arthritis wirksam. Um das Ego vor der Behandlung auf den Prozess abzulenken, arbeitet Bengston mit einer Wunschliste, die der Patient phantasieren soll. In einem zweiten Schritt, dem Cycling, geht der Klient die Wunschliste immer schneller und schneller durch, um die neuronale Aktivität zu beschleunigen. In höheren Hirnwellenbereichen scheinen sich die Gehirnwellen zu harmonisieren Bengston ist der Überzeugung, dass ausserhalb des Menschen Kräfte wie Energie, Intelligenz, Information und Bewusstsein existieren. Er glaubt, dass das Bewusstsein das erschafft, was wir als Realität bezeichnen.

Karl Dawson und Sasha Allenby (2010) nennen ihre Methode Matrix Reimprinting. Es stellt eine Kombination von EFT, einem enegetischen Verfahren und Quantenheilung dar. Dazu sind Erkenntnisse der Neuen Biologie, der Epigenetik, Traumatheorie und Alternativmedizin eingeflossen. Auch K. Dawson berichtet von einem unerwarteten spirituellen Erlebnis, das während eines Urlaubs aufgetreten sei. Dabei habe er eine umfassende Verbindung mit dem Universum erfahren. Später hätten sich Synchronizitätserlebnisse ergeben und er habe EFT kennengelernt. Die Autoren gehen davon aus, dass tiefgehende Erfahrungen als Bilder in der

Matrix in Form von Energetischen Bewusstseinshologrammen oder im englischen Fachbegriff Energetic Consciousness, kurz ECHO, gespeichert werden In Anlehnung an Rupert Sheldrake sei anzunehmen, dass alle lebende Zellen, Gewebe, Organe und Organismen ihre eigenen morphogenetischen Felder hätten. Bei Traumata beispielsweise würde sich ein Teil beim Menschen abspalten und eine separate energetische Realität ausserhalb der Körper- Geist Einheit bilden. Wenn man sich auf die Energie im Feld einschwinge, nehmen man die Persönlichkeit und Energie des ECHOs an. Das ECHO werde in der Matrix gespeichert und enthalte alle Informationen über das Trauma, auch wenn das Ereignis im Bewusstsein gelöscht sei. Aus Sicht der Quantenphysik stehe eine unendliche Anzahl von möglicher Lösungen in Vergangenheit und Zukunft offen. Durch die Veränderung der Bilder in der Matrix könne die Energie des Traumas freigesetzt werden. Bei der Einführung von neue Ressourcen trete Neurogene trete dann auf, wenn neues Erleben und aufregende Erfahrungen von starken positiven Emotionen erfüllt seien. Es sei wichtig, bei einem neuen Ressourcenbild die Farben und die übrigen Sinne zu intensivieren. Dann werde das Bild im Herzen verankert und vom Herzen in die Matrix gesendet. Mit dieser Methode erreiche man auch Patienten, die dissoziieren und keine subjektive Belastung zeigen Wenn der Patient mit seinem Bild des Echo arbeite und es beklopfe, dann funktioniere die Methode noch besser, wenn der Klient dissoziiere. Das Matrix Reimprinting umfasst zwei Haupttechniken und eine grössere Zahl von Protokollen zur Bearbeitung von speziellen Problemen.

Rainer Franke und Ingrid Schlieske (2006) stellen die Meridian-Energie- Techniken (M.E.T.) vor. Die ersten Erfahrungen dazu hat der Psychotherapeut Roger J. Callahan bereits früher beschrieben und F.G. Gallo veröffentlichte 1999 diesbezügliche Erfahrungen. Die Methode beruht auf den Vorarbeiten, die Cary Craig Emotional Freedom Techniques (EFT) genannt hat. Er beschrieb eine Klopfsequenz auf bestimmte Punkten des menschlichen Meridiansystems für alle möglichen emotionalen Störungen. Ausgangspunkt ist die Meinung dass alle emotionalen Probleme eine Störung im Energiesystem des menschlichen Körpers zugrunde liegen. Rainer Franke ist ein Gestaltpsychotherapeut, der sich nicht damit abfinden wollte, dass seine Therapieerfolge in keinem Verhältnis zu Aufwand und Ertrag standen und sich Langzeittherapien oftmals auf 100 Stunden erstreckten. Im Mai 2001 lernte er die im Rahmen der beruflichen Fortbildung EFT kennen. Er veränderte und modifizierte die Methode und berichtet von Patienten, die damit schnell und dauerhaft von ihren Leiden befreit worden seien. Bei dieser Technik werden 14 bestimmte Meridianpunkte des menschlichen Körper sanft beklopft. Dadurch würden sich vorhandene Energieblockaden auflösen, die in der Vergangenheit durch verletzende Ereignisse aufgetreten sind. Das hochstrukturierte Behandlungsprotokoll umfasst begleitende Massnahmen unter anderem zur Problembestimmung, zur Problembewertung oder zum weiteren Vorgehen. Entscheidend ist bei dieser Therapie, dass die Lebensgeschichte oder beispielsweise ein Traume nicht wieder aufgerollt werden muss. Quantenheilung wird bei diesem Verfahren nicht erwähnt. Der Begriff der Energie in den Meridianbahnen ist in der westlichen Medizin umstritten, wird aber zum Beispiel in der Akupunktur verwendet. Ebenfalls wird EFT von Christian Reiland (2011) systematisch dargestellt.

Selber habe ich diese Methode in Kursen von Dipl. Psych. Gertrud Fahnenbruck gelernt, die im Rahmen des Psychiatrischen Dienste Basel als Fortbildung angeboten wurden. Mein jahrzehntelanger Heuschnuppen im Frühling hat sich mit diesem Verfahren aufgelöst. G. Fahnenbruck hat einen verhaltens- und systemtherapeutischen Hintergrund und stellte EFT in einen vernünftigen therapeutischen Gesamtzusammenhang. Sie berichtete von guten Erfolgen mit ihrer Methode. Horst Benesch (2011) wendet das Verfahren bei Kindern mit guten Ergebnissen an.

Ich möchte EFT/M.E.T. in bestimmten Situationen nicht missen und höre von Fachkollegen die gleiche Einschätzung. Allerdings sehe ich die ständigen Wunderheilungen nicht, die in der Literatur zum Teil suggeriert werden. Zusammen mit der oben beschriebenen Methode des Reimprinting sah ich allerdings eine auffällig schnelle Besserung von Ängsten, die schon jahrelang bestanden hatten.

Alex Loyd und Ben Johnson (2013) nennen ihre Heilmethode den Healing Code. A. Loyd lebt in Tennessee, war ursprünglich Pfarrer und studierte später naturheilkundliche Medizin, Psychologie und vertiefte sich in Energiemedizin und Quantenphysik. B. Johnson aus Georgia ist als Arzt in Komplementär- und Alternativermedizin tätig. Zuvor führte er einige Jahre als ärztlicher Direktor die Immune Recovery Clinic in Atlanta und war als Rechtsmediziner für die amerikanische Marineluftwaffe tätig. Er litt an einem Lou- Gehrig Syndrom, das 80 Prozent der Patienten nach 5 Jahren nicht überleben und sei mit dem Healing Code geheilt worden.

Alex Loyd sei jahrelang auf der Suche nach einer wirksamen Behandlungsmethode für die Depressionen seiner Frau gewesen. Im Jahr 2001 habe er in einem Flugzeug auf den Start gewartet. Plötzlich habe er in seinem Herz und seinem Geist die Eingebung erhalten, was der Healing Code sei. Es sei wie die Idee von jemand anderem gewesen, was ihm eingepflanzt worden sei. Er habe die Blaupause einer Heilmethode erfahren, die er niemals gelernt habe. Nachdem er alles aufgeschrieben hatte, sei seine Frau nach Anwendung dieser Methode geheilt worden. Die nächsten eineinhalb Jahre habe A. Loyd damit zugebracht, die Wirkung des Healing Code auf die Stressbelastung des autonomen Nervensystems mit dem Herzfrequenzvariabilitätstest (HRV) zu prüfen. In den meisten Fällen sei die Stressbelastung sei nachzwanzig Minuten Healing Code wieder ausbalanciert gewesen. Bei 77 Prozent der Probanden sei dies nach 24 Stunden immer noch der Fall gewesen. Eine Ergänzung zu diesem Verfahren beschreibt Alex Loyd (2015) in seinem Buch „Das Love Prinziple".

Der Healing Code sei ein Heilungssystem aus der Quantenphysik. Wesentlich sei der Transfer von Information an die kritische Stelle eines Menschen. Jedes gesundheitliche Problem sei ein energetisches Problem. Ursache für den Stress sei das Zellgedächtnis, das nicht durch positives Denken geheilt werde. Bewältigungsversuche würden nur zusätzlichen Stress auslösen. Die Unterdrückung von destruktiven Zellerinnerungen würden auch chronische Schmerzen auslösen. Der Healing Code dagegen würde Energiemuster im Körper verändern. A. Loyd zitiert den Nobelpreisträger Murray Gell-Mann mit der Aussage, dass die Körperchemie von zellartigen Quantenfeldern regiert werden.

Der Healing Code wird aktiviert, in dem der Anwender die Finger einer Hand im Abstand von 5 bis 7 Zentimeter über vier Körperregionen mit entsprechenden Kontrollzentren halte. Damit werden vier Körpersysteme angesprochen: 1) Die Brücke liegt zwischen der Nasenwurzel und den Augenbrauen. Die Hypophyse steuert hormonelle Vorgänge. Ebenfalls liegt hier die Zirbeldrüse. 2) Die Schläfen zu beiden Seiten des Kopfes: Hier sind die rechte und linke Gehirnhälfte mit den höheren Funktionen und sowie den Hypothalamus. 3) Der Kiefer zu beiden Seiten des Kopfes hinter dem Kieferknochen. Hier sind das reaktive emotionale Gehirn mit Amygdala und Hypocampus sowie Rückenmark und das zentrale Nervensystem. 4) Kehlkopf: Hier werden Rückenmark und zentrales Nervensystem sowie die Schilddrüse angesprochen. Von diesen Zentren fliesse heilende Energie in den ganzen Körper und beeinflusse negative Erinnerungen. Die vier Heilungszentren werden in einer Prioritätssequenz und einer bestimmten Kombination angesprochen, was von entscheidender Bedeutung sei. Die Dauer des Codes betrage etwa sechs Minuten Er wirke bei fast jedem Problem und bei fast allen Menschen. Liebe und liebevolle Erinnerungen seien die ultimative Wurzel der Heilung. Seitenlange Erfolgsmeldungen sind im Internet vom Autor aufgenommen worden.

Leitfaden zu den astrologischen Deutungen

Psychotherapie und Astrologie

In der Psychotherapie wird mit Verfahren gearbeitet, deren Wirksamkeit, Zweckmässigkeit und Wirtschaftlichkeit mit empirischen Untersuchungen untersucht worden ist. Dazu gehören die verschiedenen Formen der Verhaltenstherapie, der Psychodynamischen Therapie wie beispielsweise der Psychoanalyse, der Systemischen-, der Imaginativen-, der Körperzentrierten Verfahren oder der Traumatherapie. Auch bei den diagnostischen Verfahren, ausser bei den projektiven Tests, wird geprüft, ob die Verfahren das messen, was sie vorgeben zu messen. Beim Horoskop und bei den spirituell inspirierten Verfahren liegt eine Vielzahl von anektotischen Ergebnissen vor. Diese wurden von Seiten der Wissenschaft weitgehend ignoriert. Auf was kann beim Einbezug der Astrologie geachtet werden?

Der Psychotherapeut sollte eine Indikation für eine Horoskoperstellung sehen. Welche Frage gilt es zu diskutieren, welche Hypothese zu prüfen? Welche Perspektiven für das weitere Prozedere können erwartet werde?

Dazu gehören die Einschätzung und die Frage, ob der Patient den Einbezug des Horoskops voraussichtlich akzeptieren und als hilfreich anerkennen könnte.

Der Zeitpunkt der Anfrage an den Patient sollte in einem Kontext zur aktuellen Therapiesituation stehen.

Bei der Frage nach der Horoskoperstellung ist anzusprechen, dass dies keine Leistung der Krankenkasse ist und es um ein alternatives Verfahren geht, das ausserhalb der regulären Behandlung steht.

Es sollte klargemacht werden, dass das Horoskop weder einen Sterneneinfluss noch irgendwelche kausalen Verbindungen der planetarischen Archetypen mit konkreten oder ausgewählten Lebensereignissen herstellt. Das Horoskop zeigt nur ein Potential an, das der Mensch verwirklichen kann. Die archetypischen Kräfte, die im Horoskop gezeichnet sind, umfassen das ganze Spektrum eines Archetyps. Nur der Patient kann wissen, was er konkret verwirklicht.

Nach der Horoskoperstellung kann bei erwachsenen Patienten geprüft werden, ob das Horoskop stimmig ist. Dazu dient die Geburtszeitkorrektur. Im Allgemeinen dürfte die richtige Geburtszeit eher vor den angegeben Geburtszeit, aber kaum danach liegen. Wichtige Lebensereignisse sollten sich in der Auslösung der Archetypen oder im 7er, resp. im 6er Rhythmus oder bei den Transiten zeigen. Bei Kindern und Jugendlichen liegen dazu wahrscheinlich zu wenige Erlebnisse vor. Trotzdem sollte auch hier die Struktur des Horoskops mit dem Charakter der Betroffenen oder ihren Symptomen kompatibel sein.

Die Deutung des Horoskops nach den vorliegenden Schemata gemäss H. P. Hadry oder G. Brown stellt keine Deutung des Horoskops des Patienten dar. Stattdessen sind die angegebenen Deutungen Erfahrungswerte anderer Klienten oder Ableitungen von theoretischen Konzepten. Die Deutungen sind aber Hypothesen, wie es auch beim Patienten sein könnte. Es könnten aber auch Äusserungen sein, die im vorliegenden Deutungsschema nicht formuliert wurden. Dieser ganze Prozess der Horoskoperschliessung ist ein hermeneutischer Zugang zur Welt des Patienten. Beide Aspekte, die Horoskopzeichnung und das, was der Patient dazu sagt, möglicherweise im Moment auch verschweigt, stehen sich gegenüber. Der Therapeut als Dritter im Bunde versucht, aus dieser Gegenüberstellung Ideen zu entwickeln, die für den Patient hilfreich sein könnten. Mit gut Glück wird der Patient ein Aha Erlebnis haben, das seine Welt weitet. Voraussagen über künftige Ereignisse widersprechen dieser Auffassung des Horoskops.

Die Zeichen nach G. Brown (1995) beschreiben ein symbolisches Wirkungspotential, wo nur Möglichkeiten, aber keine konkrete Manifestationen der Realität gespeichert sind. Sie wirken nicht als Einfluss-oder bestimmender Faktor. Vielmehr wirken sie in, durch und vor allem als die Phänomene selbst. Jedes Zeichenpotential bleibt unverändert vom Entstehen, Bestehen oder Vergehen seiner manifestierten Entsprechung in der Welt der realen Phänomene. Das Potenzial der Zeichen kann entlang der 4 Quadranten und der Einteilung von kardinal, fix und veränderlich charakterisiert werden. Es beschreibt, um was es geht und auf welche Art und Weise die Phänomene erscheinen können.

♈ **Widder** ermöglicht Phänomene gemäss der 1. kardinalen Phase des 1. Quadranten. Es geschieht an der Person oder über den Raum. Etwas noch nicht Dagewesenes fängt an. Eine formlose Dynamik setzt Energie in einer impulshaften, mutigen oder pionierhaften Art und Weise frei. Oder es geschieht in wesenhaft gleicher Analogie dazu, nämlich ungeduldig oder direkt, ehrgeizig, direkt, begeisterungsfähig, pionierartig.

♉ **Stier** ermöglicht Phänomene gemäss der 2. fixen Phase. Die vorhergehende Dynamik bündelt, verdichtet und stabilisiert sich durch Speicherung, Abgrenzung, Bewahrung, Wertschöpfung oder Standfestigkeit und verwirklicht sich willensstark, treu, realistisch, reviersichernd, stur oder geniessend.

♊ **Zwilling** ermöglicht Phänomene, welche der veränderlichen Funktion des 1. Quadranten entsprechen. Das im Stier fest und stabil Gewordene kann eigene Funktionen entwickeln durch in Beziehung treten, Sprache entwickeln, Dinge in der Verschiedenheit wahrnehmen, neugierig sein, schnell auffassen, wissensdurstig oder mitteilsam sein oder kann Handel und Technik entwickeln.

♋ **Krebs** ermöglicht Phänomene, die ausgehend von körperhaften Funktionen jetzt im 2. Quadranten das plötzliche Aufkeimen von Seele ermöglichen. Es ist das inhaltlich Wesenhafte, das jeder individuellen realen Erscheinung und seinen Erscheinungsformen zugrunde liegt wie Frau, Nacht, Psyche, Empfindungsfähigkeit oder Identität. Es erscheint bemutternd und sorgend, einfühlsam, emotional oder in wesenhaft gleicher Analogie, nämlich Zugehörigkeit oder Rückzug suchend.

♌ **Löwe** ermöglicht Phänomene, die in verdichteter Form seelisch Gewachsenes ausdrücken, nämlich Selbstausdruck mit Handlungsdrang mit der eigenen subjektiven Darstellung in einer herzlichen, vertrauenswürdigen, selbstbewussten, strahlenden oder grosszügigen Art und Weise.

♍ **Jungfrau** zeigt Phänomene, die in der veränderlichen Phase zur Funktion kommen, wo Einbindung in äussere Bedingungen durch einen Sozialisierungsprozess zur Selbsterhaltung gefordert ist. Dies wird analytisch, fleissig, geduldig, sorgfältig, pedantisch, kritisch, gesundheitsbewusst oder dienend geleistet.

♎ **Waage** ermöglicht Phänomene, die in der kardinalen Phase des 3. Quadranten den geistigen Vorstellungsbildern entsprechen und wo eigene innere Bilder werden erzeugt. Waage beschreibt die Art und Weise, wie dies geschieht nämlich diplomatisch, harmonisch, liebenswürdig, gerecht und kontaktinteressiert.

♏ **Skorpion** ermöglicht verdichtete Vorstellungsbilder und zeigt hoch besetzte Muster, wo viel Energie gebunden ist. Die konzentrierten geistigen Bilder erscheinen als Struktur, Dogma, das Verschmolzene, Zerstörende, Mächtige, Tabuisierte, Tiefgründige, Intensive oder als Prinzip, Geheimnis, Liebe oder Tod. Sie sind zäh, treu, eifersüchtig oder gefühlslabil.

♐ **Schütze** Das vorhin Gefestigte wird in Beziehung zur Umwelt gesetzt zeigt. Funktionen der geistigen Anschauungen führen zu erhellender Mustersuche, was Erkenntnis ermöglicht. Die Suche zeigt sich über Reisen, Bildung, Expandierendes, zu Lernendes, über das Ausland, Weltanschauung, Religiöses, Wachstum, Bildung, Vision oder Grössenwahn. Phänomene erscheinen geistig rege, sinnbezogen, mit Weitblick, in der Fülle oder rechthaberisch und ideologisch.

♑ **Steinbock** beschreibt kardinale Phänomene im 4. Quadranten jenseits von subjektiver Verzerrung. Sie repräsentieren das ganze Potential des Menschen mit seiner Essenz und der letzten Wirklichkeit. Phänomene erscheinen als das Wesentliche, Ehrgeizige, Regelnde, Autoritäre, Überpersönliche, Unvergängliche, Gerechte und erscheinen verantwortungsbewusst, ehrgeizig, realistisch oder zäh und ausdauernd.

♒ **Wassermann** zeigt, wie in der verdichteten Phase das menschliche Selbst die individuelle Wahrheit des Menschen die dahinterliegende Einheit von Allem erfasst. In der Aufhebung des Subjektiven zugunsten der Identifikation mit der unsichtbaren Einheit findet man seine Identität. In Wassermann erscheint die reine Urform, das Humanitäre, das Gleichgeartete, Elitäre, Geniale, Revolutionäre, Skurrile oder die Gruppe. Es erscheint originell, reformbetont, erfinderisch, freundschaftlich, eigenwillig und rebellisch.

♓ **Fisch** Aus der Funktion des 4. Quadranten ergeben sich Phänomene, die aus der reinen Form zum letzten Urgrund von Allem hinweisen. Man kann sich bedingungslos dem Lauf der Dinge ausliefern in der Gewissheit, ein Teil von Allem zu sein und dass jeder Erscheinungsform eine ausserpersönliche und eine individuelle Wirklichkeit zugrunde liegt. Fisch zeigt die Phänomene, die aus einem gestalt-und namenlosen Urgrund hervorgehen wie das Unwandelbare, das Unendliche, das Ausgestossene, Vertrauende, der Schein oder Wahn. Sie können mystisch, träumerisch, phantasievoll, religiös, einfühlsam, hilfsbereit oder illusionär erscheinen.

Die planetarischen Archetypen
nach G. Brown sind Kräfte und Bedürfnisse

☉ **Sonne** Das Bedürfnis nach Ausdruck von in sich versammelter seelischer Lebensenergie (2. Phase 2. Quadrant Löwe) und seinen Analogien durch Selbstbewusstsein, Kreativität, Wille Führung. Beispiel: Künstler.

☽ **Mond** Die Kraft, die aus Ursprüngen kommt, um seelische Phänomene (1. Phase 2. Quadrant Krebs) und seine Analogien zu verwirklichen durch Fruchtbarkeit, Bemutterung, Geborgenheit, tiefe Empfindung. Beispiel: Mutter

♄ **Saturn** Das Bedürfnis nach übergeordneter Struktur (1. Phase 4. Quadrant Steinbock) und seine Analogien durch Massstäbe, Objektivität, Tradition, Verantwortung. Beispiel: Polizist.

☿ **Merkur als Herrscher von Zwilling** Die Kraft zur funktionalen Umsetzung im realen Raum (3. Phase 1. Quadrant Zwilling) und seine Analogien durch Selbstdarstellung, Kommunikation, Lernen, Intellekt. Beispiel: Lehrer

Merkur als Herrscher von Jungfrau Das Bedürfnis den seelischen Raum zu funktionalisieren (3.Phase 2. Quadrant Jungfrau) und seine Analogien durch Vernunft, Anpassung, Analyse, Berücksichtigung des Körpers. Beispiel: Arzt

♀ **Venus als Herrscher von Stier** Die Kraft Impulse über den realen Raum zu verfestigen (2. Phase 1. Quadrant Stier) und seine Analogien dazu über Reviersicherung, Wertschöpfung, soziale Einordnung, Selbstwertgefühl. Beispiel: Goldhändler

Venus als Herrscher von Waage Das Bedürfnis über geistige Vorstellungsbilder Begegnung zu ermöglichen (1. Phase. 3 Quadrant, Waage) und seine Analogien durch Kontakte Ergänzungen, Harmonisierung von Gegensätzen und Assimilation. Beispiel: Richter

♂ **Mars** Die Kraft für impulsiven Anfang im realen Raum (1. Phase 1. Quadrant Widder) und seine Analogien durch Aggressions- und Durchsetzungsfähigkeit, Realitätssinn, Pionierleistung. Beispiel: Krieger.

♃ **Jupiter** Das Bedürfnis, eine Fülle von Vorstellungen zur Funktion zu bringen (3. Phase 2. Quadrant Schütze) durch Bildung, Religion, Expansion, Sinnesfreude. Beispiel: Marc o Polo

♅ **Uranus** Die Kraft übergeordnete Wirklichkeit zu fixieren (2.Phase 4. Quadrant Wassermann) durch Freiheit, Selbstbestimmung Erfindergeist, technischen Sicherungen, Verstärkung durch Gruppenbildung mit ähnlichen Zielen. Beispiel: Revolutionär. Das hier verfügbare Symbol deckt sich nicht ganz mit dem Uranussymbol in den Horoskopgraphiken. Dort ist ein Kreis mit einem senkrechten Pfeil nach ober gezeichnet.

♆ **Neptun** Das Bedürfnis die Funktionen jenseits der realen Welt (3. Phase 4. Quadrant Fisch) zu erfassen durch Grenzenlosigkeit, Illusion, Selbstaufgabe oder Ausgestossen sein. Beispiel: Priester

♇ **Pluto** Die Kraft fixierte Vorstellungen (2.Phase 3.Quadrant Skorpion) und seine Analogien zu ermöglichen durch Macht, Kontrolle, Dogma, Krise. Beispiel: Machtpolitiker

Die Häuser mit Hemmung und Kompensation über 5 Entwicklungsstufen nach H.P. Hadry (2005)

Die Häuser symbolisieren die materiellen Erscheinungsebenen der Zeichen und Planeten in der realen Welt. Sie beschreiben konkrete Bedingungen, Umstände und Zustände. Es sind die Schauplätze der Verwirklichung des reinen Potentials.

Haus 1 ist Widderbetont und der Ort und die Zeit, wo der Widderarchetyp Mars die Durchsetzung im realen Raum ermöglicht.

1. Stufe in der Hemmung: Durchsetzungsschwäche oder wesensähnliche Analogien davon

2. Stufe in der Kompensation: Aggressivität oder Analogien davon

3. Stufe im Konflikt: Opfer der Aggression oder Analogie wie Entzündung

4. Stufe in der Bewusstwerdung: Einsicht seine Interessen durchzusetzen

5. Stufe in der Problemlösung: adäquate und sozial kompatible Durchsetzung

Haus 2 ist Stierbetont stellt dem Venusarchetyp den Raum und die Zeit die Sicherung und Verfestigung der existenziellen Bedingungen zur Verfügung

1. Stufe in der Hemmung: unsichere materielle Existenzgrundlage, finanzielle Abhängigkeit, unsicherer Selbstwert

2. Stufe in der Kompensation: Luxus, Schlemmertum

3. Stufe im Konflikt: Armut, Nackenbeschwerden, Gewebeauflösende Erkrankungen

4. Stufe in der Bewusstwerdung: finanzielle Ressourcen und eigener Lebensraum sind notwendig

5. Stufe in der Problemlösung: Ausreichendes finanzielles Polster, Möglichkeiten die Existenz zu sichern

Haus 3 ist Zwillingbetont und stellt dem Merkurarchetyp die Zeit und den Raum der Welt zur Verfügung damit Funktionen im realen Raum möglich werden.

1. Stufe in der Hemmung: Kommunikations- oder Darstellungsschwäche und seine Analogien.

2. Stufe in der Kompensation: Geschwätzigkeit, Angeberei oder Analogien

3. Stufe im Konflikt: Abbruch der Ausbildung, Verletzung an Armen oder Händen

4. Stufe in der Bewusstwerdung: Einsicht dass Kommunikation und Selbstdarstellung notwenige Lernprozesse sind.

5. Stufe in der Problemlösung: Ausbildung der geforderten Fähigkeiten und Anwendung

Haus 4 ist Krebs betont und ermöglicht, dass sich seelisches Wesen durchsetzen kann.

1. Stufe in der Hemmung: Heimatlosigkeit, fehlende Identität, Empfindungsschwäche
2. Stufe in der Kompensation: Launenhaftigkeit, falsches Selbst, Grossspurigkeit
3. Stufe im Konflikt: Verlust der Familie oder der Heimat
4. Stufe in der Bewusstwerdung: Bewusstwerdung der Wichtigkeit der eigenen Wurzeln
5. Stufe in der Problemlösung: Zulassung der eigenen Emotionen und Identität

Haus 5 ist Löwebetont und ermöglicht die Verfestigung und Konzentration des seelischen Wesens

1. Stufe in der Hemmung: Mangel an Souveränität und selbstständiger Handlungsweise
2. Stufe in der Kompensation: ich- bezogener Karrierist, Angeber
3. Stufe in der Krise: Lähmung der selbständigen Handlungsfähigkeit, Herzerkrankungen
4. Stufe in der Bewusstwerdung: Selbstverwirklichung und seelische Stabilität schenkt Vertrauen
5. Stufe in der Problemlösung: Leben in eigener Identität mit Ausdruck der eigenen Ausstrahlung

Haus 6 ist Jungfraubetont und ermöglicht die funktionelle Anpassung des Seelischen.

1. Stufe in der Hemmung: Wahrnehmungsschwäche, übergrosse Anpassung, Abhängigkeit von den Umweltbedingungen
2. Stufe in der Kompensation: Kritiker,
3. Stufe in der Krise: Probleme am Arbeitsplatz, Anpassungsprobleme, Darmerkrankungen
4. Stufe in der Bewusstwerdung: unbewusste Faktoren werden bewusst
5. Stufe in der Problemlösung: Fähigkeit das eigene Handeln mit Vernunft zu steuern und adäquat an die Umgebung anzupassen

Haus 7 ist Waageboden und ermöglicht die Durchsetzung im geistigen Bereich

1. Stufe in der Kompensation: Mangel an Kontakten, Ästhetik und Harmonie
2. Stufe in der Kompensation: Modediktat, soziale Ausnützung, wechselnde Partnerschaften
3. Stufe in der Krise: Partnerverlust, Beziehungsprobleme, Hauterkrankungen
4. Stufe in der Bewusstwerdung: Beziehungen sind ein Bedürfnis des Menschen, die sich in der Offenheit der geistigen Vorstellungen ergeben. Der andere Partner spiegelt auch das eigene Wesen.
5. Stufe in der Problemlösung: Entwicklung von diplomatischen Fähigkeiten, das Wesen des Partners respektieren und ihm seine Bedeutung lassen.

Haus 8 ist Skorpionboden und ermöglicht die fixierende Sicherung der geistigen Welt.

1. Stufe in der Hemmung: machtlos und fremdbestimmt leben in der Opferrolle
2. Stufe in der Kompensation: Macht und Kontrolle über Andere ausüben
3. Stufe in der Krise: unter Druck stehen, erpresst werden, Krankheiten der Geschlechtsorgane
4. Stufe in der Bewusstwerdung: eigen Pläne und Vorstellungen entwickeln
5. Stufe in der Problemlösung: Herr über eigene Entscheidung und Lebensentwürfen sein

Haus 9 ist Schützeboden und ermöglicht Phänomene, die das Geistige und das Denken zur Funktion bringen

1. Stufe in der Hemmung: Denkschwäche, Bildungsmangel, Gefühle der Sinnlosigkeit
2. Stufe in der Kompensation: fanatischer Prediger einer Weltanschauung, falscher Guru

3. Stufe in der Krise: Glaubenskrise
4. Stufe in der Bewusstwerdung: Suche nach der richtigen Philosophie und Werten
5. Stufe in der Problemlösung: Selbstständige Erarbeitung einer stimmigen Lebensanschauung

Haus 10 ist das Territorium, wo sich das Selbst, das Unbewusste, schicksalhafte oder transpersonale Phänomene zeigen.
1. Stufe in der Hemmung: Schuldgefühle, Einschränkung durch ständige Grenzsetzungen. Anklage und Bestrafung
2. Stufe in der Kompensation: penibles Einhalten von Normen, Beschuldigung und Anklage, Belehrung
3. Stufe in der Krise: chronischer Mangel und Verzicht, Erkrankungen des Knochensystems
4. Stufe in der Bewusstwerdung: Einsicht auf eigene Rechte und eigene Bestimmung
5. Stufe in der Problemlösung: die eigenen Rechte wahrnehmen, den eigenen Beruf leben

Haus 11 ist das Territorium, wo Phänomene die übergeordnete Wirklichkeit sichern.
1. Stufe in der Hemmung: Unfreiheit und Abhängigkeit,
2. Stufe in der Kompensation: Der Revolutionär, der Geschwindigkeitsrausch, die Arroganz
3. Stufe in der Krise: unerwarteter Verlust oder Schock, Unfall oder Operation
4. Stufe in der Bewusstwerdung: Bewusstwerdung der eigenen Individualität und der eigenen Fähigkeiten
5. Stufe in der Problemlösung: Die eigene Bestimmung erfüllen und die eigenen Rechte wahrnehmen

Haus 12 ist das Territorium, wo die Funktionen der transpersonalen Wirklichkeit zu Darstellung kommen.
1. Stufe in der Hemmung: Schwäche, Angst, Hilfslosigkeit,

2. Stufe in der Kompensation: Schein, Lüge, Betrug,

3. Stufe in der Krise: Gefängnis, Krankenhaus, Suchterkrankungen und Probleme im Hormonsystem

4. Stufe in der Bewusstwerdung: Sicht auf das Unbewusste, gesellschaftliche Anliegen

5. Stufe in der Problemlösung: Loslösung von Abhängigkeiten und Anpassungszwängen

Deutung des Horoskops nach H.P. Hadry:

Zur Anlage: Die Anlagen sind gegeben und wollen der Zeit und dem Territorium gemäss Wirklichkeit werden. Sie bewirken ein Ereignis. Sie setzen sich aus folgenden Anlagekomponenten zusammen, nach denen gefragt wird:

1. In welchem Zeichen ist der Aszendent? Dieses Urpotenzial will sich als Anlage verwirklichen.

2. Welches ist der Herrscherplanet des Zeichens, indem der Aszendent steht und in welches Haus ist er ausgewandert, um die Anlage zu verwirklichen?

3. Hat dieser Herrscherplanet Aspekte zu andern Planeten? Welche archetypischen Kräfte kooperieren in welcher Art mit dem Aszendentherrscher?

4. Gibt es Planeten im 1. Haus? Welche Archetypen kooperieren bei der Bereitstellung der Anlagen?
   Zur Verwirklichung: Zur Verwirklichung benötigt die Anlage eine Durchführung. Beim Menschen ist das ein Verhalten. Nur die Sonne kann Anlagen verwirklichen. Die Sonnenposition zeigt an, wo die Anlage verwirklicht wird im Haus und wie sie verwirklicht wird im Zeichen. Das Verhältnis von Anlage und Verwirklichung kann je nach Signatur geeignet oder weniger geeignet sein, aber nicht gut oder schlecht.

5. In welchem Haus steht die Sonne?

6. In welchem Zeichen steht die Sonne?

7. Welches Haus beherrscht das Löwezeichen? (Sonne ist Herrscher des Löwen) Das Haus, welches das Löwezeichen anschneidet, wird zum Nebenterritorium der Verwirklichung. Es ist eine Art Kolonie.

8. Welche Aspekte hat die Sonne? Welche Archetypen sind bei der Verwirklichung der Anlage in welcher Art mitbeteiligt?

9. Welcher Planet beherrscht das Haus, wo die Sonne steht? Dieser Archetyp wird quasi Helfershelfer der Sonne auf dem Territorium, wo die Sonne steht.
   Zum Ergebnis: das MC zeigt das Erwirkte oder die Finalität. Das, was ausgehend von der Anlage über die Durchführung als Ziel erreicht wird.

10. Welches Zeichen steht am MC?

11. Welches ist der Herrscherplant dieses Zeichens und in welchem Haus steht er? Der Herrscherplanet ist ausgewandert und will auf diesem neuen Territorium etwas zu sagen haben.

12. Welche Aspekte hat dieser Planet? Von welchen Archetypen wird er beeinflusst? Gibt es Planeten im Haus 10, die zusätzliche Qualitäten verwirklicht sehen wollen?

Energetische Besetzungen nach V. Bachmann (2010)

Planeten sind stark gestellt bei Platzierung bei einer Hauptachse oder in deren Nähe sowie in einem Eckhaus. Ebenso wenn sie in ihrem Stammzeichen oder Stammhaus platziert sind und sie viele Aspekte bilden, vor allem zu persönlichen Planeten. Am Talpunkt eines Hauses wirkt die Energie eines Planeten eher introvertiert. Ebenfalls eignet sich ihre Energie bei Rückläufigkeit dazu, nochmals die Angelegenheit zu überdenken.

Planeten sind eher passiv gestellt bei Platzierung in den fixen Häusern 2, 5, 8, 11, wenn sie keine oder wenige Aspekte bilden oder keinen Aspekt zu AC oder MC haben.

Im Zusammenhang mit der traditionellen Astrologie und auch mit der Stundenastrologie diskutiert M. Rieger (2009) die energetische Besetzung der Planeten, die in der klassischen Astrologie definiert wurde:

Planeten im „Domizil" sind sehr stark gestellt, wenn sie in ihrem Zeichen stehen. Dazu gehören Sonne in Löwe, Mond in Krebs, Merkur in Zwilling, Venus in Stier, Mars in Widder, Jupiter in Schütze und Saturn in Steinbock.

Planeten in „Erhöhung" sind stark gestellt. Dazu gehören Sonne in Widder, Mond in Stier, Merkur in Jungfrau, Venus in Fisch, Jupiter in Krebs und Saturn in Waage.

Planeten im „Exil" sind sehr schwach gestellt. Die Planeten stehen hier ihrem Heimatzeichen gegenüber Dazu gehören Sonne in Wassermann, Mond in Steinbock, Merkur in Schütze und Fisch, Venus in Widder und Skorpion, Mars in Stier und Waage, Jupiter in Zwilling und Jungfrau, sowie Saturn in Krebs und Löwe.

Planeten im „Fall" sind schwach gestellt. Dazu gehören Sonne in Waage, Mond in Skorpion, Merkur in Fischen, Venus in Jungfrau, Mars in Krebs, und Saturn im Widder.

In der klassischen Astrologie, als die neuen Planeten Uranus, Neptun und Pluto noch nicht entdeckt waren, galt Saturn als der Herrscher von Wassermann, Jupiter als der Herrscher der Fische und Mars als der Herrscher von Skorpion.

Die Bedeutung der Elemente nach V. Bachmann (2012)

Feuer repräsentiert: Willen, Instinkt, Lebenskraft, Wachstum, Ausdehnung, Spontaneität, Dynamik

Erde repräsentiert: Empfinden, Sicherheit, Struktur, Körper, Sinne, Boden, Verdickung, Form

Luft repräsentiert: Denken, Intellekt, Beobachtung, Analyse, Objektivität, Distanz, Freiheit, Offenheit, Rationalität

Wasser repräsentiert: Gefühle, Erleben, Mitschwingen, Synthese, ganzheitliche Erfahrung, Geborgenheit, Zugehörigkeit, Introvertiertheit

Erkennung von Ängsten nach B. Theler (1999)
bei folgenden Konstellationen:

Saturn in Zeichen und Haus, speziell als Hemmung und Blockaden, aber auch Wachstumschancen durch Konfrontation und Überwindung

Saturn- Spannungsaspekte zu Sonne bis Mars: speziell Angst zu scheitern, Straf- Verlustangst, Bedürfnis nach Sicherheit

Hausstellung von Chiron und seine Aspekte zu Sonne bis Mars: speziell Verletzungs- und Versagensängste

Wasserbetonung: Vorahnungen und Befürchtung, Angst vor Schwäche

Hausstellung von Pluto und seine Aspekte zu Sonne bis Mars: Angst vor Abhängigkeit und Kontrollverlust, Zwänge, Traumata, Ohnmacht

Betonung von Skorpion oder des 8. Hauses: Angst vor seelischen Abgründen und Kontrollverlust

Schattenthemen nach B. Theler (1999)

treten bei folgenden Konstellationen auf:

Fehlendes Element: Zeichen für Schwäche

Deszendent: Projektionen, Ideal- und Feindbilder

Abgehängte Planeten: nicht integrierte, unberechenbare Qualitäten

Rückläufige Planeten: blockierte, fehlgeleitete Energien

Absteigender Mondknoten in Zeichen und Haus: Zwanghafter Bereich

Planeten am absteigenden Mondknoten: Ungestillte Bedürfnisse, unerledigte Themen, „Altlasten"

Hausposition von Pluto und seine Spannungsaspekte zu persönlichen Planeten: traumatische Erlebnisse, zwanghafte Persönlichkeitsstruktur

Planeten im 8. Haus: Tabus und Zwänge

Planeten im 12 Haus: verdrängte Persönlichkeitsanteile, Heimlichkeiten

Benötigte ungefähre Zeit der Transitplaneten um den Tierkreis zu umlaufen

nach U. Janascheck (2000) und nach B. Eichenberger (1999)

Dauer für Umlauf um die Sonne	Ungefähre Dauer für einen Zeichendurchlauf
Erde (um Sonne) 365 Tage	30 Tage
Mond (um Erde) 27,3-29,5 Tage	2 ½ Tage
Merkur 87,97 Tage	19 Tage
Venus 225-241 Tage	25 Tage
Mars 1,9 Jahre	51 Tage
Jupiter 11.9 Jahre	1 Jahr
Saturn 28-30 Jahre	2 ½ Jahre
Uranus 84 Jahre	7 Jahre
Neptun 165-168 Jahre	14 Jahre
Pluto 248 Jahre	13-34 Jahre
Chiron 50,7 Jahre	läuft sehr unterschiedlich
Mondknoten	18 Jahre 7 Monate

Als Orbis, das heisst der Bereich der grössten Wirksamkeit gibt B. Eichenberger an, dass bei den schnell laufenden Planeten die Wirksamkeit bei einem Orbis zu Beginn bei 2-3 Grad ist. Bei den langsam laufenden Planeten beginnt die Wirkung bei einem Orbis von 3-5 Grad. Bei Nebenaspekten liegt der Orbis etwas enger. Nach Übergang über den Radixplaneten fällt die Wirkung schnell innerhalb eines Grades ab.

Literaturverzeichnis

Astrodatenbank:	www.astro.com/astro-datenbank/Main_Page
Arroyo Stephen (1992)	Astrologie, Psychologie und die vier Elemente, 3 499 18579 2
Arroyo, Stephen (1988)	Astrologische Psychologie in der Praxis Hier und Jetzt Hamburg
Arroyo, Stephen (1992)	Astrologie und Partnerschaft, 3 453 04527 0
Assagioli, Roberto (2004)	Handbuch der Psychosynthese 3 9522591 0 1
Assmann, Tara (2011)	Der heilende Impuls (S.37, 59-62), 9783 45370 167 0
Bachmann, Verena (2ooo)	Das letzte Interview mit Bruno Huber, Astrologie Heute Nr. 82
Bachmann, Verena (2012)	Die vier Elemente, Astrologie, Heute Nr. 155
Bachmann, Verena (2010)	Leben und Lieben in einer sich wandelnder Welt, Astrologie Heute Nr.146
Banzhaf, Hajo (2001)	Der Tierkreis als himmlisches Symbol, Astrologie Heute Nr. 92
Barbault, Andre (1989)	Von der Psychoanalyse zur Astrologie, 3 9802355 0 5
Bartlett, Richard (2010)	Matrix Energetics, 978 3 86731 069 7
Bauer, Erich (1996)	Beruf – Berufung, 3 88034 872 3
Bell, J. S. (1964)	On the Einstein-Podolski-Rosen-Paradox, Physics 1
Benesch, Horst (2011)	Gesunde Kinder mit EFT, 978 3 466 30706 7
Blunck, Jürgen (1987)	Götter in Planeten und Monden, 3 8171 1003 0
Bogart, Greg (1996)	Entwicklung der Seele im Horoskop, 3 925100 36 9
Bogdanow, Igor u. Grichka (2011)	Das Gesicht Gottes Was war vor dem Urknall?, 978 3 570 50134 4
Bohm, David u. Hiley B. J. (1993)	The Undivided Universe
Routledge, Boot M. (1988)	Das Horoskop, 3-426-04172-3
Boss, Medard (1971)	Grundriss der Medizin, 3 456 00001 4
Boss, Medard (1974)	Der Traum und seine Auslegung, S. 234, 3 463 1118137 1
Boss, Medard (1976)	Indienfahrt eines Psychiaters, 3 456 80274-9
Bösch, Jakob (2006)	Spirituelles Heilen und Schulmedizin, 3 03800 281 X

Bösch, Jakob (2015)	Psychiatrie und Geistheilung, Astrologie Heute Nr. 174
Brown, George (1995)	Dicke Bären und kalte Winter, 3 499 19719 7
Cambpell, Joseph (1999)	Der Heros in tausend Gestalten, 3 458 34256 7
Capra, Friedjof (1978)	Der kosmische Reigen, O. W. Barth, Bern
Charbonier, Jean-Jacques (2015)	7 Gründe für ein Leben nach dem Tod, 978 3 86616 353 9
Chopra, Deepak (2004)	Das Buch der Geheimnisse, 13 978 3 442 33741 5
Cook, Francis H. (1977)	The Jewel Net of Indra: The Avatamsaka Sutra, University of Pennsylvania
Cortesi, Anita (1999)	Kinder-Horoskope, 3 548 35866 7
Dahlke, Rüdiger (2005)	Das senkrechte Weltbild, 3 548 74150 9
Dawson, Karl / Allenby, Sasha (2010)	Matrix Reimprinting, 978 3 941837 18 8
Descartes, Rene (1961)	Abhandlung über die Methode des richtigen Vernunftgebrauch, Stuttgart, Bedan
Döbereiner, Wolfgang (1988)	Astrologisches Lehr- und Übungsbuch Band 1 3 88034 083 8
Döbereiner, Wolfgang (1988)	Astrologisches Lehr- und Übungsbuch Band 2 und 3 3 88034 167 2
Döbereiner, Wolfgang (1988)	Astrologisch-homöopathische Erfahrungsbilder zu Diagnose und Therapie von Erkrankungen 3 88034 119 2
Dossey, Larry (2014)	One Mind Alles ist mit Allem verbunden, S.268-273, 978 3 86191 051 0
Dowman, Keith (1991)	Die Meister der Mahamudra E. Diederichs München
Egert, Barbara (2014)	Licht- und Schattenseiten von Mond und Venus, Astrologie Heute Nr.169
Eichenberger, Brigitte (1995)	Chiron Astrologie Heute Nr. 75
Eichenberger, Brigitte (1998)	Prognose-Fibel Edition Astrodata Wettswil
Eichenberger, Brigitte (1999/2000)	Die Transite – eine praktische Prognosemethode Astrologie Heute Nr. 82
Eichenberger, Brigitte (2ooo)	Aspektfiguren Astrologie Heute Nr. 86
Eichenberger, Brigitte (2000)	Die Deutung der Aspekte Astrologie Heute Nr. 85
Eichenberger, Brigitte (2000)	Die Quadranten Astrologie Heute Nr. 85
Eisenmann-Stock, Ingeborg (2011)	Kosmische Gesetze im Spiegel der Seele, 978 38434 3006 7

Eliade, Mircea (1979)   Geschichte der religiösen Ideen, Bd 1, Bd 2,
                               3 451 04200 2

Eysenck, Hans Jürgen (1987)   Astrologie- Wissenschaft oder Aberglaube?,
                               978-3-47177-417-5

Fass, Holger (2008)   Praxisbuch Horoskopaufstellung, 978-3937077307

Firmicus, Maternus Julius   Die Acht Bücher des Wissens, 978 389997 171 2
      (2008)

Franke, Rainer,
      Schlieske Ingrid (2006) Klopfen Sie sich frei!, 978 3 499 62057 7

Freud, A. (1981)   Das Ich und die Abwehrmechanismen,
                               München, Kindler

Freud, S. (1960)   Die Traumdeutung, Ges. Werke Bd. 2/3.,
                               Frankfurt a. M., Fischer

Gauquelin, Michel (1983)   Kosmische Einflüsse auf menschliches Verhalten,
                               3 7626 0606 4

Gauquelin, Michel (1987)   Die Wahrheit der Astrologie, 3 591 08243 0

Gebser, J. (1966)   Ursprung und Gegenwart,
                               Deutsche Verlagsanstalt Stuttgart

Görnitz, Thomas u. Brigitte   Der kreative Kosmos. Geist und Materie aus
      (2007)   Quanteninformation, Spektrum, Heidelberg

Goswami, Amit (2007)   Das bewusste Universum, 978 3 363 03126 3

Grawe, K. (1998)   Psychologische Therapie, Göttingen, Hogrefe

Greene, Liz (2000)   Prognose und psychologische Dynamik, 3 925100 53 9

Greene, Liz (1998)   Abwehr und Abgrenzung, 3 925100 33 4

Greene, Liz /   Dimensionen des Unbewussten, 3 88034 436 1
      Sasportas Howard (1989)

Grof, Stanislav (1986)   Alte Weisheit und modernes Denken, 3 46634 148 5

Grof, Stanislav (1994)   Gibt es ein Leben nach dem Tod?, 3 466 34303 8

Grof, Stanislav (2ooo)   LSD Psychotherapie, 3 608 94017 0

Grof, Stanislav (2000)   Kosmos und Psyche, 3-596-14641-0

Grof, Stanislav (2002)   Psychologie der Zukunft, 3 907029 76 3

Grof, Stanislav (2006)   Impossibel – Wenn Unglaubliches passiert,
                               978 3 466 34516 8

Grof, Stanislav (2007)   Topografie des Unbewussten, 3 608 95232 2

Grof, Stanislav (1985)   Geburt, Tod und Transzendenz, 3 466 34117 5

Grof, Stanislav (2004)   Das Abenteuer der Selbstentdeckung, 3 499 19640 9

Gundel, Wilhelm (1936)	Neue astrologische Texte des Hermes Trismegistos, Bayerische Akademie der Wissenschaften, München
Gundel, Wilhelm / G. Hans (1966)	Astrologumena – Die astrologische Literatur in der Antike und ihre Geschichte, Wiesbaden
Hamaker-Zondag, K.M. (1998)	Deutung von Aspekten und Aspektfiguren, 3 89631 198 0
Hand, Robert (1982)	Buch der Transite, 3 88034 241 5
Hawley, Jack (2002)	Bhagavadgita, 3-442-21607-9
Hadry, Hans-Peter (2005)	Astrologie „kinderleicht" 3 00 016685
Heidelck, Susanne (1998)	Neptun und die Sucht nach Sehnsucht Astrologie Heute Nr. 74
Hergovich, Andreas (2005)	Die Psychologie der Astrologie, Huber, Bern
Hover, D. (2012) in Böhmig B, Dörfert P.	Astrologie und Psychotherapie, 9 738 93707757 x
Huber, B. und L. (1990)	Lebensuhr im Horoskop, 3 85523 007 2
Huber, B. und L. (1993)	Mondknotenastrologie, 3 907029 488
Huber, B und L. (1984)	Die Persönlichkeit und ihre Integration, 3 855 23 902 9
Huber, B. und L. (1996)	Transformationen, 3 85523 009 9
Huber, B. und M. (1989)	Die astrologischen Häuser, 3 85523 006 4
Huber, B. und L. (1999)	Aspektbild-Astrologie, API Adliswil
Hürlimann, G.I. (1998)	Astrologie, 3 7265 30029
Jacobs, H. (1965)	Indische Weisheit und westliche Psychotherapie, Lehmann, München
Janascheck, Ulla (2000)	Das Transittagebuch, 3 925100 113
Jordan, S. (1994)	Transite und Transformation, Astrologie Heute Nr. 48
Jung, C. G. (1975)	Die Archetypen und das kollektive Unbewusste, GW 9 Walter, Freiburg i. Br.
Jung, C. G. (1976)	Synchronizität als ein Prinzip akausaler Zusammenhänge, GW 8 Walter, Freiburg i. Br.
Jung, C.G. (1968)	Der Mensch und seine Symbole, Walter Olten
Jung, C.G. (1975)	Über Grundlagen der analytischen Psychologie, Fischer Frankfurt
Jung, C. G. (1999)	Originalton C. G. Jung: Über Gefühle und den Schatten, Walter, Zürich

Kaufmann, Nicolaus (2013) Elemente der Aristotelischen Ontologie,
978 3 86 838 532 8

Keidel-Joura, Christine Der Siebener Rhythmus im Horoskop, 3 89997 1191
(2005)

Kepler, Johannes (1998) Von den gesicherten Grundlagen der Astrologie,
3-925-100-385

Kinslow, Frank (2010) Quanten Heilung, 978 3 86731 039 0

Kohl, Christian T. (2013) Buddhismus und Quantenphysik, 978 3 86410 033 8

König, Wolfhard H. (1999) Astrologie und Tiefenpsychologie, Lindauer
Psychotherapiewochen, Mitschnitte bei Auditorium

Krämer, Dietmar (2012) Die Weisheit der Yoga-Sutras von Patajali,
Books on Demand Norderstedt

Krucker, Wolfgang (1995) Partner der Innenwelt, 3 530 49070 9

Krucker, Wolfgang (1997) Spielen als Therapie, 3 7904 0647 3

Krucker, Wolfgang (2000) Diagnose und Therapie in der klinischen
Kinderpsychologie, 3 608 89690 2

Kusch, M./Petermann F. Entwicklung autistischer Störungen,
(2014) 978 3 8017 2593 8

Kybalion, (1981) Eine Studie über die hermetische Philosophie des
alten Ägypten und Griechenlands,
Akasha Verlagsgesellschaft, Heidelberg

Lang, Walter (1986) Die Astrologie im heutigen Weltbild, 3 920042 301

Laszlo, Erwin (2010) Zuhause im Universum, 978 3 548 74501 5

Leuner, Hans Carl (1985) Lehrbuch des Katathymen Bilderlebens Huber Bern

Livaldi, Laun Lianella (2012) Die Entwicklung einer Partnerschaft
Astrologie Heute Nr.159

Loyd, Alex, / Der Healing Code u.a., S.139, 978 3 499 62807 8
Johnson, Ben (2013)

Loyd, Alex (2015) Das Love Prinziple, 978 3 499 62879 5

Lüst, Dieter (2014) Quantenfische Die Stringtheorie und die Suche nach
der Weltformel, S. 232, 978 3 423 34799 0

Maass, Hermann (1981) Der Therapeut in uns, Walter Olten

Maass, Hermann (1989) Wach-Träume, 3 530 54312 8

Maass, Hermann (2004) Ich und Selbst in der Begegnung, Hartung-Gorre,
Konstanz

Mächler, J. Lanz H. (1994) Astrofocussing, Astrologie Heute Nr. 47 und Nr. 48

March, Marion D. / Lehrbuch der astrologischen Prognose,
McEvers J. (1993) 3 87186 073 5

March, Marion D. / McEvers J. (1995)	Lehrbuch der Partnerschaftsastrologie, 3 87186 079 4
Maslow, A. (1978)	Psychologie des Seins, München, Kindler
Mertz, Bernd A. (1995)	Also sprachen für die Astrologie ,3 907029 453
Meyer, Hermann (1988)	Befreiung vom Schicksalszwang, Astrodata, Wettswil
Meyer, Hermann (1986)	Astrologie und Psychologie, 3 499 17995 4
Meyer, Hermann (2006)	Das Grundlagenwerk der psychologischen Astrologie, 978 3000189012
Meyer, Hermann (2013)	ASTRO COACHINGS, 978 300 041936 2
Michel, Peter (2007)	Upanishaden, 978 3 86539 090 5
Morin de Villefranche, J.B. (2005)	Astrologia Gallica, Chiron, Mössingen
Niehenke, P. (1987)	Kritische Astrologie, Freiburg, Aurum
Oelmann, C. (2012)	Der rote Faden durch das Kinderhoroskop, Chiron, Mössingen
Orban, Peter (1999)	Zeit im Horoskop, 3499 60588 0
Otto, R. (1926)	Westöstliche Mystik, Gotha
Patanjali (2009)	Das Yogasutra: Von der Erkenntnis zur Befreiung, Theseus
Patanjali (1908)	Yoga- Aphorismen des Patanjali, Theosophisches Verlagshaus Leibzig, 386025
Penrose, Roger (1994)	Schatten des Geistes, 3 86025 260 7
Ptolemäus, Claudius (2000)	Tetrabiblos, 3 925100 17 2
Rawlins, D. (1984)	„ StarBaby", Fate34, October
Reiland, Christian (2011)	EFT Klopfakupressur für Körper, Geist und Seele, 978 3 442 21981 0
Rieger, Mona (1997)	Handbuch der Combin- und Composit Deutung, 3 87186 087 5
Riemann, Fritz (1999)	Lebenshilfe Astrologie, 3 608 89671 6
Ring, Thomas (1975)	Existenz und Wesen in kosmologischer Sicht, 3 591 080 179
Ring, Thomas (2003)	Astrologische Menschenkunde, 3 925100 71 7
Robkes, Marion (2006)	Nova Bibliotheca, Astrologica, 3 937077 20 0
Roggenbuck, Friedel (1996)	15o Jahre Neptun, Astrologie Heute Nr. 63
Romankiewics, B. (2002)	Spielfeld der Götter , 392510069 5

Roscher, Michael (2009)	Kritische Grade im Horoskop, 978-3 89997-121-7
Rudhyar, Dane (1988)	Der Sonne-Mond Zyklus, 3 907029 062
Rudhyar, Dane (2005)	Die Astrologie der Persönlichkeit, Chiron, Mössingen
Rudhyar, Dane (2013)	Personenzentrierte Astrologie, 978 389997 2085
Rudhyar, Dane (1977)	Astrologie und Psyche, Chiron, Mössingen
Sabom, M. (1987)	Erinnerungen an den Tod, München, Goldmann
Sachs, Gunter (1997)	Die Akte Astrologie, Goldmann, München
Sachs, Gunter (2014)	Mein astrologisches Vermächtnis, Scorpio, München
Sasportas, Howard (1990)	Astrologische Häuser und Aszendenten, Knaur, München
Schäfer, Thomas (1994)	Astrologie und Traumdeutung, 3 907029 42 9
Schäfer, Thomas (2008)	Eine kurze Geschichte der Astrologie, 3 7205 6033 3
Schermer, Barbara (1991)	Astrologie und Astrodrama als lebendige, kreative und heilende Erfahrung, 978-39280880008
Schubert-Weller, Christoph (2005)	Die Korrektur der Geburtszeit, 3 89997 131 0
Sheldrake, Rupert (1996)	Das schöpferische Universum Ullstein Frankfurt
Smolin, Lee (2015)	Im Universum der Zeit 978 3 570 55281 0
Spengler, J. (2001)	Psychotherapie und das Bild vom Menschen, 3 85630 604 8
Städeli, Hermann (2002)	Der Kosmos in uns Astrodata, Wettswil
Steinhausen, H.-C. (1987)	Psychische Störungen bei Kindern und Jugendlichen, 978 3 437 21081, Steinhausen
H.C., von Aster (1993)	Handbuch der Verhaltenstherapie und Verhaltens- medizin bei Kindern und Jugendlichen Weinheim, Psychologie Verlagsunion
Sullivan, E. (1997)	Astrologische Familiendaynamik, 3 907029 55 0
Tabet, Michel (2012)	Der Astrologische Wachtraum, 978 3907029 87 9
També, Shri Balaji (2014)	Der bewusste Plan der Schöpfung, 978 3 943416 97 8
Tarnas, Richard (2007)	Cosmos and Psyche, 978-0-452-28859-01
Tarnas, Richard (1996)	Uranus und Prometheus, 3-905255-03-0
Targ, Russell (2013)	PSI, 978 3 86191 040 4
Theler, Brigitte (1999)	Der Schatten im Horoskop, Astrologie Heute Nr. 77
Torakazu, Doi (2008)	Kegon-Sutra. Blumengirlanden-Sutra, Angkor
Traugott, H. (1995)	Lilith, 3 907029 488

Van Lommel, Pim (2012)   Endloses Bewusstsein u.a., S.221-279,
                          978 3 8436 0013 2

Visser, Frank (2002)   Ken Wilber – Denker aus Passion, 3 936 486 00-x

Voggenhuber, Pascal (2008) Nachricht aus dem Jenseits, 978 3 426 87493 6

Voltmer, U. (1992)   Gestalt-Astrologie, 3 59108288 0

Von Stuckrad, Kocku (2009) Lilith, 978 3 89901 411 2

Warnke, U. (2011)   Quantenphilosophie und Spiritualität,
                          978 3 942166 17 1

Wiltsche, H.A. (2013)   Einführung in die Wissenschaftstheorie,
                          978 3 825 23936 7

Voltmer, Ulrike (1999)   Wie frei ist der Mensch?, Urachhaus, Stuttgart

Weinreich, W. M. (2005)   Integrale Psychotherapie nach Ken Wilber,
                          3 936149 53 4

Weiss, Jean Claude (1998) Einige Thesen und Zitate zum Thema Astrologie und
                          Wissenschaft, Astrologie Heute Nr. 73

Weiss, Jean Claude (1994) Horoskopanalyse Band 1 und 2, Edition Astrodata,
                          Wettswil

Weiss, Jean Claude (1994) Karmische Horoskopanalyse, 3 907029 39 9

Wilber, Ken (2006)   Integrale Psychologie, 3 924195 692

Wilber, Ken (1997)   Eine kurze Geschichte des Kosmos ,3 596 13397 1

Wilber, Ken (2001)   Vom Tier zu den Göttern, 3 45105215 7

Wilber ,Ken (1998   Naturwissenschaft und Religion, 978 3 596 18659 4

Wolf, Fred Alan (1998)   Parallele Universen– Die Suche nach anderen Welten,
                          Insel Verlag, Frankfurt am Main und Leipzig

Zehl, H. M. (2000)   Astrologische Vorhersage, 3-7787-3877-1

Über den Autor

Wolfgang Krucker, Dr. phil., machte nach seinem Studium der theoretischen und angewandten Psychologie, der Sozialpsychologie und Pädagogik eine Weiterbildung zum klinischen Psychologen und Psychotherapeuten. Er arbeitete lange an den Kinder- und Jugendpsychiatrischen Diensten St. Gallen und in den Zweigstellen Vaduz und Wil, unter anderem in der internen Weiterbildung und als Supervisor. Daneben führt er eine Privatpraxis. Frühere Publikationen waren „Strukturbildende Psychotherapie" (Springer 1987), „Partner der Innenwelt" (Walter 1995), „Spielen als Therapie" (Pfeiffer 1997) und „Diagnose und Therapie in der klinischen Kinderpsychologie" (Pfeiffer bei Klett-Cotta 2000).